큐브 수학 실력

|진도북|

3·2

구성과 특징

진도북 3단계 학습법

STEP 1 개념 완성하기

알차게 구성한 개념 정리와 개념 확인 문제로 개념을 완벽하게 익힙니다.
기본 유형 문제로 다양한 유형 학습을 준비합니다.

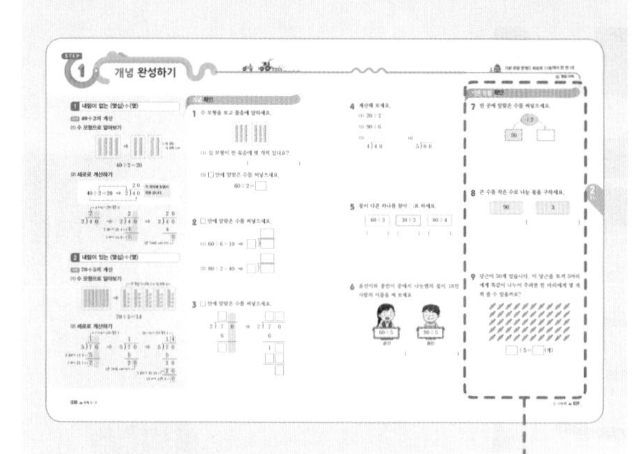

STEP 2 실력 다지기

학교 시험에 잘 나오는 문제와 다양한 유형의 문제를 유형 확인 강화 의 3단계로 학습하여 실력을 키웁니다.

약점 체크 틀리기 쉬운 문제를 집중적으로 학습합니다.

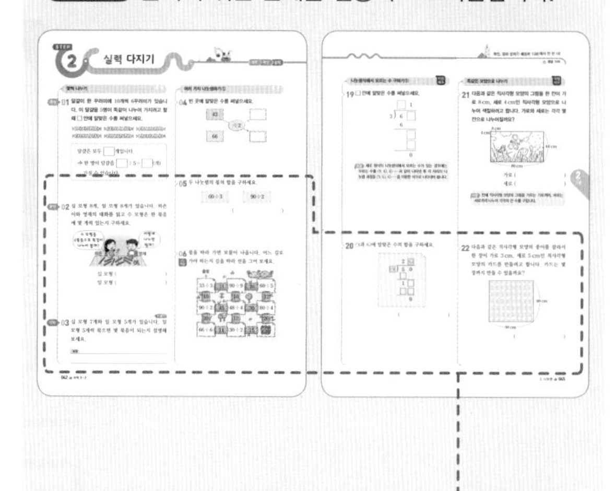

매칭북 1:1 매칭 학습

STEP1 · 한 번 더 개념 완성하기

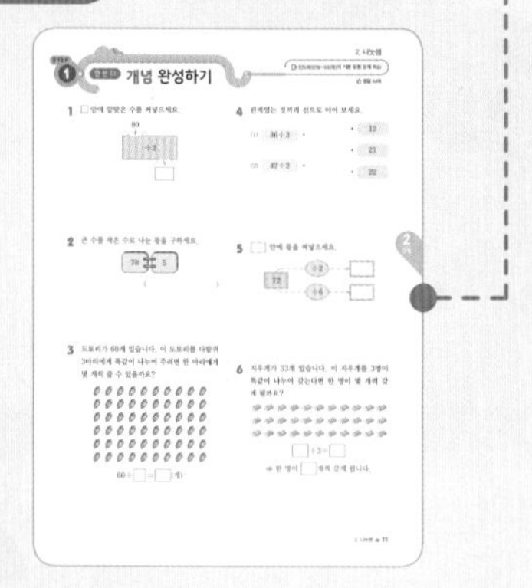

STEP1의 **기본 유형 문제**를 **한 번 더** 공부하여 개념을 완성합니다.

STEP2 · 한 번 더 실력 다지기

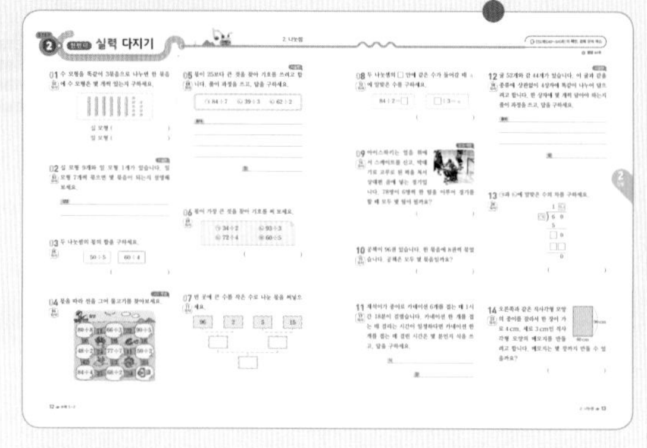

STEP2의 **확인, 강화 문제**를 **한 번 더** 공부하여 실력을 다집니다.

큐브수학 실력 무료 스마트러닝

첫째 QR코드 스캔하여 1초 만에 바로 강의 시청

둘째 최적화된 강의 커리큘럼으로 학습 효과 UP!

서술형 문제 풀이 강의
서술형 풀이를 쓰기 어려울 때 문제 해결 전략 강의를 통해 서술형 풀이를 체계적으로 완성합니다.

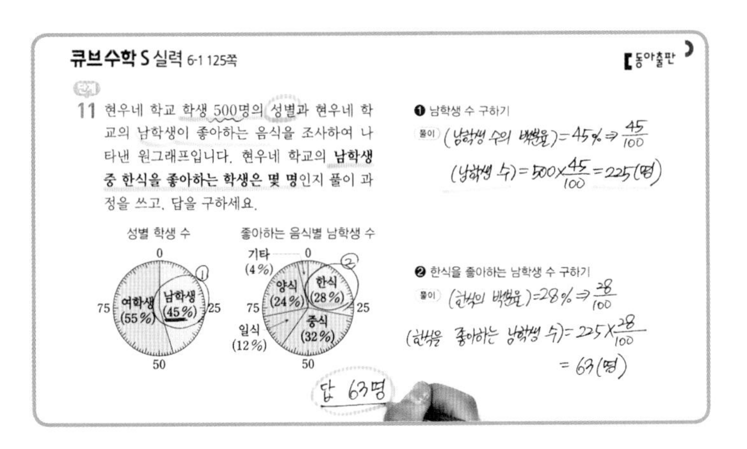

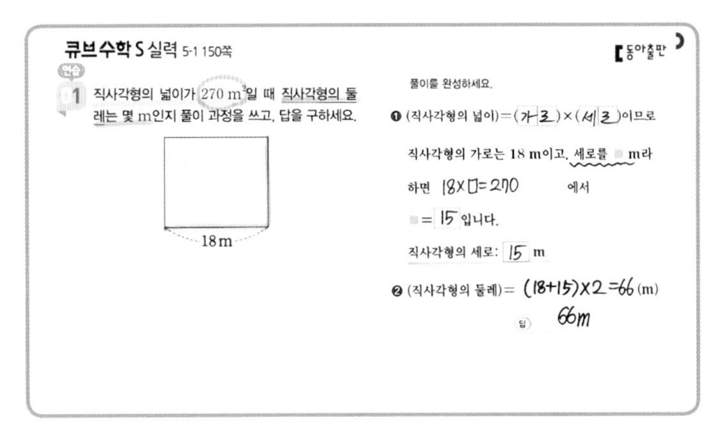

#큐브수학 #초등수학 #무료

큐브수학 실력 **초등수학 3학년** 강의 목록

구분	단원명	학습 내용	공부한 날	동영상 확인
서술형 강의	1. 곱셈	서술형 해결하기 028쪽	월 일	
		서술형 해결하기 029쪽	월 일	
		서술형 해결하기 030쪽	월 일	
		서술형 해결하기 031쪽	월 일	
	2. 나눗셈	서술형 해결하기 056쪽	월 일	
		서술형 해결하기 057쪽	월 일	
		서술형 해결하기 058쪽	월 일	
		서술형 해결하기 059쪽	월 일	
	3. 원	서술형 해결하기 078쪽	월 일	
		서술형 해결하기 079쪽	월 일	
	4. 분수	서술형 해결하기 102쪽	월 일	
		서술형 해결하기 103쪽	월 일	
	5. 들이와 무게	서술형 해결하기 132쪽	월 일	
		서술형 해결하기 133쪽	월 일	
		서술형 해결하기 134쪽	월 일	
		서술형 해결하기 135쪽	월 일	
	6. 자료의 정리	서술형 해결하기 154쪽	월 일	
		서술형 해결하기 155쪽	월 일	

큐브수학 초등수학 3학년 학습 계획표

학습 계획표를 따라 차근차근 수학 공부를 시작해 보세요.
큐브수학과 함께라면 수학 공부, 어렵지 않습니다.

단원	회차	진도북	매칭북	공부한 날
1단원	1회	006~011쪽	01쪽	월 일
	2회	012~017쪽	02~04쪽	월 일
	3회	018~021쪽	05쪽	월 일
	4회	022~027쪽	06~08쪽	월 일
	5회	028~031쪽	09~10쪽	월 일
	6회	032~034쪽		월 일
	7회		47~49쪽	월 일
2단원	8회	036~041쪽	11쪽	월 일
	9회	042~045쪽	12~13쪽	월 일
	10회	046~049쪽	14쪽	월 일
	11회	050~055쪽	15~17쪽	월 일
	12회	056~059쪽	18~19쪽	월 일
	13회	060~062쪽		월 일
	14회		50~52쪽	월 일
3단원	15회	064~071쪽	20쪽	월 일
	16회	072~077쪽	21~23쪽	월 일
	17회	078~079쪽	24쪽	월 일
	18회	080~082쪽		월 일
	19회		53~55쪽	월 일
4단원	20회	084~089쪽	25쪽	월 일

단원	회차	진도북	매칭북	공부한 날
4단원	21회	090~093쪽	26~27쪽	월 일
	22회	094~097쪽	28쪽	월 일
	23회	098~101쪽	29~30쪽	월 일
	24회	102~103쪽	31쪽	월 일
	25회	104~106쪽		월 일
	26회		56~58쪽	월 일
5단원	27회	110~115쪽	32쪽	월 일
	28회	116~119쪽		월 일
	29회	120~121쪽	33~35쪽	월 일
	30회	122~125쪽	36쪽	월 일
	31회	126~129쪽		월 일
	32회	130~131쪽	37~39쪽	월 일
	33회	132~135쪽	40~41쪽	월 일
	34회	136~138쪽		월 일
	35회		59~61쪽	월 일
6단원	36회	142~147쪽	42쪽	월 일
	37회	148~153쪽	43~45쪽	월 일
	38회	154~155쪽	46쪽	월 일
	39회	156~158쪽		월 일
	40회		62~64쪽	월 일

❶ 유형 학습 **하나의 주제**에 대한 필수 문제의 **3단계 입체적 유형 학습**

❷ 매칭 학습 진도북의 각 코너를 **1:1 매칭**시킨 매칭북을 통해 **한 번 더 복습**

❸ 서술형 강화 수학 핵심 역량의 접목/풀이 과정을 자연스럽게 익히면서 쓸 수 있는 **3단계 서술형 학습법**

STEP ③ 서술형 **해결하기**

풀이 과정을 자연스럽게 익히면서 쓸 수 있는 체계적인 연습 단계 실전의 3단계 학습으로 서술형을 완벽하게 대비합니다.

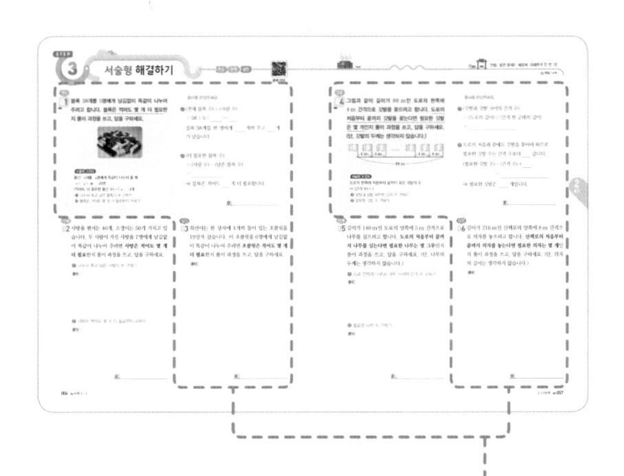

단원 마무리

한 단원을 마무리하는 단계로 해당 단원을 잘 공부했는지 확인하여 실력을 점검합니다.

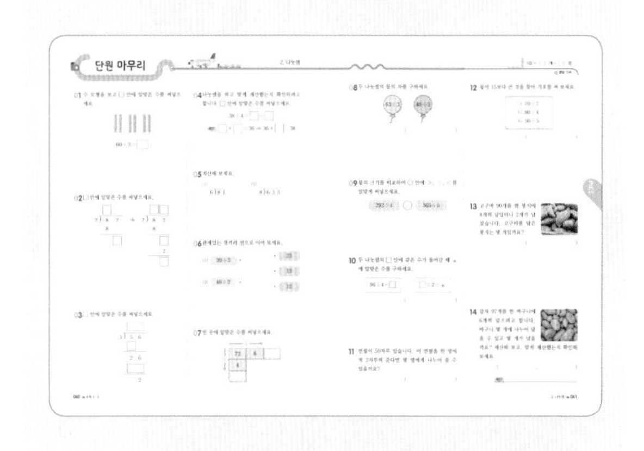

STEP3 · 한 번 더 서술형 **해결하기**

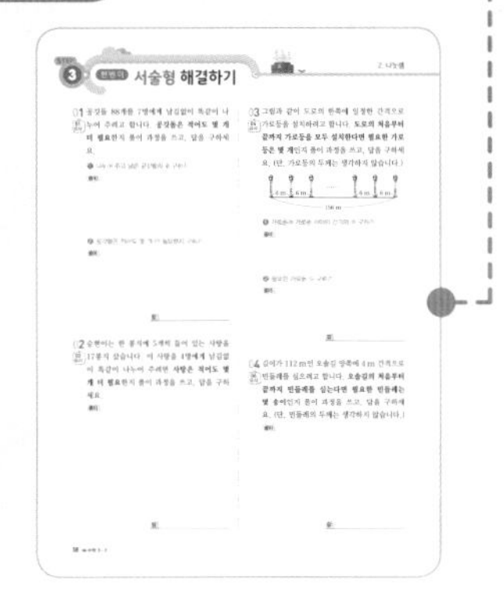

STEP3의 **연습, 실전 문제**를 **한 번 더** 공부하여 서술형을 해결합니다.

단원 평가

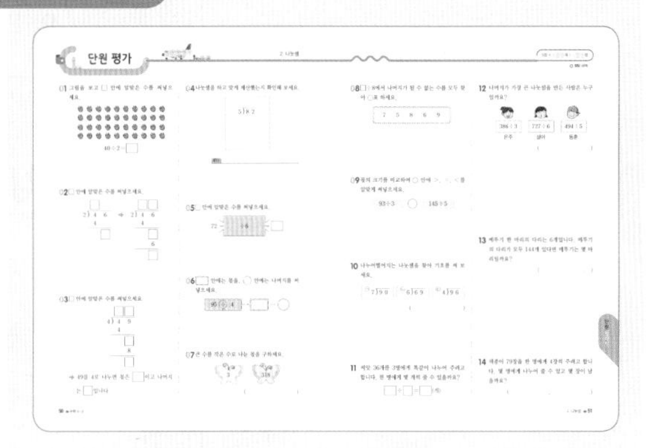

단원별로 실력을 최종 점검합니다.

차례

5

6

1 곱셈

영차
OO 유원지
영차
밤
우리가 타고 온 버스의 좌석 수는 몇 개나 될까?
한 접시에 밤이 15개씩이야.
한 대에 24개의 좌석이 있으니까 3대면…….
한 바구니에 120개씩 담겨 있는 블루베리 팝니다.
그리고 접시가 15개니까 밤은 모두 몇 개일까?
영차!
블루베리 8바구니를 모두 세어 볼까?

학습계획표

진 진도북, 매 매칭북

학습 계획 및 확인				학습 내용
STEP 1 개념 완성하기	월 일	진 008~011쪽	□	1. 올림이 없는 (세 자리 수)×(한 자리 수) 2. 올림이 있는 (세 자리 수)×(한 자리 수)① 3. 올림이 있는 (세 자리 수)×(한 자리 수)②
	월 일	매 01쪽	□	
STEP 2 실력 다지기	월 일	진 012~017쪽	□	어림하여 곱셈하기 여러 가지 곱셈하기① 곱셈식을 만들어 계산하기① 계산이 잘못된 부분 찾기 계산 결과 비교하기① 곱셈의 활용① 도형의 변의 길이 구하기 곱셈을 이용하여 금액 구하기 약점 체크 수를 만들어 곱 구하기 약점 체크 곱셈식에서 □ 안에 알맞은 수 구하기 약점 체크 곱이 가장 큰(작은) 곱셈식 만들기① 약점 체크 크기 비교에서 □ 안에 알맞은 수 구하기①
	월 일	매 02~04쪽	□	
STEP 1 개념 완성하기	월 일	진 018~021쪽	□	4. (몇십)×(몇십) 5. (몇십몇)×(몇십) 6. (몇)×(몇십몇) 7. (몇십몇)×(몇십몇) 8. 곱셈을 이용하여 실생활 문제 해결하기
	월 일	매 05쪽	□	
STEP 2 실력 다지기	월 일	진 022~027쪽	□	여러 가지 곱셈하기② 곱셈식을 만들어 계산하기② 계산 결과 비교하기② 여러 가지 방법으로 곱셈하기 빈칸에 알맞은 수 구하기 곱셈의 활용② 크기 비교에서 □ 안에 알맞은 수 구하기② 규칙을 찾아 계산하기 약점 체크 곱이 가장 큰(작은) 곱셈식 만들기② 약점 체크 바르게 계산한 값 구하기 약점 체크 계산 결과 비교의 활용 약점 체크 주어진 방법으로 문제 해결하기
	월 일	매 06~08쪽	□	
STEP 3 서술형 해결하기	월 일	진 028~031쪽	□	서술형 학습
	월 일	매 09~10쪽	□	
평가 단원 마무리	월 일	진 032~034쪽	□	마무리 학습
	월 일	매 47~49쪽	□	

※ 이번 단원에서 공부할 계획을 세우고 계획대로 공부했다면 □ 안에 ○표 합니다.

1 단원

개념 완성하기

1 올림이 없는 (세 자리 수)×(한 자리 수)

예제 134×2의 계산

(1) 수 모형으로 알아보기

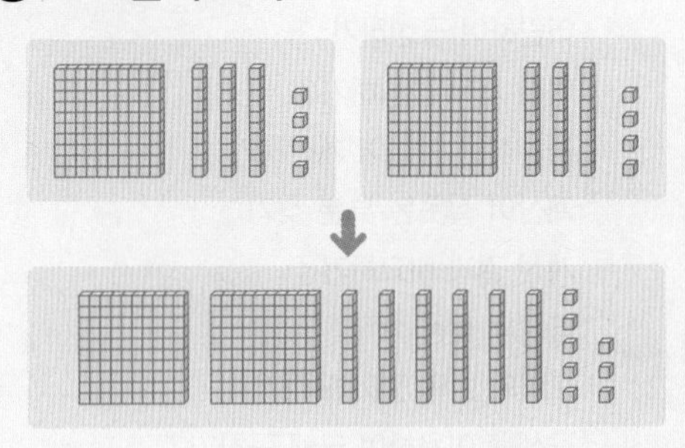

백 모형	십 모형	일 모형
$1\times2=2$(개) → 200	$3\times2=6$(개) → 60	$4\times2=8$(개) → 8

➜ $134\times2=200+60+8=268$

(2) 세로로 계산하기

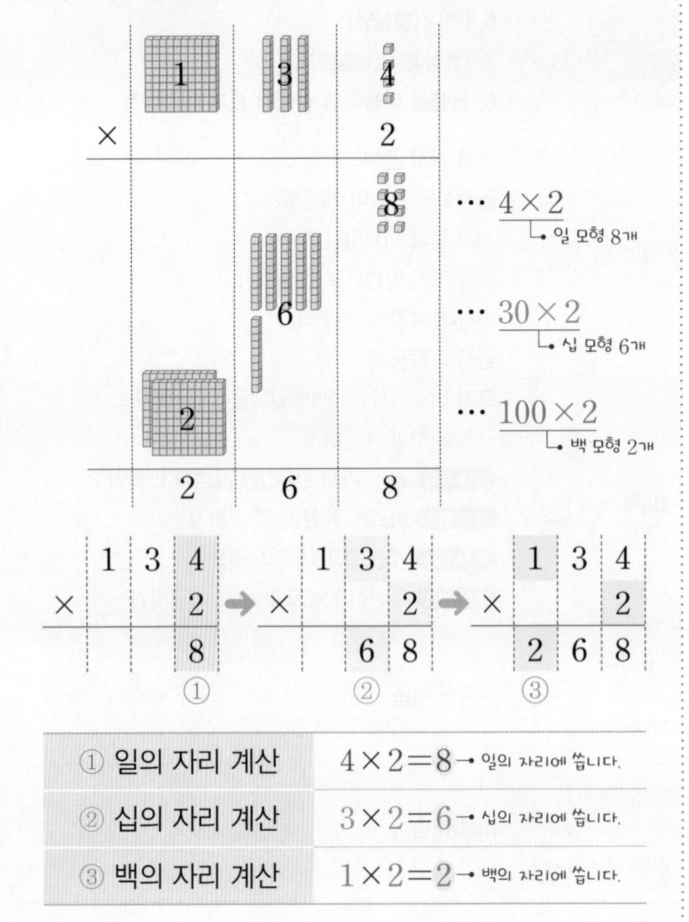

① 일의 자리 계산	$4\times2=8$ → 일의 자리에 씁니다.
② 십의 자리 계산	$3\times2=6$ → 십의 자리에 씁니다.
③ 백의 자리 계산	$1\times2=2$ → 백의 자리에 씁니다.

개념 확인

1 수 모형을 보고 □ 안에 알맞은 수를 써넣으세요.

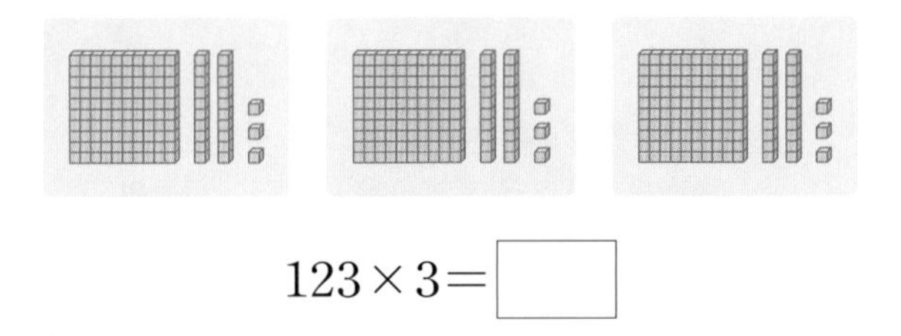

$123\times3=$ □

2 수 모형을 보고 곱셈식으로 나타내어 보세요.

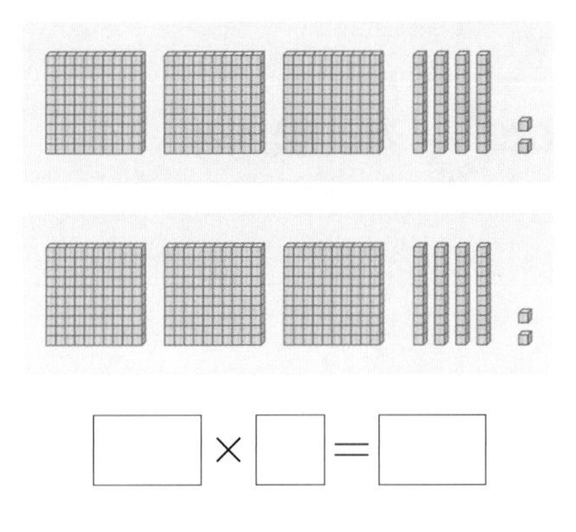

□ × □ = □

3 □ 안에 알맞은 수를 써넣으세요.

212×4 —
- $200\times4=$ □
- $10\times4=$ □
- $2\times4=$ □

→ □

4 계산해 보세요.

(1)
$$\begin{array}{r} 1\,2\,1 \\ \times \quad 3 \\ \hline \end{array}$$

(2)
$$\begin{array}{r} 4\,0\,3 \\ \times \quad 2 \\ \hline \end{array}$$

(3) 232×3

5 계산 결과를 찾아 선으로 이어 보세요.

(1) 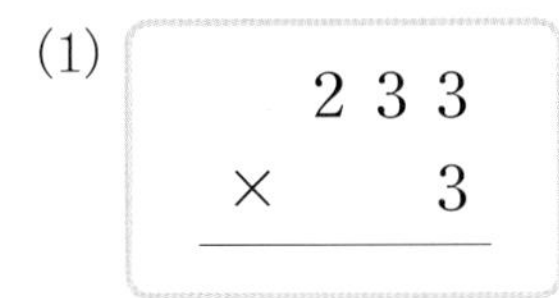
$$\begin{array}{r} 2\,3\,3 \\ \times \quad 3 \\ \hline \end{array}$$

(2) 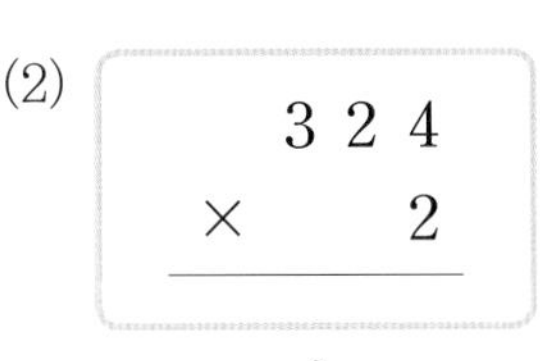
$$\begin{array}{r} 3\,2\,4 \\ \times \quad 2 \\ \hline \end{array}$$

648 · 689 · 699

6 곱이 700보다 작은 것을 찾아 ○표 하세요.

414×2	231×3
(　　)	(　　)

기본 유형 확인

7 □ 안에 알맞은 수를 써넣으세요.

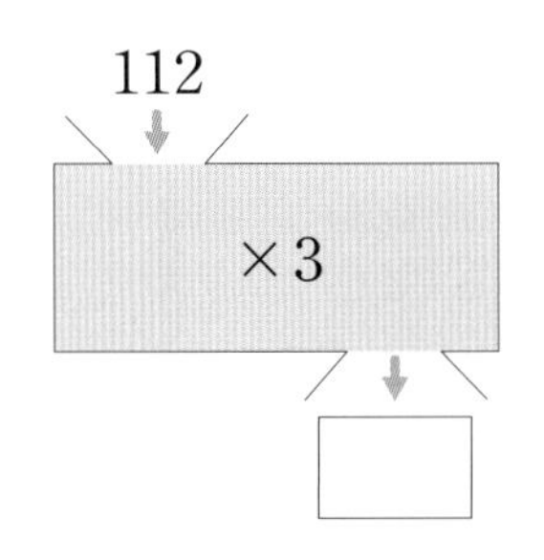

8 두 수의 곱을 구하세요.

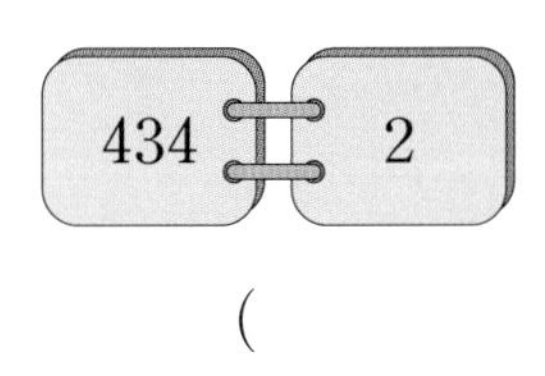

(　　　　　　)

9 자두가 한 상자에 143개씩 들어 있습니다. 2상자에는 자두가 모두 몇 개 들어 있을까요?

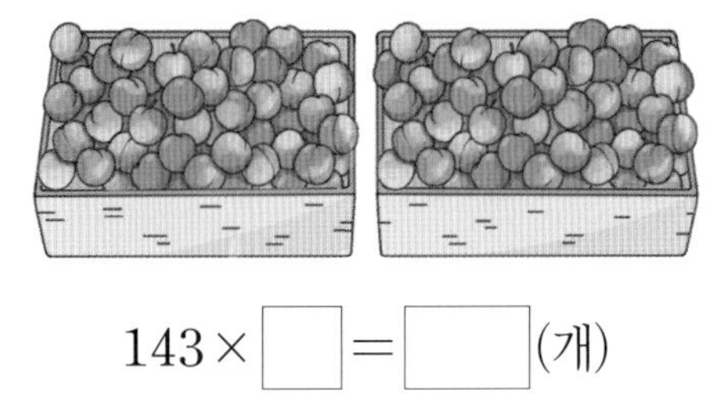

$143 \times \square = \square$(개)

개념 완성하기

2 올림이 있는 (세 자리 수)×(한 자리 수)①

예제 215×3의 계산 → 일의 자리에서 올림이 있는 경우

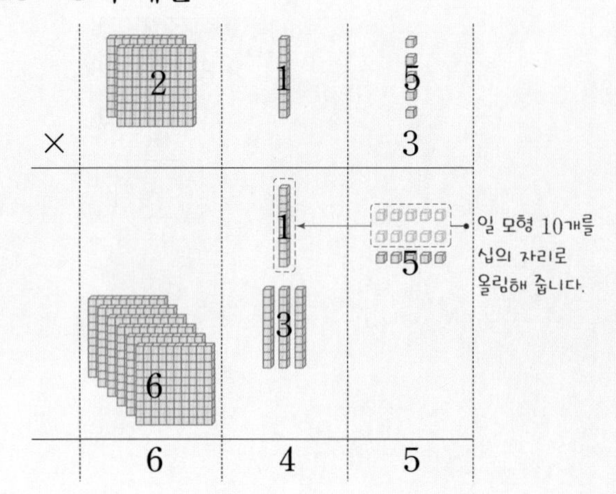

	2	1	5	
×			3	
		1	5	… 5×3
		3	0	… 10×3
	6	0	0	… 200×3
	6	4	5	

→

	2	$\overset{1}{1}$	5
×			3
	6	4	5

올림한 수→1 ⊕ → 4
1×3=3

3 올림이 있는 (세 자리 수)×(한 자리 수)②

예제 1 162×2의 계산 → 십의 자리에서 올림이 있는 경우

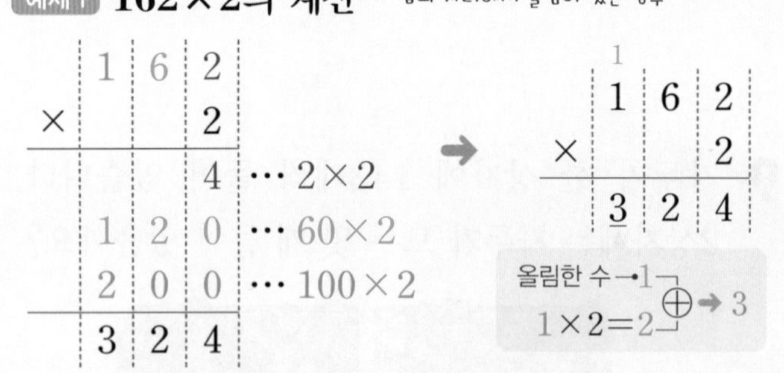

예제 2 841×4의 계산 → 십의 자리, 백의 자리에서 올림이 있는 경우

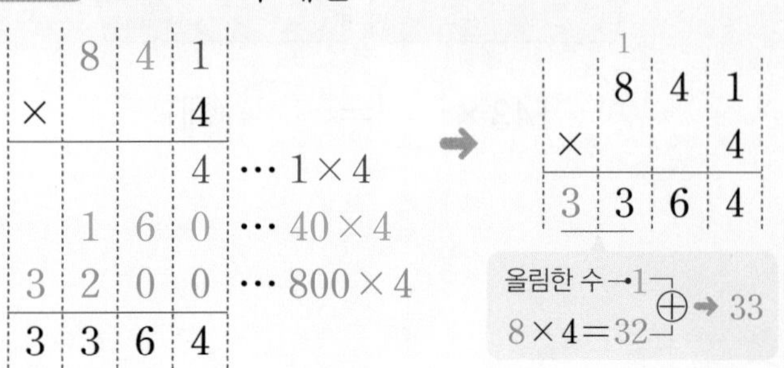

개념 확인

1 수 모형을 보고 곱셈식으로 나타내어 보세요.

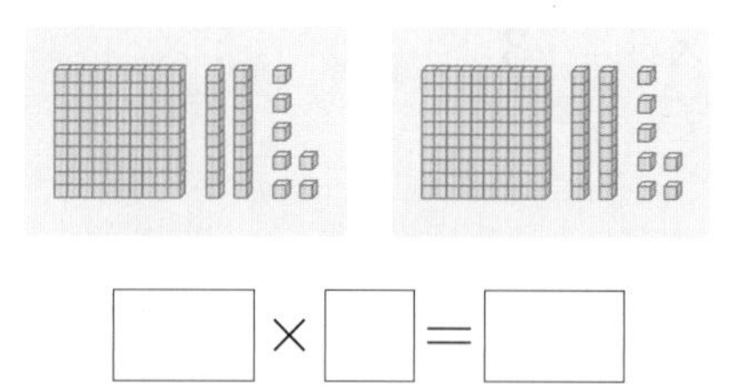

□ × □ = □

2 오른쪽 곱셈식에서 [2]가 실제로 나타내는 수는 얼마일까요?

(   )

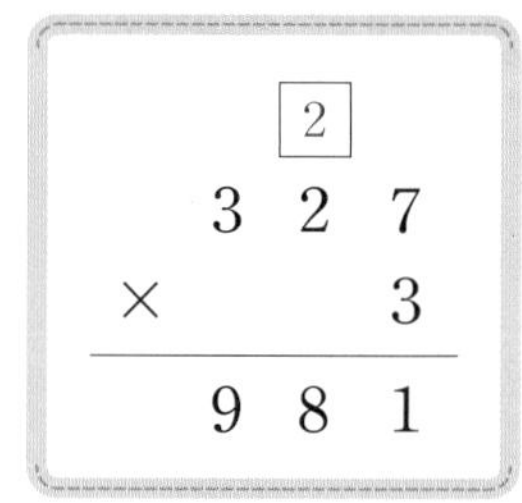

3 □ 안에 알맞은 수를 써넣어 141×6을 계산해 보세요.

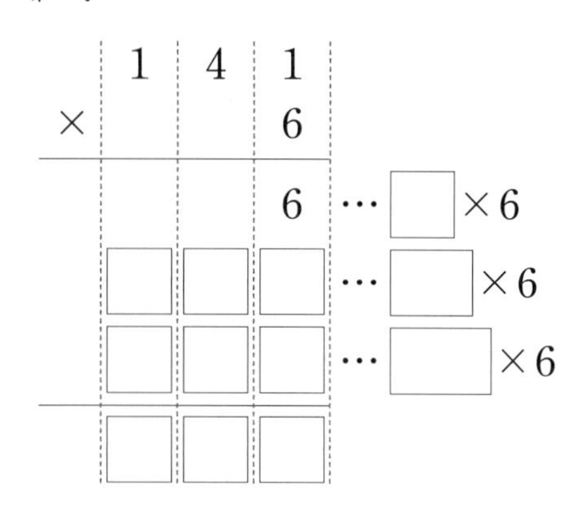

4 보기와 같이 계산해 보세요.

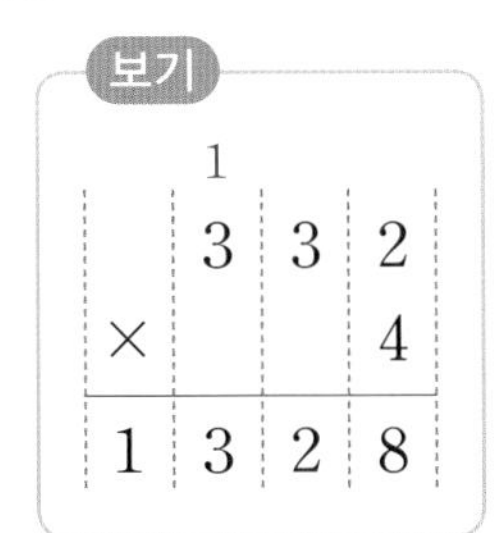

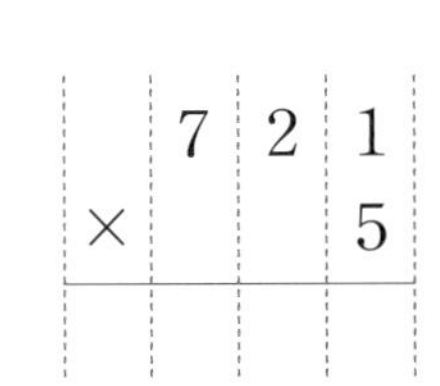

5 계산해 보세요.

(1) 124×3

(2) 182×4

(3) 329×2

(4) 563×3

6 올림이 2번 있는 (세 자리 수)×(한 자리 수)를 찾아 기호를 써 보세요.

㉠ 218×4　　㉡ 764×2

(　　　　　　　　)

기본 유형 확인

7 빈 곳에 알맞은 수를 써넣으세요.

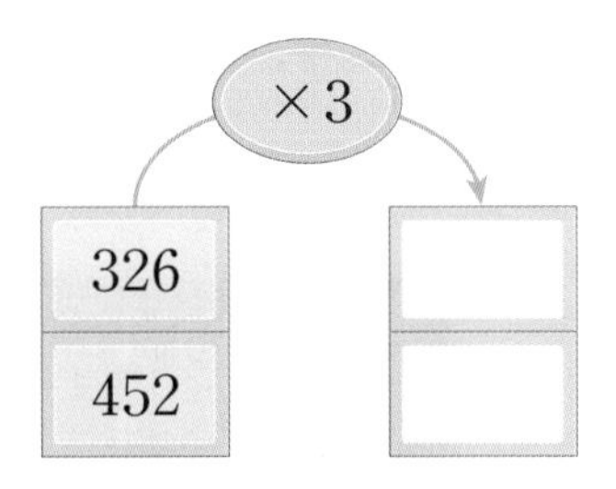

8 그림을 보고 □ 안에 알맞은 수를 써넣으세요.

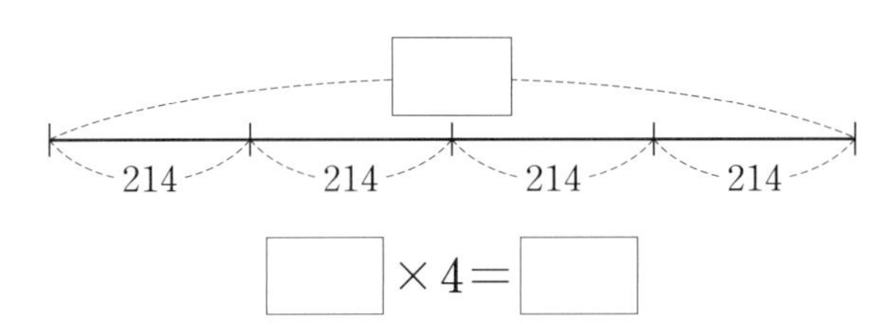

□×4=□

9 초콜릿이 한 봉지에 251개씩 들어 있습니다. 6봉지에는 초콜릿이 모두 몇 개 들어 있을까요?

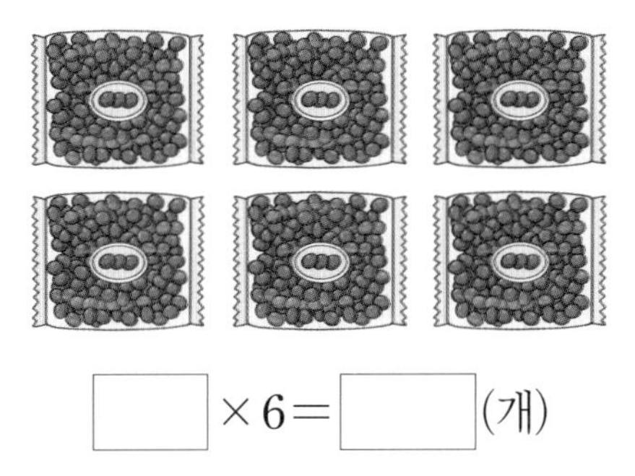

□×6=□(개)

1 단원

실력 다지기

어림하여 곱셈하기

유형 **01** 211×4를 어림한 후, 계산해 보세요.

어림한 곱 ______

(   )

서술형

확인 **02** 곱을 어림해 보고, 어림한 방법을 설명하세요.

319×3

어림한 곱 ______

설명 ______

강화 **03** 교과역량 한 번에 승객이 381명 탈 수 있는 열차를 서울에서 공주까지 하루에 9번 운행합니다. 물음에 답하세요.

(1) 열차를 타고 서울에서 공주까지 갈 수 있는 승객은 하루에 몇 명인지 어림해 보세요.

(   )

(2) 열차를 타고 서울에서 공주까지 갈 수 있는 승객은 하루에 몇 명인지 식을 쓰고, 답을 구하세요.

식 ______

답 ______

여러 가지 곱셈하기①

04 두 곱의 합을 구하세요.

121×4　　253×2

(   )

05 보기와 같이 계산 결과를 찾아 색칠해 보세요.

보기
126×3=378

㉠ 437×2　㉡ 124×4
㉢ 329×3　㉣ 231×2

789	496	584
378	638	987
874	967	462

06 빈 곳에 알맞은 수를 써넣으세요.

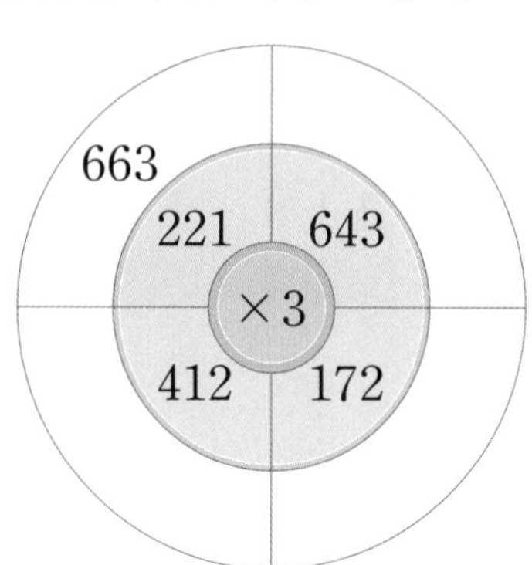

정답 02쪽

곱셈식을 만들어 계산하기①

07 다음이 나타내는 수를 구하세요.

321의 3배

(　　　　　　　　)

08 덧셈식을 곱셈식으로 나타내고, 답을 구하세요.

182+182+182+182

식 ____________

답 ____________

서술형

09 정민이가 말하는 수와 4의 곱을 구하려고 합니다. 풀이 과정을 쓰고, 답을 구하세요.

풀이 ____________

답 ____________

계산이 잘못된 부분 찾기

10 계산을 바르게 한 것을 찾아 기호를 써 보세요.

㉠ $292 \times 3 = 676$
㉡ $115 \times 6 = 690$
㉢ $364 \times 2 = 628$

(　　　　　　　　)

11 교과역량 승준이와 미라는 각각 다음과 같이 계산하였습니다. 계산을 잘못한 사람의 이름을 쓰고, 바르게 계산한 값을 구하세요.

(　　　　　,　　　　　)

서술형

12 계산이 잘못된 부분을 찾아 이유를 쓰고, 바르게 계산하세요.

$$\begin{array}{r} 567 \\ \times \quad 4 \\ \hline 2248 \end{array}$$
→

이유 ____________

STEP 2 실력 다지기

계산 결과 비교하기①

유형 **13** 곱의 크기를 비교하여 ◯ 안에 >, =, <를 알맞게 써넣으세요.

419×2  126×7

확인 **14** 지원이와 세린이 중에서 곱이 더 작은 사람의 이름과 그 곱을 써 보세요.

(,)

강화 **15** 곱이 큰 순서대로 □ 안에 글자를 차례로 써넣어 사자성어를 완성하세요.

비: 218×3	환: 117×5
무: 321×2	유: 406×2

□□□□

곱셈의 활용①

16 호주를 다녀오신 아버지는 가희에게 호주 돈 4달러를 용돈으로 주셨습니다. 가희가 은행에 간 날 호주 돈 1달러는 우리나라 돈 832원과 같았습니다. 가희가 받은 용돈은 우리나라 돈으로 얼마일까요?

( )

17 소리는 1초에 340 m씩 이동합니다. 민국이는 번개가 친 뒤 5초 후에 천둥소리를 들었다면 번개가 친 곳은 민국이가 있는 곳으로부터 몇 m 떨어져 있을까요? (단, 민국이는 천둥소리를 들은 곳에서 이동하지 않았습니다.)

교과역량

( )

서술형

18 정아네 농장에서 수확한 고구마와 감자를 상자에 담았습니다. 고구마를 담은 상자는 145상자이고, 감자를 담은 상자 수는 고구마를 담은 상자 수의 2배입니다. 정아네 농장에서 수확한 고구마와 감자는 모두 몇 상자인지 풀이 과정을 쓰고, 답을 구하세요.

풀이

답

도형의 변의 길이 구하기

19 다음 삼각형의 세 변의 길이는 모두 같습니다. 이 삼각형의 세 변의 길이의 합은 몇 cm일까요?

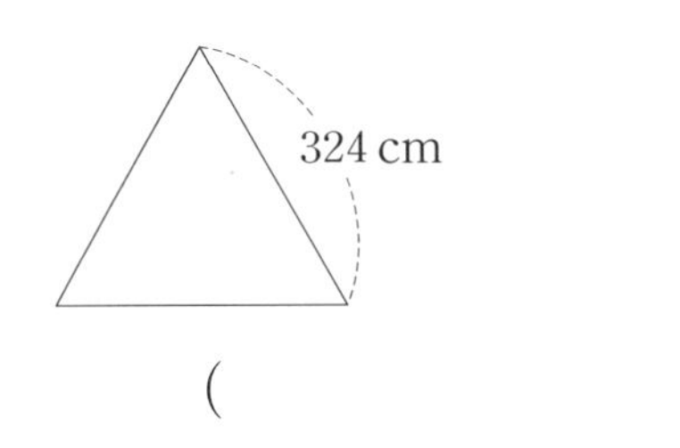

(　　　　　　　　)

20 한 변이 152 m인 정사각형 모양의 밭이 있습니다. 이 밭의 네 변의 길이의 합은 몇 m일까요?

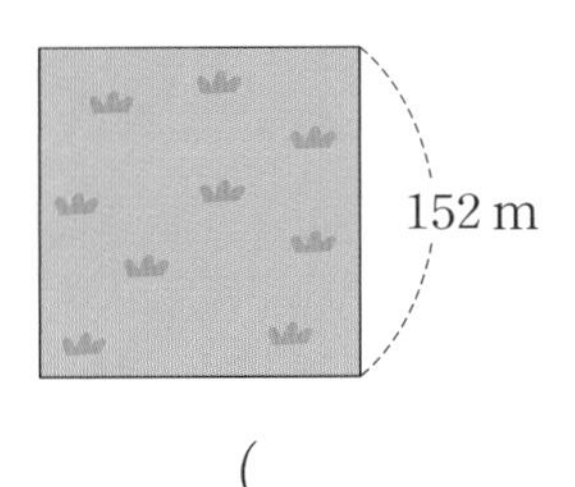

(　　　　　　　　)

21 효미는 철사를 사용하여 다음과 같이 네 변의 길이가 모두 같은 사각형을 만들었습니다. 남은 철사의 길이가 16 mm라면 효미가 처음에 가지고 있던 철사의 길이는 몇 mm일까요?

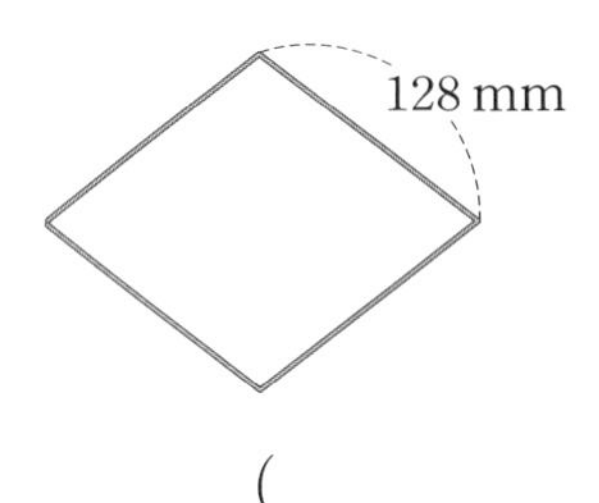

(　　　　　　　　)

곱셈을 이용하여 금액 구하기

22 연우는 가게에서 260원짜리 젤리 3개를 사고 1000원을 냈습니다. 연우가 받아야 할 거스름돈은 얼마일까요?

(　　　　　　　　)

23 동우가 마트에서 산 물건의 영수증입니다. 동우가 낸 돈이 5000원이라면 받아야 할 거스름돈은 얼마일까요?

싱싱마트 **영 수 증**

상품명	금액(개당)	개수
요구르트	850원	4개
사탕	460원	2개

(　　　　　　　　)

24 현준이는 480원짜리 비스킷 6개를 사려고 합니다. 지금 현준이가 가지고 있는 돈이 2000원이라면 얼마가 모자랄까요?

(　　　　　　　　)

1 단원

수를 만들어 곱 구하기

약점 체크

유형 **25** 시우는 공에 적힌 수를 한 번씩만 사용하여 가장 큰 세 자리 수와 가장 작은 한 자리 수를 각각 만들어 만든 두 수의 곱을 구하려고 합니다. □ 안에 알맞은 수를 써넣으세요.

$\square \times \square = \square$

해결 수를 만드는 방법
- 가장 큰 수: 높은 자리부터 큰 수를 차례로 놓습니다.
- 가장 작은 수: 높은 자리부터 작은 수를 차례로 놓습니다.
(단, 가장 높은 자리에 0을 놓을 수 없습니다.)

확인 **26** 소희와 정우가 1부터 9까지의 자연수를 한 번씩만 사용하여 수를 만들었습니다. 소희와 정우가 만든 두 수의 곱을 구하세요.

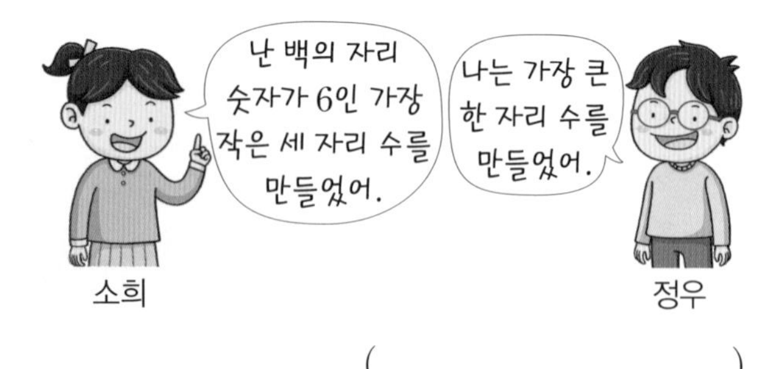

(　　　　　　　)

곱셈식에서 □ 안에 알맞은 수 구하기

약점 체크

27 □ 안에 알맞은 수를 구하세요.

$$\begin{array}{r} 6\square1 \\ \times\quad 4 \\ \hline 2724 \end{array}$$

(　　　　　　　)

주의 일의 자리 계산에서 $1\times4=4$이므로 $\square\times4$의 일의 자리 숫자가 2가 되는 □를 모두 찾아봅니다.

28 곱셈식에서 ㉠과 ㉡에 알맞은 수를 각각 구하세요.

$$\begin{array}{r} ㉠17 \\ \times\quad ㉡ \\ \hline 834 \end{array}$$

㉠ (　　　　　　　)
㉡ (　　　　　　　)

곱이 가장 큰(작은) 곱셈식 만들기①

약점 체크

29 4장의 수 카드 2, 6, 1, 8을 한 번씩만 사용하여 곱이 가장 큰 (세 자리 수)×(한 자리 수)를 만들려고 합니다. 물음에 답하세요.

□□□×㉠

(1) ㉠에 들어갈 수는 무엇일까요?

(　　　　　　　)

(2) 곱이 가장 큰 곱셈식의 곱은 얼마일까요?

(　　　　　　　)

해결 수의 크기가 ④>③>②>①일 때
- 곱이 가장 큰 (세 자리 수)×(한 자리 수): ③②①×④ (가장 큰 수)
- 곱이 가장 작은 (세 자리 수)×(한 자리 수): ②③④×① (가장 작은 수)

30 4장의 수 카드 3, 5, 2, 7을 □ 안에 한 번씩만 써넣어 곱이 가장 작은 곱셈식을 만들고, 곱을 구하세요.

□□□
× □

(　　　　　　　)

크기 비교에서 □ 안에 알맞은 수 구하기①

약점 체크

31 1부터 9까지의 자연수 중에서 □ 안에 들어갈 수 있는 가장 큰 수를 구하세요.

681×□ < 2325

(　　　　　　　)

해결 □ 안에 가장 작은 수인 1부터 차례로 넣어 681×□를 계산한 다음 □ 안에 들어갈 수 있는 수의 범위를 알아봅니다.

32 식이 적힌 종이의 일부에 물감이 묻어 수가 보이지 않습니다. 물감이 묻은 부분에 들어갈 수 있는 한 자리 수는 모두 몇 개인지 구하세요.

600<219×<1000

(　　　　　　　)

STEP 1 개념 완성하기

4 (몇십)×(몇십)

예제 30×20의 계산

(1) 가로로 계산하기

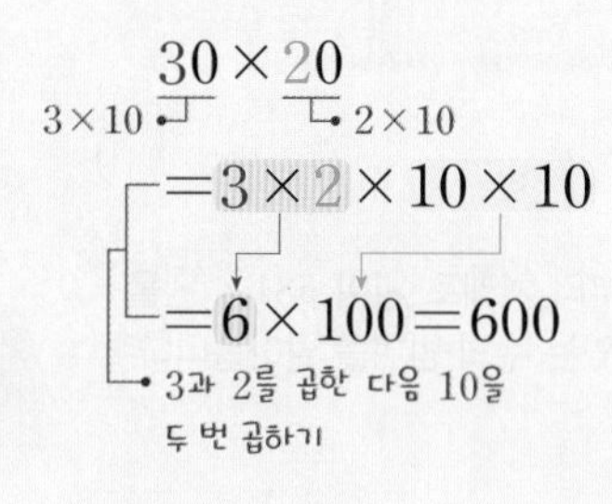

(2) 세로로 계산하기

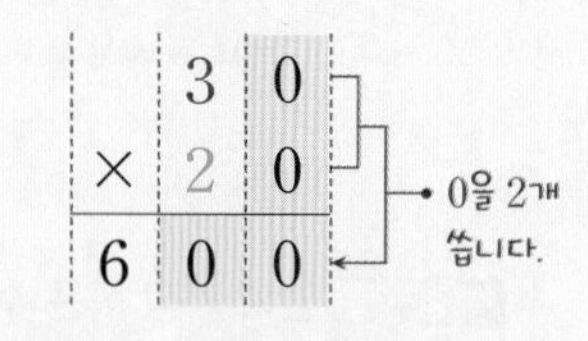

(몇)×(몇)을 계산한 다음 곱의 뒤에 0을 2개 붙여 줍니다.

5 (몇십몇)×(몇십)

예제 14×20의 계산

방법 1 $14\times20=14\times10\times2$ (14×10=140)
$=140\times2=280$

14에 10을 먼저 곱한 후 2를 곱합니다.

방법 2 $14\times20=14\times2\times10$ (14×2=28)
$=28\times10=280$

14에 2를 먼저 곱한 후 10을 곱합니다.

6 (몇)×(몇십몇)

예제 7×15의 계산

(1) 모눈종이로 알아보기

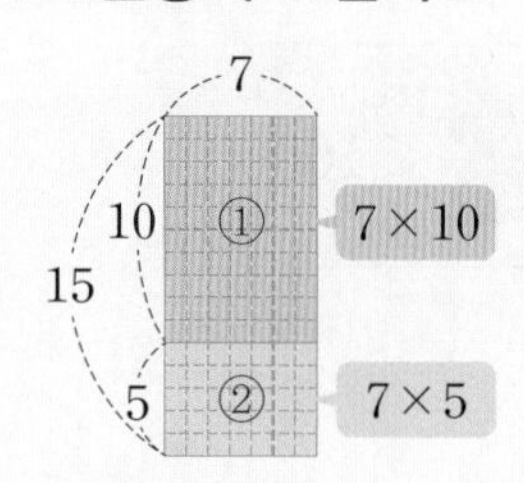

① 보라색: 7×10=70(칸)

② 초록색: 7×5=35(칸)

➡ 7×15=70+35
=105

(2) 세로로 계산하기

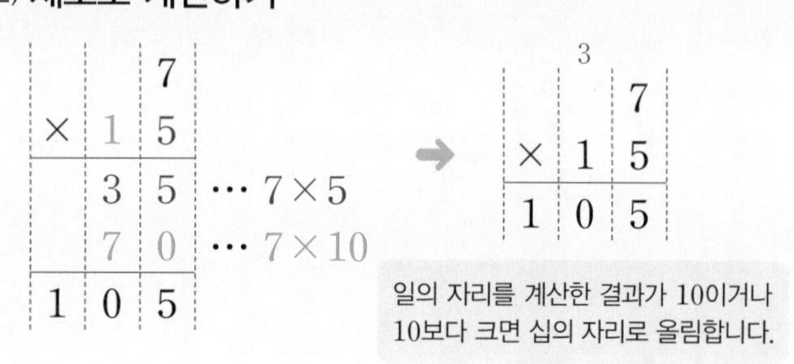

일의 자리를 계산한 결과가 10이거나 10보다 크면 십의 자리로 올림합니다.

개념 확인

1 □ 안에 알맞은 수를 써넣으세요.

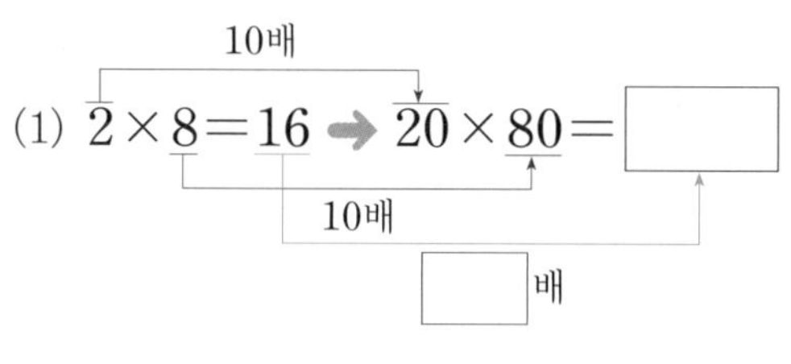

10배

(2) 25×3=75 ➡ 25×30=□

□배

2 31×20을 두 가지 방법으로 계산하였습니다. □ 안에 알맞은 수를 써넣으세요.

방법 1 31×20=31×10×□
=310×□=□

방법 2 31×20=31×□×10
=□×10=□

3 □ 안에 알맞은 수를 써넣어 3×38을 계산해 보세요.

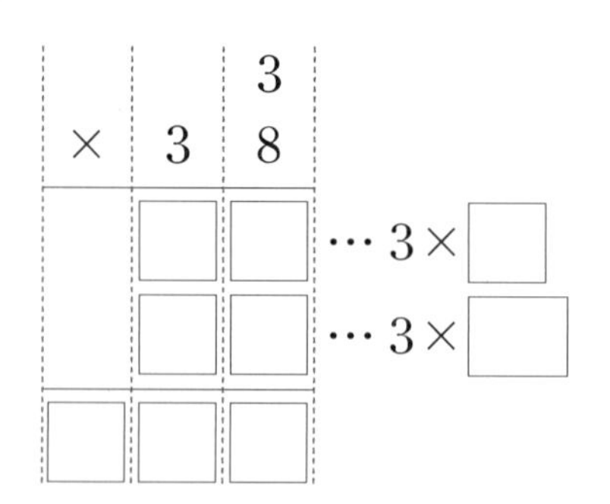

4 다음 계산에서 □ 안의 숫자끼리의 곱이 실제로 나타내는 수는 얼마일까요? (　　　　)

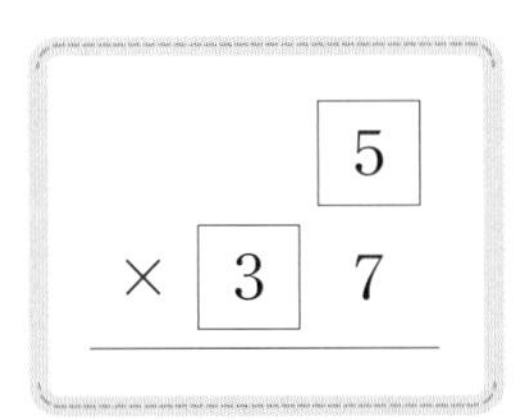

① 5　　② 15　　③ 30
④ 150　　⑤ 300

5 계산해 보세요.

(1) $\begin{array}{r} 40 \\ \times\ 60 \\ \hline \end{array}$　　(2) $\begin{array}{r} 23 \\ \times\ 80 \\ \hline \end{array}$

(3) $\begin{array}{r} 9 \\ \times\ 54 \\ \hline \end{array}$　　(4) $\begin{array}{r} 4 \\ \times\ 67 \\ \hline \end{array}$

6 □ 안에 알맞은 수를 써넣으세요.

기본 유형 확인

7 관계있는 것끼리 선으로 이어 보세요.

(1) 80×40 •　　• 3600
　　　　　　　　• 3400
(2) 60×60 •　　• 3200

8 빈 곳에 알맞은 수를 써넣으세요.

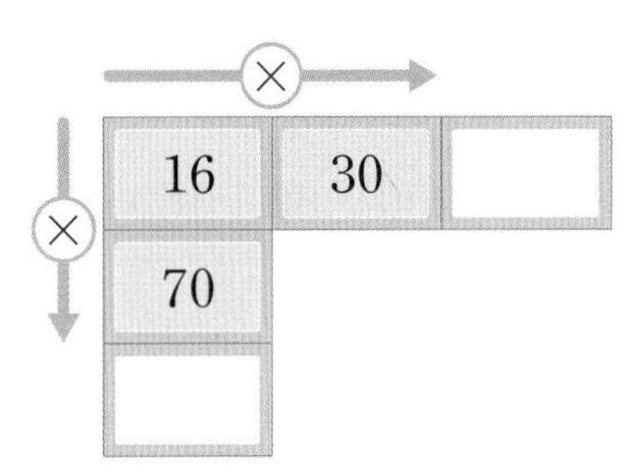

9 용훈이네 집에서 곶감을 만들기 위해 감을 한 줄에 9개씩 꿰었더니 16줄이 되었습니다. 줄에 꿴 감은 모두 몇 개일까요?

□×16=□(개)

STEP 1

개념 완성하기

7 (몇십몇)×(몇십몇)

예제 **26×18의 계산**

(1) 모눈종이로 알아보기

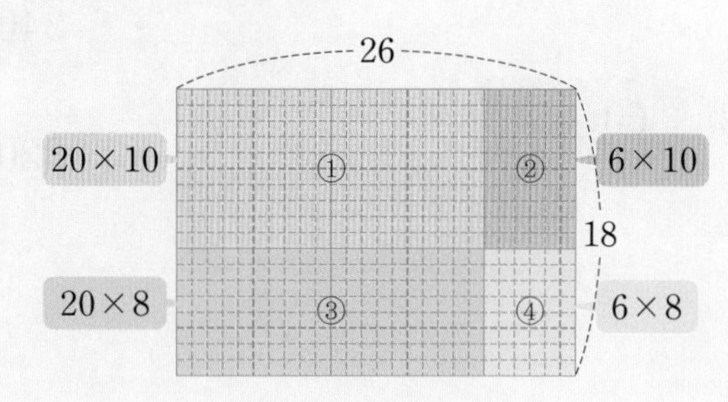

① 분홍색: $20\times10=200$(칸)

② 보라색: $6\times10=60$(칸)

③ 초록색: $20\times8=160$(칸)

④ 하늘색: $6\times8=48$(칸)

➡ $26\times18=200+60+160+48=468$

(2) 세로로 계산하기

	4 2	6
×	1	8
2	0	8

➡

	2	6
×	1	8
2	0	8
2	6	0

➡

	2	6	
×	1	8	
2	0	8	⋯ 26×8
2	6	0	⋯ 26×10
4	6	8	

8 곱셈을 이용하여 실생활 문제 해결하기

예제 달걀 한 판에 달걀이 30개 있습니다. 달걀 50판은 달걀이 모두 몇 개인지 구하세요.
(① 주어진 조건, ② 구하려는 것)

① 주어진 조건: 달걀 한 판의 달걀 수

② 구하려는 것: 달걀 50판의 달걀 수

③ 식 세워서 답 구하기

(달걀 한 판의 달걀 수)×(판의 수)
(30개) (50판)

$=30\times50=1500$(개)

➡ 달걀 50판은 달걀이 모두 1500개입니다.

개념 확인

1 수 모형을 보고 24×13을 계산해 보세요.

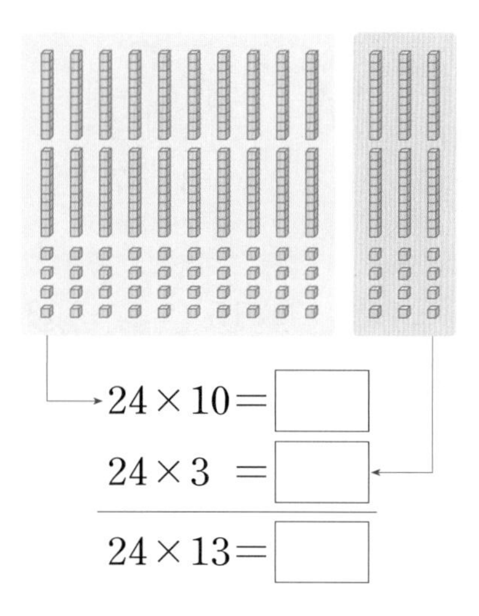

2 □ 안에 알맞은 수를 써넣으세요.

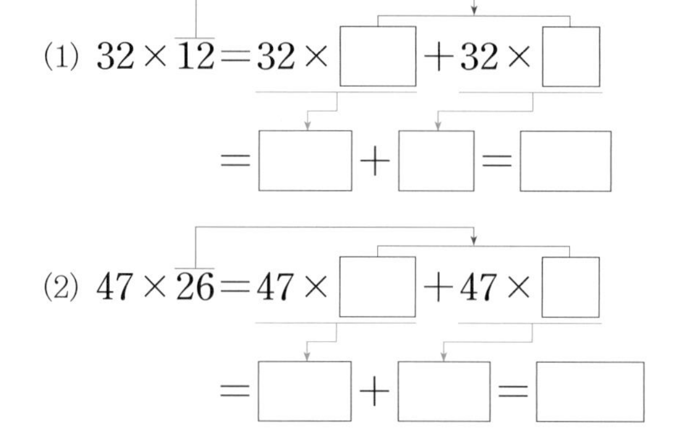

3 □ 안에 알맞은 수를 써넣어 27×64를 계산해 보세요.

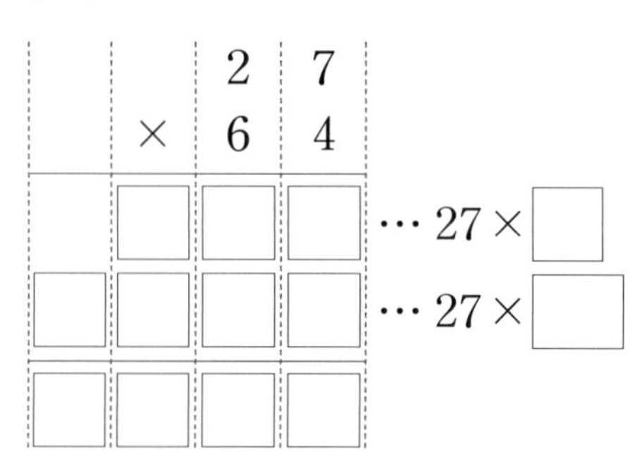

4 계산해 보세요.

(1) $\begin{array}{r} 17 \\ \times\ 23 \\ \hline \end{array}$

(2) $\begin{array}{r} 34 \\ \times\ 62 \\ \hline \end{array}$

(3) 53×74

5 모눈종이를 이용하여 17×12를 나타내고, 그 곱을 구하세요.

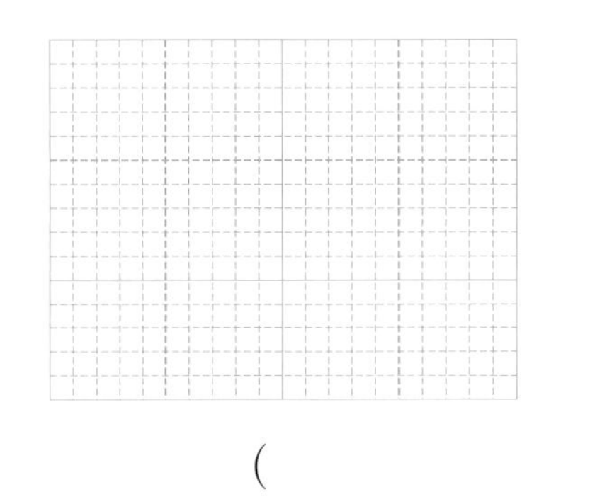

( )

6 다음을 읽고 물음에 답하세요.

장난감 로봇을 하루에 328개씩 만드는 공장이 있습니다. 이 공장에서 4일 동안 만들 수 있는 장난감 로봇은 모두 몇 개일까요?

(1) 구하려는 것은 무엇인가요?

( )

(2) 4일 동안 만들 수 있는 장난감 로봇은 모두 몇 개인지 식을 쓰고, 답을 구하세요.

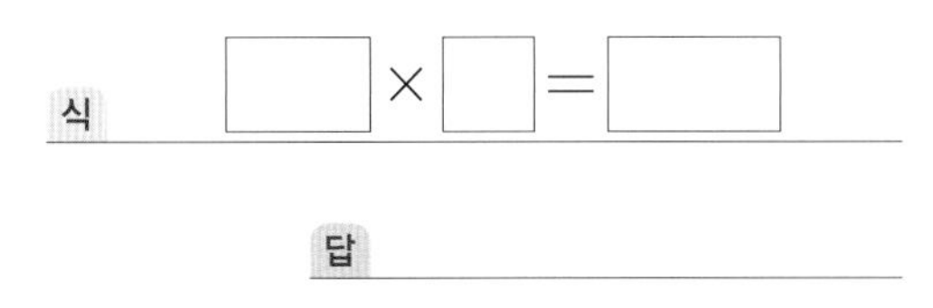

기본 유형 확인

7 관계있는 것끼리 선으로 이어 보세요.

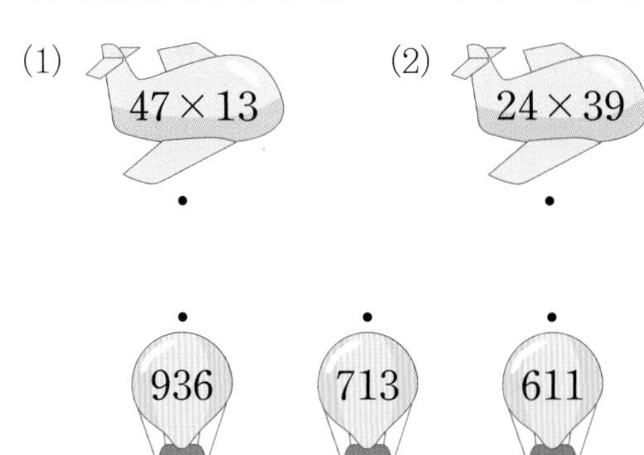

8 현민이는 다음과 같이 계산하였습니다. 계산이 잘못된 부분을 찾아 바르게 계산하세요.

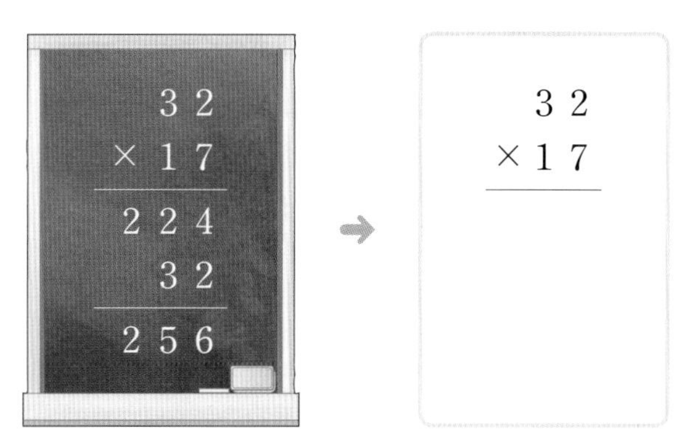

9 운동장에 학생들을 한 줄에 24명씩 15줄로 세우려고 합니다. 운동장에 세우려는 학생은 모두 몇 명인지 식을 쓰고, 답을 구하세요.

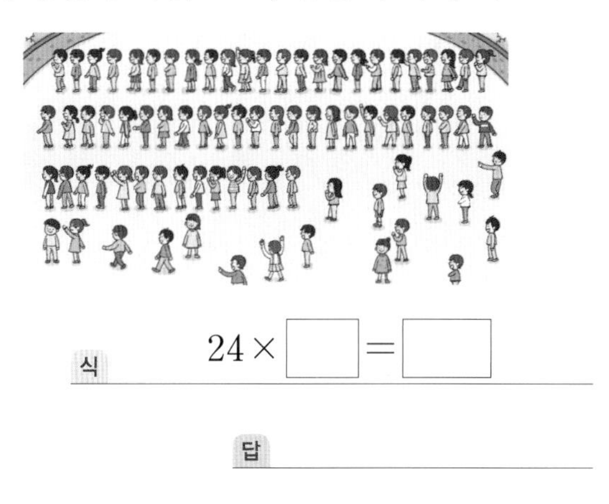

식 $24 \times \square = \square$

답

1 단원

STEP 2 실력 다지기

여러 가지 곱셈하기②

유형 **01** 다음 곱셈식을 이용하여 빈칸에 알맞은 수를 써넣으세요.

● × 80 = ★

●	20	70	52
★			

확인 **02** 빈 곳에 알맞은 수를 써넣으세요.

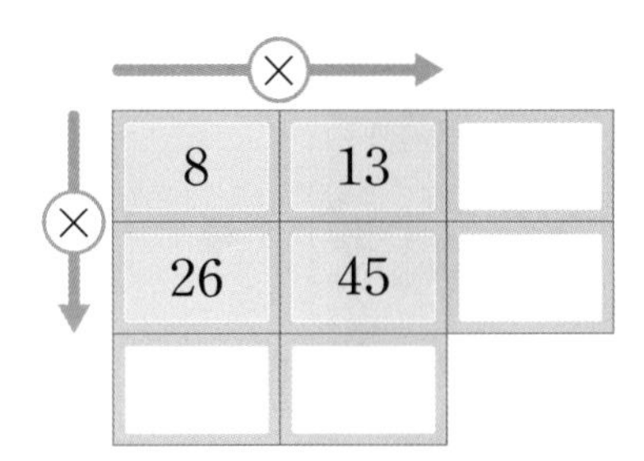

강화 **03** □ 안에 알맞은 수의 차를 구하세요.

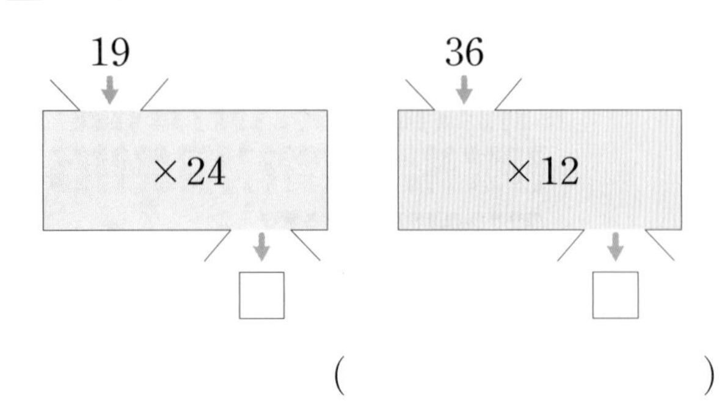

(　　　　　　　　)

곱셈식을 만들어 계산하기②

04 수직선에서 화살표(↓)가 가리키는 수와 28의 곱을 구하세요.

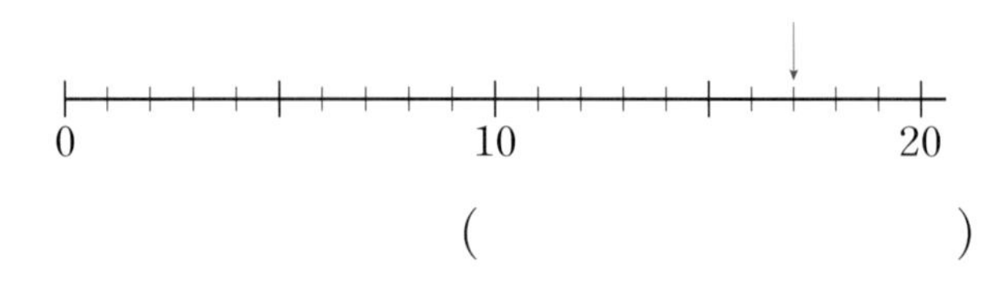

(　　　　　　　　)

05 사각형, 삼각형, 원 안에 있는 수끼리 각각 곱을 구하세요.

교과역량

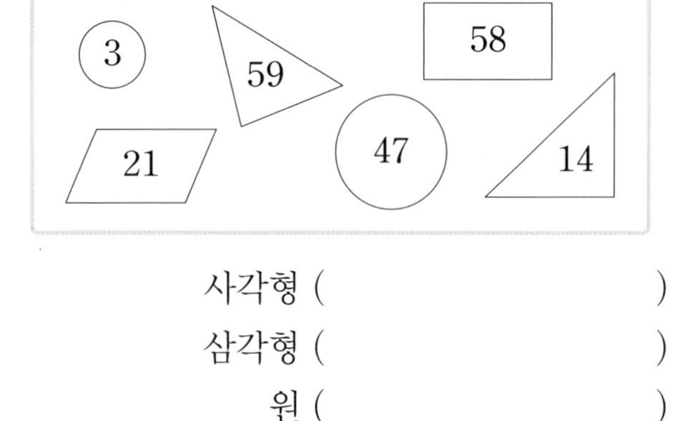

사각형 (　　　　　　　　)

삼각형 (　　　　　　　　)

원 (　　　　　　　　)

서술형

06 가장 큰 수와 가장 작은 수의 곱을 구하려고 합니다. 풀이 과정을 쓰고, 답을 구하세요.

42　39　51　20

풀이

답

계산 결과 비교하기②

07 곱의 크기를 비교하여 ○ 안에 >, =, <를 알맞게 써넣으세요.

9×28 ○ 4×53

08 계산 결과가 나머지와 다른 동물의 이름을 써 보세요.

40×40	80×20	70×30
코끼리	토끼	사자

(　　　　　　　　)

09 계산 결과가 큰 것부터 차례로 기호를 써 보세요.

㉠ 26×30
㉡ 32×31
㉢ 41×22

(　　　　　　　　)

여러 가지 방법으로 곱셈하기

10 18×15를 두 가지 방법으로 계산하세요.

방법 1 모눈종이를 이용하여 계산하기

방법 2 세로로 계산하기

서술형

11 교과역량 사진첩 한 쪽에 사진을 6장씩 붙이려고 합니다. 사진첩이 32쪽이라면 사진을 모두 몇 장 붙일 수 있는지 두 가지 방법으로 구하고, 알게 된 점을 써 보세요.

방법 1 (몇)×(몇십몇)으로 계산하기

방법 2 (몇십몇)×(몇)으로 계산하기

알게 된 점

STEP 2 실력 다지기

빈칸에 알맞은 수 구하기

유형 **12** □ 안에 들어갈 0의 개수가 다른 하나를 찾아 기호를 써 보세요.

㉠ $60\times50=3$□

㉡ $20\times70=14$□

㉢ $35\times20=7$□

(　　　　　　)

확인 **13** ㉠에 알맞은 수를 구하세요.

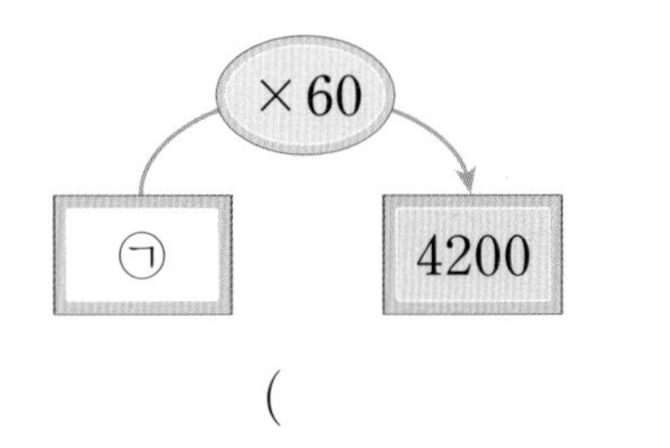

(　　　　　　)

강화 **14** □ 안에 알맞은 수를 구하려고 합니다. 풀이 과정을 쓰고, 답을 구하세요. 서술형

$90\times20=30\times$□

풀이

답

곱셈의 활용②

15 귤 한 개에는 비타민 C가 60 밀리그램 들어 있습니다. 세린이는 귤을 3주일 동안 매일 한 개씩 먹었습니다. 세린이가 먹은 귤에 들어 있는 비타민 C는 모두 몇 밀리그램일까요? (단, 귤 한 개에 들어 있는 비타민 C의 양은 일정합니다.)

• 밀리그램: 매우 작은 양을 재는 단위

(　　　　　　)

16 교과역량 어진이네 가족이 일주일에 한 번씩 장을 볼 때 비닐봉지 대신 장바구니를 사용한다면 1년 동안 줄일 수 있는 탄소 발자국은 몇 g일까요? (단, 1년을 52주로 계산합니다.)

• 탄소 발자국: 물건을 만들거나 사용할 때 나오는 이산화탄소의 양

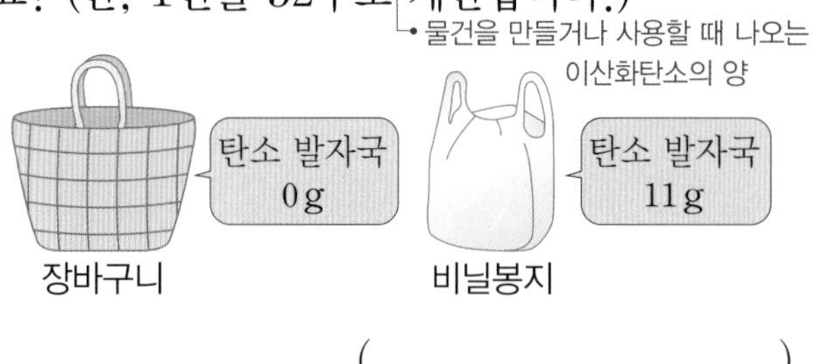

(　　　　　　)

17 타일을 벽면 1곳에 붙이는 데 가로로 24개, 세로로 35개가 필요합니다. 똑같은 크기의 벽면 4곳에 붙이려면 타일은 모두 몇 개 필요할까요?

(　　　　　　)

정답 05쪽

크기 비교에서 □ 안에 알맞은 수 구하기②

18 다음 곱셈의 계산 결과는 두 자리 수입니다. 1부터 9까지의 자연수 중에서 □ 안에 들어갈 수 있는 수는 모두 몇 개일까요?

$3 \times \square 6$

(　　　　　　　　)

19 □ 안에 들어갈 수 있는 수를 모두 찾아 ○표 하세요.

$28 \times \square 0 > 1300$

(2 , 3 , 4 , 5 , 6)

20 □ 안에 들어갈 수 있는 가장 큰 두 자리 수를 구하세요.

$\square \times 29 < 800$

(　　　　　　　　)

규칙을 찾아 계산하기

21 ㉮◆㉯=㉮×㉯라고 약속할 때 □ 안에 알맞은 수를 써넣고, 유미와 선우가 계산한 결과의 합을 구하세요.

(　　　　　　　　)

22 다음과 같이 약속할 때 7★34의 값을 구하세요.

가★나
=(가보다 2 큰 수)×(나보다 2 작은 수)

(　　　　　　　　)

23 보기에서 규칙을 찾아 23■5와 42■9의 곱을 구하세요.

보기

㉠■㉡=㉠−㉡

(　　　　　　　　)

1 단원

STEP 2 실력 다지기

곱이 가장 큰(작은) 곱셈식 만들기② 약점 체크

유형 **24** 3장의 수 카드를 □ 안에 한 번씩만 써넣어 곱이 가장 큰 곱셈식을 만들고, 곱을 구하세요.

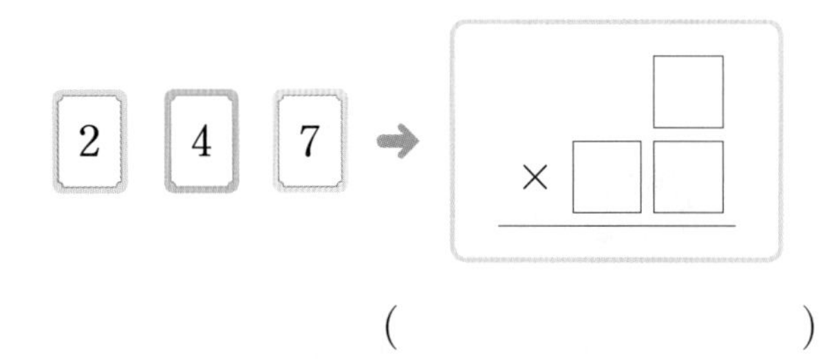

( )

해결 곱이 가장 큰 곱셈식을 만들려면 가장 큰 수를 어느 자리에 놓아야 하는지 생각해 봅니다.

확인 **25** 민주와 성훈이의 대화를 읽고 □ 안에 알맞은 수를 써넣어 곱셈식을 만들고, 곱을 구하세요.

( )

바르게 계산한 값 구하기 약점 체크

26 은서와 원균이의 대화를 읽고 바르게 계산한 값을 구하세요.

- 은서: 원균아, 시험 잘 봤니?
- 원균: 아니, 마지막 문제가 어떤 수에 30을 곱하는 문제였는데 잘못하여 어떤 수에서 30을 빼는 바람에 답을 15라고 썼어.
- 은서: 그럼, 마지막 문제의 답은 얼마일까?

( )

해결 먼저 잘못 계산한 식을 세워 어떤 수를 구합니다.

27 어떤 수에 16을 곱해야 하는데 잘못하여 더했더니 58이 되었습니다. 어떤 수와 바르게 계산한 값을 각각 구하세요.

어떤 수 ( )

바르게 계산한 값 ( )

정답 05쪽

계산 결과 비교의 활용

28 동현이와 수지는 다음과 같이 각각 요가 동작을 했습니다. 동현이와 수지 중에서 요가 동작을 한 횟수가 더 많은 사람의 이름을 써 보세요.

(　　　　　　　　　　)

해결 각각 곱셈을 한 후 계산 결과를 비교하여 문제에 알맞은 답을 구합니다.

서술형

29 맛나 빵집에 사과 파이가 12개씩 15줄 놓여 있고, 호두 파이가 8개씩 21줄 놓여 있습니다. 사과 파이와 호두 파이 중에서 어느 것이 더 많은지 풀이 과정을 쓰고, 답을 구하세요.

풀이

답

주어진 방법으로 문제 해결하기

30 사막에 심을 수 있는 나무는 모두 몇 그루인지 표 만들기 방법으로 구하세요.

생각 수학

한 사람이 심을 수 있는 나무 수(그루)	18	18	18	18	
자원봉사 단체의 사람 수(명)	20	21			
자원봉사 단체가 심을 수 있는 나무 수(그루)					

(　　　　　　　　　　)

해결 자원봉사 단체의 사람 수를 20명부터 1명씩 늘려 가면서 주어진 방법으로 해결합니다.

서술형

31 승희가 책을 읽은 기간과 하루에 읽은 책의 쪽수를 나타낸 표입니다. 승희가 읽은 책의 쪽수는 몇 쪽인지 예상과 확인 방법으로 구하세요.

책을 읽은 기간	하루에 읽은 책의 쪽수
1주일	17쪽

풀이

답

1 단원

STEP 3

서술형 해결하기

문제 강의

연습

01 꽃 가게에 장미가 한 다발에 14송이씩 50다발 있었습니다. 장미를 450송이 팔았다면 팔고 남은 장미는 몇 송이인지 풀이 과정을 쓰고, 답을 구하세요.

서술형 포인트

먼저 전체 장미 수를 구합니다.

❶ 전체 장미 수 구하기

❷ 팔고 남은 장미 수 구하기

풀이를 완성하세요.

❶ (전체 장미 수)

=(한 다발에 있는 장미 수)×(다발 수)

=__________

❷ (팔고 남은 장미 수)

=(전체 장미 수)−(판 장미 수)

=__________

➜ 팔고 남은 장미는 ____ 송이입니다.

답 

단계

02 희우네 마을 사람들이 야유회를 가려고 합니다. 45인승 버스 14대에 나누어 탔을 때 버스마다 2자리씩 비어 있다면 **버스에 탄 마을 사람은 모두 몇 명**인지 풀이 과정을 쓰고, 답을 구하세요.

❶ 버스 한 대에 탄 마을 사람 수 구하기

풀이

❷ 버스에 탄 전체 마을 사람 수 구하기

풀이

답

실전

03 놀이동산에 한 번 운행할 때마다 54명씩 탈 수 있는 롤러코스터가 있습니다. 어느 날 오전에 롤러코스터를 12번 운행했고 한 번 운행할 때마다 7자리씩 비어 있었습니다. 이날 오전에 **롤러코스터를 탄 사람은 모두 몇 명**인지 풀이 과정을 쓰고, 답을 구하세요. (단, 롤러코스터를 한 사람이 한 번씩만 탔습니다.)

풀이

답

연습

04 **흥수는 다음과 같이 책을 읽었습니다. 흥수가 읽은 과학책과 동화책은 모두 몇 쪽인지 풀이 과정을 쓰고, 답을 구하세요.**

책	책을 읽은 날수	하루에 읽은 책의 쪽수
과학책	5일	19쪽
동화책	10일	21쪽

서술형 포인트

하루에 ■쪽씩 ●일 ➜ (■ × ●)쪽

❶ 읽은 과학책과 동화책의 쪽수 각각 구하기

❷ 읽은 과학책과 동화책의 쪽수의 합 구하기

풀이를 완성하세요.

❶ (흥수가 5일 동안 읽은 과학책의 쪽수)

= ______________

(흥수가 10일 동안 읽은 동화책의 쪽수)

= ______________

❷ (읽은 과학책과 동화책의 쪽수의 합)

= ______________

➜ 흥수가 읽은 과학책과 동화책은 모두 ______쪽입니다.

답 ______________

1 단원

단계

05 다음은 유정이가 여러 가지 과일의 열량을 조사한 것입니다. 유정이가 지난 주말에 배 3개와 단감 4개를 먹었다면 **먹은 과일의 열량은 모두 몇 킬로칼로리**인지 풀이 과정을 쓰고, 답을 구하세요. (단, 각 과일의 열량은 일정합니다.)

• 열량의 단위

과일	열량
배 1개	148킬로칼로리
사과 1개	98킬로칼로리
단감 1개	90킬로칼로리

❶ 배 3개와 단감 4개의 열량 각각 구하기

풀이

❷ 먹은 과일의 열량의 합 구하기

풀이

답 ______________

실전

06 다음은 민석이가 여러 가지 간식의 열량을 조사한 것입니다. 민석이가 어제 삶은 달걀 5개와 치킨 2조각을 먹었다면 **먹은 간식의 열량은 모두 몇 킬로칼로리**인지 풀이 과정을 쓰고, 답을 구하세요. (단, 각 간식의 열량은 일정합니다.)

간식	열량
삶은 달걀 1개	60킬로칼로리
호두 1개	65킬로칼로리
치킨 1조각	359킬로칼로리

풀이

답 ______________

서술형 해결하기

연습

07 길이가 117 cm인 색 테이프 3장을 38 cm씩 한 줄로 겹치게 이어 붙였습니다. 이어 붙인 색 테이프의 전체 길이는 몇 cm인지 풀이 과정을 쓰고, 답을 구하세요.

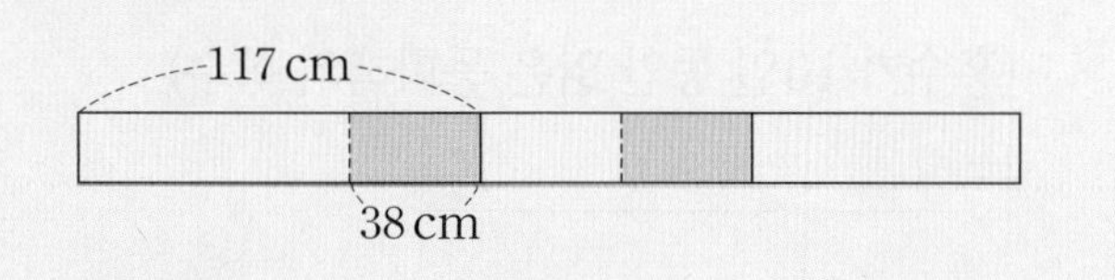

서술형 포인트

색 테이프 ■장을 한 줄로 겹치게 이어 붙일 때
(겹쳐진 부분의 수)=(■−1)군데

❶ 색 테이프 3장의 길이의 합 구하기
❷ 겹쳐진 부분의 길이의 합 구하기
❸ 이어 붙인 색 테이프의 전체 길이 구하기

풀이를 완성하세요.

❶ (색 테이프 3장의 길이의 합)
= ____________

❷ 색 테이프 3장을 한 줄로 겹치게 이어 붙일 때 겹쳐진 부분은 ___ 군데입니다.
(겹쳐진 부분의 길이의 합)
= ____________

❸ (이어 붙인 색 테이프의 전체 길이)
= ____________

답 ____________

단계

08 길이가 132 cm인 색 테이프 7장을 40 cm씩 한 줄로 겹치게 이어 붙였습니다. **이어 붙인 색 테이프의 전체 길이는 몇 cm**인지 풀이 과정을 쓰고, 답을 구하세요.

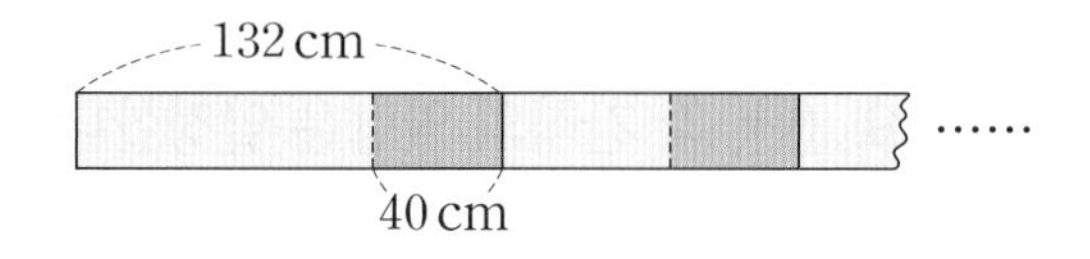

❶ 색 테이프 7장의 길이의 합 구하기

풀이

❷ 겹쳐진 부분의 길이의 합 구하기

풀이

❸ 이어 붙인 색 테이프의 전체 길이 구하기

풀이

답 ____________

실전

09 길이가 55 cm인 색 테이프 18장을 8 cm씩 한 줄로 겹치게 이어 붙였습니다. **이어 붙인 색 테이프의 전체 길이는 몇 cm**인지 풀이 과정을 쓰고, 답을 구하세요.

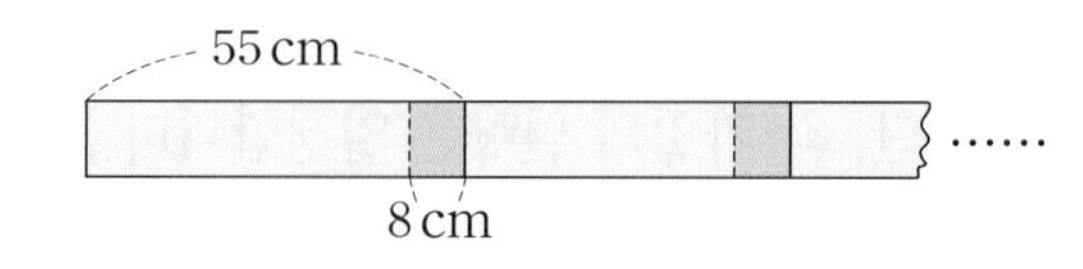

풀이

답 ____________

연습

10 **다음 곱셈식에서 ㉠과 ㉡에 알맞은 수를 각각 구하려고 합니다. 풀이 과정을 쓰고, 답을 구하세요.**

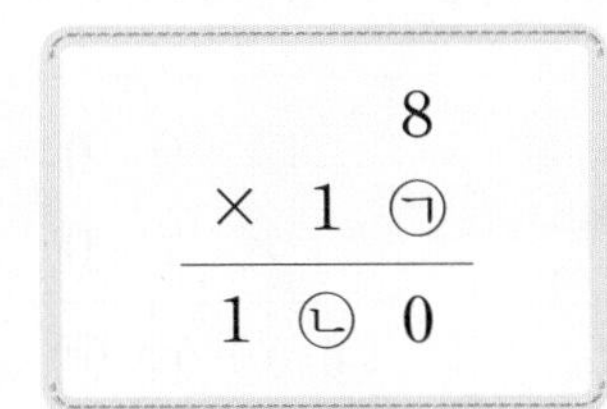

서술형 포인트

먼저 8×㉠의 일의 자리 숫자가 0이 되는 ㉠을 찾습니다.

❶ ㉠에 알맞은 수 구하기

❷ ㉡에 알맞은 수 구하기

풀이를 완성하세요.

❶ 일의 자리 계산에서 8×㉠의 일의 자리 숫자가 0이므로

8×㉠=8×___=___

➜ ㉠=___입니다.

❷ 십의 자리 계산은 일의 자리 계산에서 올림한 수 4가 있으므로

8×1=___, ___+4=___

➜ ㉡=___입니다.

답 ㉠: ___, ㉡: ___

단계

11 다음 곱셈식에서 ㉠+㉡+㉢**의 값**을 구하려고 합니다. 풀이 과정을 쓰고, 답을 구하세요.

		㉠
×	㉡	6
	㉢	4
1	8	0
2	3	4

❶ ㉠, ㉡, ㉢의 값 각각 구하기

풀이

❷ ㉠+㉡+㉢의 값 구하기

풀이

답

실전

12 다음 곱셈식에서 ㉠+㉡+㉢+㉣**의 값**을 구하려고 합니다. 풀이 과정을 쓰고, 답을 구하세요.

		㉠	7
	×	7	㉡
	2	2	8
3	㉢	9	0
4	㉣	1	8

풀이

답

1 단원

단원 마무리

01 수 모형을 보고 □ 안에 알맞은 수를 써넣으세요.

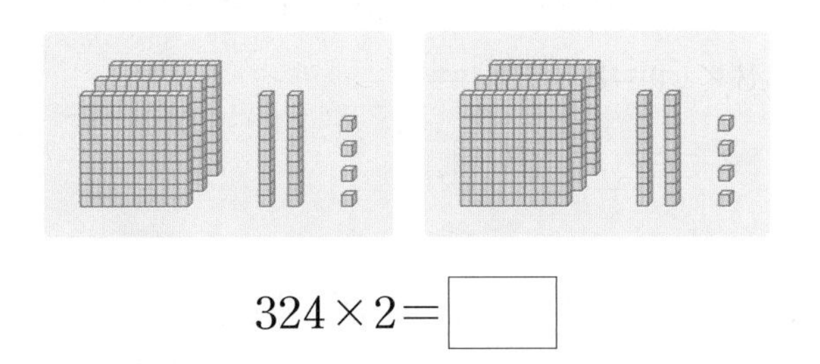

$324 \times 2 =$ □

02 □ 안에 알맞은 수를 써넣으세요.

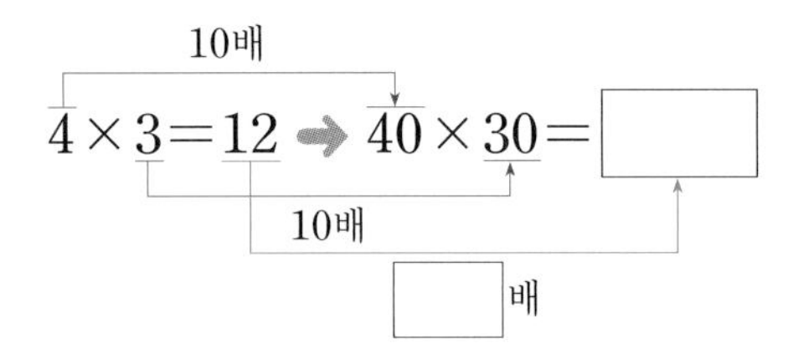

03 □ 안에 알맞은 수를 써넣어 3×25를 계산해 보세요.

		3	
×	2	5	
	□	□	⋯ 3× □
	□	□	⋯ 3× □
	□	□	

04 계산해 보세요.

$$\begin{array}{r} 218 \\ \times \quad 3 \\ \hline \end{array}$$

05 다음 계산을 할 때 $9 \times 7 = 63$의 3은 어느 자리에 써야 하는지 기호를 써 보세요.

$$\begin{array}{r} 9\ 0 \\ \times\ 7\ 0 \\ \hline \end{array}$$

㉠ ㉡ ㉢ ㉣

(　　　　　　　　)

06 관계있는 것끼리 선으로 이어 보세요.

(1)	20×90	• •	2000
(2)	80×30	• •	1800
(3)	50×40	• •	2400

07 모눈종이를 이용하여 14×18을 나타내고, 그 곱을 구하세요.

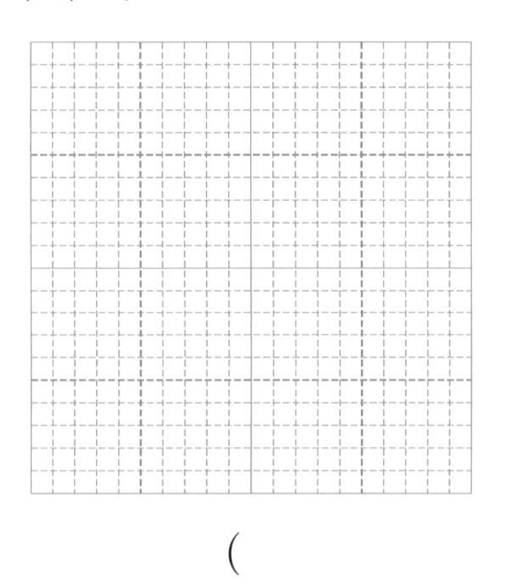

(　　　　　　　　)

08 덧셈식을 곱셈식으로 나타내려고 합니다. □ 안에 알맞은 수를 써넣으세요.

142＋142＋142＋142＋142

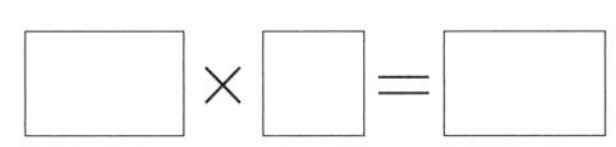

09 빈 곳에 알맞은 수를 써넣으세요.

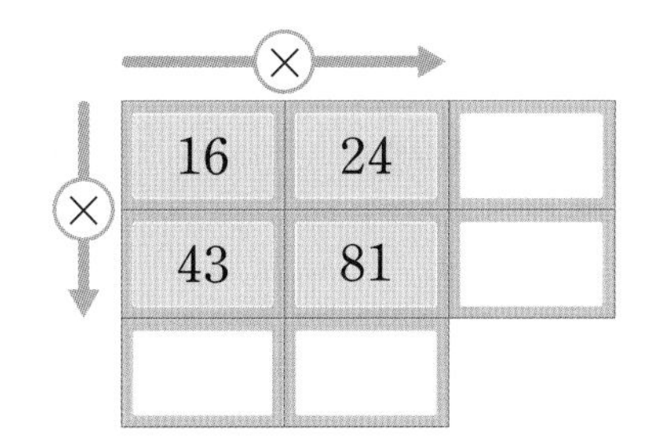

10 계산 결과가 700보다 큰 곱셈식을 찾아 기호를 써 보세요.

㉠ 213×3
㉡ 364×2
㉢ 172×4

(　　　　　　　　)

11 책장 한 개에 책이 143권씩 꽂혀 있습니다. 책장 2개에 꽂혀 있는 책은 모두 몇 권일까요?

식

답

12 티셔츠가 한 상자에 28벌씩 들어 있습니다. 32상자에는 티셔츠가 모두 몇 벌 들어 있을까요?

(　　　　　　　　)

13 준성이네 반은 남학생이 14명, 여학생이 12명입니다. 준성이네 반 학생 한 명당 연필을 12자루씩 나누어 주려면 연필은 모두 몇 자루 필요할까요?

(　　　　　　　　)

14 다음 곱셈의 계산 결과는 두 자리 수입니다. 1부터 9까지의 자연수 중에서 □ 안에 들어갈 수 있는 가장 큰 수를 구하세요.

4×□3

(　　　　　　　　)

서술형 문제

15 □ 안에 알맞은 수를 구하세요.

$$\begin{array}{r} 3\ 7\ \square \\ \times \quad\ \ 4 \\ \hline 1\ 4\ 8\ 8 \end{array}$$

(　　　　　　　　)

16 3장의 수 카드를 □ 안에 한 번씩만 써넣어 곱이 가장 작은 곱셈식을 만들고, 곱을 구하세요.

6　3　8 → $\begin{array}{r} \square \\ \times\ \square\ \square \\ \hline \end{array}$

(　　　　　　　　)

17 다음과 같이 약속할 때 6♥13과 2♥15의 곱을 구하세요.

가♥나=가×나

(　　　　　　　　)

18 계산이 잘못된 부분을 찾아 이유를 쓰고, 바르게 계산하세요.

$$\begin{array}{r} 3\ 8 \\ \times\ 4\ 6 \\ \hline 2\ 2\ 8 \\ 1\ 5\ 2 \\ \hline 3\ 8\ 0 \end{array}$$ → □

이유

19 은지네 학교 학생들이 케이블카 한 대에 25명씩 20대에 탔더니 8명이 남았습니다. 은지네 학교 학생은 모두 몇 명인지 풀이 과정을 쓰고, 답을 구하세요.

풀이

답

20 석희는 가게에서 430원짜리 빵 3개와 80원짜리 사탕 12개를 샀습니다. 석희가 내야 할 돈은 모두 얼마인지 풀이 과정을 쓰고, 답을 구하세요.

풀이

답

생각하며 쉬어가기

포르투갈 친구

봉지아! 내 이름은 네베스야.
나는 유럽의 가장 서쪽에 위치한 포르투갈에 살고 있어. '봉지아'는 포르투갈의 인사말로 '안녕하세요'라는 뜻이야.

포르투갈에 대해 소개할게. 포르투갈의 수도인 리스본에는 작고 귀여운 노란 전차 트램이 있어. 사람들은 이 전차를 타고 여기저기를 다녀.
벨렝 탑은 바다와 강이 만나는 곳에 세워져 있어. 옛날에 탐험가들은 이곳에서 배를 타고 먼 바다로 떠났다고 해.

트램

벨렝 탑

포르투갈의 유명한 파이인 '나따'는
우리가 즐겨 먹는 에그타르트예요.

2 나눗셈

해바라기 30송이를 한 명에게 3송이씩 주면 모두 몇 명이 갖게 될까?
해바라기 30송이
3송이씩 줄이 맞춰져 있으니 줄 수를 세어 보면 될 것 같아.
영감, 치즈~
김치~
장미가 12송이네? 너무 아름다워.
우리 가족 4명이 몇 송이씩 가질 수 있을까요?
찰칵
튤립 150송이를 몇 묶음 할 수 있을까?
5송이씩 묶어 보는 건 어때?
튤립150송이
킁킁
나 잡아 봐...
덥썩

학습계획표

진 진도북, 매 매칭북

학습 계획 및 확인				학습 내용
STEP 1 개념 완성하기	월 일	진 038~041쪽	☐	1. 내림이 없는 (몇십)÷(몇) 2. 내림이 있는 (몇십)÷(몇) 3. 내림이 없는 (몇십몇)÷(몇) 4. 내림이 있는 (몇십몇)÷(몇)
	월 일	매 11쪽	☐	
STEP 2 실력 다지기	월 일	진 042~045쪽	☐	몇씩 나누기 여러 가지 나눗셈하기① 몫의 크기 비교 여러 가지 나눗셈하기② 나눗셈의 활용① 나눗셈의 활용② 약점 체크 나눗셈식에서 모르는 수 구하기① 약점 체크 똑같은 모양으로 나누기
	월 일	매 12~13쪽	☐	
STEP 1 개념 완성하기	월 일	진 046~049쪽	☐	5. 내림이 없고 나머지가 있는 (몇십몇)÷(몇) 6. 내림이 있고 나머지가 있는 (몇십몇)÷(몇) 7. 나머지가 없는 (세 자리 수)÷(한 자리 수) 8. 나머지가 있는 (세 자리 수)÷(한 자리 수) 9. 맞게 계산했는지 확인하기
	월 일	매 14쪽	☐	
STEP 2 실력 다지기	월 일	진 050~055쪽	☐	나누는 수와 나머지의 관계 나눗셈의 몫과 나머지 구하기 잘못 계산한 부분 찾기 몫 또는 나머지의 크기 비교 나눗셈의 활용③ 나누어지는 수, 나누는 수 구하기 몫과 나머지를 구하여 비교하기 여러 상황에서 나눗셈하기 약점 체크 수 카드로 나눗셈식 만들기 약점 체크 남지 않게 나누기 약점 체크 나눗셈식에서 모르는 수 구하기② 약점 체크 바르게 계산한 값 구하기
	월 일	매 15~17쪽	☐	
STEP 3 서술형 해결하기	월 일	진 056~059쪽	☐	서술형 학습
	월 일	매 18~19쪽	☐	
평가 단원 마무리	월 일	진 060~062쪽	☐	마무리 학습
	월 일	매 50~52쪽	☐	

※ 이번 단원에서 공부할 계획을 세우고 계획대로 공부했다면 ☐ 안에 ○표 합니다.

2 단원

STEP 1 개념 완성하기

1 내림이 없는 (몇십)÷(몇)

예제 40÷2의 계산

(1) 수 모형으로 알아보기

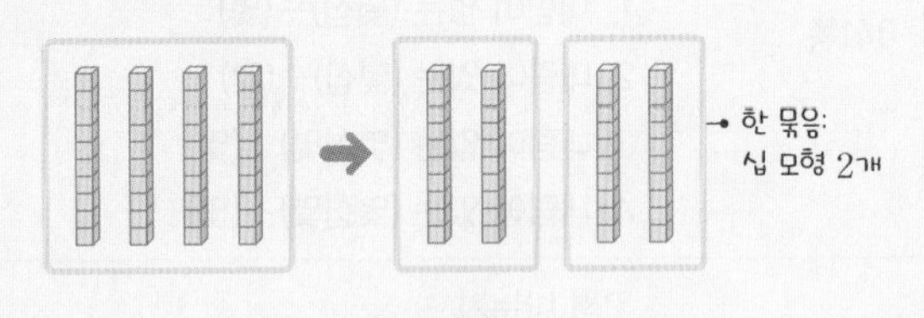

$40 \div 2 = 20$

(2) 세로로 계산하기

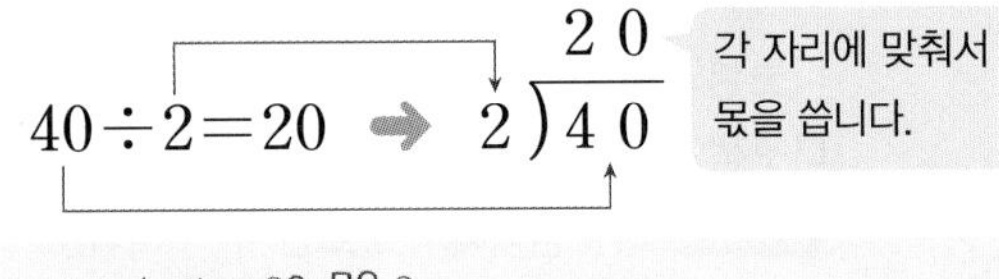

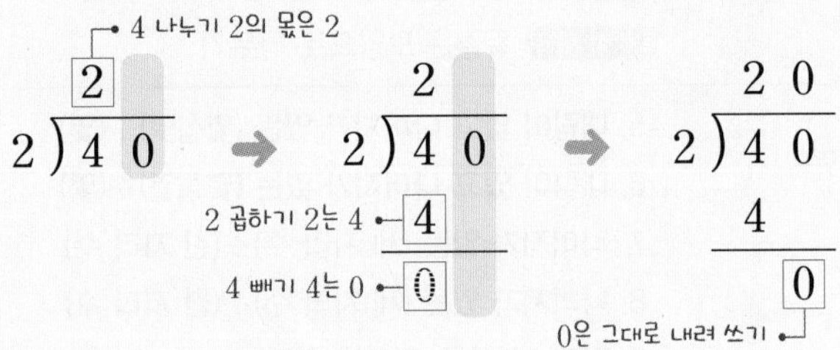

2 내림이 있는 (몇십)÷(몇)

예제 70÷5의 계산

(1) 수 모형으로 알아보기

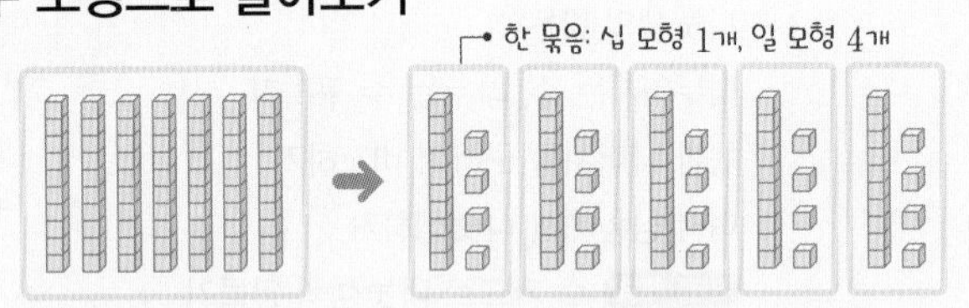

$70 \div 5 = 14$

(2) 세로로 계산하기

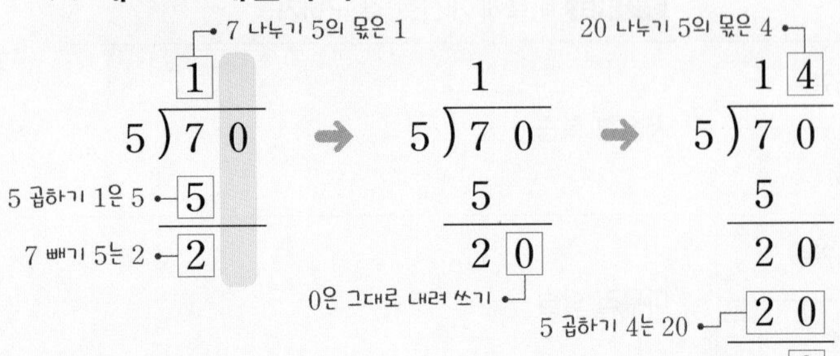

개념 확인

1 수 모형을 보고 물음에 답하세요.

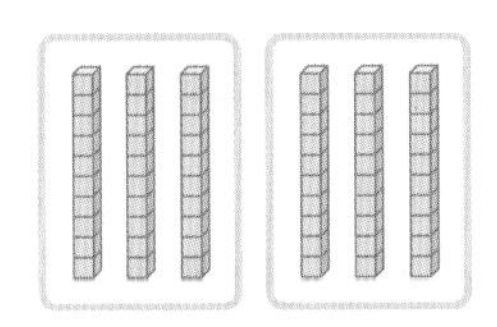

(1) 십 모형이 한 묶음에 몇 개씩 있나요?

(　　　　　　　　)

(2) □ 안에 알맞은 수를 써넣으세요.

$60 \div 2 =$ □

2 □ 안에 알맞은 수를 써넣으세요.

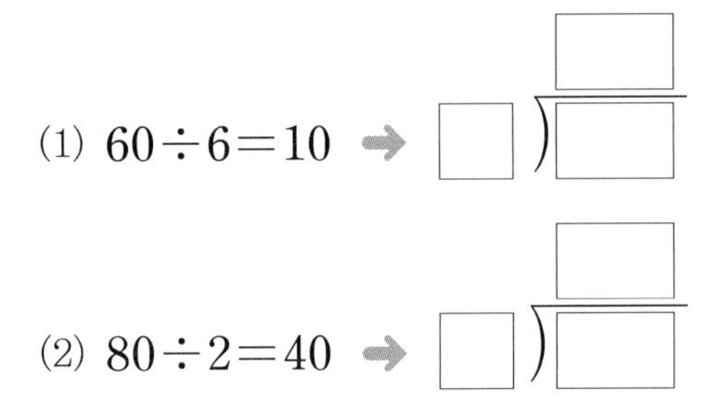

3 □ 안에 알맞은 수를 써넣으세요.

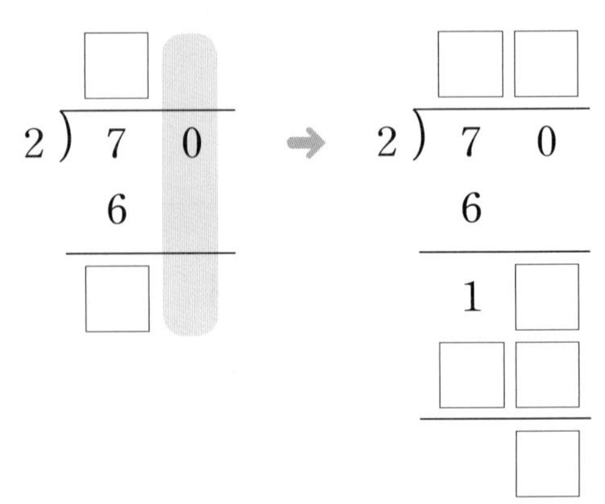

4 계산해 보세요.

(1) $20 \div 2$

(2) $90 \div 6$

(3) $4\overline{)4\ 0}$

(4) $5\overline{)8\ 0}$

5 몫이 다른 하나를 찾아 ○표 하세요.

$60 \div 3$	$30 \div 3$	$80 \div 4$
(　　)	(　　)	(　　)

6 윤선이와 종민이 중에서 나눗셈의 몫이 18인 사람의 이름을 써 보세요.

(　　　　　　)

기본 유형 확인

7 빈 곳에 알맞은 수를 써넣으세요.

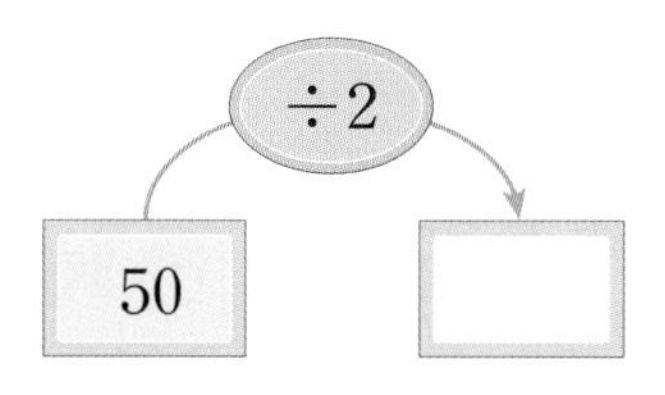

8 큰 수를 작은 수로 나눈 몫을 구하세요.

90	3

(　　　　　　)

9 당근이 50개 있습니다. 이 당근을 토끼 5마리에게 똑같이 나누어 주려면 한 마리에게 몇 개씩 줄 수 있을까요?

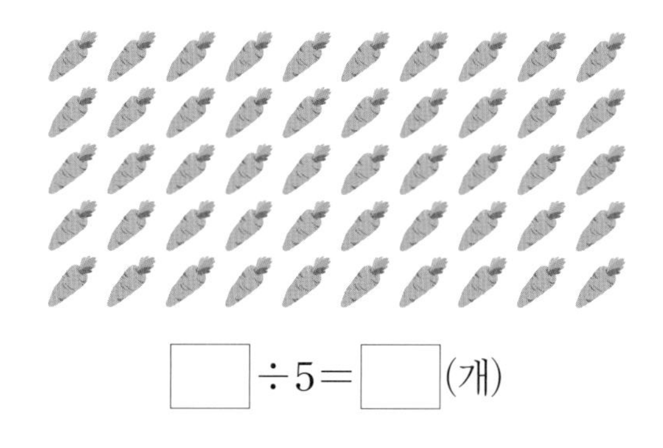

$\square \div 5 = \square$(개)

STEP 1 개념 완성하기

3 내림이 없는 (몇십몇)÷(몇)

예제 **39÷3의 계산**

(1) 수 모형으로 알아보기

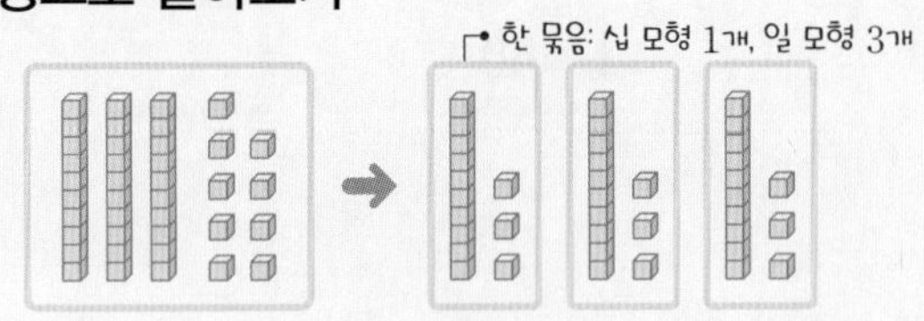

39÷3=13

(2) 세로로 계산하기

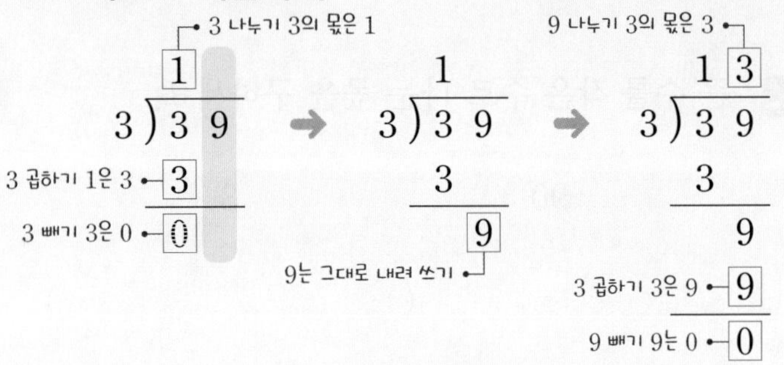

4 내림이 있는 (몇십몇)÷(몇)

예제 **34÷2의 계산**

(1) 수 모형으로 알아보기

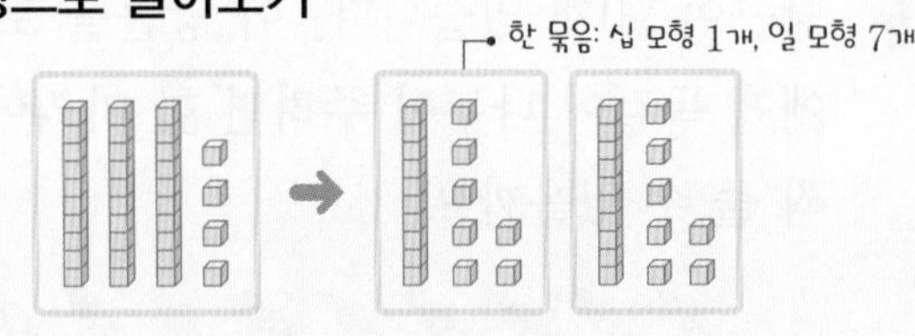

34÷2=17

(2) 세로로 계산하기

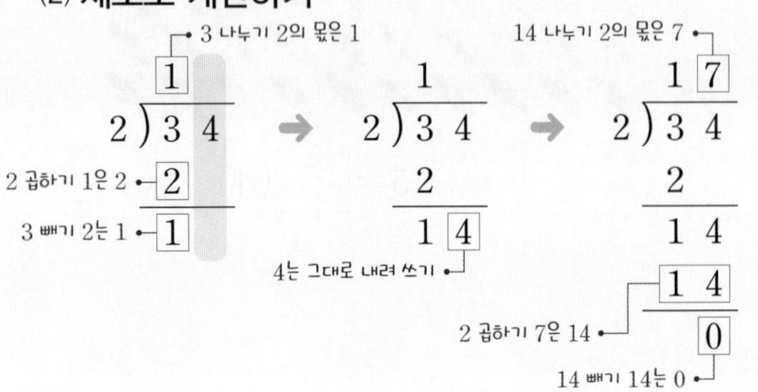

개념 확인

1 수 모형을 보고 □ 안에 알맞은 수를 써넣으세요.

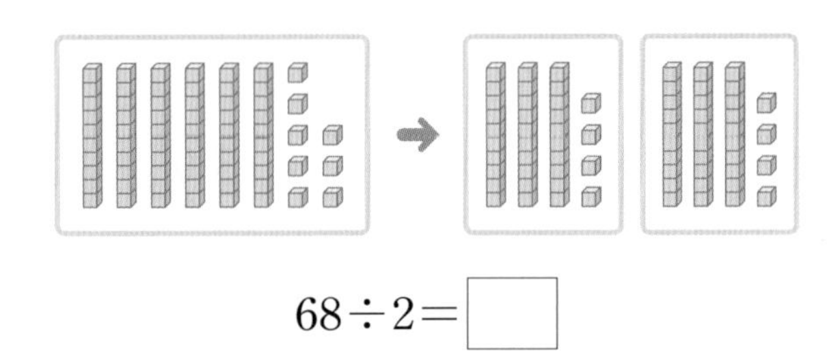

68÷2=□

2 □ 안에 알맞은 수를 써넣으세요.

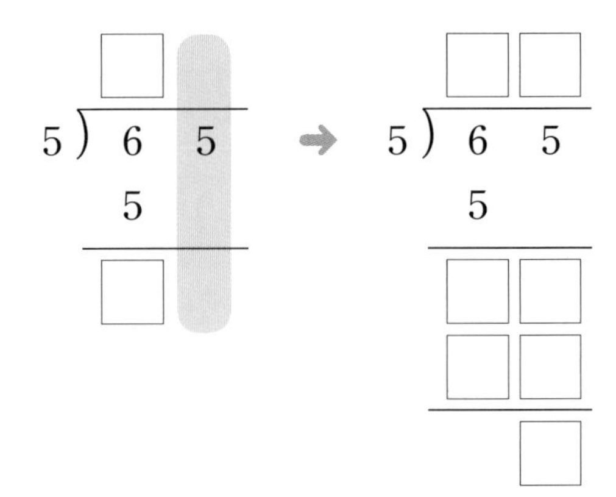

3 □ 안에 알맞은 수를 써넣으세요.

(1)

```
    3 □
3 ) 9 6
    □
      □
      □
      0
```

(2)

```
     □
6 ) 7 2
    □
    □
    1 2
      0
```

정답 09쪽

4 계산해 보세요.

(1) $26 \div 2$

(2) $54 \div 3$

(3) $6\overline{)66}$

(4) $5\overline{)85}$

5 정민이와 지원이 중에서 $84 \div 4$의 계산을 바르게 한 사람을 찾아 ○표 하세요.

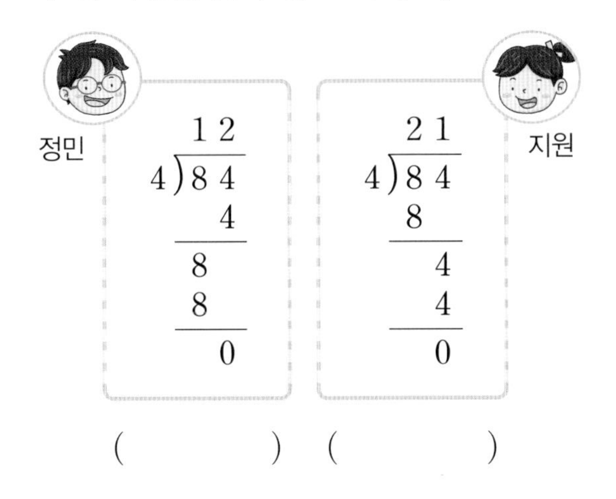

( ) ( )

6 큰 수를 작은 수로 나눈 몫을 구하세요.

70 2

( )

기본 유형 확인

7 관계있는 것끼리 선으로 이어 보세요.

(1) $64 \div 2$ • • 16

• 15

(2) $48 \div 3$ • • 32

8 □ 안에 몫을 써넣으세요.

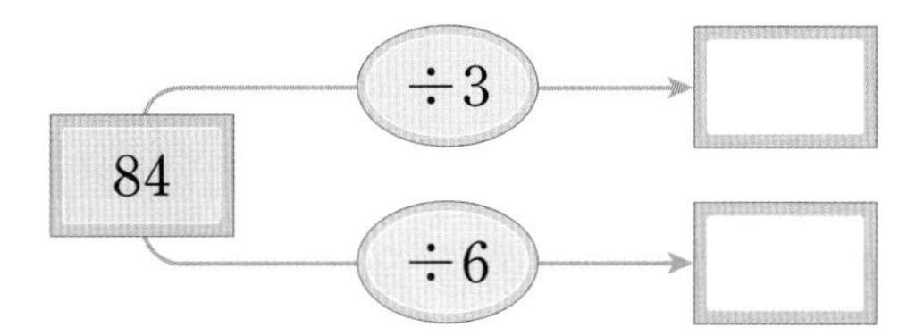

9 사탕이 45개 있습니다. 이 사탕을 3명이 똑같이 나누어 갖는다면 한 명이 몇 개씩 갖게 될까요?

$\square \div 3 = \square$

→ 한 명이 □개씩 갖게 됩니다.

2 단원

STEP 2 실력 다지기

몇씩 나누기

유형 **01** 달걀이 한 꾸러미에 10개씩 6꾸러미가 있습니다. 이 달걀을 5명이 똑같이 나누어 가지려고 할 때 □ 안에 알맞은 수를 써넣으세요.

달걀은 모두 □개입니다.
➜ 한 명이 달걀을 □÷5=□(개) 가질 수 있습니다.

확인 **02** 십 모형 8개, 일 모형 8개가 있습니다. 하은이와 영재의 대화를 읽고 수 모형은 한 묶음에 몇 개씩 있는지 구하세요.

십 모형 (　　　　)
일 모형 (　　　　)

강화 **03** 서술형 십 모형 7개와 일 모형 5개가 있습니다. 일 모형 5개씩 묶으면 몇 묶음이 되는지 설명해 보세요.

설명 ______________________

여러 가지 나눗셈하기①

04 빈 곳에 알맞은 수를 써넣으세요.

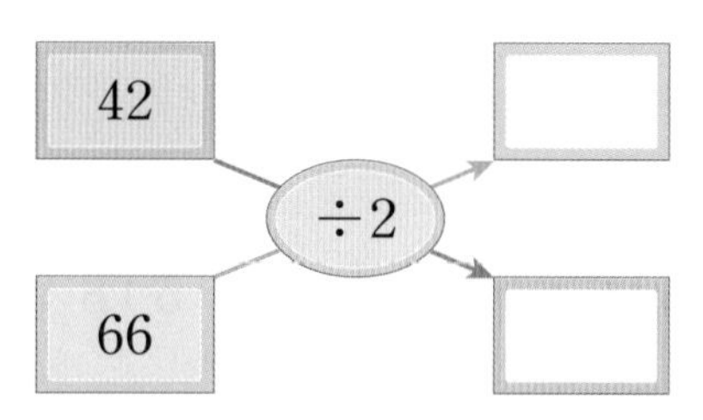

05 두 나눗셈의 몫의 합을 구하세요.

$60 \div 3$　　$90 \div 2$

(　　　　)

06 교과역량 몫을 따라 가면 보물이 나옵니다. 어느 길로 가야 하는지 길을 따라 선을 그어 보세요.

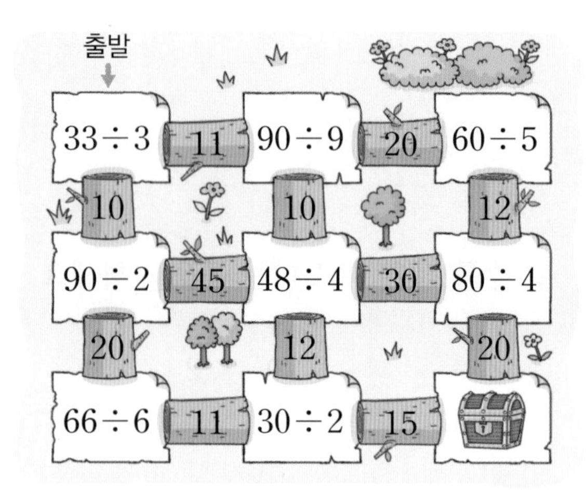

정답 10쪽

몫의 크기 비교

07 몫의 크기를 비교하여 ○ 안에 >, =, <를 알맞게 써넣으세요.

70÷7 ○ 36÷3

서술형

08 몫이 30보다 큰 것을 찾아 기호를 쓰려고 합니다. 풀이 과정을 쓰고, 답을 구하세요.

㉠ 48÷2 ㉡ 96÷3 ㉢ 44÷4

풀이

답

09 몫이 큰 것부터 차례로 기호를 써 보세요.

㉠ 90÷6 ㉡ 85÷5
㉢ 96÷8 ㉣ 77÷7

( )

여러 가지 나눗셈하기②

10 ㉮에 알맞은 수를 구하세요.

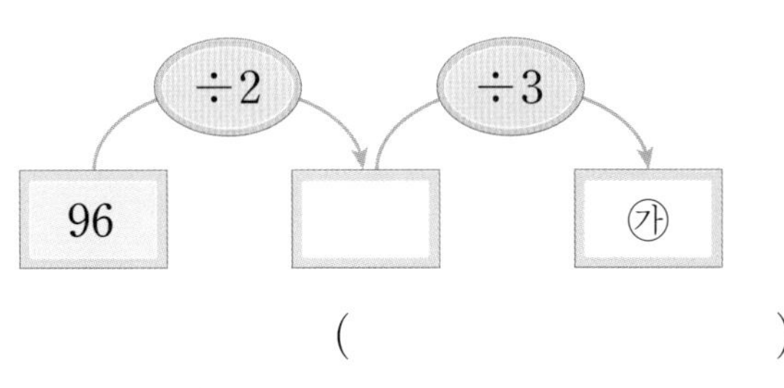

( )

11 빈 곳에 큰 수를 작은 수로 나눈 몫을 써넣으세요.

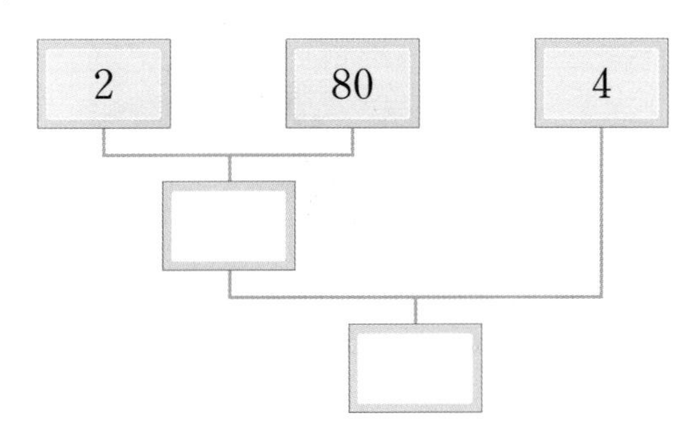

12 두 나눗셈의 □ 안에 같은 수가 들어갈 때 ♥에 알맞은 수를 구하세요.

84÷3=□ 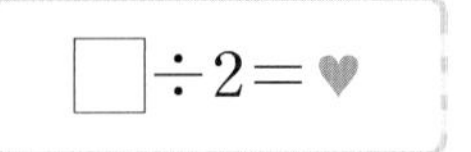

( )

2 단원

나눗셈의 활용 ①

유형 **13** 현수네 반 학생 33명이 야영을 하려고 합니다. 한 모둠에 3명씩 나누어 야영을 한다면 몇 모둠이 될까요?

(　　　　　　　　)

확인 **14** 교과역량 조정 경기는 노를 저어 배의 빠르기를 겨루는 경기입니다. 84명이 4명씩 한 팀을 이루어 경기를 할 때 모두 몇 팀이 될까요?

(　　　　　　　　)

강화 **15** 빨간색과 초록색 색연필이 모두 81자루 있습니다. 한 명당 색연필을 3자루씩 나누어 주면 몇 명에게 나누어 줄 수 있을까요?

(　　　　　　　　)

나눗셈의 활용 ②

16 네 변의 길이의 합이 92 cm인 정사각형이 있습니다. 이 정사각형의 한 변의 길이는 몇 cm인지 구하세요.

(　　　　　　　　)

17 은주가 종이접기로 공룡 7개를 접는 데 1시간 24분이 걸렸습니다. 공룡 한 개를 접는 데 걸리는 시간이 일정하다면 공룡 한 개를 접는 데 걸린 시간은 몇 분인지 식을 쓰고, 답을 구하세요.

식 ____________

답 ____________

서술형

18 사과 36개와 배 51개가 있습니다. 이 사과와 배를 종류에 상관없이 3봉지에 똑같이 나누어 담으려고 합니다. 한 봉지에 몇 개씩 담아야 하는지 풀이 과정을 쓰고, 답을 구하세요.

풀이 ____________

답 ____________

정답 10쪽

나눗셈식에서 모르는 수 구하기①

19 □ 안에 알맞은 수를 써넣으세요.

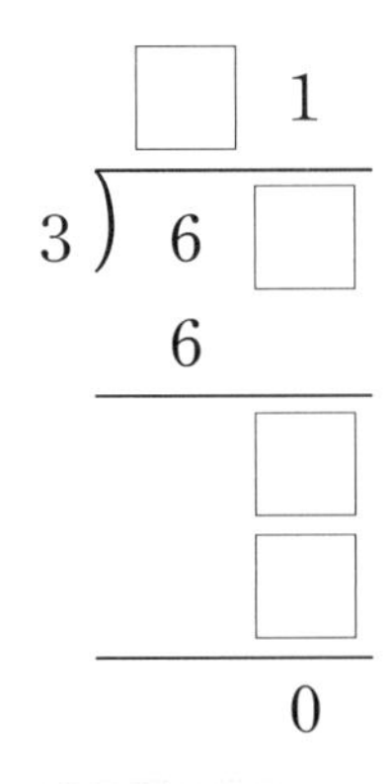

해결 세로 형식의 나눗셈식에서 모르는 수가 있는 경우에는 모르는 수를 ㉠, ㉡, ㉢……과 같이 나타낸 후 각 자리의 나눗셈 과정을 ㉠, ㉡, ㉢……을 이용한 식으로 나타내어 봅니다.

20 ㉠과 ㉡에 알맞은 수의 합을 구하세요.

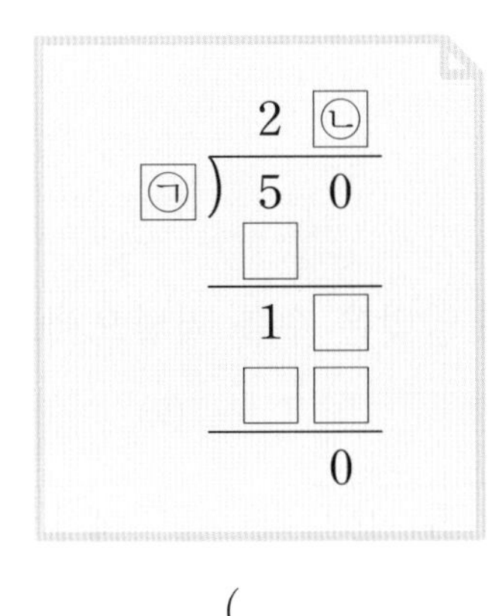

(　　　　　　)

똑같은 모양으로 나누기

21 다음과 같은 직사각형 모양의 그림을 한 칸이 가로 8 cm, 세로 4 cm인 직사각형 모양으로 나누어 색칠하려고 합니다. 가로와 세로는 각각 몇 칸으로 나누어질까요?

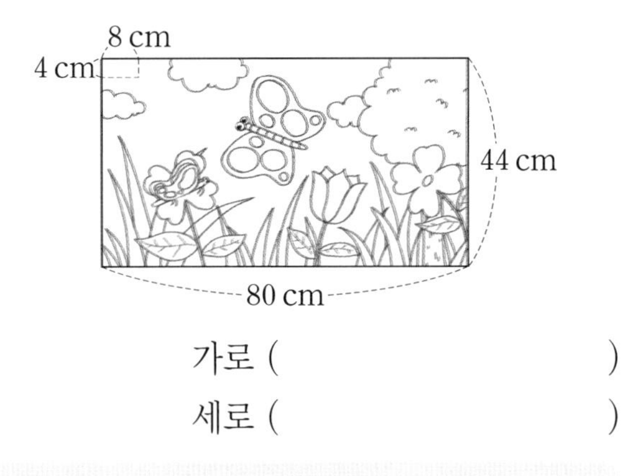

가로 (　　　　　　)

세로 (　　　　　　)

해결 전체 직사각형 모양의 그림을 가로는 가로끼리, 세로는 세로끼리 나누어 각각의 칸 수를 구합니다.

22 다음과 같은 직사각형 모양의 종이를 잘라서 한 장이 가로 3 cm, 세로 5 cm인 직사각형 모양의 카드를 만들려고 합니다. 카드는 몇 장까지 만들 수 있을까요?

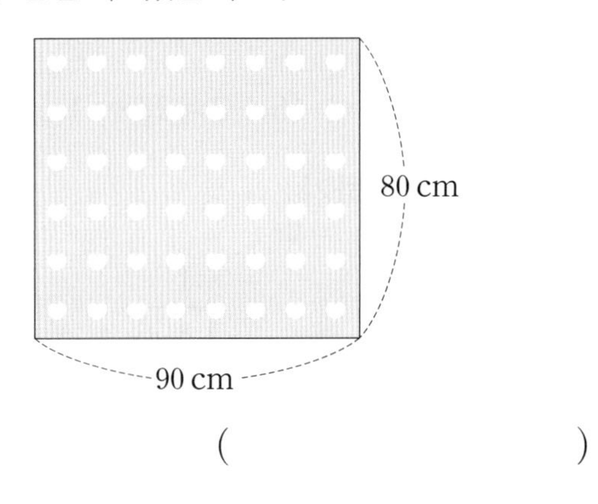

(　　　　　　)

2 단원

개념 완성하기

5 내림이 없고 나머지가 있는 (몇십몇)÷(몇)

예제 **17÷5의 계산**

$$\begin{array}{r} 3 \\ 5\overline{)17} \\ 15 \\ \hline 2 \end{array}$$

15 ← 5×3

나머지는 나누는 수보다 항상 작습니다.

17을 5로 나누면 몫은 3이고 2가 남습니다. 이때 2를 17÷5의 나머지라고 합니다.

3 ← 몫, 2 ← 나머지

17÷5=3 ⋯ 2

나머지가 없으면 나머지가 0이라고 말할 수 있습니다. 나머지가 0일 때, 나누어떨어진다고 합니다.

6 내림이 있고 나머지가 있는 (몇십몇)÷(몇)

예제 **46÷3의 계산**

(1) 수 모형으로 알아보기

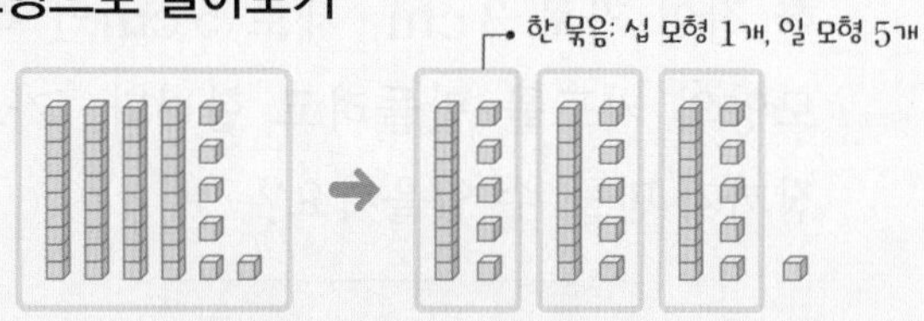

46÷3=15⋯1

(2) 세로로 계산하기

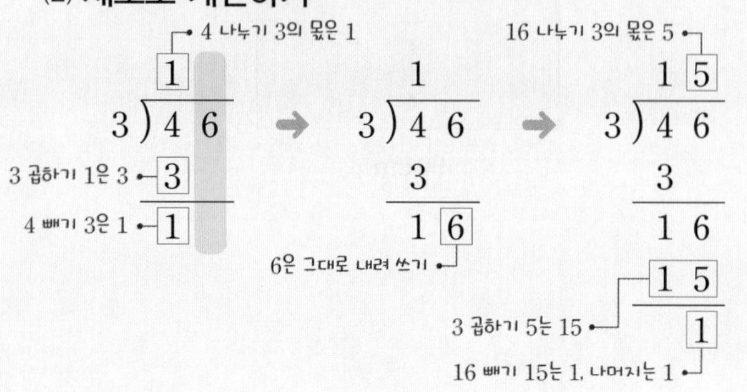

개념 확인

1 나눗셈식을 보고 □ 안에 알맞은 말을 써넣으세요.

34÷6=5⋯4

34를 6으로 나누면 □은 5이고 4가 남습니다. 이때 4를 34÷6의 □라고 합니다.

2 □ 안에 알맞은 수를 써넣으세요.

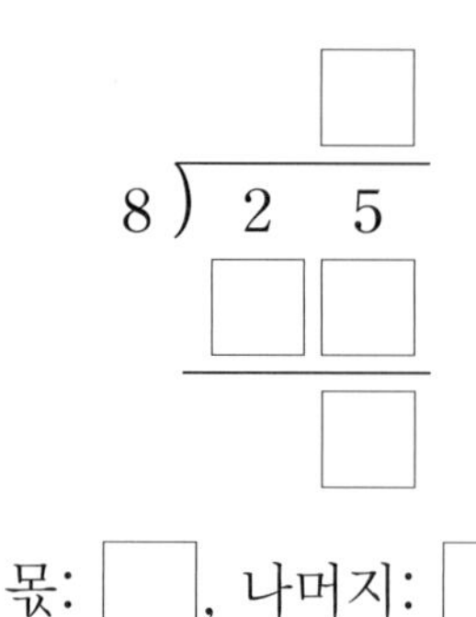

몫: □, 나머지: □

3 □ 안에 알맞은 수를 써넣으세요.

(1) 3)52, □, 22, □, □

(2) 4)78, □, □, 36, □

4 계산해 보세요.

(1) $38 \div 7$

(2) $67 \div 4$

(3) $6\overline{)52}$

(4) $5\overline{)84}$

5 $38 \div 2$의 나눗셈을 할 때 가장 먼저 계산해야 하는 식을 찾아 기호를 써 보세요.

㉠ $8 \div 2$ ㉡ $30 \div 2$ ㉢ $80 \div 2$

( )

6 나눗셈을 하고, 몫과 나머지를 구하세요.

$6\overline{)75}$

몫 ( )

나머지 ( )

기본 유형 확인

7 어떤 수를 7로 나누었을 때 나머지가 될 수 없는 수에 ○표 하세요.

3 4 5 6 7

8 □ 안에는 몫을 써넣고, ○ 안에는 나머지를 써넣으세요.

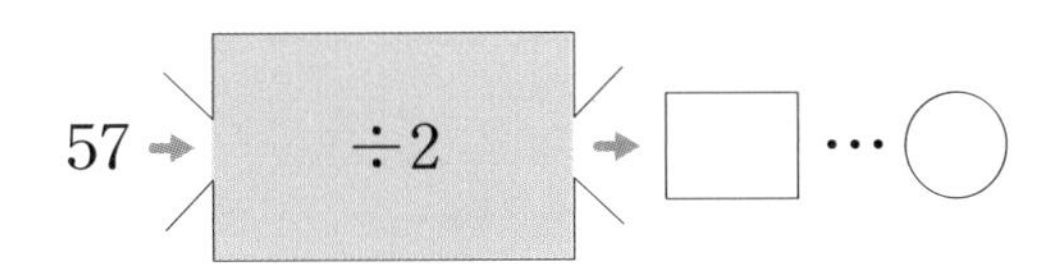

57 → ÷2 → □ … ○

9 동화책 85권을 책꽂이 한 칸에 7권씩 꽂으려고 합니다. 동화책을 책꽂이 몇 칸에 꽂을 수 있고 몇 권이 남을까요?

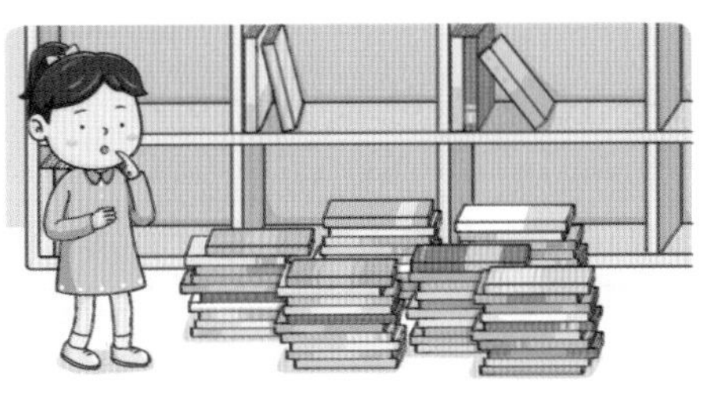

□ $\div 7 =$ □ … □

➜ 책꽂이 □ 칸에 꽂을 수 있고 □ 권이 남습니다.

2 단원

STEP 1 개념 완성하기

7 나머지가 없는 (세 자리 수)÷(한 자리 수)

예제 285÷5의 계산

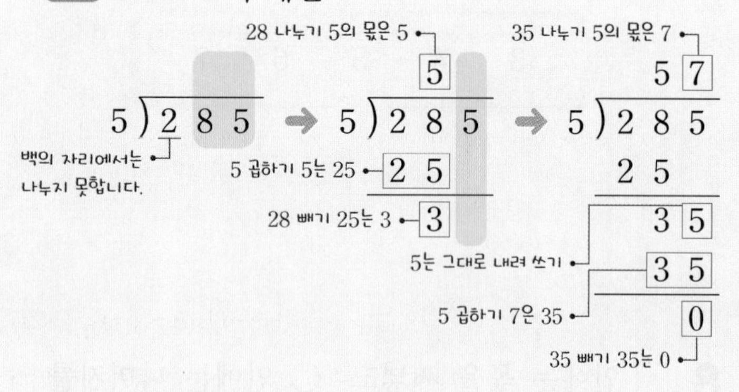

8 나머지가 있는 (세 자리 수)÷(한 자리 수)

예제 269÷3의 계산

26 나누기 3의 몫은 8

29 나누기 3의 몫은 9

백의 자리에서는 나누지 못합니다.

3 곱하기 8은 24

26 빼기 24는 2

9는 그대로 내려 쓰기

3 곱하기 9는 27

29 빼기 27은 2, 나머지는 2

9 맞게 계산했는지 확인하기

예제 21÷5를 계산하고, 확인하기

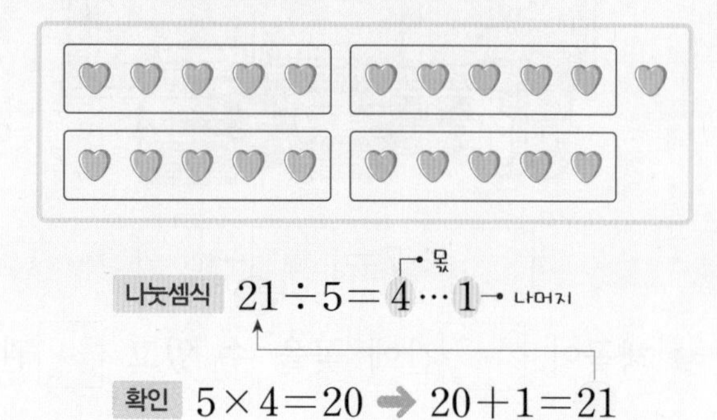

나눗셈식 $21 \div 5 = 4 \cdots 1$ (4: 몫, 1: 나머지)

확인 $5 \times 4 = 20$ ➔ $20 + 1 = 21$

나누는 수와 몫의 곱에 나머지를 더하면 나누어지는 수가 되어야 합니다.

개념 확인

1 □ 안에 알맞은 수를 써넣으세요.

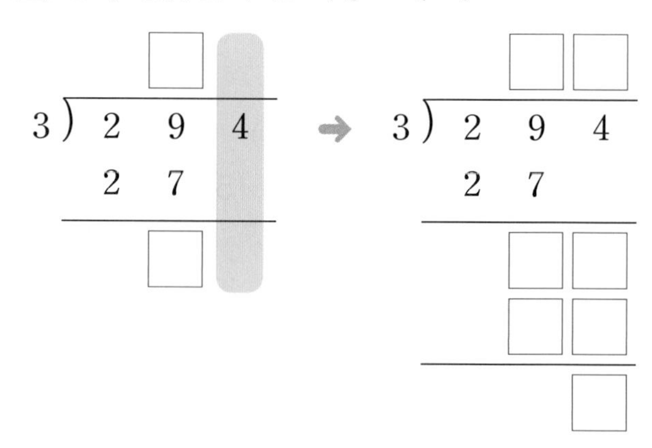

2 □ 안에 알맞은 수를 써넣으세요.

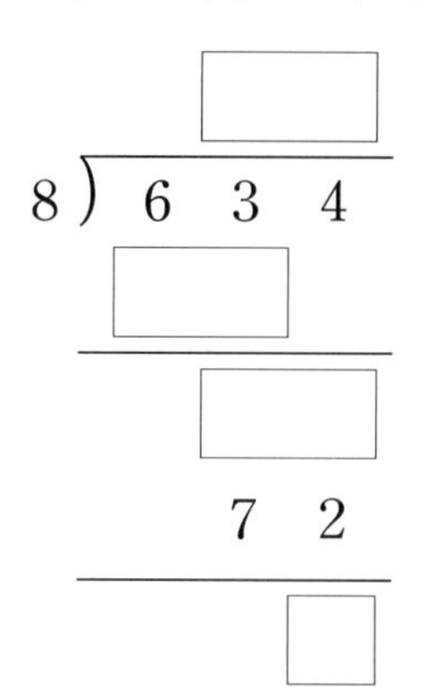

3 나눗셈을 하고 맞게 계산했는지 확인하려고 합니다. □ 안에 알맞은 수를 써넣으세요.

$94 \div 7 = \square \cdots \square$

확인 $\square \times \square = 91$ ➔ $91 + \square = 94$

4 계산해 보세요.

(1) $420 \div 3$

(2) $193 \div 6$

(3) $4 \overline{)312}$

(4) $9 \overline{)626}$

5 나눗셈을 바르게 계산한 사람의 이름을 써 보세요.

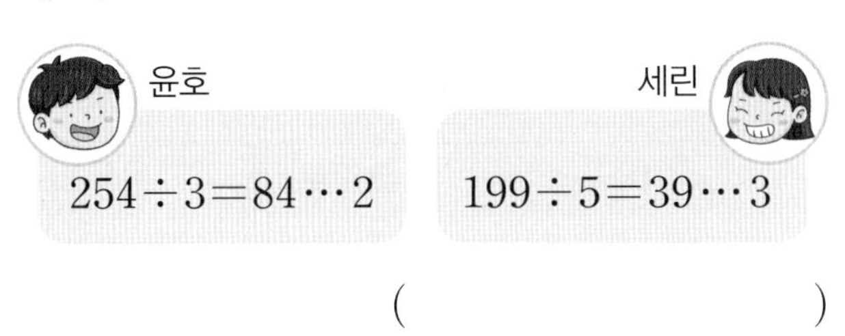

( )

6 나눗셈을 하고 맞게 계산했는지 확인한 식이 보기와 같습니다. 계산한 나눗셈식을 쓰고, 몫과 나머지를 구하세요.

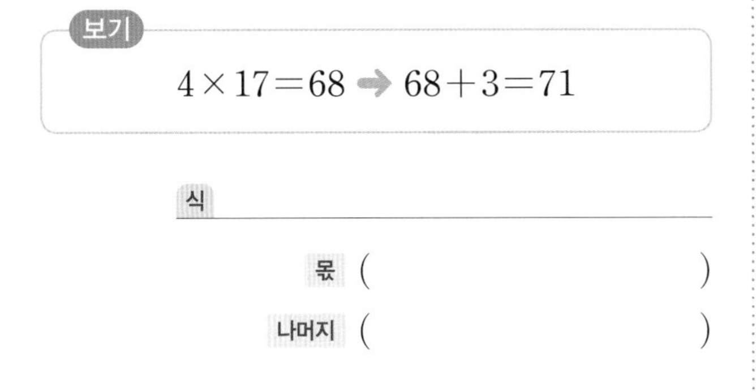

기본 유형 확인

7 빈 곳에 알맞은 수를 써넣으세요.

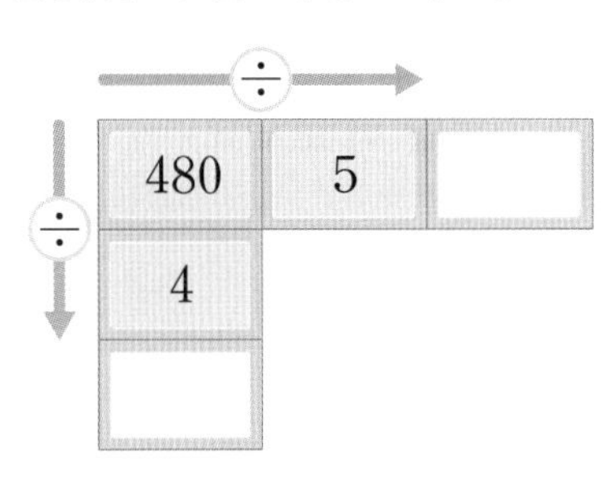

8 $308 \div 3$과 나머지가 같은 나눗셈식을 찾아 기호를 써 보세요.

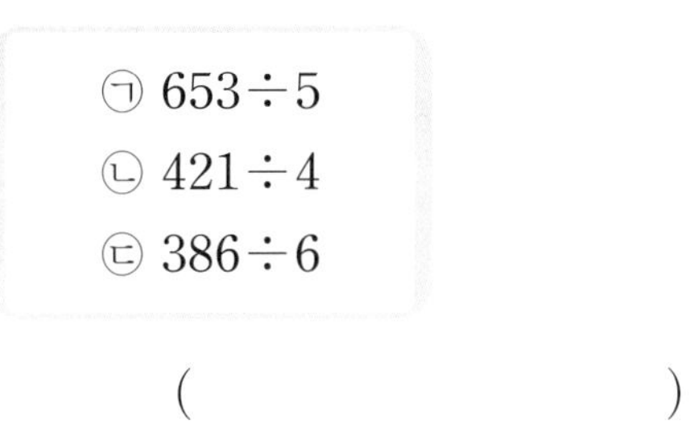

( )

9 구슬 196개를 9명이 똑같이 나누어 가지려고 합니다. 한 명이 구슬을 몇 개씩 가지게 되고 몇 개가 남을까요?

$\square \div \square = \square \cdots \square$

➜ 한 명이 □개씩 가지게 되고 □개가 남습니다.

2 단원

실력 다지기

나누는 수와 나머지의 관계

유형 **01** 다음 나눗셈식에서 나머지가 4가 될 수 없는 식을 찾아 기호를 써 보세요.

㉠ □÷6	㉡ □÷4
㉢ □÷5	㉣ □÷8

( )

확인 **02** 서술형 다음 나눗셈식에서 ●가 될 수 있는 자연수 중 가장 큰 수는 얼마인지 풀이 과정을 쓰고, 답을 구하세요.

■÷8=▲…●

풀이

답

강화 **03** 다음 수 중에서 6으로 나누었을 때 나누어떨어지는 수를 모두 찾아 써 보세요.

25 66 50 90

( )

나눗셈의 몫과 나머지 구하기

04 나눗셈의 몫과 나머지를 잘못 쓴 것을 찾아 기호를 써 보세요.

㉠ $82 \div 7$ ➡ 몫: 11, 나머지: 5
㉡ $31 \div 2$ ➡ 몫: 15, 나머지: 1
㉢ $92 \div 6$ ➡ 몫: 16, 나머지: 3

( )

05 교과역량 미국, 코모로, 온두라스 국기 속에 있는 별의 수입니다. 별의 수 중에서 가장 큰 수를 가장 작은 수로 나눈 몫과 나머지를 구하세요.

미국	코모로	온두라스
(국기)	(국기)	(국기)
50개	4개	5개

몫 ( )
나머지 ( )

06 유미가 말하는 수를 5로 나눈 몫과 나머지를 구하세요.

100이 4개, 10이 8개, 1이 3개인 세 자리 수

유미

몫 ( )
나머지 ( )

정답 12쪽

잘못 계산한 부분 찾기

07 계산이 잘못된 것을 찾아 ○ 안에 ×표 하세요.

$$\begin{array}{r} 39 \\ 3\overline{)78} \\ 9 \\ \hline 28 \\ 27 \\ \hline 1 \end{array} \qquad \begin{array}{r} 13 \\ 4\overline{)54} \\ 4 \\ \hline 14 \\ 12 \\ \hline 2 \end{array}$$

( ) ( )

08 계산이 잘못된 부분을 찾아 바르게 계산하세요.

$$\begin{array}{r} 23 \\ 4\overline{)97} \\ 8 \\ \hline 17 \\ 12 \\ \hline 5 \end{array} \rightarrow \square$$

서술형

09 계산이 잘못된 부분을 찾아 이유를 쓰고, 바르게 계산하세요.

$$\begin{array}{r} 11 \\ 5\overline{)119} \\ 5 \\ \hline 69 \\ 5 \\ \hline 64 \end{array} \rightarrow \square$$

이유

몫 또는 나머지의 크기 비교

10 몫의 크기를 비교하여 ○ 안에 >, =, <를 알맞게 써넣으세요.

$98 \div 8$  $59 \div 3$

11 나머지가 가장 작은 나눗셈을 찾아 색칠하세요.

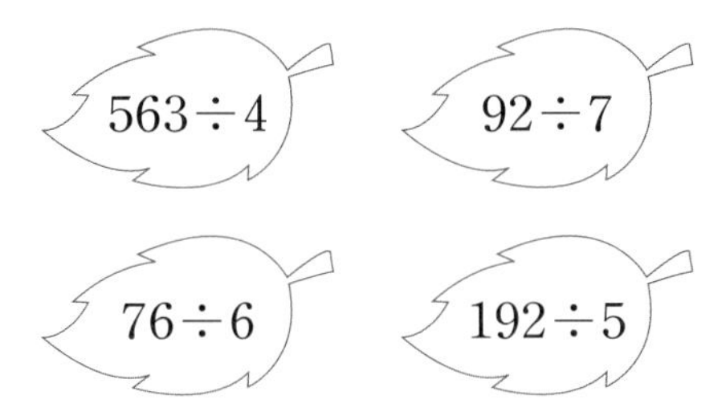

서술형

12 몫이 큰 것부터 차례로 기호를 쓰려고 합니다. 풀이 과정을 쓰고, 답을 구하세요.

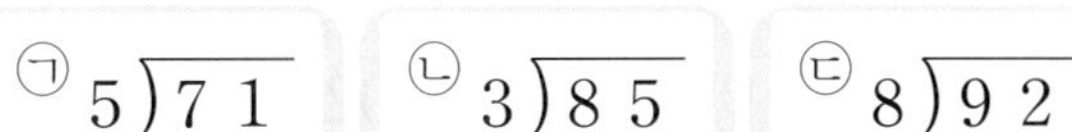

풀이

답

2 단원

나눗셈의 활용③

유형 **13** 복숭아 77개를 접시 한 개에 6개씩 담았습니다. 접시에 담고 남은 복숭아는 몇 개일까요?

( )

확인 **14** 85일은 몇 주 며칠인지 차례로 써 보고, 맞게 계산했는지 확인해 보세요.

(,)

확인

강화 **15** 장수풍뎅이의 다리는 3쌍이고, 잠자리의 날개는 2쌍입니다. 물음에 답하세요.

교과역량

쌍: 둘을 하나로 묶어 세는 단위

장수풍뎅이

잠자리

(1) 장수풍뎅이 다리가 102개 있습니다. 장수풍뎅이는 몇 마리일까요?

( )

(2) 잠자리 날개가 116장 있습니다. 잠자리는 몇 마리일까요?

( )

나누어지는 수, 나누는 수 구하기

16 다음 나눗셈식에서 □ 안에 알맞은 수를 써넣으세요.

$250 \div \square = 50$

17 다음 나눗셈은 나누어떨어집니다. 0부터 9까지의 수 중에서 □ 안에 들어갈 수 있는 수를 모두 구하세요.

$4 \overline{)13\square}$

( )

서술형 **18** 어떤 수를 7로 나누었더니 몫이 6이고, 나머지가 2가 되었습니다. 어떤 수는 얼마인지 풀이 과정을 쓰고, 답을 구하세요.

풀이

답

몫과 나머지를 구하여 비교하기

19 지훈이의 일기입니다. □ 안에 알맞은 수를 써넣고, 공책과 연필 중에서 받은 학생 수가 더 많은 것을 써 보세요.

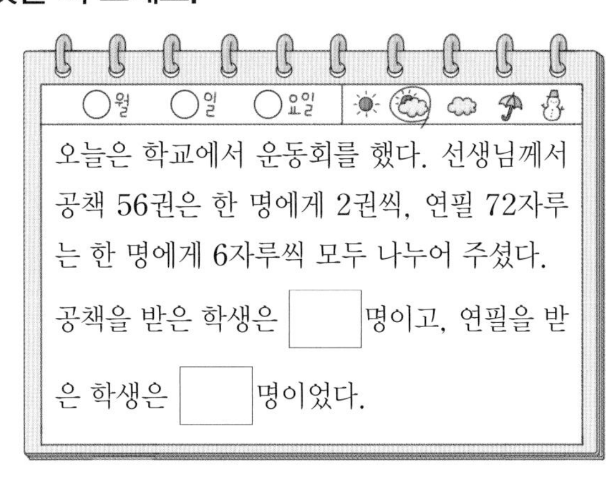
○월 ○일 ○요일

오늘은 학교에서 운동회를 했다. 선생님께서 공책 56권은 한 명에게 2권씩, 연필 72자루는 한 명에게 6자루씩 모두 나누어 주셨다.
공책을 받은 학생은 □명이고, 연필을 받은 학생은 □명이었다.

( )

20 윤호와 지원이가 다음과 같이 각각 사과를 봉지에 담았습니다. 물음에 답하세요.

(1) 윤호와 지원이가 봉지에 담고 남은 사과는 각각 몇 개일까요?

윤호 ( )
지원 ( )

(2) 윤호와 지원이 중에서 봉지에 담고 남은 사과는 누가 몇 개 더 많을까요?

(,)

여러 상황에서 나눗셈하기

21 장미가 한 묶음에 6송이씩 13묶음 있습니다. 이 장미를 꽃병 한 개에 5송이씩 남김없이 모두 꽂으려면 꽃병은 적어도 몇 개 필요할까요?

( )

22 한 묶음에 들어 있는 물건의 수가 같을 때 묶음 수와 물건의 수를 나타낸 표입니다. 물음에 답하세요.

물건	지우개	연필
묶음 수	3묶음	4묶음
물건의 수	87개	168자루

(1) 지우개 2묶음은 몇 개일까요?

( )

(2) 연필 5묶음은 몇 자루일까요?

( )

2 단원

수 카드로 나눗셈식 만들기

약점 체크

유형 **23** 4장의 수 카드 중에서 3장을 골라 한 번씩만 사용하여 몫이 가장 큰 (몇십몇)÷(몇)을 만들었습니다. 만든 나눗셈식의 몫과 나머지를 구하세요.

3 5 6 8

몫 (   )

나머지 (   )

해결 • 몫이 가장 크게 되는 경우
(가장 큰 두 자리 수)÷(가장 작은 한 자리 수)
• 몫이 가장 작게 되는 경우
(가장 작은 두 자리 수)÷(가장 큰 한 자리 수)

확인 **24** 3장의 수 카드 중에서 2장을 골라 한 번씩만 사용하여 가장 큰 두 자리 수를 만들었습니다. 이 수를 남은 카드의 수로 나누었을 때의 몫과 나머지를 구하세요.

7 2 5

몫 (   )

나머지 (   )

남지 않게 나누기

약점 체크

25 인수네 학교 3학년 학생 126명이 모여 체육 대회를 하려고 합니다. 물음에 답하세요.

생각 수학

(1) 2모둠으로 똑같이 나누려고 합니다. 한 모둠은 몇 명씩으로 해야 할까요?

(   )

(2) 한 줄에 3명씩 줄을 서려고 합니다. 몇 줄이 만들어질까요?

(   )

(3) 4부터 9까지의 수 중에서 126을 나누어떨어지게 하는 수를 모두 구하세요.

(   )

해결 (세 자리 수)÷(한 자리 수)의 계산에서 나머지가 0인 경우의 나누는 수를 모두 찾습니다.

26 은주가 들고 있는 나눗셈식은 나누어떨어집니다. 1부터 9까지의 수 중에서 □ 안에 알맞은 수를 모두 구하세요.

(   )

정답 12쪽

나눗셈식에서 모르는 수 구하기②

약점 체크

27 ㉠에 알맞은 수를 구하세요.

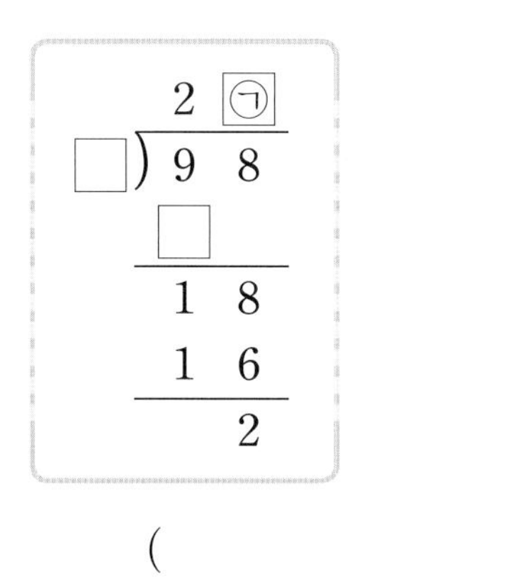

(　　　　　　　　)

주의 세로 형식의 나눗셈식에서 내림에 주의하여 각 자리의 계산을 통해 ㉠에 알맞은 수를 구합니다.

28 ♥에 알맞은 수를 구하세요.

(　　　　　　　　)

바르게 계산한 값 구하기

약점 체크

29 현준이가 오답 노트에 잘못 계산한 이유를 쓴 것입니다. 바르게 계산한 몫과 나머지는 얼마인지 구하세요.

> 어떤 수를 4로 나누어야 하는데 잘못하여 4에 어떤 수를 곱했더니 268이 되었습니다.

몫 (　　　　　　　　)

나머지 (　　　　　　　　)

해결 먼저 어떤 수를 □라 하여 잘못 계산한 식을 세운 후 어떤 수를 구합니다.

30 어떤 수를 5로 나누어야 할 것을 잘못하여 7로 나누었더니 몫이 12로 나누어떨어졌습니다. 바르게 계산한 몫과 나머지는 얼마인지 구하세요.

몫 (　　　　　　　　)

나머지 (　　　　　　　　)

2 단원

서술형 해결하기

연습

01 블록 58개를 5명에게 남김없이 똑같이 나누어 주려고 합니다. 블록은 적어도 몇 개 더 필요한지 풀이 과정을 쓰고, 답을 구하세요.

서술형 포인트

물건 ■개를 ▲명에게 똑같이 나누어 줄 때
■÷▲=●…★라면
(적어도 더 필요한 물건 수)=(▲−★)개

❶ 나누어 주고 남은 블록의 수 구하기
❷ 블록은 적어도 몇 개 더 필요한지 구하기

풀이를 완성하세요.

❶ (전체 블록 수)÷(사람 수)
=58÷5=____…____
블록 58개를 한 명에게 ____개씩 주고 ____개가 남습니다.

❷ (더 필요한 블록 수)
=(사람 수)−(남은 블록 수)
=________
➡ 블록은 적어도 ____개 더 필요합니다.

답 ________

단계

02 사탕을 현서는 40개, 소정이는 50개 가지고 있습니다. 두 사람이 가진 사탕을 7명에게 남김없이 똑같이 나누어 주려면 **사탕은 적어도 몇 개 더 필요**한지 풀이 과정을 쓰고, 답을 구하세요.

❶ 나누어 주고 남은 사탕의 수 구하기

풀이

❷ 사탕은 적어도 몇 개 더 필요한지 구하기

풀이

답 ________

실전

03 희선이는 한 상자에 4개씩 들어 있는 초콜릿을 19상자 샀습니다. 이 초콜릿을 6명에게 남김없이 똑같이 나누어 주려면 **초콜릿은 적어도 몇 개 더 필요**한지 풀이 과정을 쓰고, 답을 구하세요.

풀이

답 ________

연습 04 **그림과 같이 길이가 88 m인 도로의 한쪽에 4 m 간격으로 깃발을 꽂으려고 합니다. 도로의 처음부터 끝까지 깃발을 꽂는다면 필요한 깃발은 몇 개인지 풀이 과정을 쓰고, 답을 구하세요. (단, 깃발의 두께는 생각하지 않습니다.)**

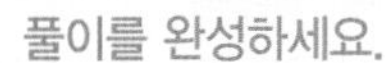

서술형 포인트

도로의 한쪽에 처음부터 끝까지 꽂은 깃발의 수
→ (간격 수)+1

❶ 깃발과 깃발 사이의 간격 수 구하기

❷ 필요한 깃발 수 구하기

풀이를 완성하세요.

❶ (깃발과 깃발 사이의 간격 수)
=(도로의 길이)÷(간격 한 군데의 길이)
=______

❷ 도로의 처음과 끝에도 깃발을 꽂아야 하므로 필요한 깃발 수는 간격 수보다 ___ 큽니다.
(필요한 깃발 수)=(간격 수)+___
=______
→ 필요한 깃발은 ___개입니다.

답 ______

2 단원

단계 05 길이가 140 m인 도로의 양쪽에 5 m 간격으로 나무를 심으려고 합니다. **도로의 처음부터 끝까지 나무를 심는다면 필요한 나무는 몇 그루**인지 풀이 과정을 쓰고, 답을 구하세요. (단, 나무의 두께는 생각하지 않습니다.)

❶ 도로 한쪽의 나무와 나무 사이의 간격 수 구하기

풀이

❷ 필요한 나무 수 구하기

풀이

답 ______

실전 06 길이가 216 m인 산책로의 양쪽에 8 m 간격으로 의자를 놓으려고 합니다. **산책로의 처음부터 끝까지 의자를 놓는다면 필요한 의자는 몇 개**인지 풀이 과정을 쓰고, 답을 구하세요. (단, 의자의 길이는 생각하지 않습니다.)

풀이

답 ______

연습

07 주호는 끈으로 왼쪽과 같은 삼각형을 만들었습니다. 같은 길이의 끈을 모두 사용하여 정사각형을 한 개 만든다면 정사각형의 한 변은 몇 cm인지 풀이 과정을 쓰고, 답을 구하세요.

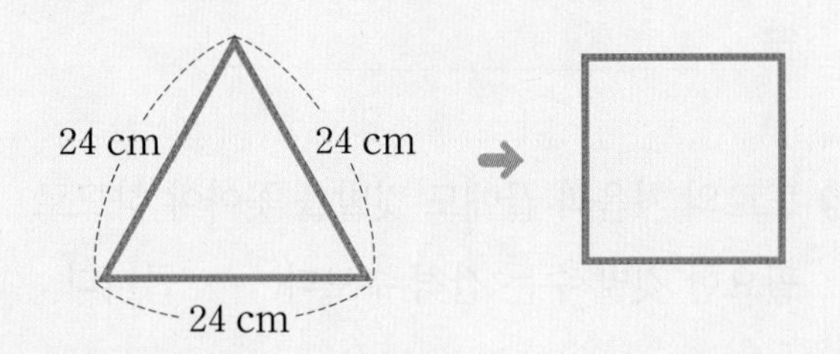

서술형 포인트

먼저 전체 끈의 길이를 구합니다.

❶ 삼각형의 세 변의 길이의 합 구하기

❷ 정사각형의 한 변의 길이 구하기

풀이를 완성하세요.

❶ (삼각형의 세 변의 길이의 합)

=(삼각형의 한 변의 길이)× ___

= ________

➔ 전체 끈의 길이는 ___ cm입니다.

❷ (정사각형의 한 변의 길이)

=(전체 끈의 길이)÷ ___

= ________

➔ 정사각형의 한 변은 ___ cm입니다.

답 ________

단계

08 크기가 같은 정사각형 3개를 겹치지 않게 붙여서 그림과 같은 도형을 만들었습니다. 작은 정사각형 한 개의 네 변의 길이의 합이 48 cm라면 **빨간색 선의 길이는 몇 cm**인지 풀이 과정을 쓰고, 답을 구하세요.

❶ 작은 정사각형의 한 변의 길이 구하기

풀이

❷ 빨간색 선의 길이 구하기

풀이

답 ________

실전

09 크기가 같은 정사각형 6개를 겹치지 않게 붙여서 그림과 같은 도형을 만들었습니다. 작은 정사각형 한 개의 네 변의 길이의 합이 56 cm라면 **파란색 선의 길이는 몇 cm**인지 풀이 과정을 쓰고, 답을 구하세요.

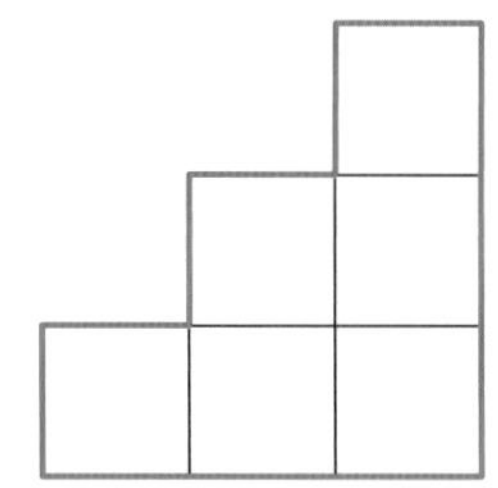

풀이

답 ________

연습

10 윤선이가 설명하는 수는 얼마인지 풀이 과정을 쓰고, 답을 구하세요.

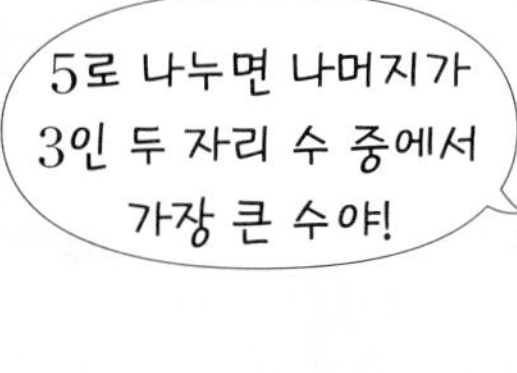

서술형 포인트

수의 범위를 알아보고 범위 안에서 조건에 맞는 수를 찾습니다.

❶ 5로 나누어떨어지는 가장 큰 두 자리 수 구하기

❷ 윤선이가 설명하는 수 구하기

풀이를 완성하세요.

❶ $5\times20=$____, $5\times19=$____,
$5\times18=$____ ⋯⋯이므로
두 자리 수 중에서 5로 나누어떨어지는 가장 큰 수는 ____입니다.

❷ 5로 나누었을 때 나머지가 3인 가장 큰 두 자리 수는 ____$+3=$____입니다.
➡ 윤선이가 설명하는 수는 ____입니다.

답 ________

단계

11 다음 **조건을 모두 만족하는 가장 작은 수**는 얼마인지 풀이 과정을 쓰고, 답을 구하세요.

- 세 자리 수입니다.
- 4로 나누어떨어지는 수입니다.
- 6으로 나누어떨어지는 수입니다.

❶ 4와 6으로 나누어떨어지는 세 자리 수 각각 구하기

풀이

❷ 조건을 모두 만족하는 가장 작은 수 구하기

풀이

답 ________

실전

12 다음 **조건을 모두 만족하는** ◆는 얼마인지 풀이 과정을 쓰고, 답을 구하세요.

- ◆는 100보다 크고 130보다 작습니다.
- ◆는 5로 나누어떨어집니다.
- ◆는 8로 나누어떨어집니다.

풀이

답 ________

단원 마무리

01 수 모형을 보고 □ 안에 알맞은 수를 써넣으세요.

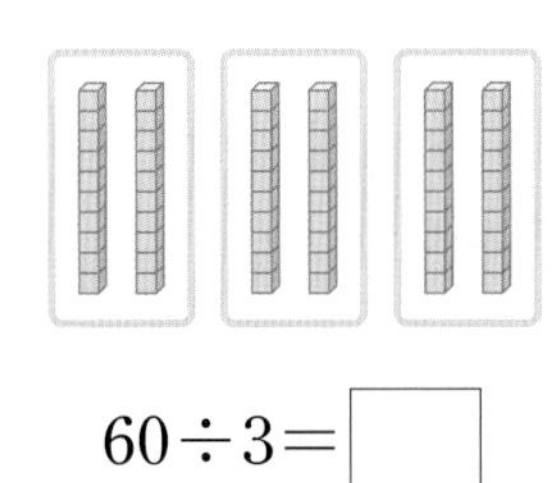

60÷3=□

02 □ 안에 알맞은 수를 써넣으세요.

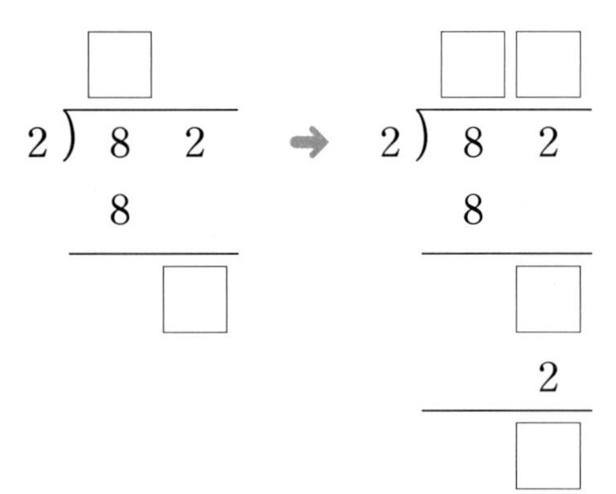

03 □ 안에 알맞은 수를 써넣으세요.

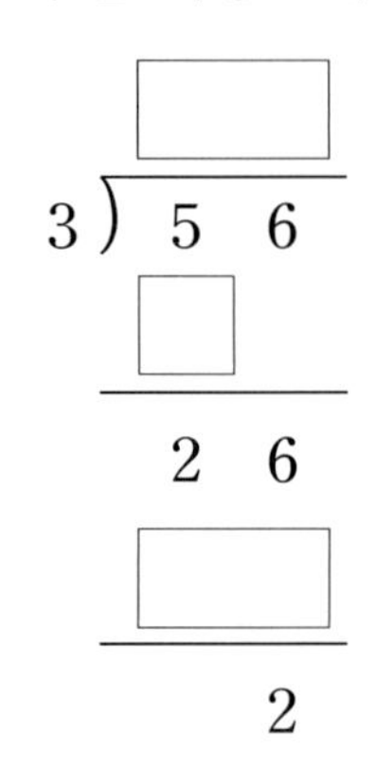

04 나눗셈을 하고 맞게 계산했는지 확인하려고 합니다. □ 안에 알맞은 수를 써넣으세요.

38÷4=□…□

확인 □×□=36 ➡ 36+□=38

05 계산해 보세요.

(1) 6)81

(2) 8)633

06 관계있는 것끼리 선으로 이어 보세요.

(1) 39÷3 •

(2) 46÷2 •

• 23

• 13

• 12

07 빈 곳에 알맞은 수를 써넣으세요.

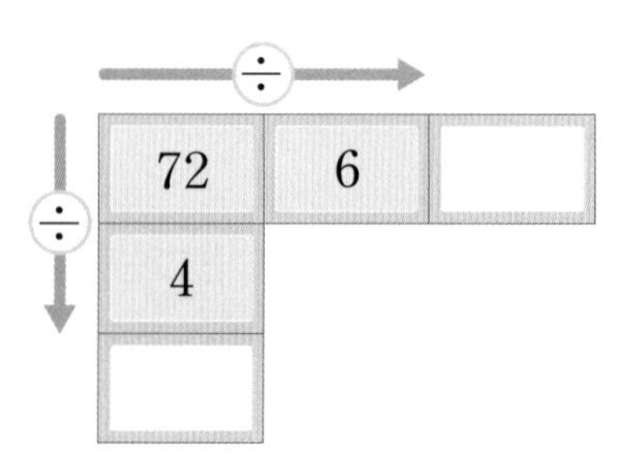

08 두 나눗셈의 몫의 차를 구하세요.

(　　　　　　　　)

09 몫의 크기를 비교하여 ○ 안에 >, =, <를 알맞게 써넣으세요.

$292 \div 4$  $365 \div 5$

10 두 나눗셈의 □ 안에 같은 수가 들어갈 때 ▲에 알맞은 수를 구하세요.

$96 \div 4 = \square$　　　$\square \div 2 = ▲$

(　　　　　　　　)

11 연필이 50자루 있습니다. 이 연필을 한 명에게 2자루씩 준다면 몇 명에게 나누어 줄 수 있을까요?

(　　　　　　　　)

12 몫이 15보다 큰 것을 찾아 기호를 써 보세요.

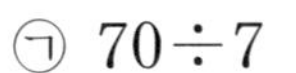

㉠ $70 \div 7$
㉡ $80 \div 4$
㉢ $50 \div 5$

(　　　　　　　　)

13 고구마 90개를 한 봉지에 8개씩 담았더니 2개가 남았습니다. 고구마를 담은 봉지는 몇 개일까요?

(　　　　　　　　)

14 감자 97개를 한 바구니에 6개씩 담으려고 합니다. 바구니 몇 개에 나누어 담을 수 있고 몇 개가 남을까요? 계산해 보고, 맞게 계산했는지 확인해 보세요.

(　　　　,　　　　)

확인

15 지우가 하루에 29쪽씩 3일 동안 동화책을 모두 읽었습니다. 이 동화책을 하루에 7쪽씩 다시 읽는다면 모두 읽는 데 며칠이 걸릴까요?

( )

16 ㉠과 ㉡에 알맞은 수의 합을 구하세요.

$$\begin{array}{r} \boxed{㉠} \\ 7\overline{)\,4\;\;1} \\ 3\;\square \\ \hline \boxed{㉡} \end{array}$$

( )

17 4장의 수 카드 중에서 3장을 골라 한 번씩만 사용하여 몫이 가장 큰 (몇십몇)÷(몇)을 만들었습니다. 만든 나눗셈의 몫과 나머지를 구하세요.

6 3 4 7

몫 ( )

나머지 ( )

서술형 문제

18 다음 수 중에서 어떤 수를 5로 나누었을 때 나머지가 될 수 없는 수를 구하려고 합니다. 풀이 과정을 쓰고, 답을 구하세요.

0 2 3 4 5

풀이

답

19 네 변의 길이의 합이 256 cm인 정사각형이 있습니다. 이 정사각형의 한 변은 몇 cm인지 풀이 과정을 쓰고, 답을 구하세요.

풀이

답

20 어떤 수를 3으로 나누어야 할 것을 잘못하여 4로 나누었더니 몫이 23으로 나누어떨어졌습니다. 바르게 계산한 몫과 나머지는 얼마인지 풀이 과정을 쓰고, 답을 구하세요.

풀이

답 몫 , 나머지

생각하며 쉬어가기

사바이디! 내 이름은 노이야.
나는 아름다운 자연을 가진 라오스에 살고 있어.
'사바이디'는 라오스의 인사말로 '안녕하세요'라는 뜻이야.

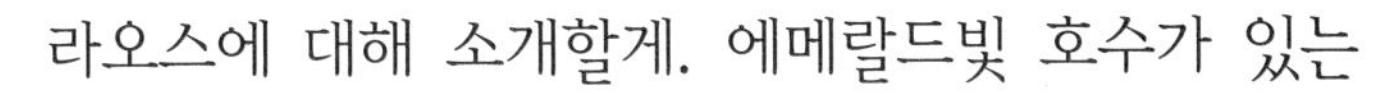

라오스에 대해 소개할게. 에메랄드빛 호수가 있는 꽝시 폭포는 멋진 풍경으로 유명해. 이 곳에는 사슴이 뿔을 들이받은 곳에서 물이 쏟아져 폭포가 만들어졌다는 전설이 있어.

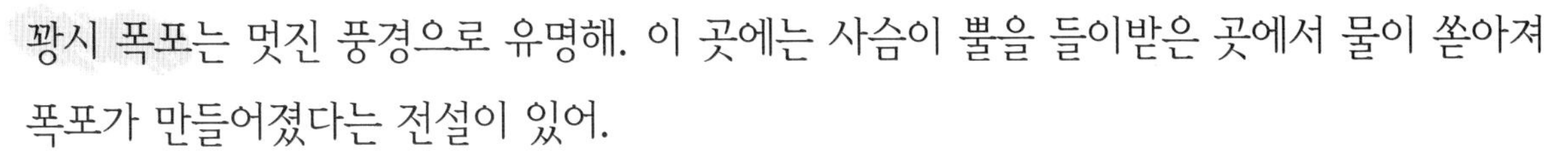

툭툭은 오토바이를 개조하여 수레를 이은 차야. 라오스 사람들은 툭툭을 타고 여기저기를 다녀.

사바이디

툭툭

꽝시 폭포

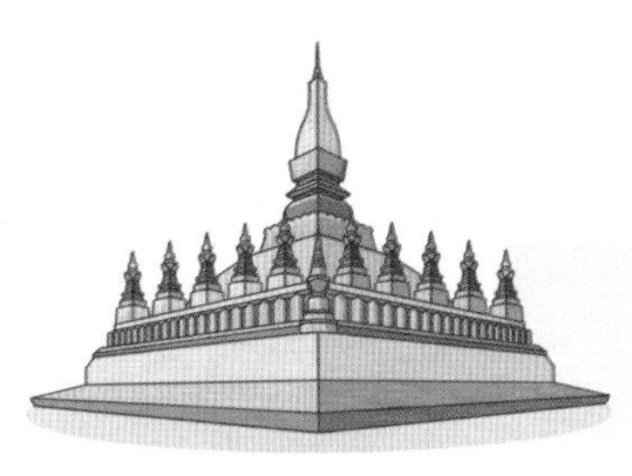

'파탓루앙'은 라오스의 수도 비엔티안에 위치한 황금색 불교 사원이에요.

3 원

음……. 원의 반지름을 이용한 작품이구나.
원의 지름을 알면 이해하기 쉬운 작품이야.
이 작품들을 보면 어떤 규칙이 있는 거 같지 않니?
하하
찾았어요.
뛰면 안돼요!
원 모양을 찾아 뛰어볼까?
와아
아….
난, 성공!

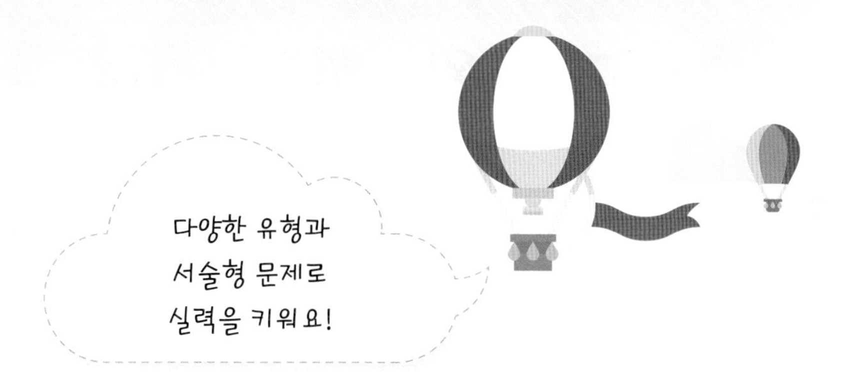

학습계획표

진 진도북, 매 매칭북

학습 계획 및 확인				학습 내용
STEP 1 개념 완성하기	월 일	진 066~071쪽	□	1. 원의 중심, 지름, 반지름 2. 원의 성질 3. 컴퍼스를 이용하여 원 그리기 4. 원을 이용하여 여러 가지 모양 그리기
	월 일	매 20쪽	□	
STEP 2 실력 다지기	월 일	진 072~077쪽	□	원의 반지름 알아보기 원의 지름 알아보기 원의 지름과 반지름의 관계 반지름을 이용하여 원 그리기 규칙에 따라 원 그리기 원을 이용하여 똑같은 모양 그리기 반지름(지름)을 이용하여 선분의 길이 구하기 선분의 길이를 이용하여 반지름(지름) 구하기 약점 체크 원의 중심을 연결하여 만든 도형 알아보기 약점 체크 도형의 변의 길이 구하기 약점 체크 원을 그려서 문제 해결하기 약점 체크 여러 원이 겹쳐 있을 때 반지름(지름) 구하기
	월 일	매 21~23쪽	□	
STEP 3 서술형 해결하기	월 일	진 078~079쪽	□	서술형 학습
	월 일	매 24쪽	□	
평가 단원 마무리	월 일	진 080~082쪽	□	마무리 학습
	월 일	매 53~55쪽	□	

※ 이번 단원에서 공부할 계획을 세우고 계획대로 공부했다면 □ 안에 ○표 합니다.

STEP 1 개념 완성하기

1 원의 중심, 지름, 반지름

(1) 여러 가지 방법으로 원 그리기

방법 1 자를 이용하여 점을 찍어 원 그리기

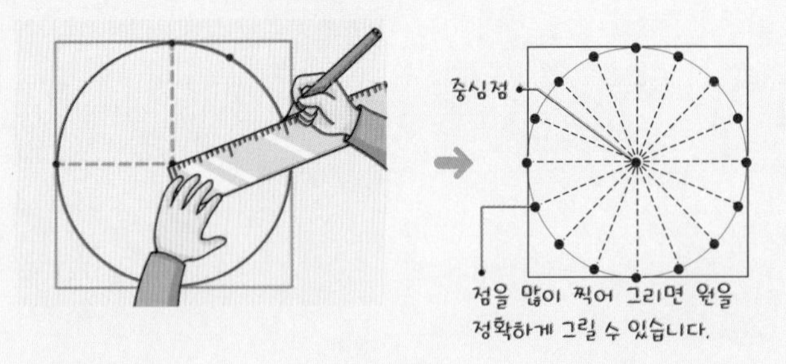

중심점으로부터 표시된 한 점 사이의 길이를 자로 잰 후 그 길이를 기준으로 점의 위치를 표시하여 표시된 점을 따라 원을 그립니다.

방법 2 누름 못과 띠 종이를 이용하여 원 그리기

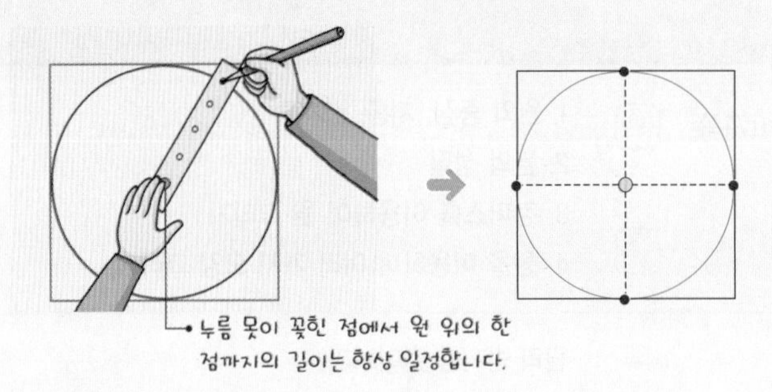

띠 종이를 누름 못으로 고정한 후 연필을 띠 종이에 있는 구멍에 넣어 원을 그립니다.

누름 못으로부터 멀리 떨어진 구멍일수록 큰 원을 그릴 수 있습니다.

(2) 원의 중심, 반지름, 지름 알아보기

- **원의 중심**(점 ㅇ): 원을 그릴 때에 누름 못이 꽂혔던 점(원의 가장 안쪽에 있는 점)
- **원의 반지름**(선분 ㅇㄱ과 선분 ㅇㄴ): 원의 중심 ㅇ과 원 위의 한 점을 이은 선분
- **원의 지름**(선분 ㄱㄴ): 원 위의 두 점을 이은 선분이 원의 중심 ㅇ을 지날 때의 선분

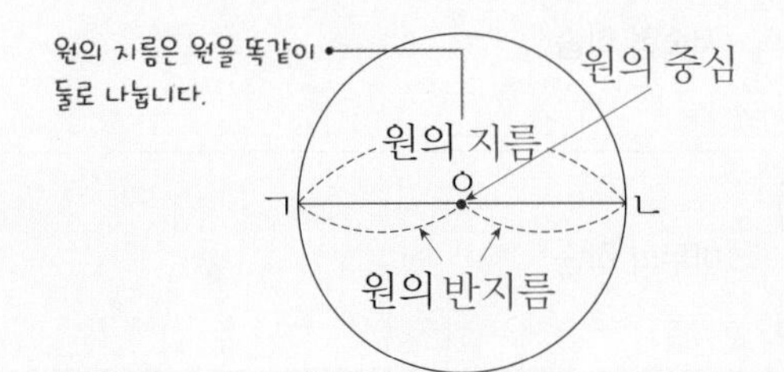

개념 확인

1 자를 이용하여 점을 찍어 원을 완성해 보세요.

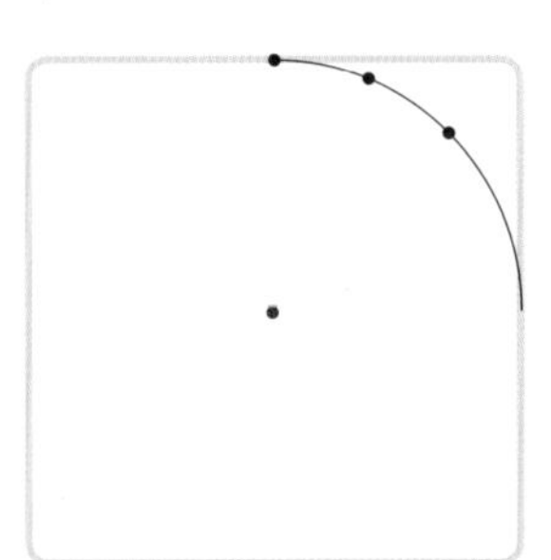

2 누름 못과 띠 종이를 이용하여 원을 완성해 보세요.

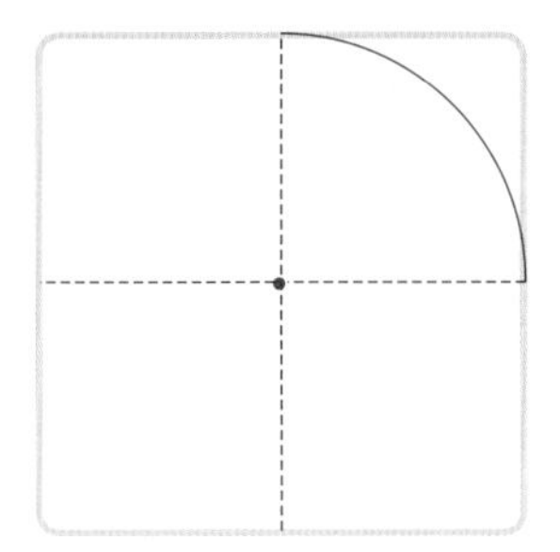

3 누름 못과 띠 종이를 이용하여 원을 그렸습니다. □ 안에 알맞은 말을 써넣으세요.

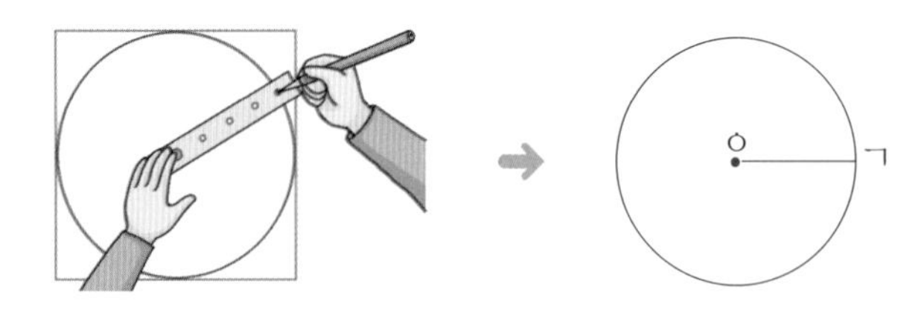

(1) 원을 그릴 때에 누름 못이 꽂혔던 점 ㅇ을 원의 □이라고 합니다.

(2) 원의 중심과 원 위의 한 점을 이은 선분 ㅇㄱ을 원의 □이라고 합니다.

4 원의 중심을 찾아 써 보세요.

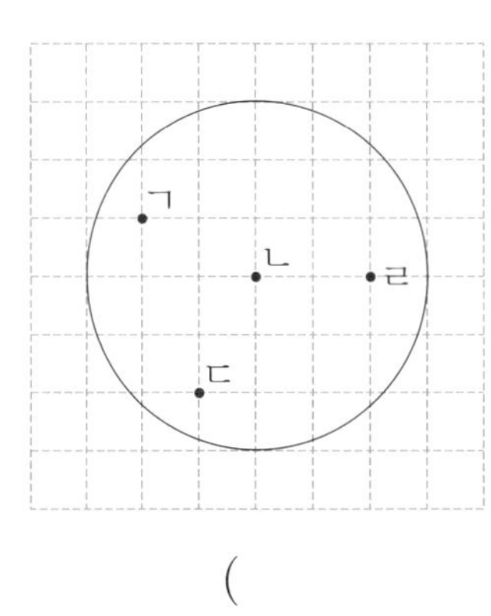

( )

5 그림을 보고 물음에 답하세요.

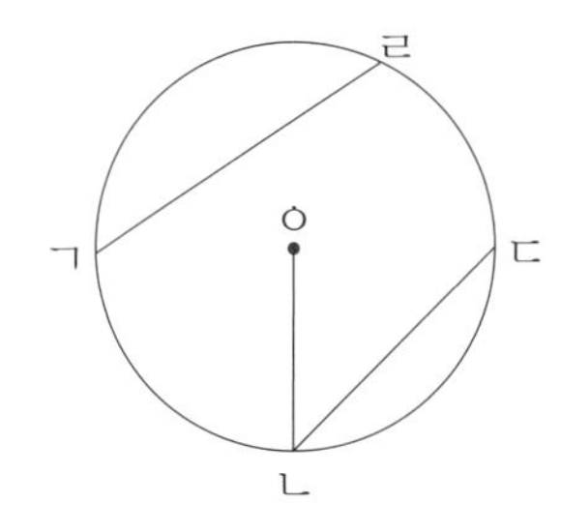

(1) 원의 중심을 찾아 써 보세요.

( )

(2) 선분 중에서 원의 반지름을 찾아 써 보세요.

( )

6 원에 지름을 3개 그어 보세요.

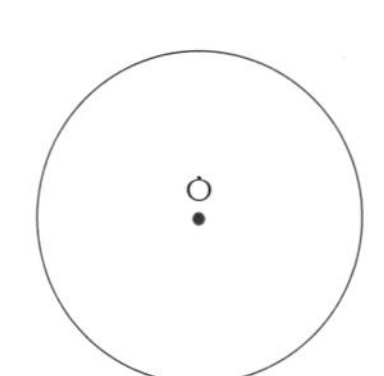

기본 유형 확인

7 사진에 원의 중심, 반지름, 지름을 각각 표시해 보세요.

8 원의 반지름은 몇 cm일까요?

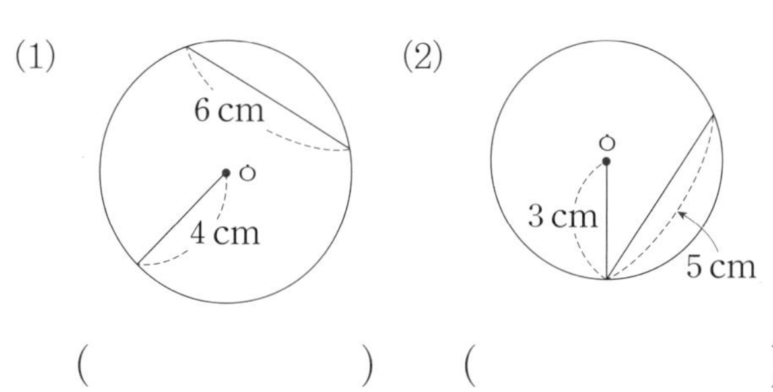

( ) ( )

9 성주와 은영이가 운동장에 원을 그렸습니다. □ 안에 '중심'과 '반지름'을 알맞게 써넣으세요.

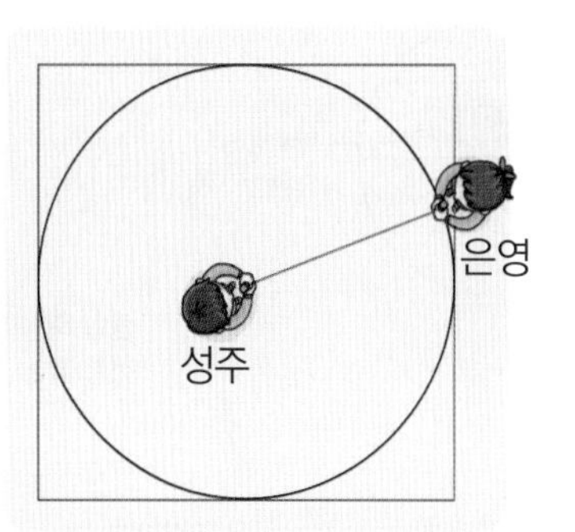

성주가 잡고 있는 막대가 꽂힌 곳이 원의 □이고, 성주와 은영이의 막대 사이를 이은 줄이 원의 □입니다.

STEP 1 개념 완성하기

2 원의 성질

(1) 원의 지름의 성질

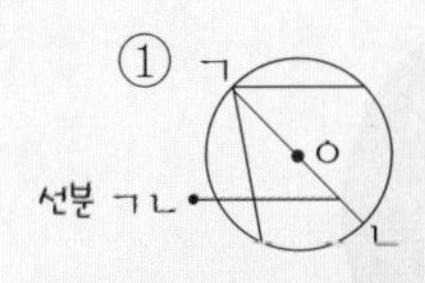

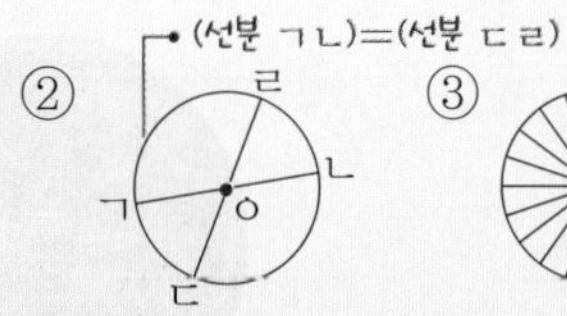

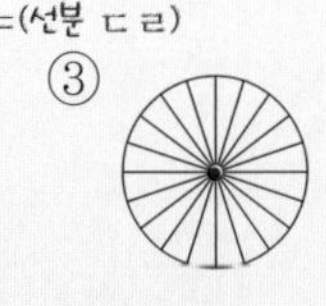

원의 지름은 원 안에 그을 수 있는 선분 중 가장 긴 선분입니다.

한 원에서 원의 지름의 길이는 모두 같습니다.

한 원에서 지름은 셀 수 없이 많이 그을 수 있습니다.

(2) 원의 지름과 반지름 사이의 관계

예제 1 반지름이 3 cm인 원의 지름 구하기

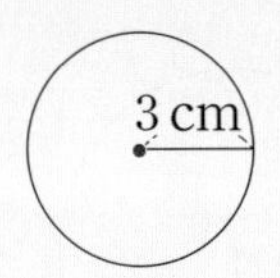

(원의 지름)$=3\times2=6$ (cm)

한 원에서 지름의 길이는 반지름의 길이의 2배입니다.

예제 2 지름이 8 cm인 원의 반지름 구하기

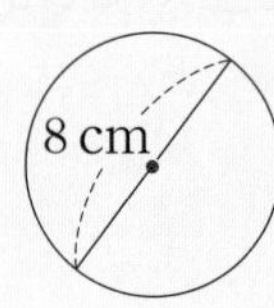

(원의 반지름)$=8\div2=4$ (cm)

한 원에서 반지름의 길이는 지름의 길이의 반입니다.

3 컴퍼스를 이용하여 원 그리기

예제 주어진 원과 크기가 같은 원 그리기

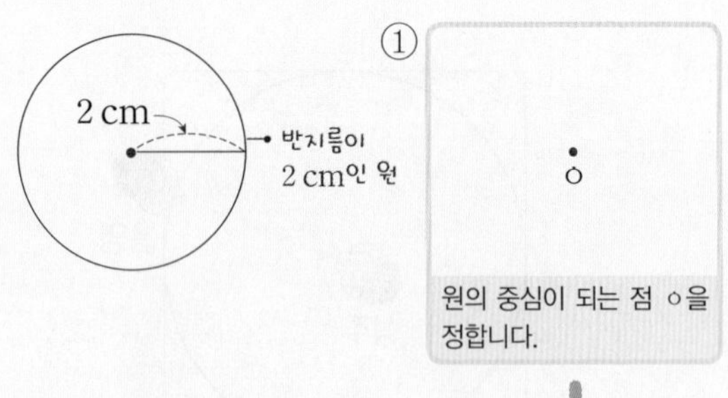

원의 중심이 되는 점 ㅇ을 정합니다.

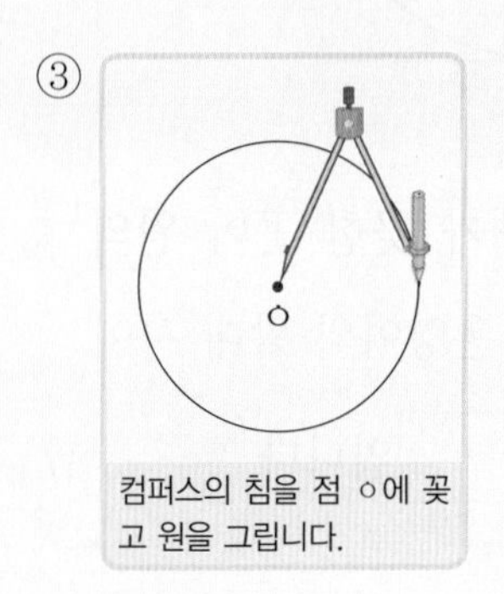

컴퍼스의 침을 점 ㅇ에 꽂고 원을 그립니다.

컴퍼스를 원의 반지름만큼 벌립니다. 2 cm

개념 확인

1 그림을 보고 물음에 답하세요.

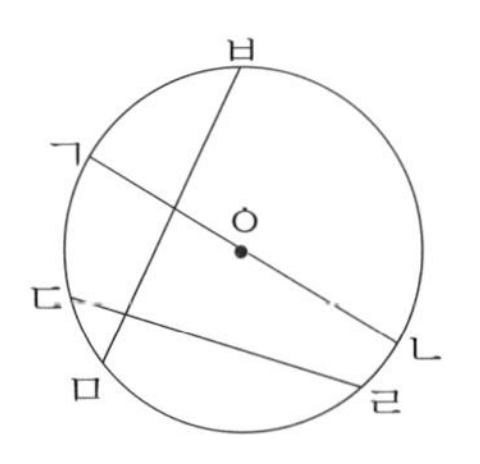

(1) 길이가 가장 긴 선분을 찾아 써 보세요.

( )

(2) 원의 지름을 나타내는 선분을 찾아 써 보세요.

( )

2 선분의 길이를 재어 □ 안에 알맞은 수를 써넣으세요.

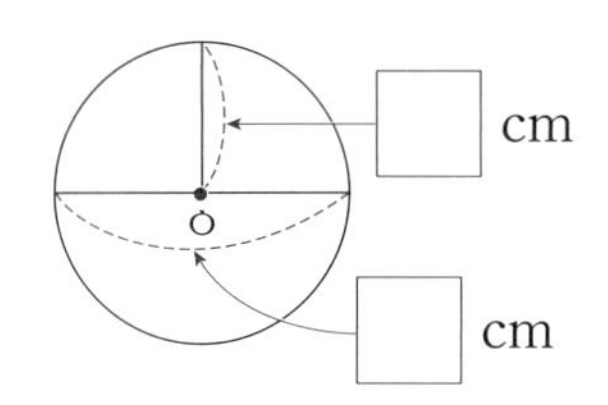

3 컴퍼스를 이용하여 원을 그리는 순서대로 □ 안에 번호를 써넣으세요.

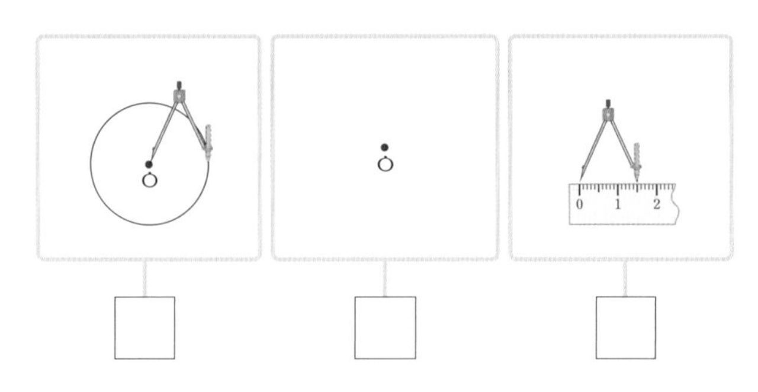

4 ◯ 안에 원에 대한 설명이 옳으면 ◯표, 틀리면 ×표 하세요.

(1) 한 원에서 원의 지름은 원 안에 그을 수 있는 선분 중 가장 긴 선분입니다. ◯

(2) 한 원에서 지름은 한 개 그을 수 있습니다. ◯

5 원의 지름을 구하려고 합니다. □ 안에 알맞은 수를 써넣으세요.

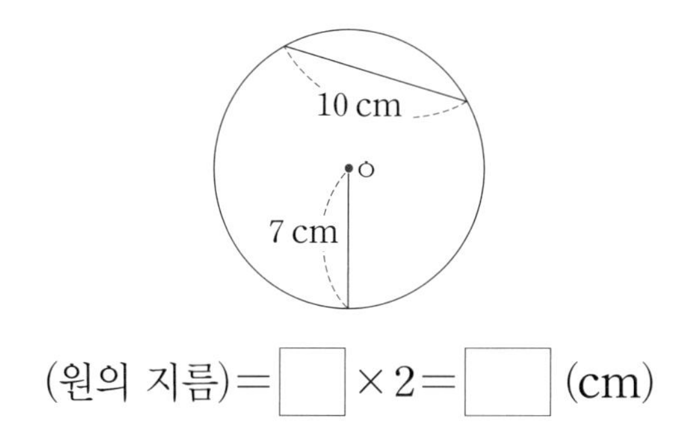

(원의 지름)=□×2=□ (cm)

6 컴퍼스를 이용하여 반지름이 2 cm인 원을 그려 보세요.

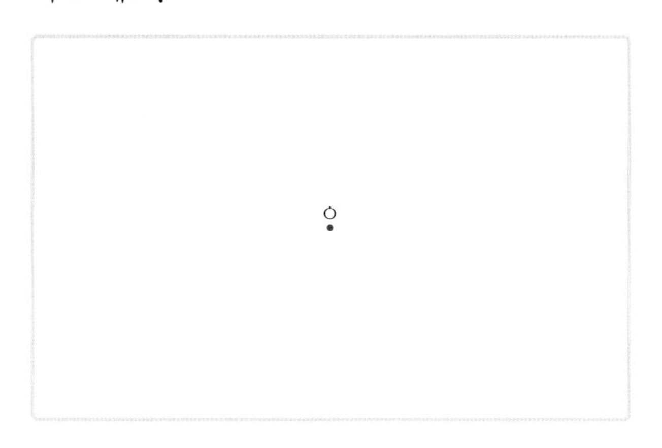

기본 유형 확인

7 □ 안에 알맞은 수를 써넣으세요.

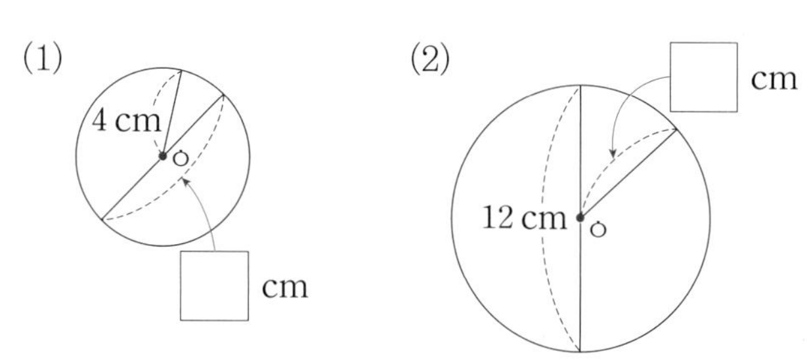

8 반지름이 3 cm인 원을 그릴 수 있도록 컴퍼스를 바르게 벌린 것을 찾아 기호를 써 보세요.

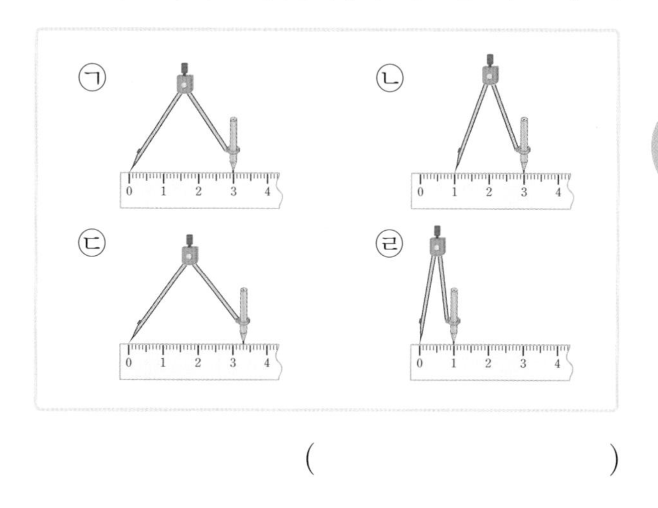

(　　　　　　)

9 컴퍼스를 이용하여 점 ㄱ, 점 ㄴ을 원의 중심으로 하는 반지름이 1 cm인 원을 각각 그려 보세요.

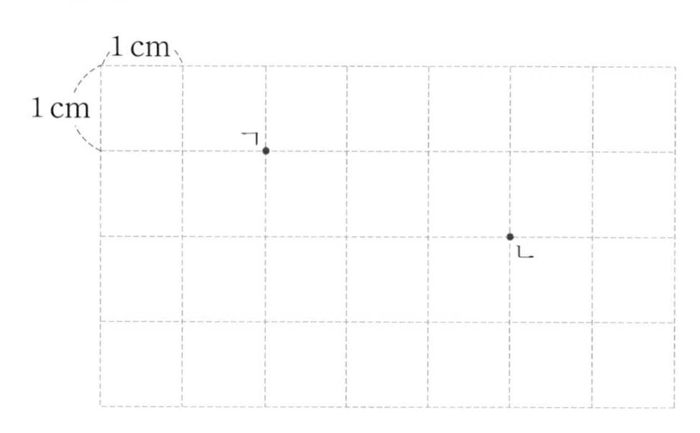

4 원을 이용하여 여러 가지 모양 그리기

(1) 규칙을 찾아 원 그리기

① 원의 중심은 같고 반지름이 다른 경우

같은 곳에 침을 꽂고 반지름이 다른 원을 그립니다.

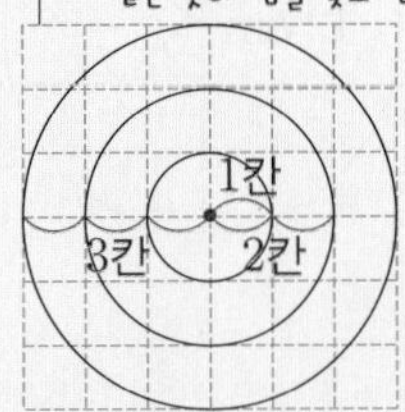

규칙 원의 중심은 같고 원의 반지름은 모눈 1칸, 2칸, 3칸으로 1칸씩 늘어났습니다.

② 원의 중심이 다르고 반지름은 같은 경우

컴퍼스는 한 번만 벌리고 중심을 옮겨 가며 원을 그립니다.

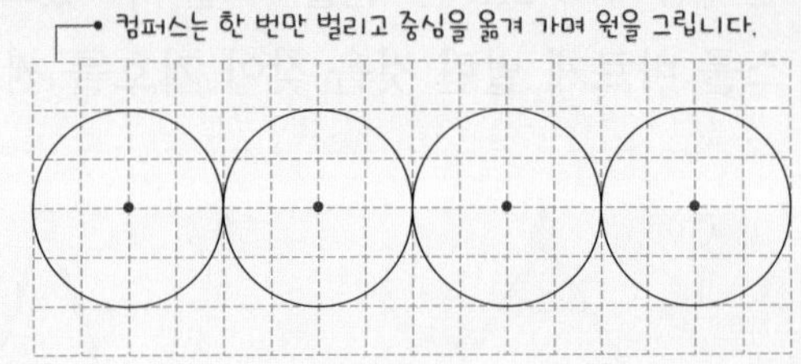

규칙 원의 반지름은 변하지 않고 원의 중심은 오른쪽으로 모눈 4칸씩 옮겨 갔습니다.

③ 원의 중심과 반지름이 다른 경우

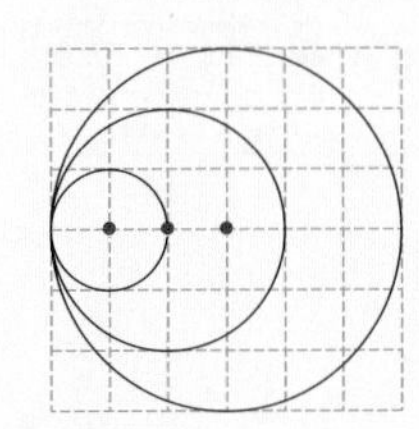

규칙 원의 중심은 오른쪽으로 모눈 1칸씩 옮겨 가고 원의 반지름은 모눈 1칸씩 늘어났습니다.

(2) 여러 가지 모양을 똑같이 그리기

예제 주어진 모양과 똑같이 그리기

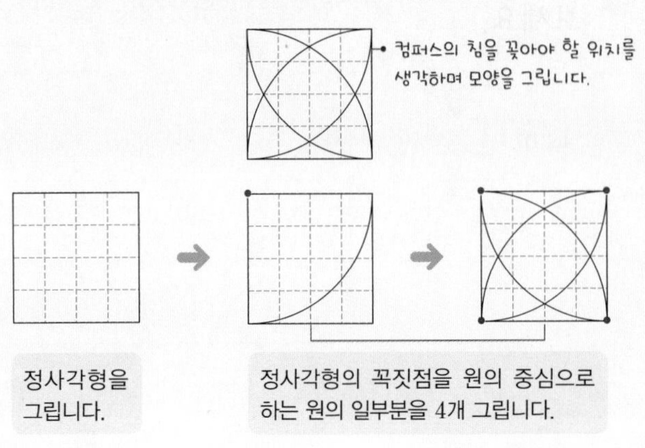

정사각형을 그립니다.

정사각형의 꼭짓점을 원의 중심으로 하는 원의 일부분을 4개 그립니다.

개념 확인

1 그림을 보고 알맞은 말에 ○표 하고, □ 안에 알맞은 수를 써넣으세요.

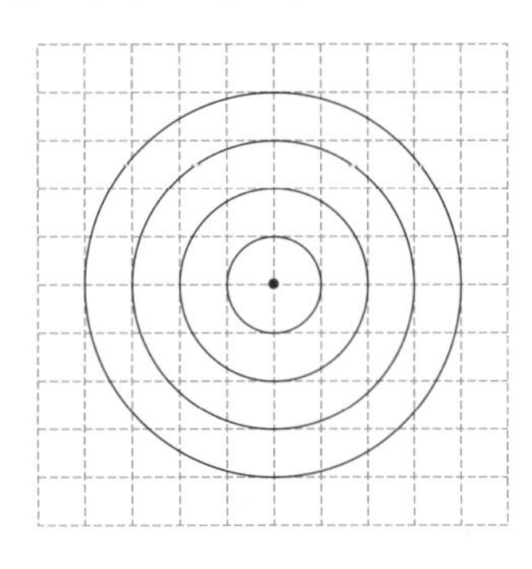

원의 중심은 (같고 , 다르고) 원의 반지름은 모눈 □칸씩 늘어나는 규칙입니다.

2 주어진 모양과 똑같이 그리기 위하여 컴퍼스의 침을 꽂아야 할 곳을 모두 표시해 보세요.

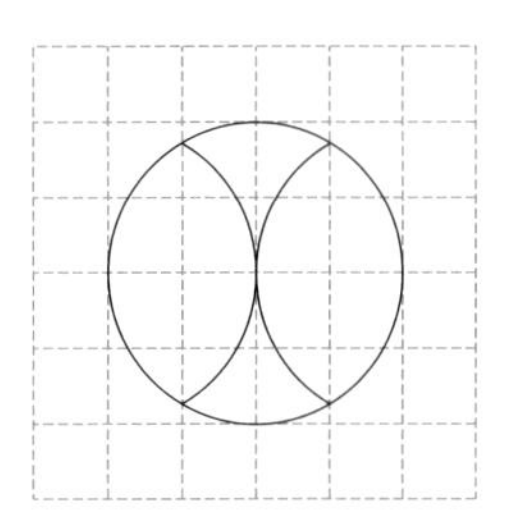

3 주어진 모양과 똑같이 그리기 위하여 컴퍼스의 침을 꽂아야 할 곳을 모두 찾아 써 보세요.

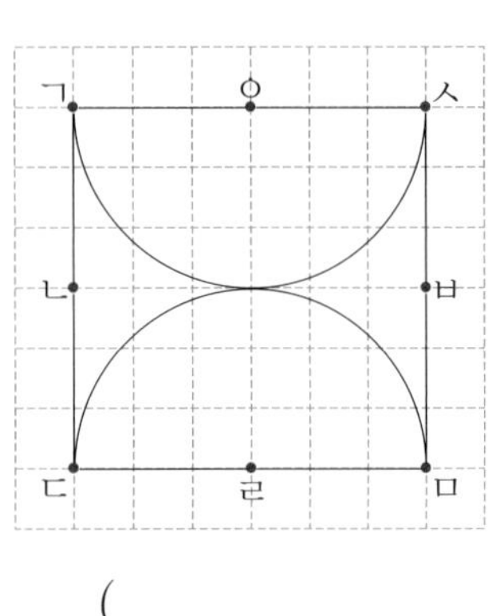

(　　　　　　　　　　)

4 컴퍼스의 침을 꽂아야 할 곳은 몇 군데일까요?

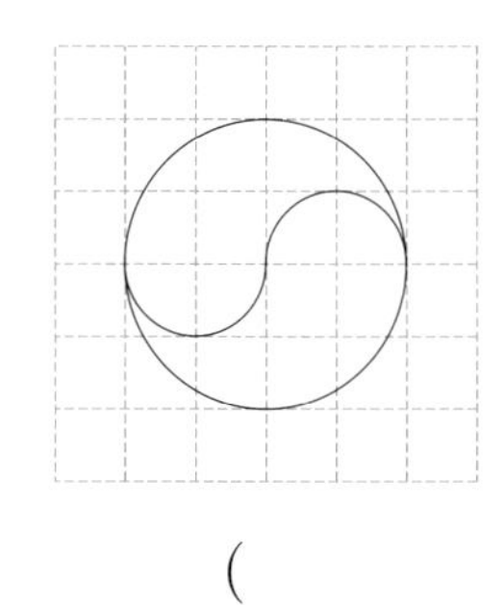

(　　　　　　　　　　)

5 그림을 보고 물음에 답하세요.

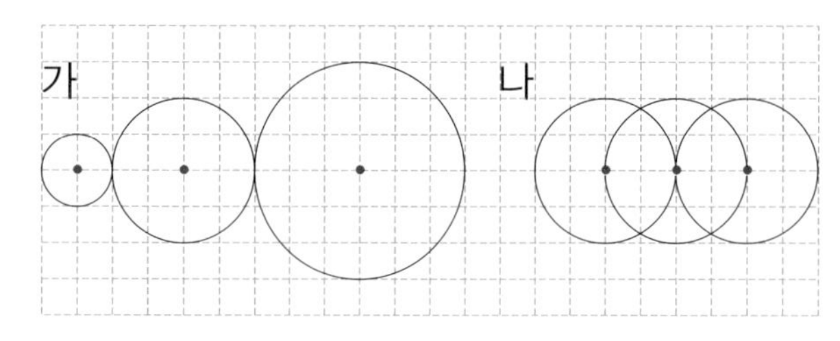

(1) 반지름이 같고 원의 중심을 옮겨 가며 그린 모양을 찾아 기호를 써 보세요.

(　　　　　　　　　　)

(2) 원의 중심과 반지름을 모두 다르게 하여 그린 모양을 찾아 기호를 써 보세요.

(　　　　　　　　　　)

6 주어진 모양과 똑같이 그려 보세요.

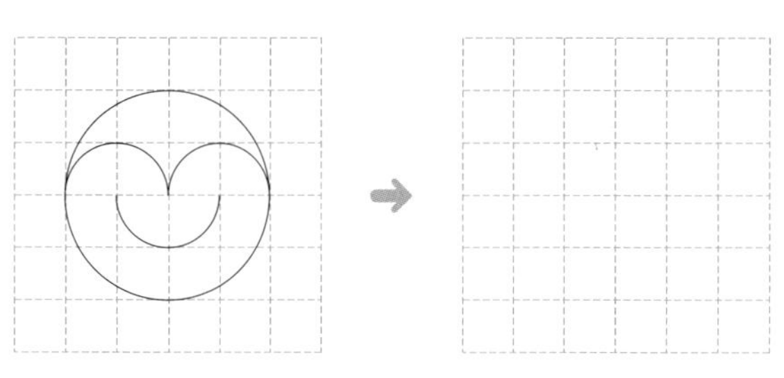

기본 유형 확인

7 그림을 보고 물음에 답하세요.

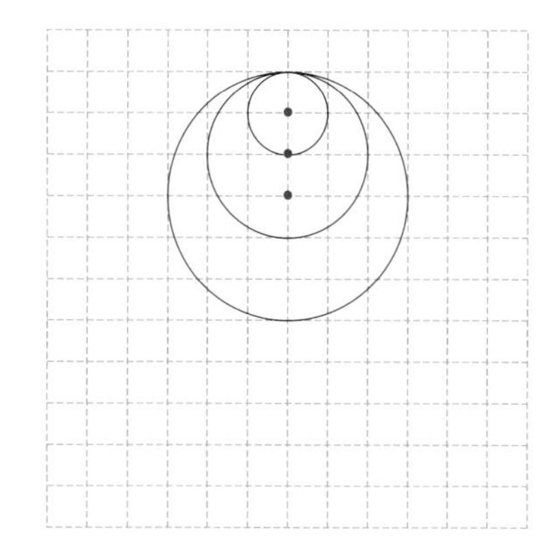

(1) □ 안에 알맞은 수를 써넣으세요.

원의 중심은 아래쪽으로 모눈 □칸씩 옮겨 가고 원의 반지름은 모눈 □칸씩 늘어나는 규칙입니다.

(2) 규칙에 따라 원을 2개 더 그려 보세요.

8 주어진 모양을 보고 물음에 답하세요.

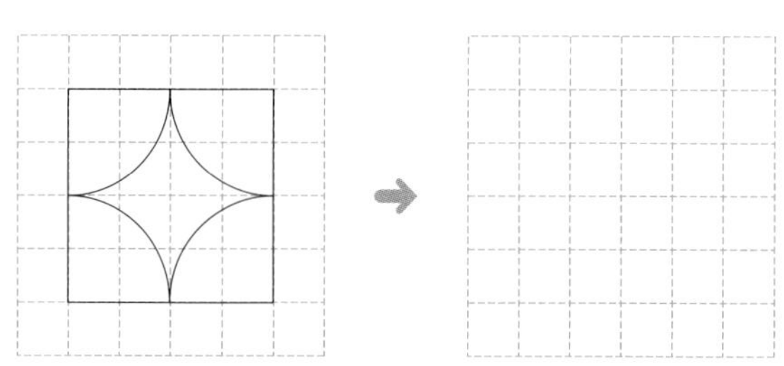

(1) 주어진 모양과 똑같이 그려 보세요.

(2) 그린 방법을 설명한 것입니다. □ 안에 알맞은 수나 말을 써넣으세요.

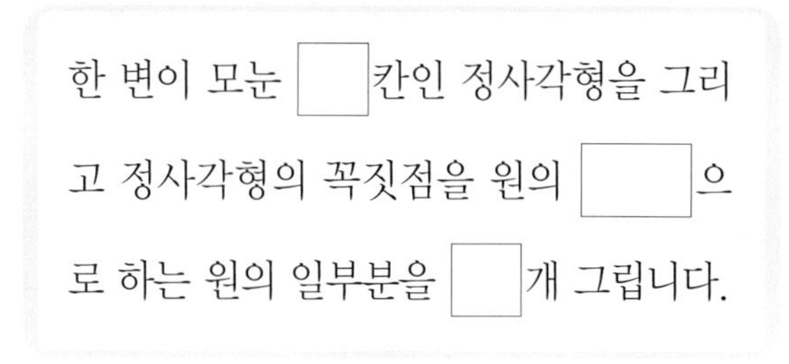

한 변이 모눈 □칸인 정사각형을 그리고 정사각형의 꼭짓점을 원의 □으로 하는 원의 일부분을 □개 그립니다.

3 단원

STEP 2 실력 다지기

유형 확인 강화

원의 반지름 알아보기

유형 **01** 선분 중에서 원의 반지름을 모두 찾아 기호를 써 보세요.

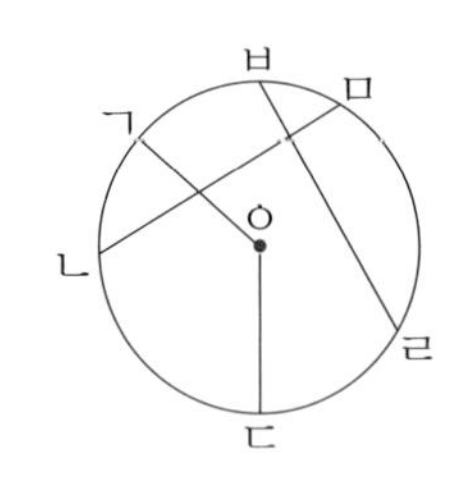

㉠ 선분 ㄱㅇ
㉡ 선분 ㄴㅁ
㉢ 선분 ㄷㅇ
㉣ 선분 ㄹㅂ

( )

확인 **02** 원에 반지름을 3개 그어 보세요.

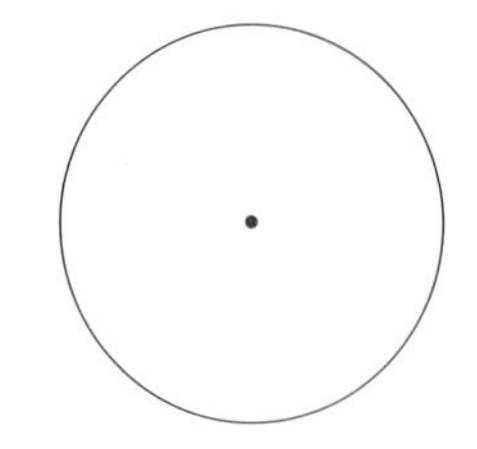

서술형

강화 **03** 오른쪽 원에서 반지름을 나타내는 선분을 모두 찾아 길이를 재어 보고, 알 수 있는 점을 설명해 보세요.

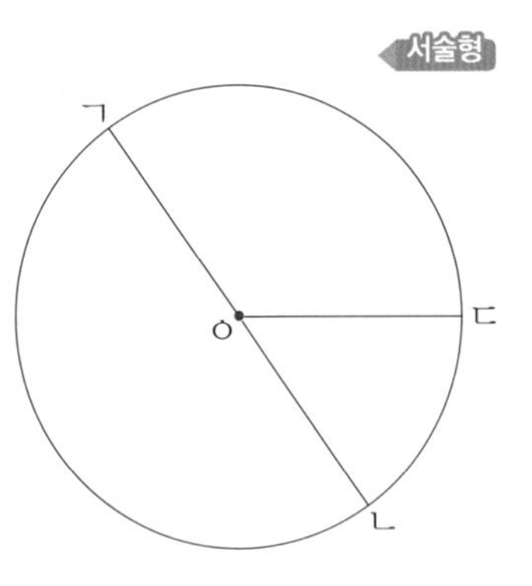

반지름	선분 ㅇㄱ		
길이 (cm)	2		

설명

원의 지름 알아보기

04 점 ㅇ이 원의 중심일 때 선분 ㄱㄹ과 길이가 같은 선분을 찾아 써 보세요.

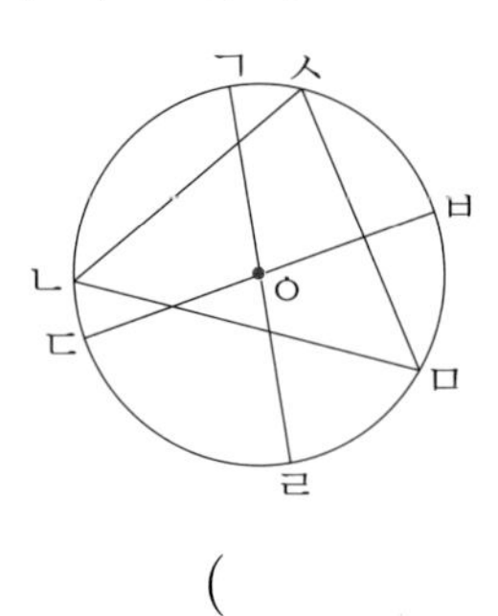

( )

서술형

05 다음은 원의 지름을 잘못 그은 것입니다. 잘못 그은 이유를 설명해 보세요.

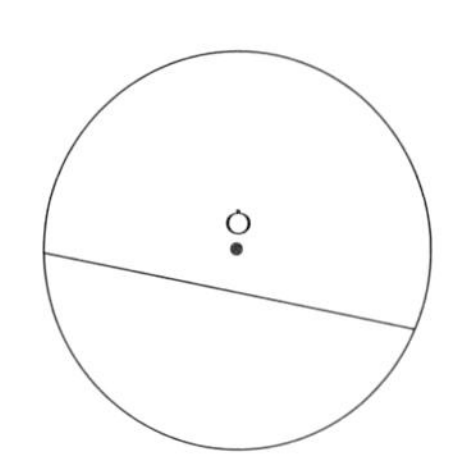

설명

06 두 원 가와 나의 지름의 차는 몇 cm일까요?

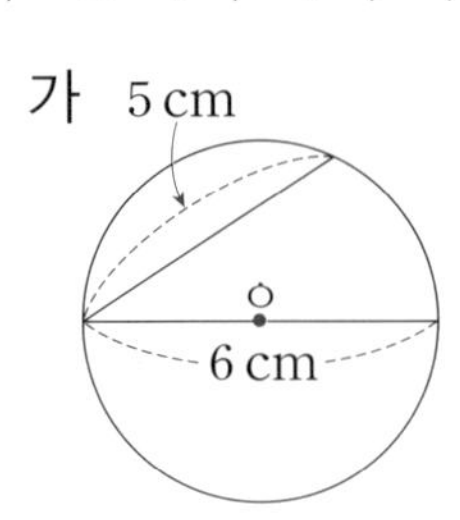

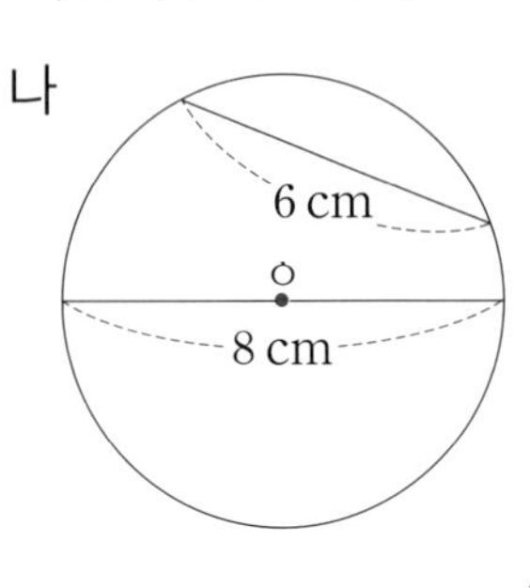

( )

정답 18쪽

원의 지름과 반지름의 관계

07 원의 지름은 몇 cm일까요?

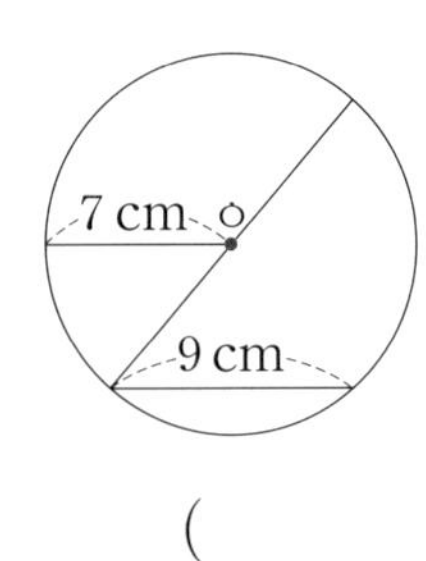

( )

08 지름이 70 cm인 원 모양의 맨홀 뚜껑이 있습니다. 이 맨홀 뚜껑의 반지름은 몇 cm일까요?

교과역량

맨홀: 땅의 수도관, 하수관 등을 점검하거나 청소를 하기 위해 만든 구멍

( )

09 가장 큰 원을 찾아 기호를 써 보세요.

㉠ 지름이 6 cm인 원

㉡ 반지름이 5 cm인 원

㉢

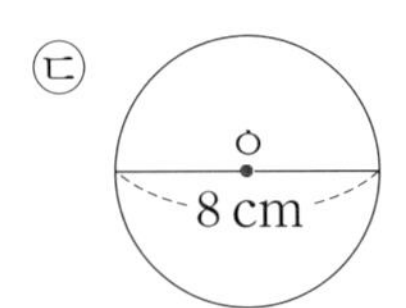

( )

반지름을 이용하여 원 그리기

10 그림과 같이 컴퍼스를 벌려서 원을 그렸습니다. 그린 원의 반지름은 몇 cm일까요?

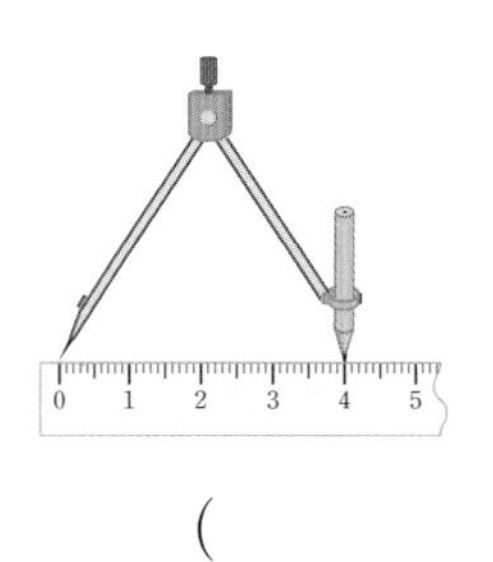

( )

11 컴퍼스를 이용하여 점 ㅇ을 원의 중심으로 하는 반지름이 2 cm인 원을 그려 보세요.

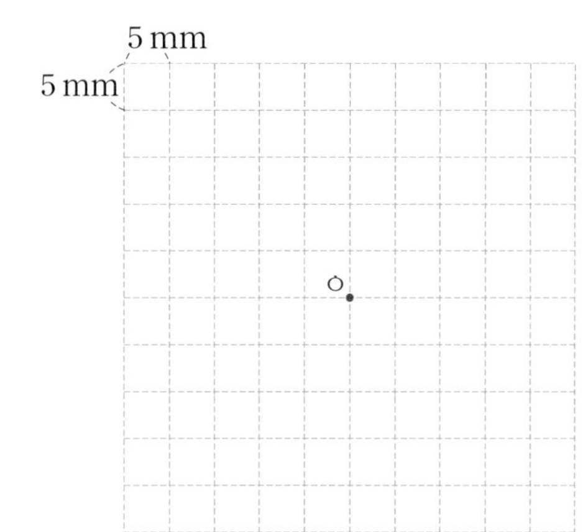

서술형

12 컴퍼스를 이용하여 주어진 원과 크기가 같은 원을 그려 보고, 그린 방법을 설명해 보세요.

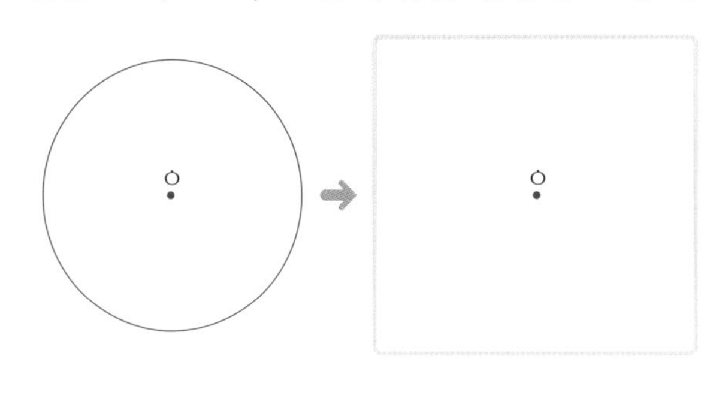

설명

3 단원

규칙에 따라 원 그리기

유형 **13** 규칙에 따라 원을 1개 더 그려 보세요.

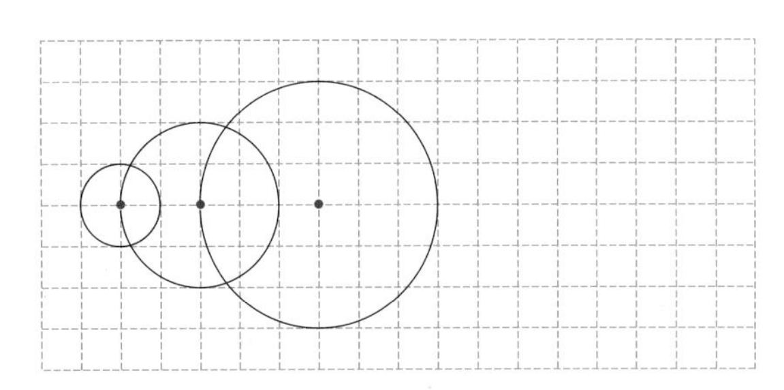

서술형

확인 **14** 정민이가 다음과 같이 그림을 그렸습니다. 어떤 규칙이 있는지 설명해 보세요.

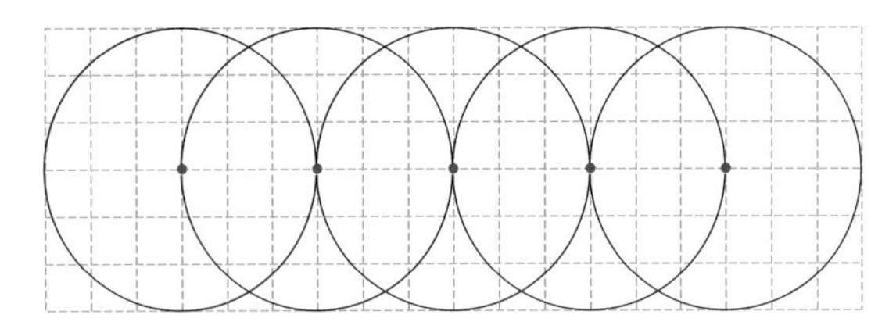

설명 ______________________

서술형

강화 **15** 유미가 다음과 같이 그림을 그렸습니다. 어떤 규칙이 있는지 설명하고, 규칙에 따라 원을 2개 더 그려 보세요.

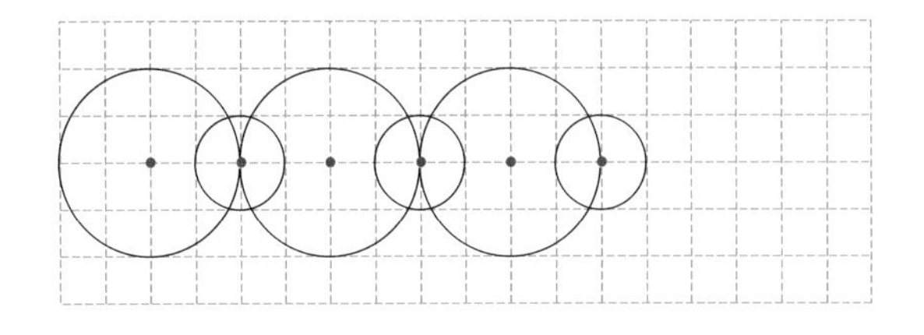

설명 ______________________

원을 이용하여 똑같은 모양 그리기

16 소희와 민재가 주어진 모양과 똑같이 그리려고 합니다. 물음에 답하세요.

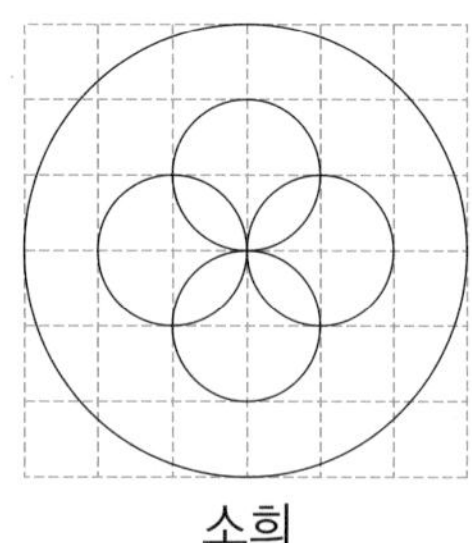

소희　　　민재

(1) 위의 모양과 똑같이 그리기 위하여 컴퍼스의 침을 꽂아야 할 곳은 각각 몇 군데일까요?

소희 (　　　　　　　)

민재 (　　　　　　　)

(2) 위의 모양과 똑같이 그려 보세요.

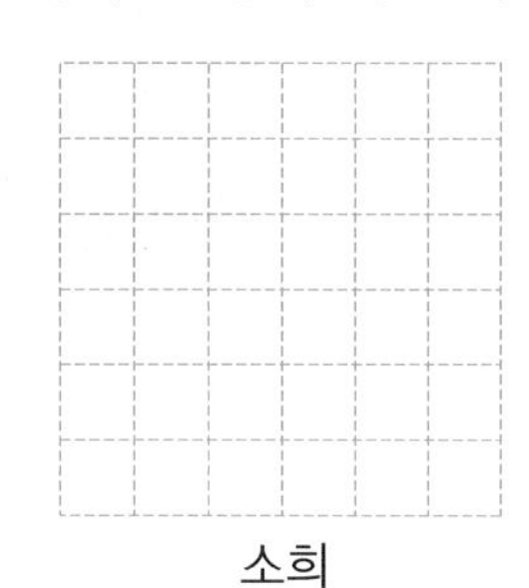

소희　　　민재

서술형

17 주어진 모양과 똑같이 그려 보고, 그린 방법을 설명해 보세요.

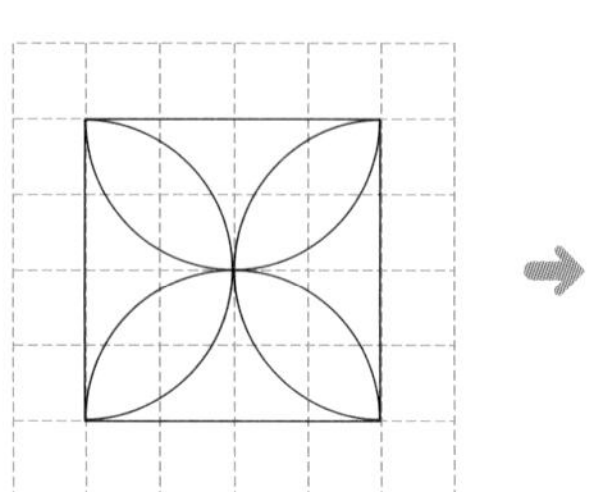

설명 ______________________

반지름(지름)을 이용하여 선분의 길이 구하기

18 크기가 같은 원 6개를 서로 원의 중심을 지나도록 겹쳐서 그렸습니다. 선분 ㄱㄴ의 길이는 몇 cm일까요?

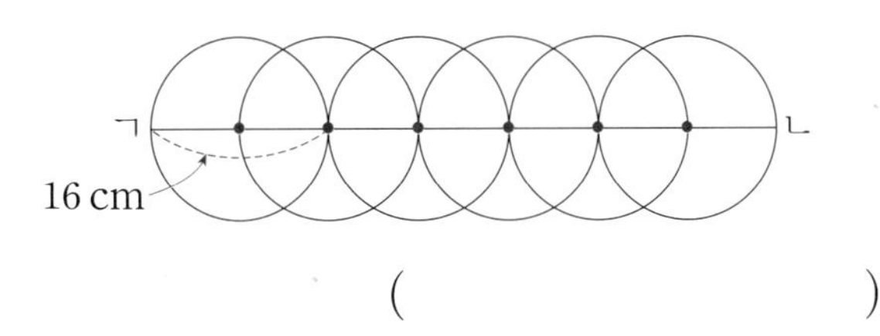

( )

19 점 ㄱ, 점 ㄴ은 원의 중심입니다. 선분 ㄱㄷ의 길이는 몇 cm일까요?

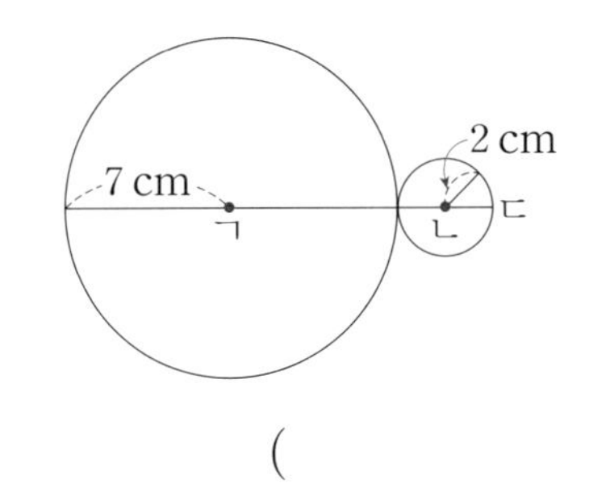

( )

20 점 ㄴ, 점 ㄷ, 점 ㄹ, 점 ㅁ은 원의 중심입니다. 선분 ㄱㅂ의 길이는 몇 cm일까요?

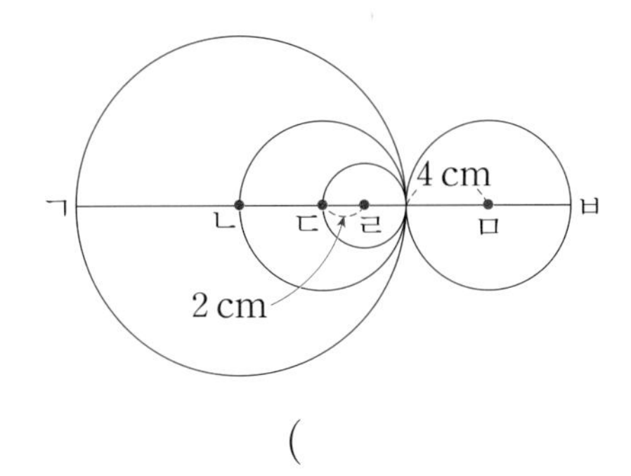

( )

선분의 길이를 이용하여 반지름(지름) 구하기

21 교과 역량 원 모양의 똑같은 접시 4개를 겹치지 않게 붙여 놓았습니다. 접시의 반지름은 몇 cm일까요?

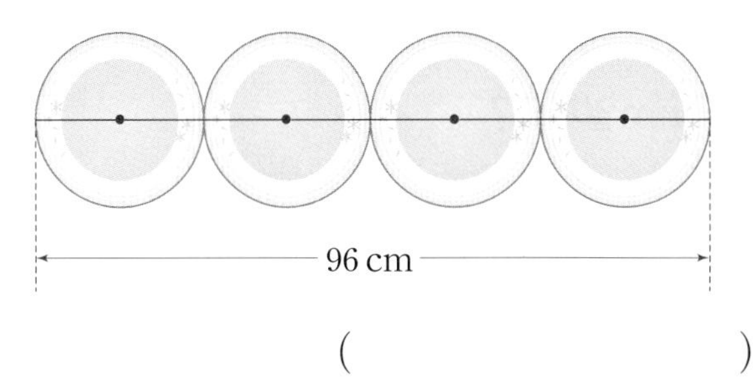

( )

22 크기가 같은 원 2개를 서로 원의 중심을 지나도록 겹쳐서 그렸습니다. 원의 지름은 몇 cm일까요?

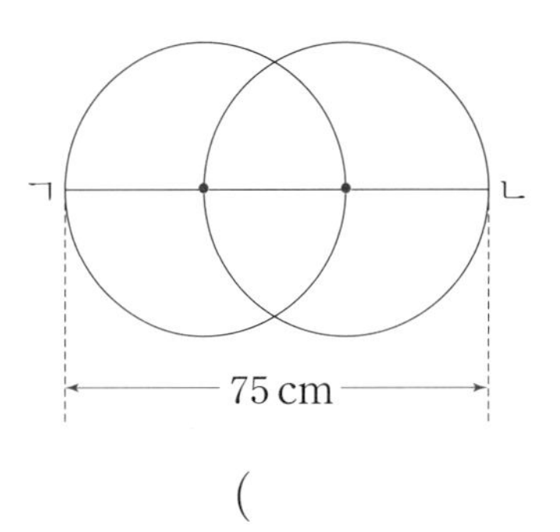

( )

23 큰 원 안에 크기가 같은 원 3개를 서로 원의 중심을 지나도록 겹쳐서 그렸습니다. 작은 원의 반지름은 몇 cm일까요?

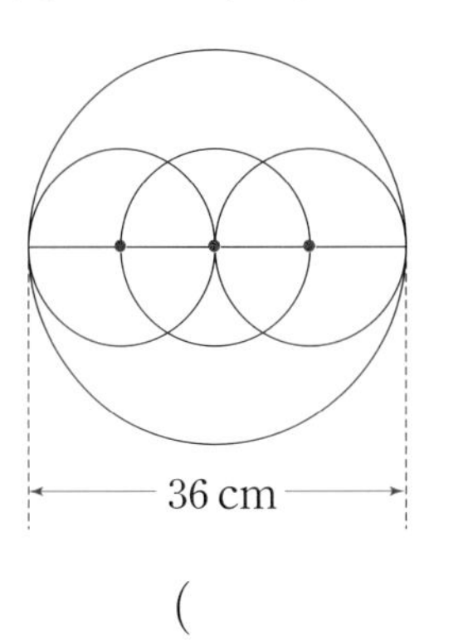

( )

원의 중심을 연결하여 만든 도형 알아보기 약점 체크

유형 **24** 반지름이 7 cm인 원 3개를 맞닿게 그린 후 세 원의 중심을 이어 삼각형 ㄱㄴㄷ을 만들었습니다. 삼각형 ㄱㄴㄷ의 세 변의 길이의 합은 몇 cm일까요?

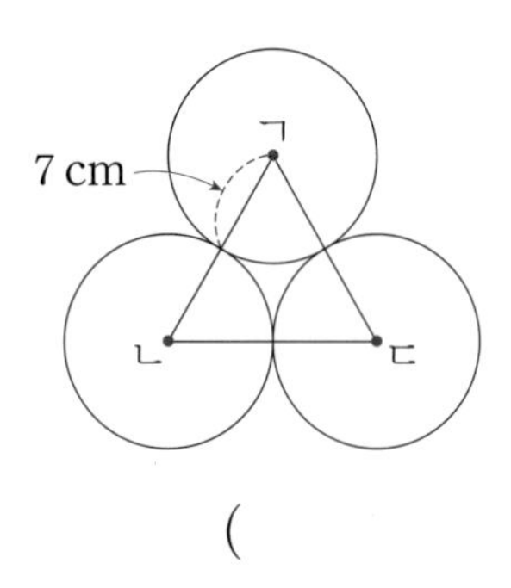

( )

해결 삼각형 ㄱㄴㄷ의 세 변의 길이의 합은 원의 반지름의 길이의 몇 배인지 구합니다.

확인 **25** 다음은 4개의 스프링클러를 작동시켰을 때 크기가 같은 원 모양으로 물이 흩어지는 것을 위에서 내려다 본 것입니다. 원의 중심에 있는 4개의 스프링클러를 이어 만든 사각형의 네 변의 길이의 합이 32 m일 때 원의 반지름은 몇 m일까요?

교과 역량

스프링클러: 식물을 잘 자라게 하기 위하여 잔디 또는 밭에 물을 흩어서 뿌리는 기구

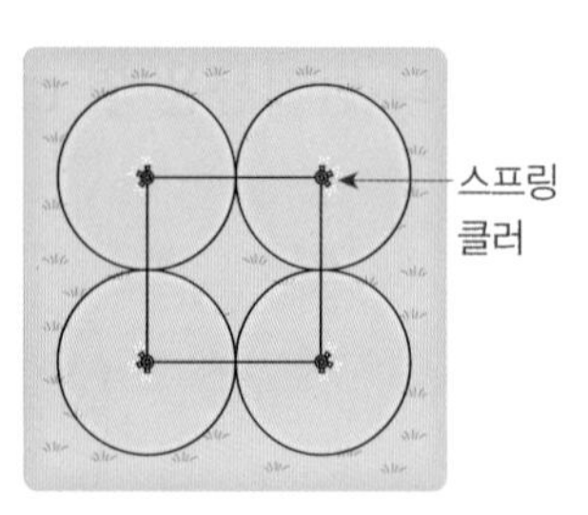

( )

도형의 변의 길이 구하기 약점 체크

26 정사각형 모양의 상자 안에 가장 큰 원 모양의 접시를 꼭 맞게 넣었습니다. 상자의 네 변의 길이의 합은 몇 cm일까요?

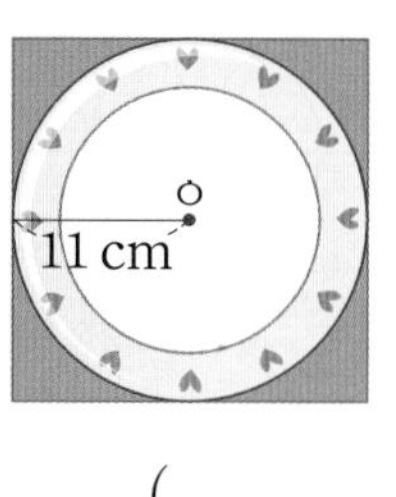

( )

해결 원 모양 접시의 반지름을 이용하여 지름의 길이를 구하여 정사각형 모양 상자의 한 변의 길이를 알아봅니다.

27 직사각형 ㄱㄴㄷㄹ 안에 크기가 같은 원 3개를 맞닿게 그렸습니다. 직사각형 ㄱㄴㄷㄹ의 네 변의 길이의 합은 몇 cm일까요?

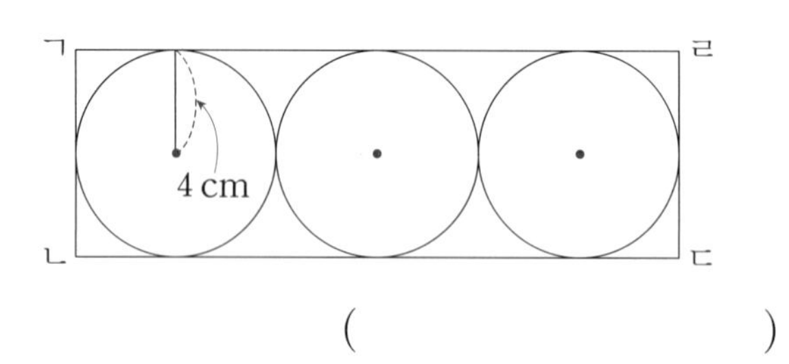

( )

원을 그려서 문제 해결하기 

28 생각수학 현주와 재민이는 탐정놀이를 하고 있습니다. 현주가 약속 장소를 알려 주는 카드를 보내왔습니다. 약속 장소는 은행, 소방서, 우체국, 도서관 중 어디일까요? (단, 모눈 한 칸은 1 m입니다.)

> 가로등을 중심으로 반지름이 10 m인 원 안에는 우리의 약속 장소가 없어.

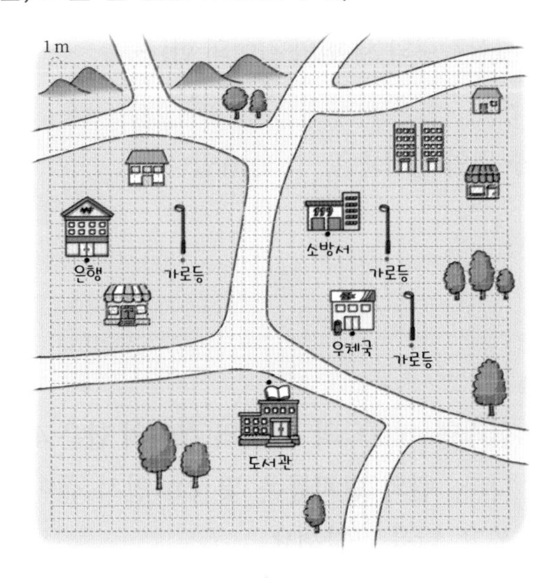

( )

주의 가로등을 중심으로 하여 반지름이 10 m인 원을 그렸을 때 건물의 위치를 표시한 지점이 원 안에 있으면 약속 장소가 아닙니다.

29 반지름이 모눈 2칸인 원의 반지름은 4 cm입니다. 규칙에 따라 원을 1개 더 그렸을 때 그린 원의 지름은 몇 cm일까요?

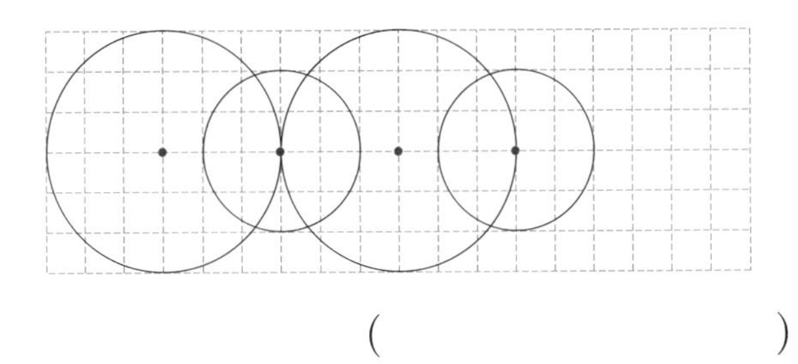

( )

여러 원이 겹쳐 있을 때 원의 반지름(지름) 구하기 

30 점 ㄱ, 점 ㄴ, 점 ㄷ은 원의 중심입니다. 원 다의 반지름은 몇 cm일까요?

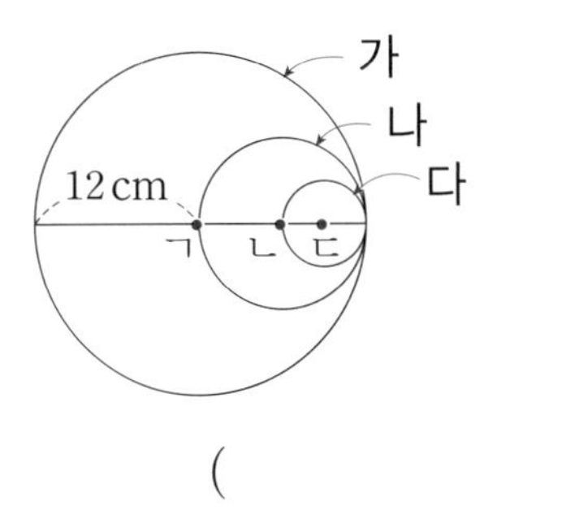

( )

해결 세 원의 반지름의 관계를 이용하여 세 원의 반지름의 길이를 각각 구합니다.

31 점 ㄱ, 점 ㄴ, 점 ㄷ, 점 ㄹ은 원의 중심입니다. 선분 ㄷㄹ의 길이가 9 cm일 때 가장 큰 원의 지름은 몇 cm일까요?

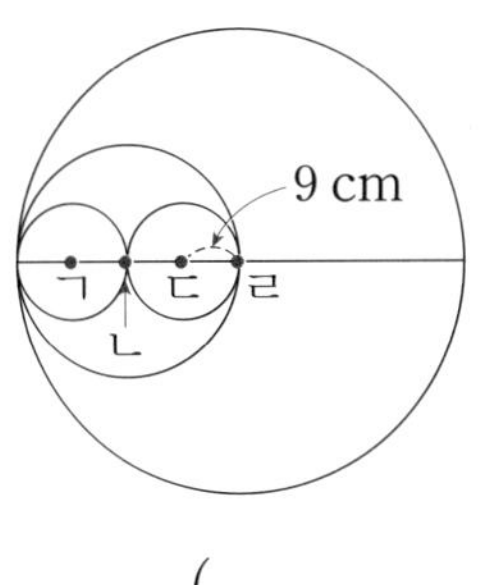

( )

3 단원

STEP 3

서술형 해결하기

연습

01 크기가 같은 원 2개를 서로 원의 중심을 지나도록 겹친 후 다음과 같이 삼각형을 그렸습니다. 삼각형의 세 변의 길이의 합이 15 cm일 때 원의 반지름은 몇 cm인지 풀이 과정을 쓰고, 답을 구하세요.

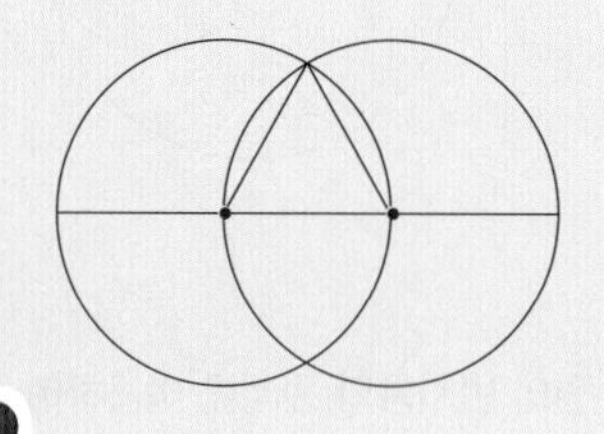

서술형 포인트

삼각형의 세 변의 길이의 합과 원의 반지름의 관계를 알아봅니다.

❶ 삼각형의 세 변의 길이의 합은 원의 반지름의 길이의 몇 배인지 구하기

❷ 원의 반지름 구하기

풀이를 완성하세요.

❶ 삼각형의 세 변의 길이는 각각 원의 ______의 길이와 같습니다.

➜ 삼각형의 세 변의 길이의 합은 원의 ______의 길이의 ___배입니다.

❷ (원의 반지름)

=(삼각형의 세 변의 길이의 합)÷___

=______

➜ 원의 반지름은 ___ cm입니다.

답 ______

단계

02 삼각형 ㅇㄱㄴ의 세 변의 길이의 합은 42 cm입니다. **원의 반지름은 몇 cm**인지 풀이 과정을 쓰고, 답을 구하세요.

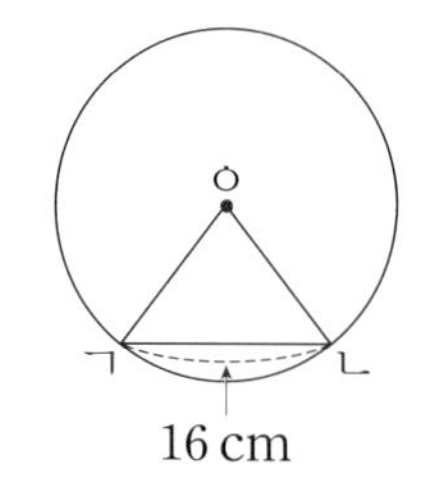

❶ 선분 ㅇㄱ과 선분 ㅇㄴ의 길이의 합 구하기

풀이

❷ 원의 반지름 구하기

풀이

답 ______

실전

03 삼각형 ㄱㅇㄴ의 세 변의 길이의 합은 49 cm입니다. **원의 반지름은 몇 cm**인지 풀이 과정을 쓰고, 답을 구하세요.

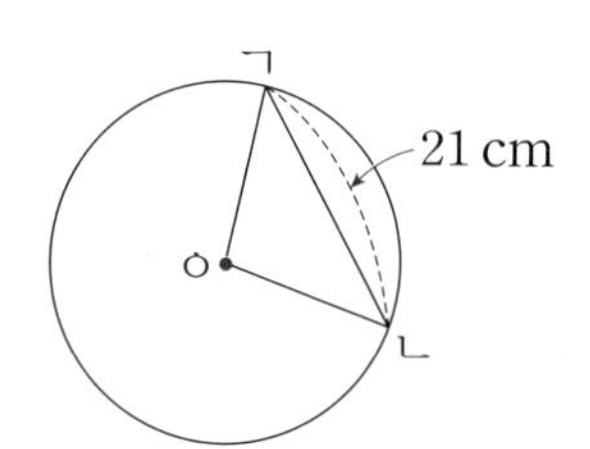

풀이

답 ______

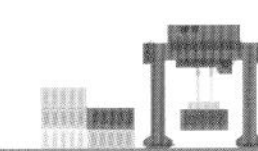

연습 **04** **주어진 모양과 똑같이 그리기 위하여 컴퍼스의 침을 꽂아야 할 곳은 모두 몇 군데인지 풀이 과정을 쓰고, 답을 구하세요.**

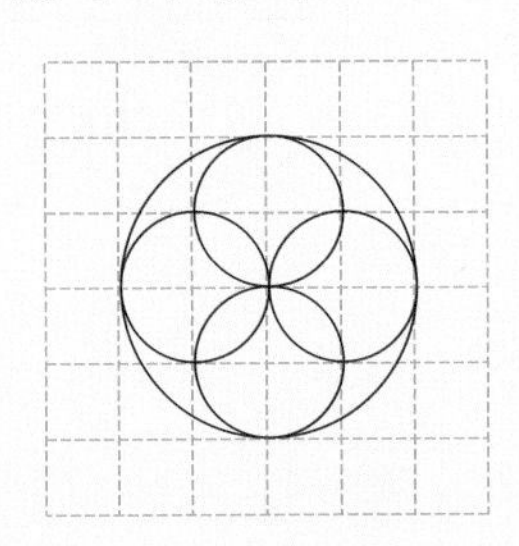

서술형 포인트

원을 이용하여 여러 가지 모양을 그릴 때에는 컴퍼스의 침을 꽂아야 할 곳을 잘 생각해야 합니다.

❶ 컴퍼스의 침을 꽂아야 할 곳을 모두 찾아 표시하기

❷ 컴퍼스의 침을 꽂아야 할 곳은 모두 몇 군데인지 구하기

풀이를 완성하세요.

❶ 컴퍼스의 침을 꽂아야 할 곳은 원의 ______ 입니다. 컴퍼스의 침을 꽂아야 할 곳을 모두 찾아 표시하면 다음과 같습니다.

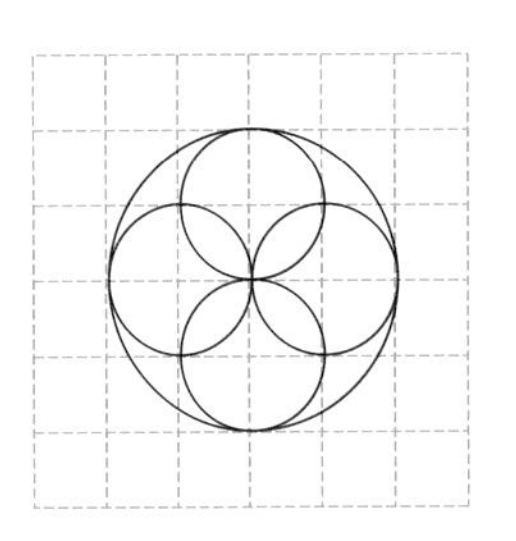

❷ 컴퍼스의 침을 꽂아야 할 곳은 모두 ____ 군데입니다.

답 ______________

단계 **05** 가, 나의 모양과 똑같이 그리기 위하여 **컴퍼스의 침을 꽂아야 할 곳의 수의 합은 몇 군데**인지 풀이 과정을 쓰고, 답을 구하세요.

가

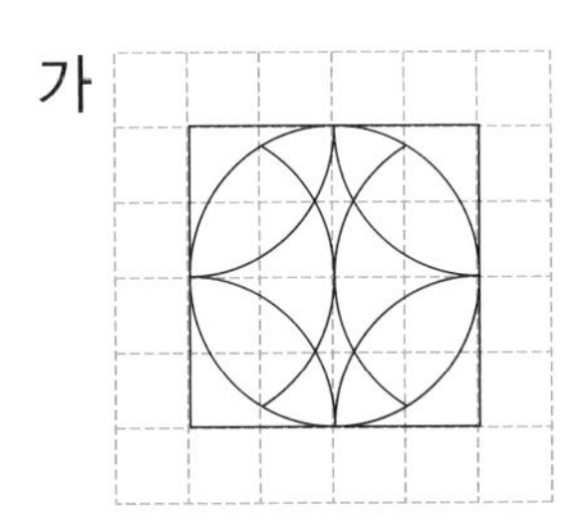

나

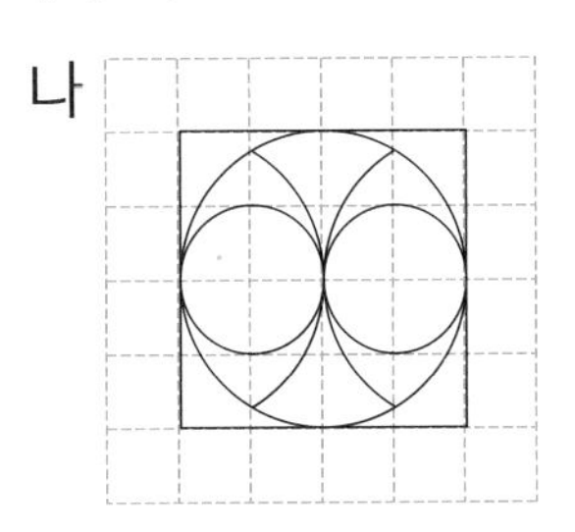

❶ 컴퍼스의 침을 꽂아야 할 곳은 몇 군데인지 각각 구하기

풀이

❷ 컴퍼스의 침을 꽂아야 할 곳의 수의 합 구하기

풀이

답 ______________

실전 **06** 가, 나의 모양과 똑같이 그리기 위하여 **컴퍼스의 침을 꽂아야 할 곳의 수의 차는 몇 군데**인지 풀이 과정을 쓰고, 답을 구하세요.

가

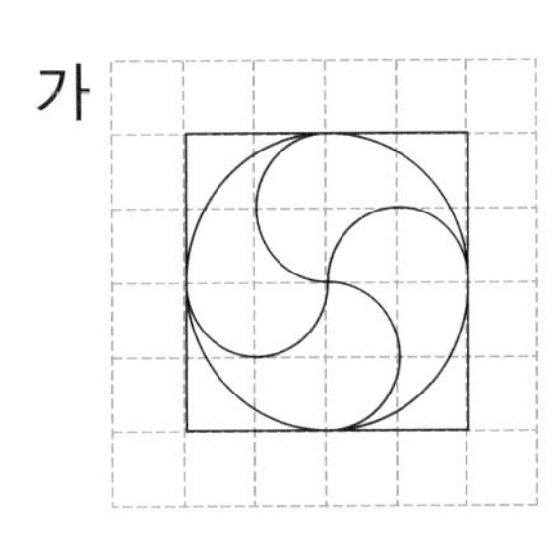

나

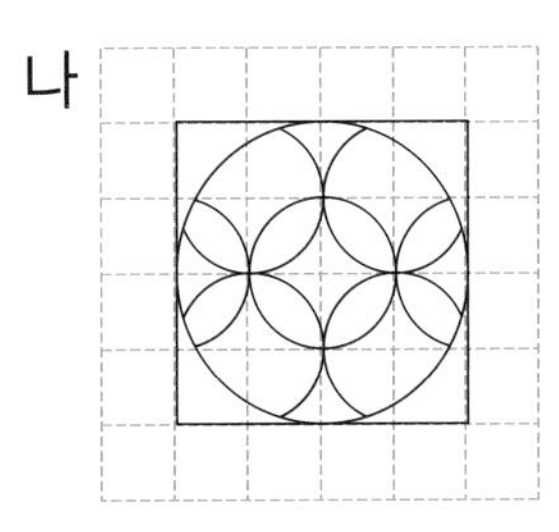

풀이

답 ______________

단원 마무리

01 원의 중심을 찾아 써 보세요.

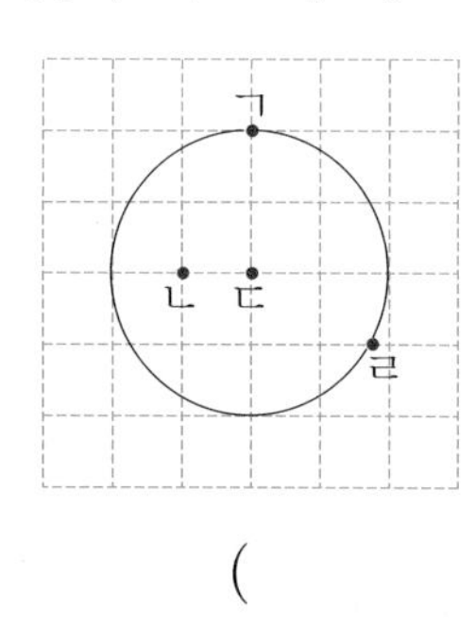

( )

02 원에 반지름을 1개 긋고, 몇 cm인지 재어 보세요.

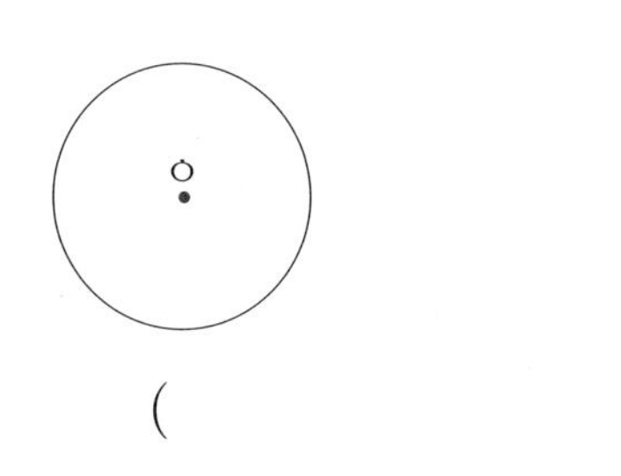

( )

03 원의 지름을 나타내는 선분을 찾아 써 보세요.

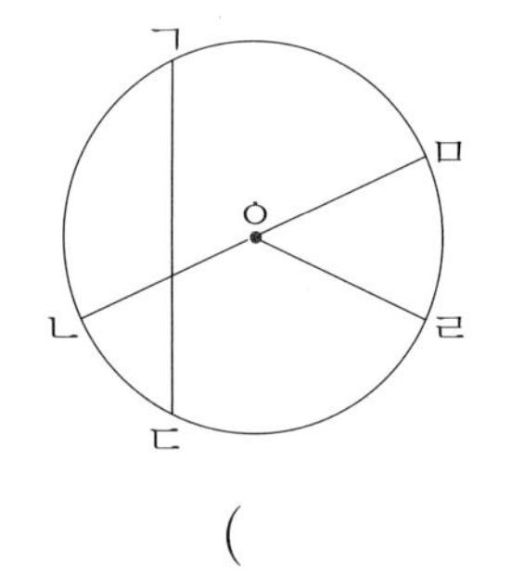

( )

04 □ 안에 알맞은 수를 써넣으세요.

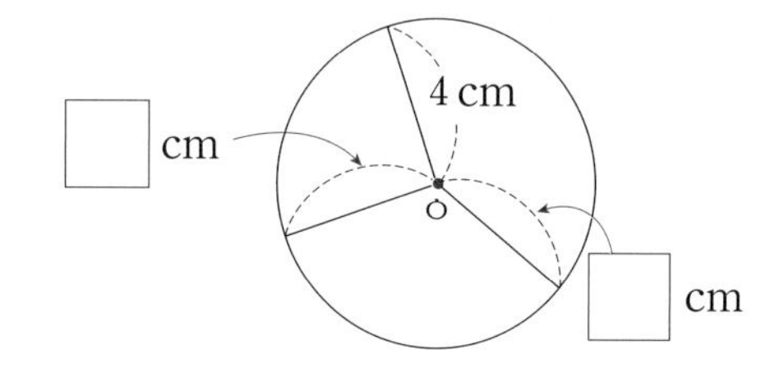

05 원의 지름은 몇 cm일까요?

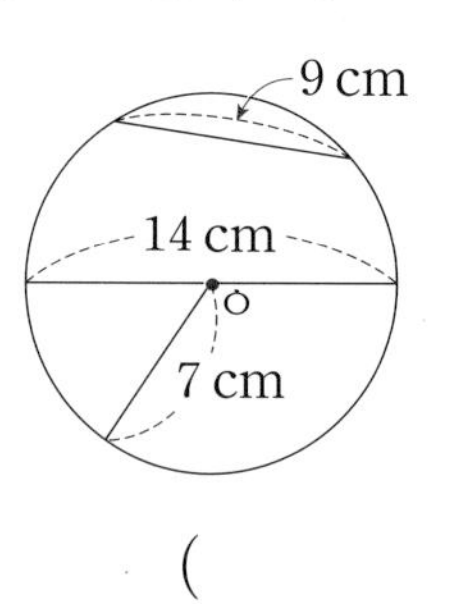

( )

06 컴퍼스를 이용하여 점 ㅇ을 원의 중심으로 하는 반지름이 1 cm 5 mm인 원을 그려 보세요.

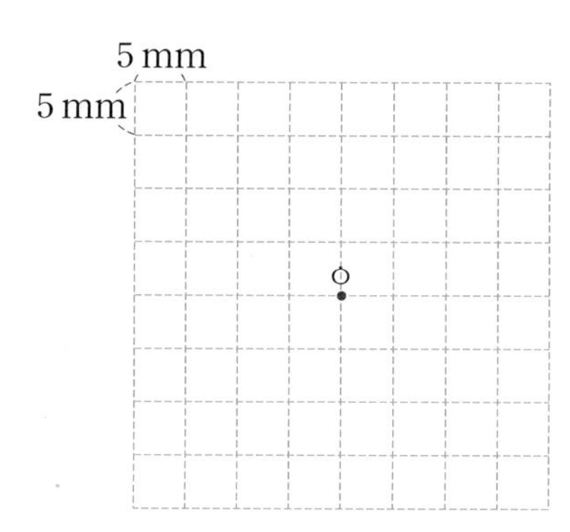

07 원의 반지름과 지름은 각각 몇 cm일까요?

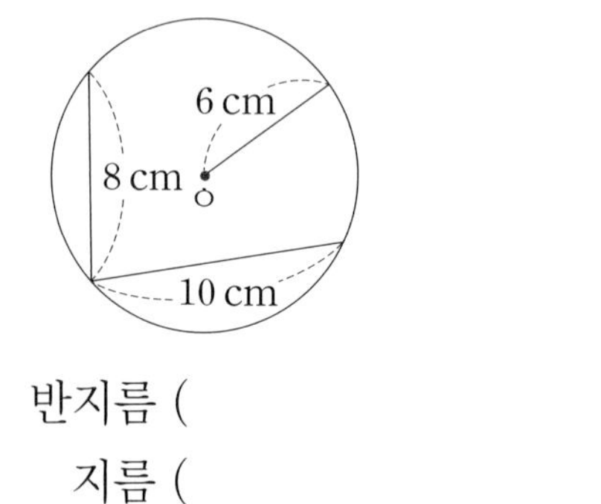

반지름 ( )

지름 ( )

08 원의 반지름이 변하고 원의 중심을 옮겨 가며 그린 모양을 찾아 기호를 써 보세요.

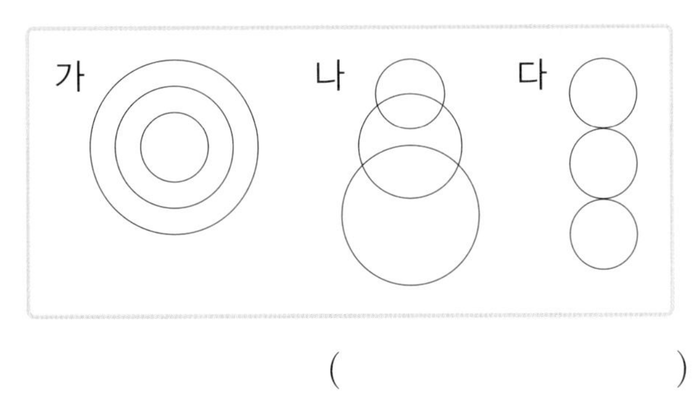

( )

09 주어진 모양과 똑같이 그리기 위하여 컴퍼스의 침을 꽂아야 할 곳에 모두 표시해 보세요.

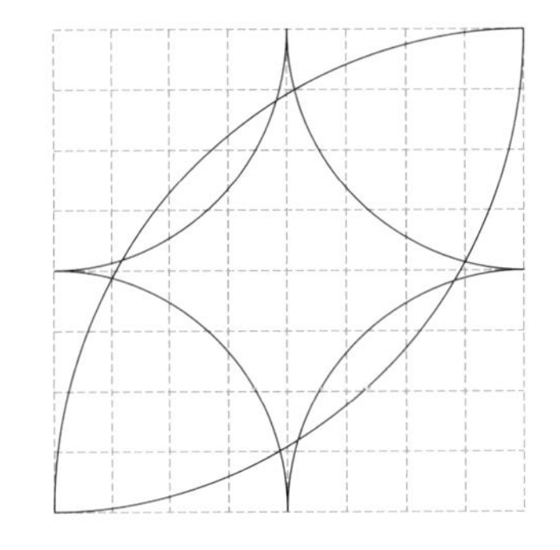

10 수희와 정우 중에서 원의 중심과 반지름에 대해 잘못 설명한 사람의 이름을 써 보세요.

- 수희: 원의 중심은 원의 가장 안쪽에 있는 점입니다.
- 정우: 한 원에서 원의 반지름은 1개만 그을 수 있습니다.

( )

11 컴퍼스를 이용하여 지름이 10 cm인 원을 그리려고 합니다. 컴퍼스를 몇 cm만큼 벌려야 할까요?

( )

12 주어진 모양과 똑같이 그려 보세요.

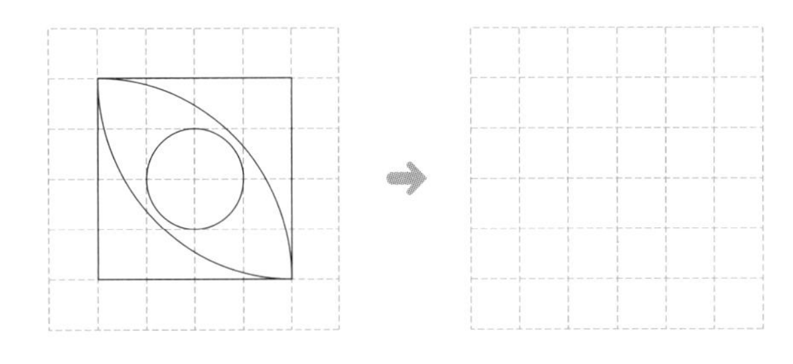

13 점 ㄱ, 점 ㄴ은 원의 중심입니다. 선분 ㄱㄷ의 길이는 몇 cm일까요?

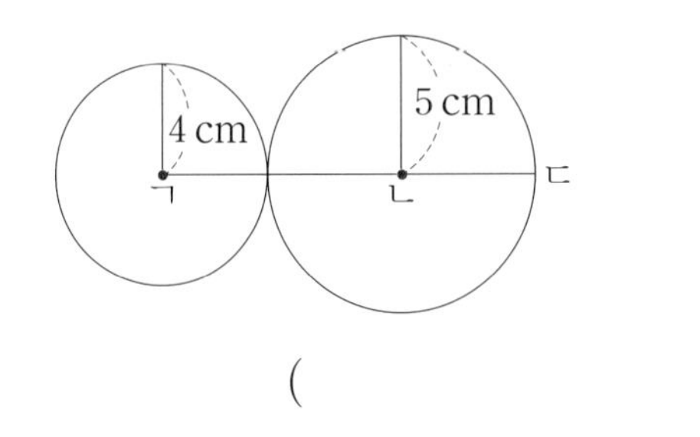

( )

14 규칙에 따라 원을 2개 더 그려 보세요.

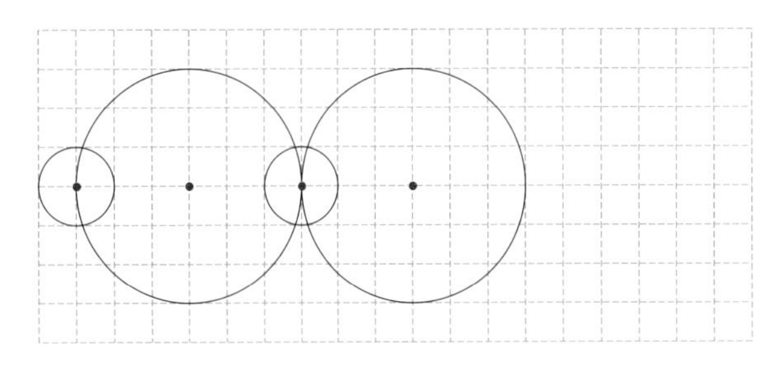

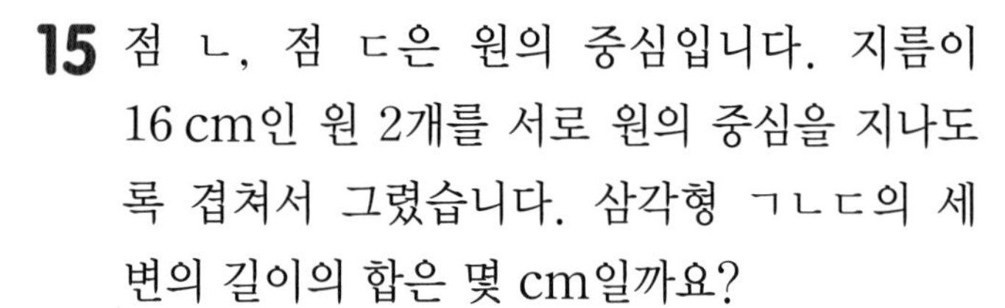

15 점 ㄴ, 점 ㄷ은 원의 중심입니다. 지름이 16 cm인 원 2개를 서로 원의 중심을 지나도록 겹쳐서 그렸습니다. 삼각형 ㄱㄴㄷ의 세 변의 길이의 합은 몇 cm일까요?

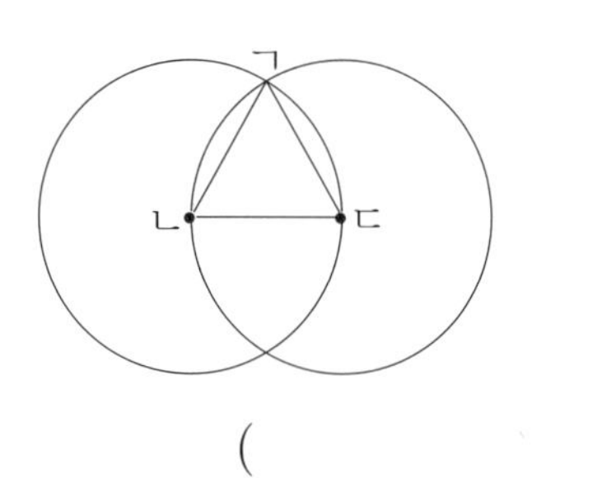

( )

16 크기가 같은 원 4개를 맞닿게 그린 후 네 원의 중심을 이어 사각형 ㄱㄴㄷㄹ을 만들었습니다. 사각형 ㄱㄴㄷㄹ의 네 변의 길이의 합이 56 cm일 때 원의 반지름은 몇 cm일까요?

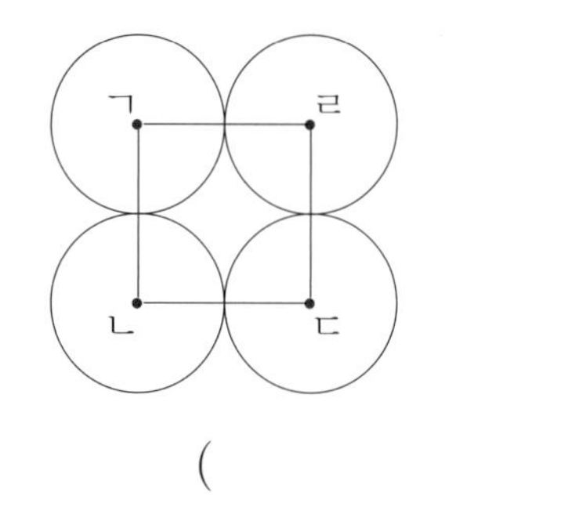

( )

17 직사각형 ㄱㄴㄷㄹ 안에 크기가 같은 원 4개를 맞닿게 그렸습니다. 직사각형 ㄱㄴㄷㄹ의 네 변의 길이의 합은 몇 cm일까요?

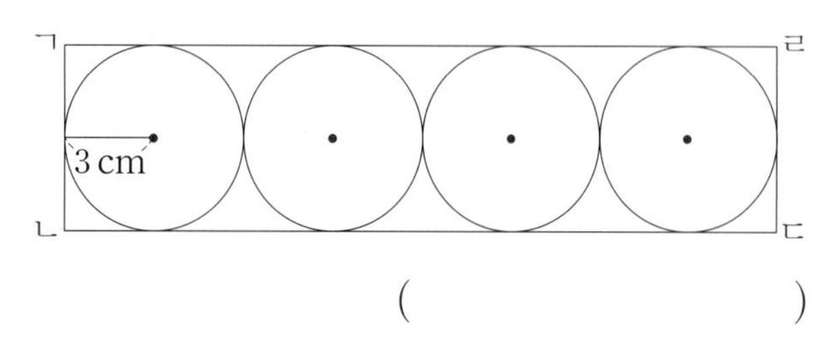

( )

서술형 문제

18 크기가 같은 원 3개를 맞닿게 그렸습니다. 원의 반지름은 몇 cm인지 풀이 과정을 쓰고, 답을 구하세요.

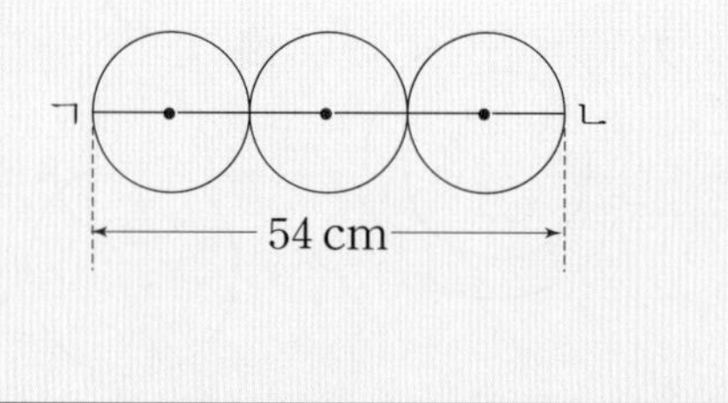

풀이

답

19 점 ㄱ, 점 ㄴ, 점 ㄷ은 원의 중심입니다. 선분 ㄴㄷ의 길이는 몇 cm인지 풀이 과정을 쓰고, 답을 구하세요.

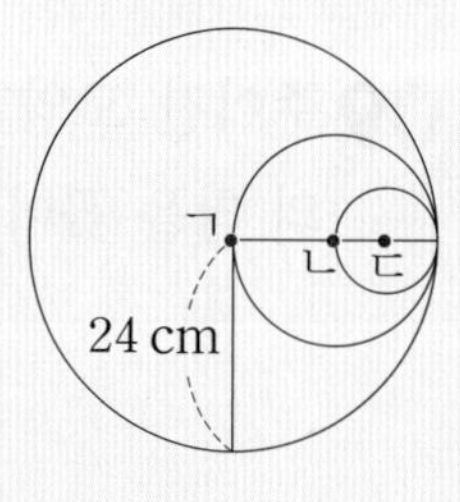

풀이

답

20 오른쪽 삼각형 ㄱㄴㅇ의 세 변의 길이의 합은 26 cm입니다. 원의 지름은 몇 cm인지 풀이 과정을 쓰고, 답을 구하세요.

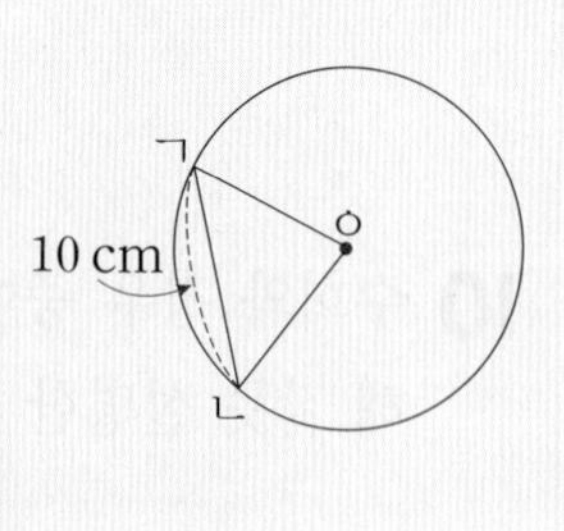

풀이

답

생각하며 쉬어가기

살라 말레이쿰! 내 이름은 까밀라야.
나는 찬란한 고대 문명을 가지고 있는 이집트에 살고 있어. '살라 말레이쿰'은 이집트의 인사말로 '안녕하세요'라는 뜻이야.

이집트에 대해 소개할게.
이집트에는 세계에서 가장 긴 나일강이 흐르고 있어. 사람들은 나일강에서 물고기도 잡고 농사에 필요한 물도 얻을 수 있어.
스핑크스는 사람의 머리와 사자의 몸을 가지고 있는 상상의 동물로 신전이나 무덤을 지키는 역할을 해.

3 단원

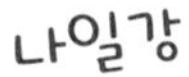
나일강

스핑크스

'낙타'는 사막이 많은 이집트에서 중요한 교통 수단이에요.

4 분수

남은 시루떡 $1\frac{1}{2}$개를 싸게 드려요.

떡

$1\frac{1}{2}$개가 몇 개라는 거여?

호호호

생선

OO 과일

드르렁

감 3바구니만 주세요.

철물점

자, 철사 사세요!

네, 감 9개 말씀이죠?

엄마, 감이 5바구니 중에서 3바구니이니까 전체의 $\frac{3}{5}$이죠?

$3\frac{3}{5}$m

$\frac{26}{5}$m

어느 쪽이 더 긴 철사에요?

학습계획표

진 진도북, 매 매칭북

학습 계획 및 확인				학습 내용
STEP 1 개념 완성하기	월 일	진 086~089쪽	☐	1. 분수로 나타내기 2. 전체 개수에 대한 분수만큼을 알아보기 3. 전체 길이에 대한 분수만큼을 알아보기
	월 일	매 25쪽	☐	
STEP 2 실력 다지기	월 일	진 090~093쪽	☐	똑같이 묶고 분수로 나타내기 전체에 대한 분수만큼을 알아보기 분수로 나타내기 활용 분수만큼을 알아보기 활용 빈칸에 알맞은 수 구하기 남은 수 구하기 약점 체크 어떤 수 구하기 약점 체크 남은 부분을 분수로 나타내기
	월 일	매 26~27쪽	☐	
STEP 1 개념 완성하기	월 일	진 094~097쪽	☐	4. 여러 가지 분수(1) 5. 여러 가지 분수(2) 6. 분모가 같은 분수의 크기 비교
	월 일	매 28쪽	☐	
STEP 2 실력 다지기	월 일	진 098~101쪽	☐	진분수, 가분수, 대분수 알아보기 가분수를 대분수로, 대분수를 가분수로 나타내기 여러 가지 분수의 크기 비교 분수의 크기 비교 활용 크기를 비교하여 ☐ 안에 알맞은 수 구하기 수 카드로 분수 만들기 약점 체크 분수로 나타내어 문제 해결하기 약점 체크 조건을 만족하는 분수 구하기
	월 일	매 29~30쪽	☐	
STEP 3 서술형 해결하기	월 일	진 102~103쪽	☐	서술형 학습
	월 일	매 31쪽	☐	
평가 단원 마무리	월 일	진 104~106쪽	☐	마무리 학습
	월 일	매 56~58쪽	☐	

※ 이번 단원에서 공부할 계획을 세우고 계획대로 공부했다면 ☐ 안에 ○표 합니다.
특강을 활용하여 이전에 배운 내용과 이번에 배울 내용의 흐름을 이해합니다.

STEP 1 개념 완성하기

1 분수로 나타내기

(1) 똑같이 나누어 부분은 전체의 얼마인지 알아보기

① 전체 8개를 똑같이 2부분으로 나누기

부분(4)은 전체(8)를 똑같이 2부분으로 나눈 것 중의 1입니다.

② 전체 8개를 똑같이 4부분으로 나누기

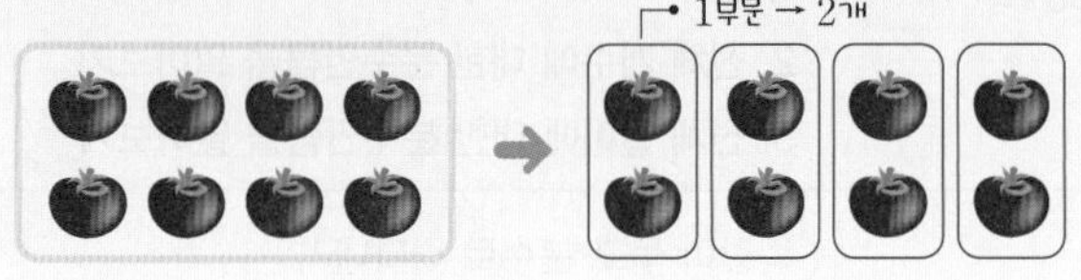

부분(4)은 전체(8)를 똑같이 4부분으로 나눈 것 중의 2입니다.

(2) 색칠한 부분을 분수로 나타내기

전체 ■묶음 중 ▲묶음: $\frac{▲}{■}$ (▲ → 부분 묶음 수, ■ → 전체 묶음 수)

예제 색칠한 밤은 전체의 몇 분의 몇인지 알아보기

①

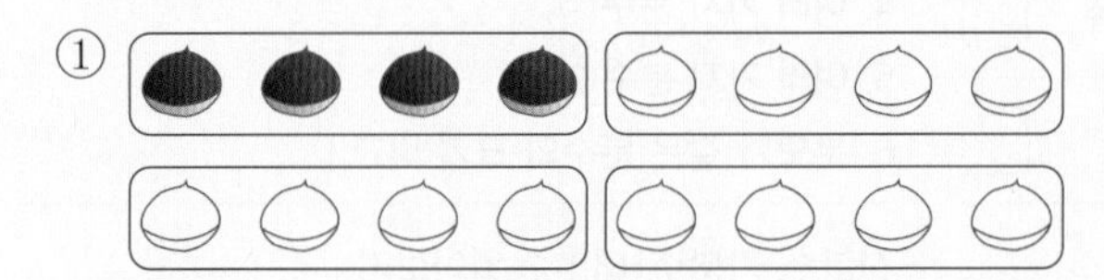

➡ 색칠한 부분은 4묶음 중에서 1묶음이므로 전체의 $\frac{1}{4}$입니다. → 4는 16의 $\frac{1}{4}$

②

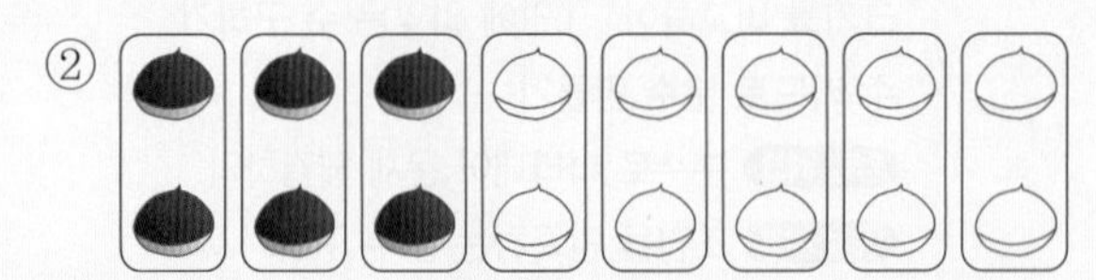

➡ 색칠한 부분은 8묶음 중에서 3묶음이므로 전체의 $\frac{3}{8}$입니다. → 6은 16의 $\frac{3}{8}$

주의 부분은 전체의 얼마인지 분수로 나타내기

묶음의 수를 생각하지 않고 $\frac{4}{16}$, $\frac{6}{16}$으로 나타내지 않도록 16을 몇씩 묶었는지 확인합니다.

개념 확인

1 그림을 보고 물음에 답하세요.

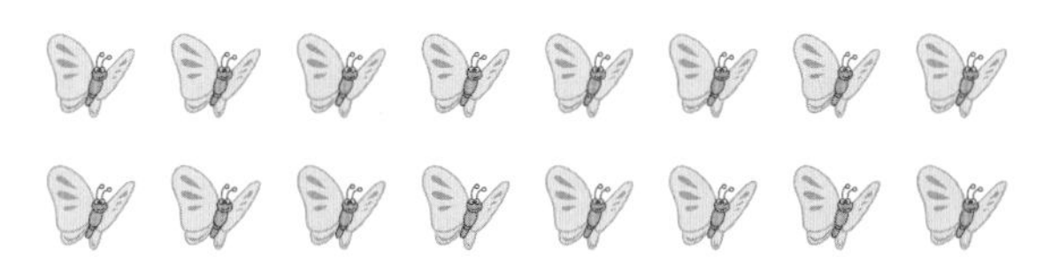

(1) 나비 16마리를 똑같이 2부분으로 나누어 보세요.

(2) □ 안에 알맞은 수를 써넣으세요.

나비 16마리를 똑같이 2부분으로 나누면 1부분은 □마리입니다.

2 그림을 보고 알맞은 분수에 ○표 하세요.

전체를 똑같이 9로 나누면 4는 9의 ($\frac{1}{9}$, $\frac{2}{9}$, $\frac{4}{9}$, $\frac{7}{9}$)입니다.

3 그림을 보고 □ 안에 알맞은 수를 써넣으세요.

(1) 18을 6씩 묶으면 □묶음이 됩니다.

(2) 6은 18의 $\frac{□}{□}$입니다.

정답 22쪽

4 그림을 4개씩 묶고, □ 안에 알맞은 수를 써넣으세요.

(1) 24를 4씩 묶으면 4는 24의 $\frac{\square}{\square}$입니다.

(2) 24를 4씩 묶으면 8은 24의 $\frac{\square}{\square}$입니다.

(3) 24를 4씩 묶으면 20은 24의 $\frac{\square}{\square}$입니다.

5 그림을 보고 □ 안에 알맞은 수를 써넣으세요.

(1)

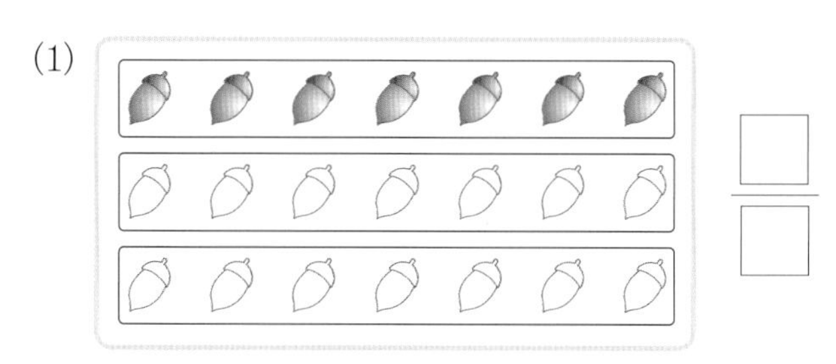

$\frac{\square}{\square}$

(2)

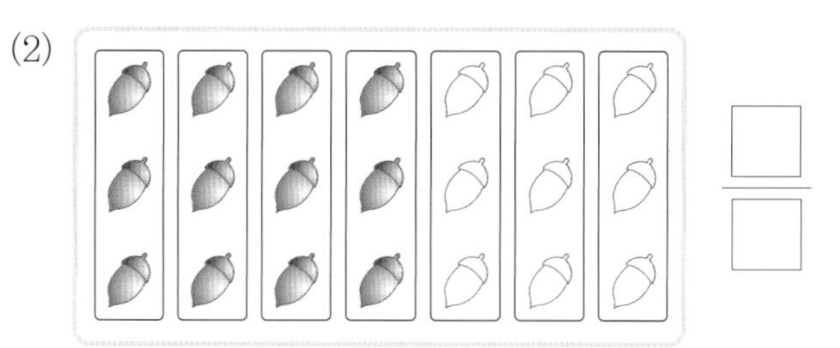

$\frac{\square}{\square}$

기본 유형 확인

6 그림을 보고 □ 안에 알맞은 수를 써넣으세요.

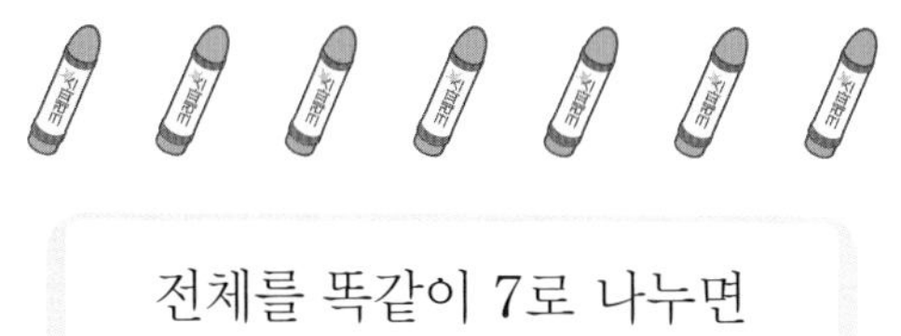

전체를 똑같이 7로 나누면

5는 7의 $\frac{\square}{\square}$입니다.

7 색칠한 사탕은 전체의 몇 분의 몇인지 구하세요.

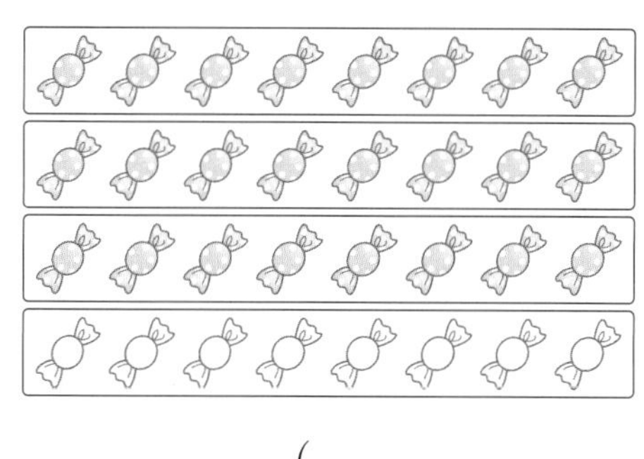

(　　　　　　　　)

8 선미는 구슬 45개 중에서 친구에게 9개를 주었습니다. 45를 9씩 묶으면 친구에게 준 구슬은 45의 몇 분의 몇일까요?

45를 9씩 묶으면 9는 45의 $\frac{\square}{\square}$입니다.

4 단원

STEP 1

개념 완성하기

2 전체 개수에 대한 분수만큼을 알아보기

예제 테니스공의 수에 대한 분수만큼을 알아보기

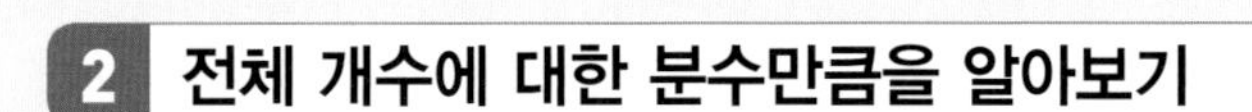

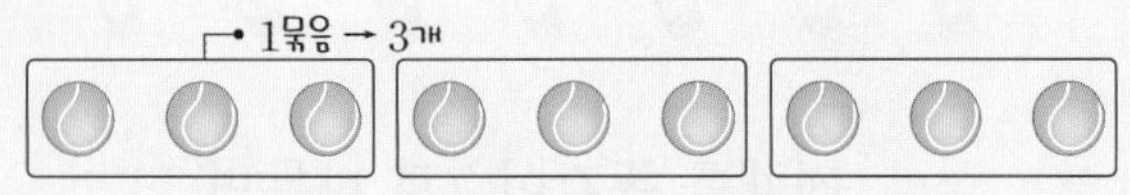

① 테니스공 9개를 3묶음으로 똑같이 나누면 1묶음은 전체 묶음의 $\frac{1}{3}$입니다.

➜ 9의 $\frac{1}{3}$은 3입니다.

② 테니스공 9개를 3묶음으로 똑같이 나누면 2묶음은 전체 묶음의 $\frac{2}{3}$입니다.

➜ 9의 $\frac{2}{3}$는 6입니다.

중요 전체에 대한 분수만큼은 얼마인지 알아보기

■의 $\frac{1}{▲}$ ➜ ■를 ▲묶음으로 똑같이 나눈 것 중의 1묶음

■의 $\frac{●}{▲}$ ➜ ■를 ▲묶음으로 똑같이 나눈 것 중의 ●묶음

(×●)

3 전체 길이에 대한 분수만큼을 알아보기

예제 전체에 대한 분수만큼을 알아보기

0 1 2 3 4 5 6 7 8(m)

① 8 m를 똑같이 4로 나눈 것 중의 1 → 2 m

➜ 8 m의 $\frac{1}{4}$은 2 m입니다.

② 8 m를 똑같이 4로 나눈 것 중의 2 → 4 m

➜ 8 m의 $\frac{2}{4}$는 4 m입니다.

③ 8 m를 똑같이 4로 나눈 것 중의 3 → 6 m

➜ 8 m의 $\frac{3}{4}$은 6 m입니다.

개념 확인

1 그림을 보고 물음에 답하세요.

(1) 바나나 12개를 4묶음으로 똑같이 나누어 보세요.

(2) □ 안에 알맞은 수를 써넣으세요.

• 12의 $\frac{1}{4}$은 □입니다.

• 12의 $\frac{3}{4}$은 □입니다.

2 그림을 보고 □ 안에 알맞은 수를 써넣으세요.

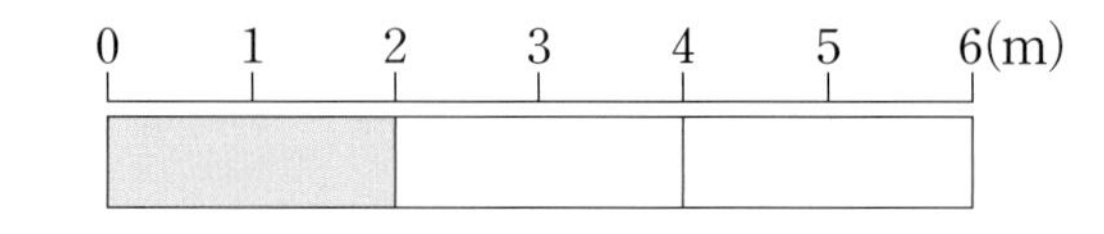

6 m를 똑같이 3으로 나눈 것 중의 1이므로 □ m입니다.

➜ 6 m의 $\frac{1}{3}$은 □ m입니다.

3 □ 안에 알맞은 수를 써넣고, 색칠해 보세요.

(1) 16의 $\frac{3}{8}$은 빨간색 별입니다. ➜ □개

(2) 16의 $\frac{5}{8}$는 초록색 별입니다. ➜ □개

정답 22쪽

4 그림을 보고 □ 안에 알맞은 수를 써넣으세요.

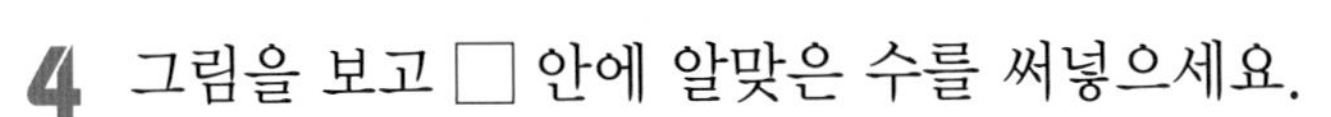

(1) 24의 $\frac{1}{6}$은 □입니다.

(2) 24의 $\frac{5}{6}$는 □입니다.

5 그림을 보고 $\frac{3}{5}$ m를 화살표(↓)로 나타내고, 몇 cm인지 구하세요.

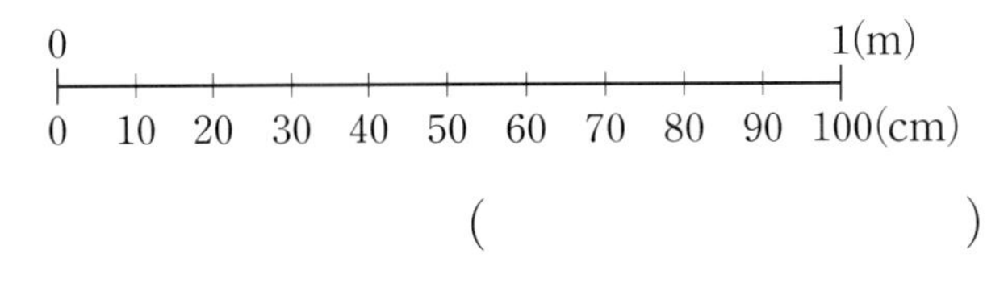

(　　　　　　　)

6 12 cm의 종이띠를 분수만큼 색칠하고, □ 안에 알맞은 수를 써넣으세요.

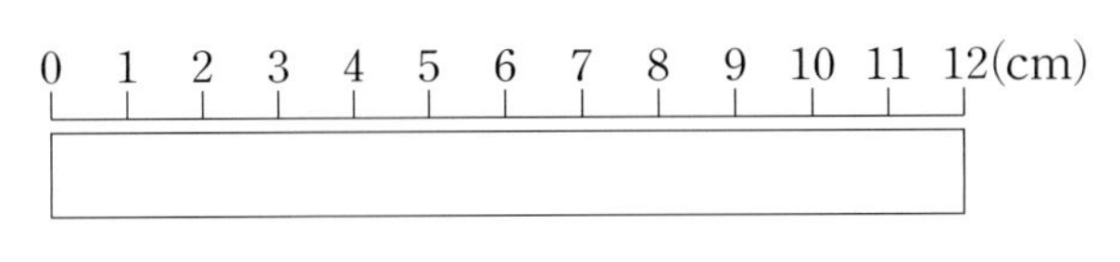

12 cm의 $\frac{2}{3}$는 □ cm입니다.

기본 유형 확인

7 관계있는 것끼리 선으로 이어 보세요.

(1) 20의 $\frac{3}{5}$　　(2) 32의 $\frac{1}{4}$

8　　10　　12

8 그림에서 1시간의 $\frac{1}{6}$은 몇 분일까요?

(　　　　　　　)

9 재우는 색종이 18장 중에서 $\frac{1}{3}$을 사용하였습니다. 재우가 사용한 색종이는 몇 장일까요?

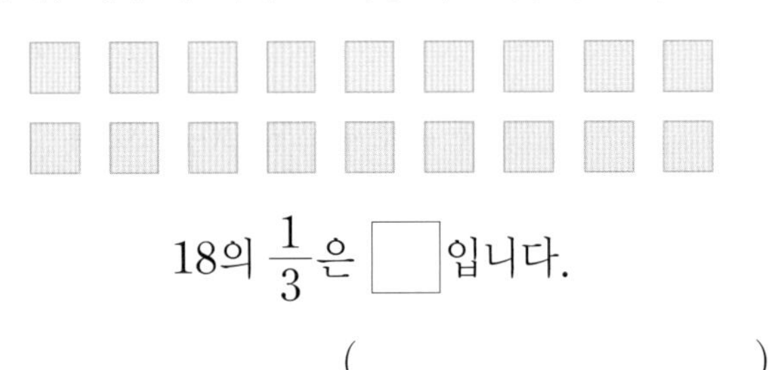

18의 $\frac{1}{3}$은 □입니다.

(　　　　　　　)

4 단원

STEP 2 실력 다지기

유형 확인 강화

똑같이 묶고 분수로 나타내기

유형 **01** ㉠과 ㉡에 알맞은 분수를 각각 구하세요.

45를 5씩 묶으면 15는 45의 ㉠입니다.	45를 15씩 묶으면 15는 45의 ㉡입니다.

㉠ (　　　　　　)
㉡ (　　　　　　)

확인 **02** 서술형 36을 9씩 묶으면 27은 36의 몇 분의 몇인지 풀이 과정을 쓰고, 답을 구하세요.

풀이

답

강화 **03** □ 안에 알맞은 수가 가장 큰 것을 찾아 기호를 써 보세요.

㉠ 12를 3씩 묶으면 9는 12의 $\frac{\square}{4}$

㉡ 32를 4씩 묶으면 20은 32의 $\frac{5}{\square}$

㉢ 54를 9씩 묶으면 18은 54의 $\frac{\square}{6}$

(　　　　　　)

전체에 대한 분수만큼을 알아보기

04 선우와 유미가 말하는 수의 차를 구하세요.

(　　　　　　)

05 8의 $\frac{1}{2}$, $\frac{3}{4}$만큼 되는 곳에 들어갈 글자를 찾아 □ 안에 알맞게 써넣으세요.

8의 $\frac{1}{2}$ ➜ 산　　8의 $\frac{3}{4}$ ➜ 석

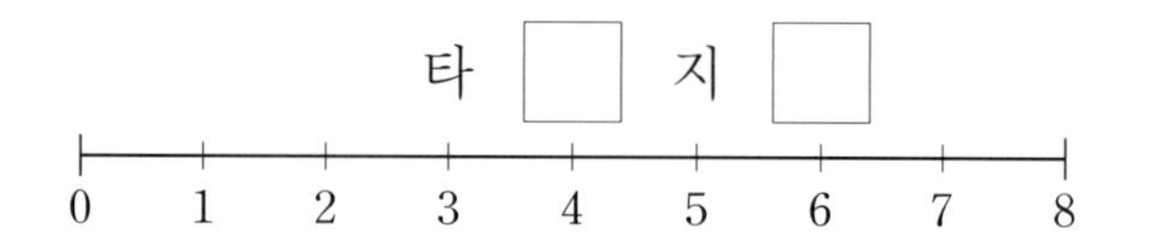

06 서술형 나타내는 수가 다른 하나를 찾아 기호를 쓰려고 합니다. 풀이 과정을 쓰고, 답을 구하세요.

㉠ 14의 $\frac{4}{7}$　㉡ 12의 $\frac{5}{6}$　㉢ 15의 $\frac{2}{3}$

풀이

답

분수로 나타내기 활용

07 정은이네 집에 감이 30개 있습니다. 그중 12개를 가족들과 나누어 먹었습니다. 감 30개를 6개씩 묶으면 가족들과 나누어 먹은 감은 30개의 몇 분의 몇일까요?

( )

08 교과역량 연주가 마을 지도에 나타낸 기호의 수를 센 것입니다. 28개를 2개씩 묶으면 과수원의 수는 합계의 몇 분의 몇일까요?

기호	학교	병원	과수원	합계
수(개)	7	11		28

( )

09 서술형 땅콩 48개를 봉지 6개에 똑같이 나누어 담았습니다. 땅콩 40개는 48개를 6부분으로 똑같이 나눈 것 중의 몇 분의 몇인지 풀이 과정을 쓰고, 답을 구하세요.

풀이

답

분수만큼을 알아보기 활용

10 영아는 호두 파이 한 판을 8조각으로 똑같이 나눈 것 중의 $\frac{1}{4}$을 먹었습니다. 영아가 먹은 호두 파이는 몇 조각일까요?

( )

11 어머니께서 주스 36병을 사셨습니다. 그중의 $\frac{1}{6}$은 포도 주스, $\frac{2}{9}$는 오렌지 주스입니다. 포도 주스와 오렌지 주스는 각각 몇 병일까요?

포도 주스 ( )

오렌지 주스 ( )

12 서연이는 공책 28권을 동생과 똑같이 모두 나누어 가진 후 그중의 $\frac{1}{7}$을 은정이에게 주었습니다. 서연이가 은정이에게 준 공책은 몇 권일까요?

( )

빈칸에 알맞은 수 구하기

유형 **13** □ 안에 알맞은 수를 구하세요.

54를 □씩 묶으면
18은 54의 $\frac{3}{9}$입니다.

( )

확인 **14** ㉠과 ㉡에 알맞은 수의 합을 구하세요.

- 20은 45의 $\frac{㉠}{9}$입니다.
- 24는 48의 $\frac{㉡}{6}$입니다.

( )

강화 **15** 27과 36을 각각 3씩 묶을 때 ■와 ▲의 차를 구하세요.

- 18은 27의 $\frac{6}{■}$입니다.
- 15는 36의 $\frac{▲}{12}$입니다.

( )

남은 수 구하기

16 가은이는 달걀 12개 중에서 $\frac{1}{4}$을 샌드위치를 만드는 데 사용하였습니다. 남은 달걀은 몇 개일까요?

( )

17 교과역량 10 m의 색 테이프를 10부분으로 똑같이 나눈 후 종서, 소미, 혜현이가 다음과 같이 나누어 가졌습니다. □ 안에 알맞은 수를 써넣고, 주어진 색으로 색칠해 보세요.

- 종서: 10 m의 $\frac{1}{2}$ ➜ □ m(파란색)
- 소미: 10 m의 $\frac{2}{5}$ ➜ □ m(초록색)
- 혜연: 두 사람이 가지고 남은 부분
  ➜ □ m(주황색)

18 우표 30장을 선우와 남호가 다음과 같이 나누어 가졌다면 남은 우표는 몇 장일까요?

선우	남호
30장의 $\frac{1}{3}$	30장의 $\frac{1}{5}$

( )

어떤 수 구하기 (약점 체크)

19 어떤 수의 $\frac{2}{5}$는 16입니다. 물음에 답하세요.

(1) 어떤 수의 $\frac{1}{5}$은 얼마일까요?

(　　　　　　　　)

(2) 어떤 수를 구하세요.

(　　　　　　　　)

해결 ■의 $\frac{●}{▲}$
→ ■를 ▲묶음으로 똑같이 나눈 것 중의 ●묶음

20 윤호와 세린이의 대화를 읽고 윤호의 질문에 대한 답을 구하세요.

(　　　　　　　　)

남은 부분을 분수로 나타내기 (약점 체크)

21 재오는 연필 30자루를 3자루씩 포장하였습니다. 그중에서 6자루는 형기, 12자루는 선우, 나머지는 아름이에게 선물하였습니다. 물음에 답하세요.

(1) 아름이가 받은 연필은 몇 자루일까요?

(　　　　　　　　)

(2) 아름이가 받은 연필은 전체의 몇 분의 몇일까요?

(　　　　　　　　)

주의 30을 몇씩 묶었는지 확인합니다. 묶음의 수를 생각하지 않고 $\frac{▲}{30}$, $\frac{●}{15}$로 답하지 않도록 주의합니다.

22 도화지 한 장을 24칸으로 똑같이 나누어 4칸은 노란색을 색칠하고, 8칸은 빨간색을 색칠하였습니다. 24칸을 4칸씩 묶으면 색칠하고 남은 칸 수는 전체 칸 수의 몇 분의 몇일까요?

(　　　　　　　　)

4 단원

STEP 1

개념 완성하기

4 여러 가지 분수(1)

- **진분수**: 분자가 분모보다 작은 분수
- **가분수**: 분자가 분모와 같거나 분모보다 큰 분수
- **자연수**: 1, 2, 3과 같은 수

예제 분모가 5인 진분수와 가분수 알아보기

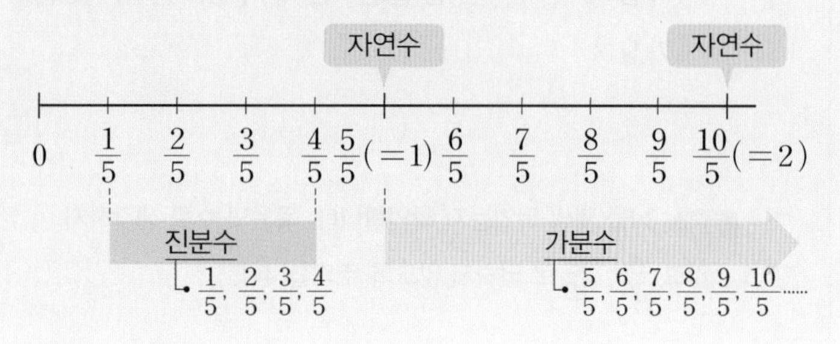

5 여러 가지 분수(2)

- **대분수**: 자연수와 진분수로 이루어진 분수

쓰기 $1\frac{3}{4}$ 읽기 1과 4분의 3

(1) 대분수를 가분수로 나타내기

$1\frac{3}{5}$

$1\frac{3}{5}$만큼 색칠하면 $\frac{1}{5}$이 8개이므로 $\frac{8}{5}$입니다.

$1\frac{3}{5}$에서 1은 $\frac{1}{5}$이 5개, $\frac{3}{5}$은 $\frac{1}{5}$이 3개로 $\frac{1}{5}$이 $5+3=8$(개)이므로 $\frac{8}{5}$입니다. ➡ $1\frac{3}{5}=\frac{8}{5}$

(2) 가분수를 대분수로 나타내기

$\frac{9}{4}$

$\frac{9}{4}$만큼 색칠하면 큰 사각형 2개와 $\frac{1}{4}$만큼 색칠한 작은 사각형 1개이므로 $2\frac{1}{4}$입니다.

$\frac{9}{4}$에서 $\frac{8}{4}$은 2로 나타내고 나머지 진분수는 $\frac{1}{4}$이므로 $2\frac{1}{4}$입니다.
➡ $\frac{9}{4}=2\frac{1}{4}$

개념 확인

1 그림을 보고 □ 안에 알맞은 수를 써넣으세요.

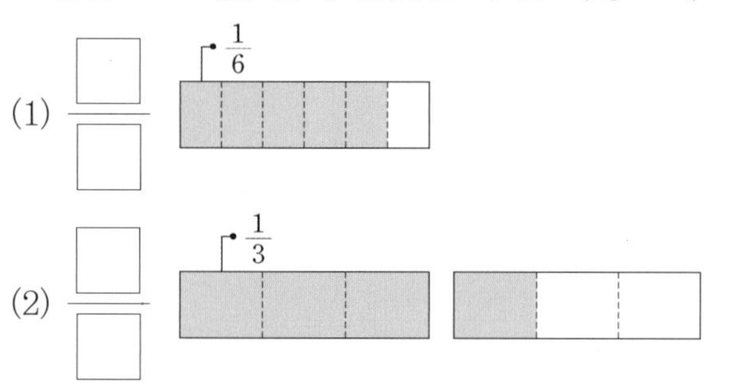

2 수직선에 화살표(↓)로 나타낸 분수를 보고 □ 안에 알맞은 수를 써넣으세요.

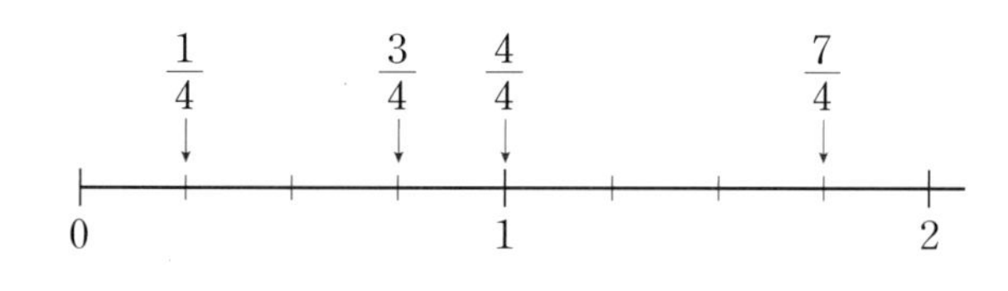

(1) 분자가 분모보다 작은 분수 ➡ $\frac{\square}{4}$, $\frac{\square}{4}$

(2) 분자가 분모와 같거나 분모보다 큰 분수

➡ $\frac{\square}{4}$, $\frac{\square}{4}$

3 보기를 보고 오른쪽 그림을 대분수로 나타내어 보세요.

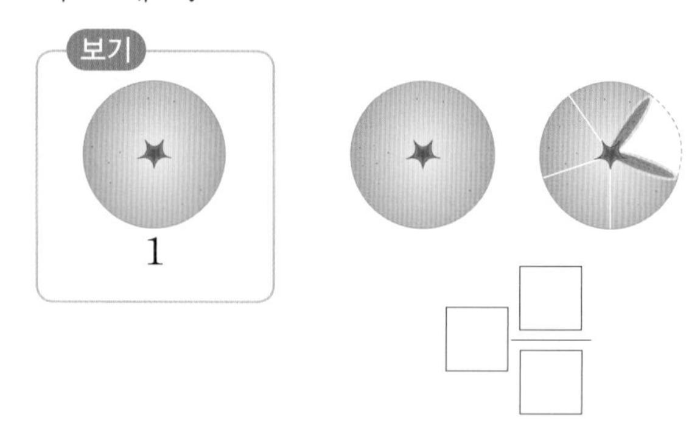

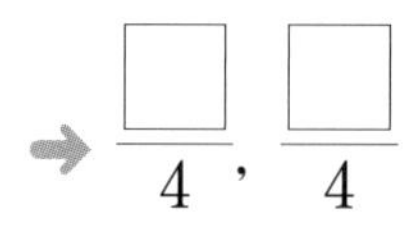

4 그림을 보고 대분수는 가분수로, 가분수는 대분수로 나타내어 보세요.

(1)

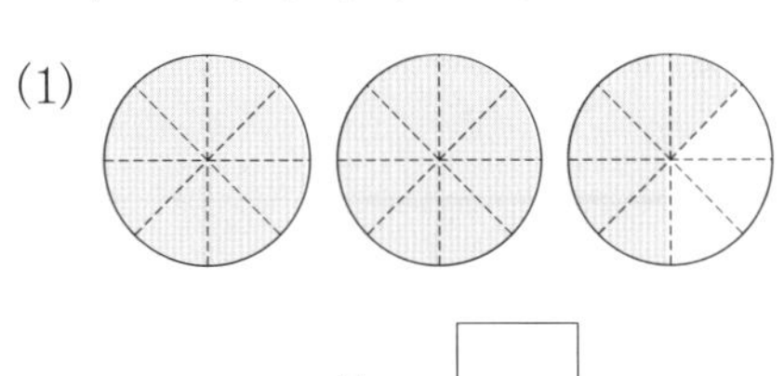

$2\frac{5}{8}=\frac{□}{□}$

(2)

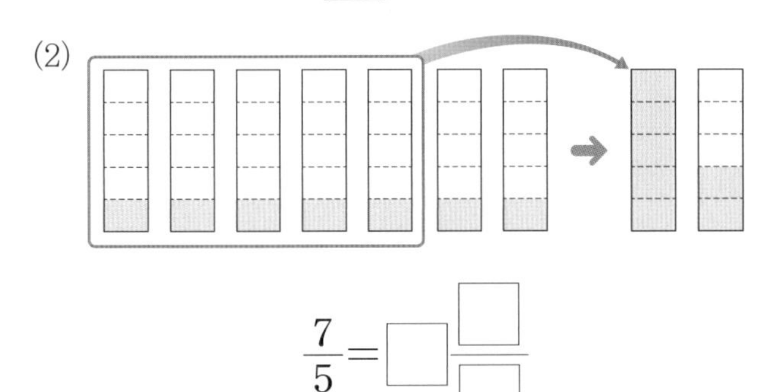

$\frac{7}{5}=□\frac{□}{□}$

5 진분수에는 '진', 가분수에는 '가'를 (　　) 안에 알맞게 써넣으세요.

(1) $\frac{9}{8}$ ➔ (　　　　　　)

(2) $\frac{6}{7}$ ➔ (　　　　　　)

6 대분수는 가분수로, 가분수는 대분수로 나타내어 보세요.

(1) $2\frac{2}{9}$　　(2) $3\frac{1}{10}$

(3) $\frac{37}{7}$　　(4) $\frac{53}{12}$

기본 유형 확인

7 관계있는 것끼리 선으로 이어 보세요.

(1) $\frac{9}{14}$　　(2) 8　　(3) $\frac{20}{13}$

•　　•　　•

•　　•　　•

진분수　　가분수　　자연수

8 진분수와 가분수는 각각 몇 개일까요?

$\frac{2}{3}$	$\frac{5}{4}$	$\frac{8}{7}$	$\frac{10}{6}$
$\frac{9}{9}$	$\frac{1}{8}$	$\frac{6}{5}$	$\frac{4}{11}$

진분수 (　　　　　　)

가분수 (　　　　　　)

9 성진이와 영주는 찰흙으로 만들기를 하였습니다. 찰흙을 성진이는 $\frac{5}{2}$ kg, 영주는 $3\frac{1}{4}$ kg 사용했습니다. 가분수는 대분수로, 대분수는 가분수로 나타내어 보세요.

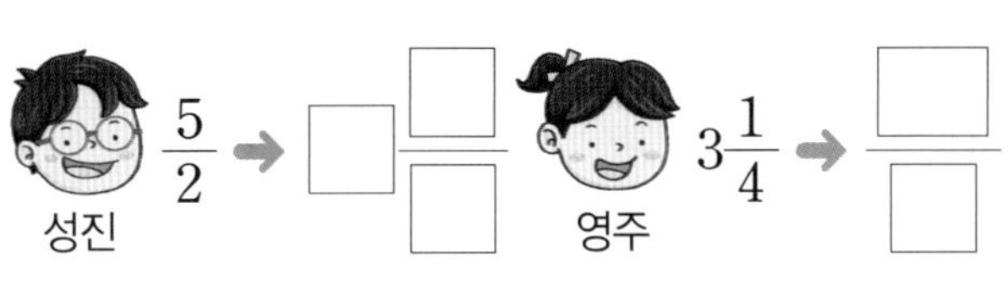

$\frac{5}{2}$ ➔ $□\frac{□}{□}$　　$3\frac{1}{4}$ ➔ $\frac{□}{□}$

개념 완성하기

6 분모가 같은 분수의 크기 비교

(1) **분모가 같은 가분수끼리 분수의 크기 비교하기**

예제 $\frac{6}{5}$과 $\frac{8}{5}$의 크기 비교하기

$\frac{6}{5}$은 $\frac{1}{5}$이 6개이고 $\frac{8}{5}$은 $\frac{1}{5}$이 8개입니다.

➡ 6<8이므로 $\frac{6}{5}<\frac{8}{5}$입니다. → 분자의 크기를 비교합니다.

(2) **분모가 같은 대분수끼리 분수의 크기 비교하기**

예제 1 $2\frac{1}{6}$과 $1\frac{5}{6}$의 크기 비교하기 → 자연수가 다른 경우

자연수를 비교하면 2>1입니다. ➡ $2\frac{1}{6}>1\frac{5}{6}$

자연수의 크기를 비교합니다.

예제 2 $2\frac{1}{7}$과 $2\frac{3}{7}$의 크기 비교하기 → 자연수가 같은 경우

자연수가 2로 같으므로 분자를 비교하면 1<3 입니다. ➡ $2\frac{1}{7}<2\frac{3}{7}$

→ 분자의 크기를 비교합니다.

(3) **분모가 같은 가분수와 대분수의 크기 비교하기**

예제 $\frac{10}{3}$과 $3\frac{2}{3}$의 크기 비교하기

방법 1 $3\frac{2}{3}$를 가분수로 나타내기

$3\frac{2}{3}$에서 3은 $\frac{1}{3}$이 9개, $\frac{2}{3}$는 $\frac{1}{3}$이 2개로 $\frac{1}{3}$이 9+2=11(개)이므로 $\frac{11}{3}$입니다.

➡ $\frac{10}{3}<\frac{11}{3}$이므로 $\frac{10}{3}<3\frac{2}{3}$입니다.

방법 2 $\frac{10}{3}$을 대분수로 나타내기

$\frac{10}{3}$에서 $\frac{9}{3}$는 3으로 나타내고 나머지 진분수는 $\frac{1}{3}$이므로 $3\frac{1}{3}$입니다.

➡ $3\frac{1}{3}<3\frac{2}{3}$이므로 $\frac{10}{3}<3\frac{2}{3}$입니다.

개념 확인

1 그림을 보고 분수의 크기를 비교하여 ◯ 안에 >, <를 알맞게 써넣으세요.

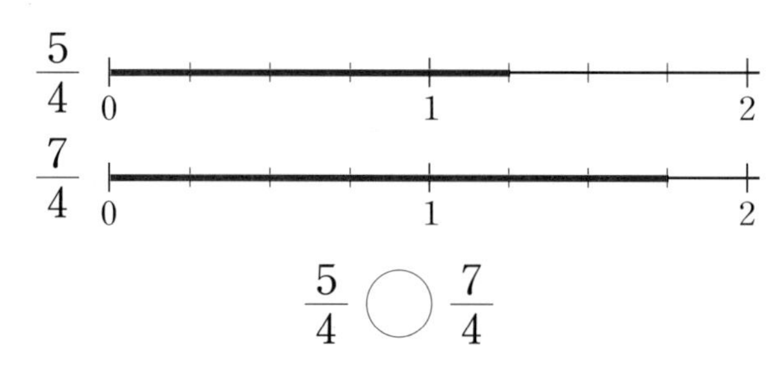

$\frac{5}{4}$ ◯ $\frac{7}{4}$

2 분수만큼 색칠하고, 분수의 크기를 비교하여 ◯ 안에 >, <를 알맞게 써넣으세요.

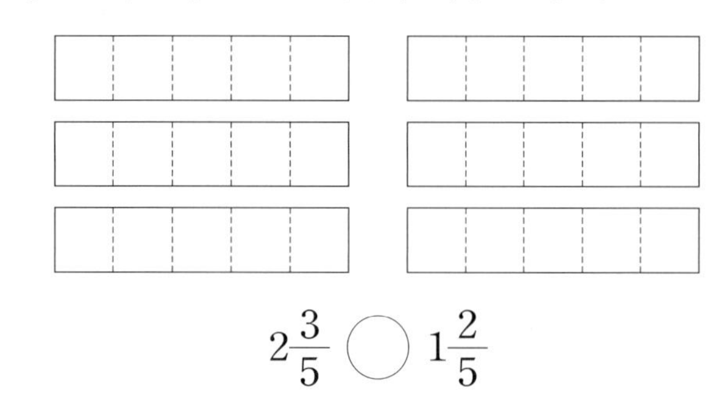

$2\frac{3}{5}$ ◯ $1\frac{2}{5}$

3 분수의 크기를 비교하고, 알맞은 말에 ◯표 하세요.

$3\frac{5}{8}$ ◯ $3\frac{3}{8}$

자연수 부분이 같으므로 분자의 크기를 비교하면 $3\frac{5}{8}$가 $3\frac{3}{8}$보다 더 (큽니다 , 작습니다).

4 $\frac{15}{7}$와 $2\frac{5}{7}$의 크기를 비교하려고 합니다. 물음에 답하세요.

(1) $\frac{15}{7}$를 대분수로 나타내어 보세요.

( )

(2) 두 분수의 크기를 비교하여 ○ 안에 >, =, <를 알맞게 써넣으세요.

$\frac{15}{7}$ ○ $2\frac{5}{7}$

5 두 분수의 크기를 비교하여 ○ 안에 >, =, <를 알맞게 써넣으세요.

(1) $2\frac{2}{5}$ ○ $\frac{14}{5}$　(2) $4\frac{4}{9}$ ○ $\frac{40}{9}$

(3) $\frac{34}{15}$ ○ $2\frac{2}{15}$　(4) $\frac{45}{8}$ ○ $5\frac{7}{8}$

6 왼쪽의 대분수보다 큰 분수를 모두 찾아 색칠하세요.

$7\frac{5}{9}$

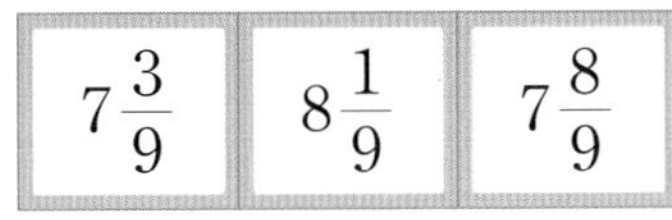

기본 유형 확인

7 두 분수의 크기를 비교하여 더 큰 분수를 빈칸에 써넣으세요.

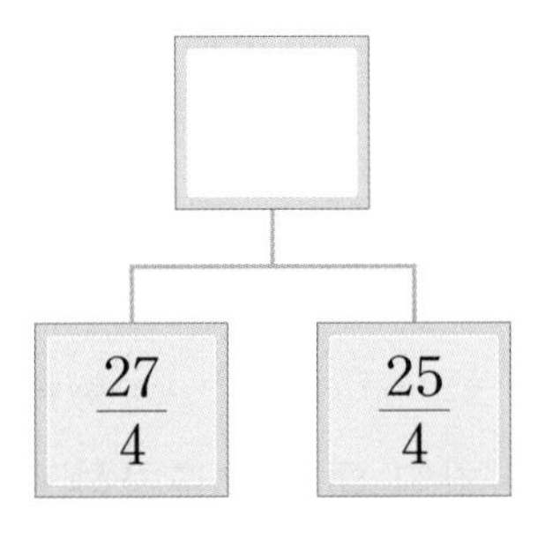

8 두 대분수를 수직선에 화살표(↑)로 나타내고, ○ 안에 >, =, <를 알맞게 써넣으세요.

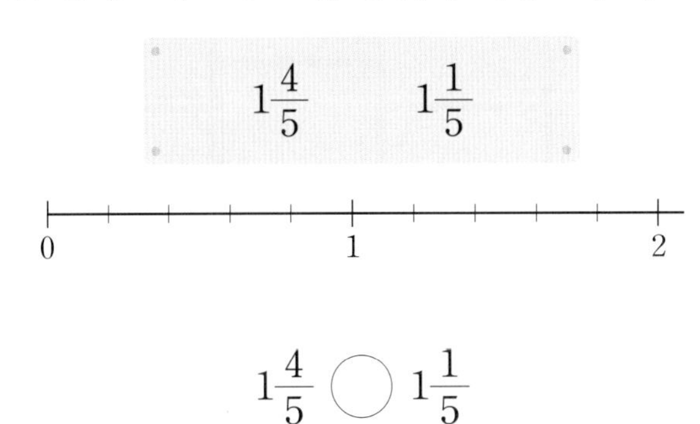

$1\frac{4}{5}$ ○ $1\frac{1}{5}$

9 광수는 운동을 어제는 $1\frac{5}{6}$시간 하였고, 오늘은 $\frac{13}{6}$시간 하였습니다. 어제와 오늘 중에서 광수가 운동을 더 오래 한 날은 언제일까요?

$1\frac{5}{6}$ ○ $\frac{13}{6}$

( )

STEP 2 실력 다지기

유형 확인 강화

진분수, 가분수, 대분수 알아보기

유형 **01** 오른쪽 분수는 진분수입니다. ★이 될 수 있는 가장 큰 수를 구하세요.

$\frac{★}{7}$

(　　　　　　　　　　)

확인 **02** 사다리를 타고 내려가 도착한 곳이 참이면 ○표, 거짓이면 ×표 하세요.

교과역량

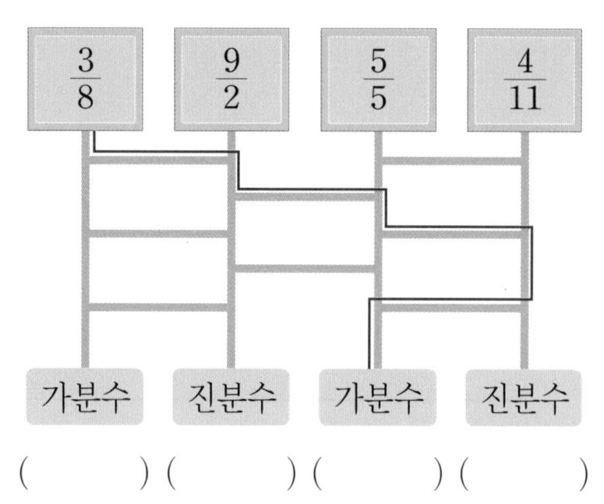

(　　) (　　) (　　) (　　)

강화 **03** 대분수인 칸을 모두 색칠하면 어떤 숫자가 나타날까요?

$1\frac{1}{4}$	$3\frac{2}{5}$	$2\frac{1}{2}$	$\frac{15}{8}$
$5\frac{4}{9}$	$\frac{3}{14}$	$1\frac{7}{10}$	$\frac{1}{9}$
$\frac{9}{8}$	$\frac{5}{12}$	$4\frac{3}{5}$	$\frac{10}{10}$
$\frac{1}{6}$	$\frac{9}{5}$	$2\frac{11}{13}$	$\frac{8}{3}$

(　　　　　　　　　　)

가분수를 대분수로, 대분수를 가분수로 나타내기

04 다음이 나타내는 수를 대분수로 나타내어 보세요.

$\frac{1}{9}$이 14개인 수

(　　　　　　　　　　)

05 다음 대분수를 가분수로 나타내었더니 $\frac{19}{8}$가 되었습니다. □ 안에 알맞은 수를 구하세요.

$2\frac{□}{8}$

(　　　　　　　　　　)

서술형

06 대분수를 가분수로 각각 나타내었을 때 분자가 더 큰 분수를 찾아 기호를 쓰려고 합니다. 풀이 과정을 쓰고, 답을 구하세요.

㉠ $1\frac{1}{14}$　　㉡ $3\frac{2}{3}$

풀이

답

여러 가지 분수의 크기 비교

07 가분수는 ○표, 대분수는 □표 하고, 가장 큰 분수에 ∨표 하세요.

$\frac{19}{6}$　$\frac{5}{6}$　$3\frac{5}{6}$　$\frac{6}{6}$

08 큰 분수부터 순서대로 ㉠, ㉡, ㉢에 써넣으세요.

교과 역량

$\frac{15}{8}$　$2\frac{1}{8}$　$\frac{13}{8}$

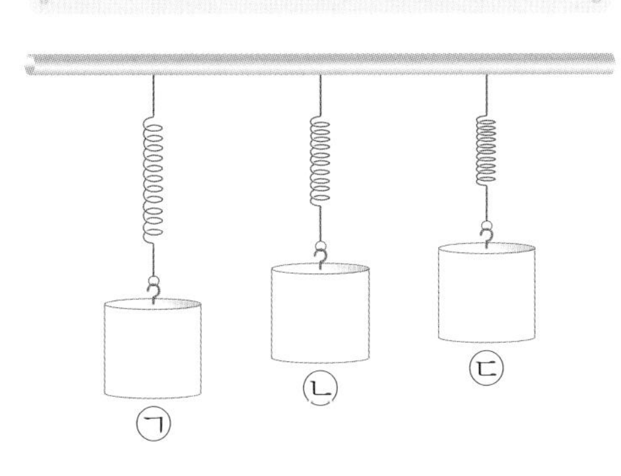

서술형

09 $4\frac{1}{3}$보다 큰 분수는 모두 몇 개인지 풀이 과정을 쓰고, 답을 구하세요.

$\frac{25}{3}$　$\frac{10}{3}$　$\frac{13}{3}$　$\frac{22}{3}$

풀이

답

분수의 크기 비교 활용

10 윤정이는 수학 숙제와 국어 숙제를 하였습니다. 어느 숙제를 더 오래 하였을까요?

(　　　　　　)

11 석가탑의 높이는 $10\frac{4}{5}$ m이고 첨성대의 높이는 $\frac{46}{5}$ m입니다. 석가탑과 첨성대 중에서 어느 것의 높이가 더 높을까요?

교과 역량

석가탑

첨성대

(　　　　　　)

12 준태, 미정, 강은이의 키를 재어 보았습니다. 세 사람 중에서 키가 가장 작은 사람은 누구일까요?

이름	준태	미정	강은
키(m)	$1\frac{7}{12}$	$\frac{13}{12}$	$1\frac{5}{12}$

(　　　　　　)

STEP 2 실력 다지기

크기를 비교하여 □ 안에 알맞은 수 구하기

유형 **13** □ 안에 들어갈 수 있는 자연수를 모두 구하세요.

$$2\frac{\square}{9} < \frac{22}{9}$$

(　　　　　　　　　　)

확인 **14** □ 안에 들어갈 수 있는 자연수는 모두 몇 개일까요?

$$1\frac{10}{13} < \frac{\square}{13} < 2\frac{1}{13}$$

(　　　　　　　　　　)

강화 **15** 종이에 물감이 묻어 수가 보이지 않습니다. 물감이 묻은 부분에 들어갈 수 있는 자연수를 모두 구하세요.

$$\frac{20}{7} < ●\frac{3}{7} < \frac{40}{7}$$

(　　　　　　　　　　)

수 카드로 분수 만들기

16 3장의 수 카드 중에서 2장을 골라 한 번씩만 사용하여 만들 수 있는 가분수를 모두 구하세요.

2　5　7

(　　　　　　　　　　)

서술형

17 4장의 수 카드 중에서 3장을 골라 한 번씩만 사용하여 대분수를 만들려고 합니다. 만들 수 있는 분수 중에서 분모가 5인 대분수는 모두 몇 개인지 풀이 과정을 쓰고, 답을 구하세요.

3　5　4　9

풀이

답

18 9장의 수 카드 중에서 2장을 골라 □ 안에 한 번씩 써넣어 분모가 6인 가장 큰 대분수를 만들고, 대분수를 가분수로 나타내어 보세요.

1　2　3　4　5　6　7　8　9

$\square\frac{\square}{6}$ ➜ 가분수: $\frac{\square}{\square}$

정답 25쪽

분수로 나타내어 문제 해결하기

19 정민이와 유미는 원 모양과 $\frac{1}{4}$ 조각 모양의 똑같은 쿠키 틀을 이용하여 다음과 같이 쿠키를 각각 만들었습니다. 정민이와 유미 중에서 쿠키를 더 많이 만든 사람은 누구일까요?

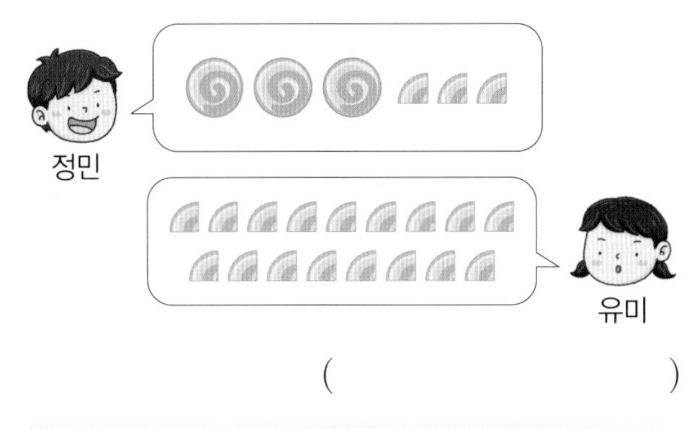

( )

해결 만든 쿠키의 양을 각각 분수로 나타내어 봅니다.

20 세린이는 길이가 $\frac{1}{3}$ m인 색 테이프 14장을 겹치지 않게 한 줄로 이었고, 보영이는 길이가 1 m인 색 테이프 4장과 $\frac{1}{3}$ m인 색 테이프 1장을 겹치지 않게 한 줄로 이었습니다. 세린이와 보영이 중에서 이은 색 테이프의 전체 길이가 더 긴 사람은 누구일까요?

( )

조건을 만족하는 분수 구하기

21 자연수 ■와 ●가 조건을 만족할 때 $\frac{■}{●}$가 진분수가 되는 경우는 모두 몇 가지일까요?

$3 < ■ < 9$
$2 < ● < 7$

( )

해결 ㉠ < ★ < ㉡에서 ★에 들어갈 수 있는 자연수
→ (㉠+1)부터 (㉡−1)까지의 자연수

22 다음 조건을 만족하는 분수를 모두 구하세요.

- 분모가 16인 가분수입니다.
- $\frac{29}{16}$ 보다 크고 $2\frac{3}{16}$ 보다 작습니다.

( )

4 단원

서술형 해결하기

연습

01 **지효네 가족은 딸기 45개를 준비했습니다. 아버지께서 45개의 $\frac{4}{9}$만큼을, 어머니께서 45개의 $\frac{2}{9}$만큼을 드시고 나머지는 지효가 모두 먹었습니다. 지효가 먹은 딸기는 몇 개인지 풀이 과정을 쓰고, 답을 구하세요.**

서술형 포인트

먼저 전체에 대한 분수만큼을 각각 구합니다.

❶ 아버지와 어머니가 드신 딸기 수 각각 구하기

❷ 지효가 먹은 딸기 수 구하기

풀이를 완성하세요.

❶ 45의 $\frac{4}{9}$는 45를 9묶음으로 똑같이 나눈 것 중의 4묶음이므로 ____ 입니다.

➡ 아버지께서 드신 딸기는 ____ 개입니다.

45의 $\frac{2}{9}$는 45를 9묶음으로 똑같이 나눈 것 중의 2묶음이므로 ____ 입니다.

➡ 어머니께서 드신 딸기는 ____ 개입니다.

❷ (지효가 먹은 딸기 수)

= ____ − ____ − ____ = ____ (개)

➡ 지효가 먹은 딸기는 ____ 개입니다.

답 ____________

단계

02 붙임딱지를 주혁이는 45장의 $\frac{4}{5}$만큼 모았고, 성주는 56장의 $\frac{5}{8}$만큼 모았습니다. 주혁이와 성주 중에서 **누가 붙임딱지를 몇 장 더 많이 모았는지** 풀이 과정을 쓰고, 답을 구하세요.

❶ 주혁이와 성주가 모은 붙임딱지 수 각각 구하기

풀이

❷ 누가 붙임딱지를 몇 장 더 많이 모았는지 구하기

풀이

답 ____________ , ____________

실전

03 소연이는 색종이 96장을 가지고 있습니다. 전체의 $\frac{5}{12}$를 오빠에게 주고, 전체의 $\frac{1}{6}$을 동생에게 주었습니다. 오빠와 동생 중에서 **누구에게 색종이를 몇 장 더 많이 주었는지** 풀이 과정을 쓰고, 답을 구하세요.

풀이

답 ____________ , ____________

정답 27쪽

연습

04 **다음과 같이 자연수가 2이고 분모가 8인 대분수 중에서 가장 큰 수를 가분수로 나타내려고 합니다. 풀이 과정을 쓰고, 답을 구하세요.**

$2\frac{■}{8}$

서술형 포인트

대분수의 분수 부분은 진분수임을 이용하여 ■에 들어갈 수 있는 자연수를 알아봅니다.

❶ 자연수가 2이고 분모가 8인 가장 큰 대분수 구하기

❷ 자연수가 2이고 분모가 8인 가장 큰 대분수를 가분수로 나타내기

풀이를 완성하세요.

❶ ■ = ____ 일 때 가장 큰 대분수가 됩니다.

➔ 가장 큰 대분수는 $2\frac{\square}{8}$ 입니다.

❷ 대분수 $2\frac{\square}{8}$ 을 가분수로 나타내면

2는 $\frac{1}{8}$이 ____ 개, $\frac{\square}{8}$은 $\frac{1}{8}$이 ____ 개로

$\frac{1}{8}$이 모두 ____ 개이므로 $\frac{\square}{\square}$ 입니다.

답 ____________

단계

05 분모가 7인 가분수가 있습니다. 이 분수의 분자를 분모로 나누었더니 몫이 6이고 나머지가 3이었습니다. **이 분수를 대분수로 나타내려고** 합니다. 풀이 과정을 쓰고, 답을 구하세요.

❶ 조건을 만족하는 가분수 구하기

풀이

❷ 가분수를 대분수로 나타내기

풀이

답 ____________

실전

06 분모가 9인 가분수가 있습니다. 이 분수의 분자를 분모로 나누었더니 몫이 3이고 나머지가 5였습니다. **이 분수를 대분수로 나타내려고** 합니다. 풀이 과정을 쓰고, 답을 구하세요.

풀이

답 ____________

4 단원

단원 마무리

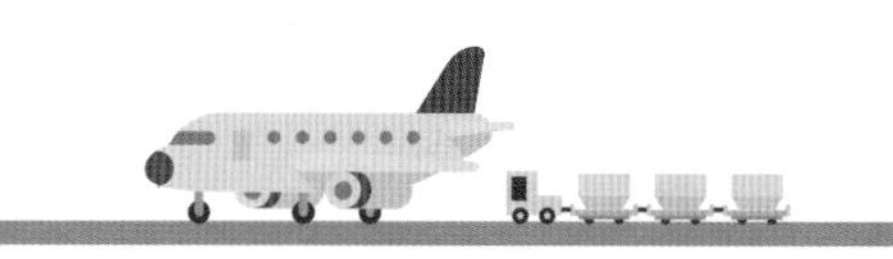

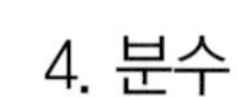

01 그림을 3개씩 묶고, □ 안에 알맞은 수를 써넣으세요.

12를 3씩 묶으면 9는 12의 $\frac{\square}{\square}$입니다.

02 그림을 보고 □ 안에 알맞은 수를 써넣으세요.

36의 $\frac{5}{6}$는 □입니다.

03 그림을 보고 대분수를 가분수로 나타내어 보세요.

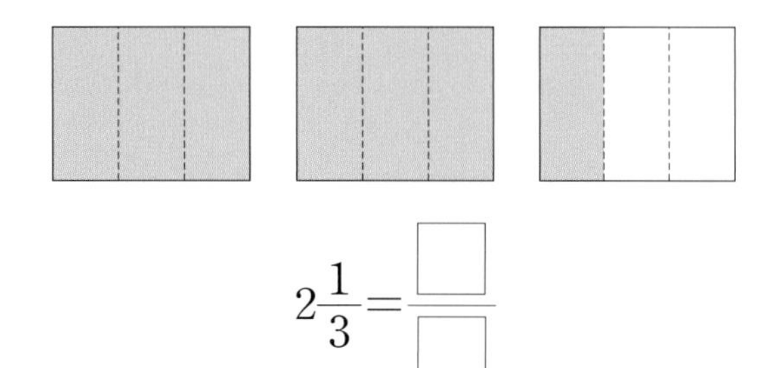

$2\frac{1}{3}=\frac{\square}{\square}$

04 분수만큼 색칠하고, 분수의 크기를 비교하여 ○ 안에 >, <를 알맞게 써넣으세요.

$\frac{7}{5}$

$\frac{9}{5}$

$\frac{7}{5}$ ○ $\frac{9}{5}$

05 27을 9씩 묶고, 18은 27의 몇 분의 몇인지 구하세요.

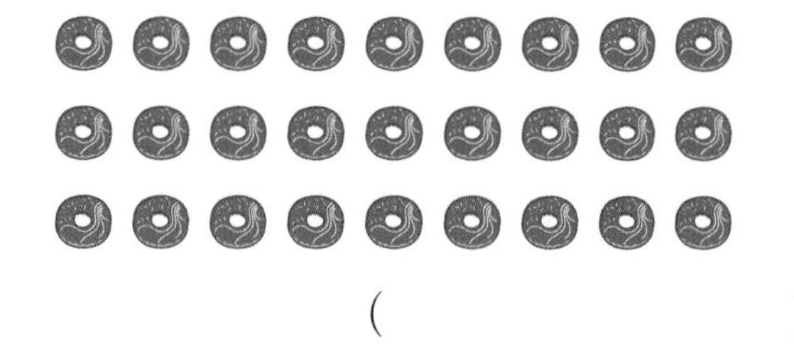

(　　　　　　)

06 진분수에 ○표, 가분수에 △표 하세요.

$\frac{3}{4}$　$\frac{1}{5}$　$\frac{9}{9}$　$\frac{4}{7}$　$\frac{12}{11}$

07 분모가 8인 진분수는 모두 몇 개일까요?

(　　　　　　)

08 □ 안에 알맞은 수가 가장 작은 것을 찾아 기호를 써 보세요.

㉠ 18을 3씩 묶으면 15는 18의 $\frac{\square}{6}$

㉡ 28을 4씩 묶으면 20은 28의 $\frac{5}{\square}$

㉢ 42를 6씩 묶으면 12는 42의 $\frac{\square}{7}$

(　　　　　)

09 나타내는 수가 다른 하나를 찾아 기호를 써 보세요.

㉠ 14의 $\frac{4}{7}$　　㉡ 12의 $\frac{5}{6}$　　㉢ 15의 $\frac{2}{3}$

(　　　　　)

10 사과 36개를 한 봉지에 9개씩 담았습니다. 36개를 9개씩 묶으면 한 봉지에 담은 사과는 36개의 몇 분의 몇일까요?

(　　　　　)

11 분모가 15인 가분수 중에서 분자가 가장 작은 수를 구하세요.

(　　　　　)

12 다음 대분수를 가분수로 나타내었더니 $\frac{27}{10}$이 되었습니다. □ 안에 알맞은 수를 구하세요.

$2\frac{\square}{10}$

(　　　　　)

13 은미는 $1\frac{11}{12}$ m, 유나는 $\frac{17}{12}$ m의 끈을 가지고 있습니다. 은미와 유나 중에서 더 짧은 끈을 가지고 있는 사람은 누구일까요?

(　　　　　)

14 어떤 수의 $\frac{1}{14}$은 4입니다. 어떤 수의 $\frac{3}{8}$은 얼마일까요?

(　　　　　)

4 단원

15 4장의 수 카드 중에서 2장을 골라 □ 안에 한 번씩 써넣어 분모가 7인 가장 큰 대분수를 만들고, 대분수를 가분수로 나타내어 보세요.

2　6　7　9

$\square\frac{\square}{7}$ ➔ 가분수: $\frac{\square}{\square}$

16 다음 조건을 만족하는 분수를 모두 구하세요.

- 분모가 13인 가분수입니다.
- $1\frac{2}{13}$보다 작습니다.

(　　　　　　　　)

17 길이가 24 cm인 나무 막대를 6부분으로 나누어 각각 색칠했습니다. 24 cm의 $\frac{1}{3}$은 빨간색, 24 cm의 $\frac{1}{6}$은 노란색, 나머지는 모두 보라색으로 색칠했습니다. 보라색으로 색칠한 부분의 길이는 몇 cm일까요?

(　　　　　　　　)

서술형 문제

18 $\frac{5}{5}$가 진분수가 아닌 이유를 써 보세요.

이유

19 은율이는 수수깡 21개 중에서 $\frac{2}{7}$를 사용하였습니다. 은율이가 사용하고 남은 수수깡은 몇 개인지 풀이 과정을 쓰고, 답을 구하세요.

풀이

답

20 □ 안에 들어갈 수 있는 자연수는 모두 몇 개인지 풀이 과정을 쓰고, 답을 구하세요.

$2\frac{7}{9} < \frac{\square}{9} < 3\frac{1}{9}$

풀이

답

생각하며 쉬어가기

부에노스 디아스! 내 이름은 비엘사야.
나는 축구의 나라 아르헨티나에 살고 있어.
'부에노스 디아스'는 아르헨티나의 인사말로
'안녕하세요'라는 뜻이야.

아르헨티나에 대해 소개할게. 멋진 자연 경관과 다양한 생태 환경을 가지고 있는 이구아수 폭포는 유네스코 지정 세계 유산으로 등록되어 있어.
페리토모레노 빙하는 파란 비취색을 띠는 아름다운 빙하로 35 km보다 길어. 맑은 날에는 빙하의 일부가 녹으며 강물로 쏟아져 내리는 멋진 풍경을 볼 수 있어!

페리토모레노 빙하

이구아수 폭포

강렬하고 화려한 춤인 '탱고'는
아르헨티나의 전통 춤이에요.

특강 분수

여러 가지 방법으로 똑같이 나눌 수 있어요.

똑같이 나누기

똑같이 둘로 나누기	똑같이 넷으로 나누기
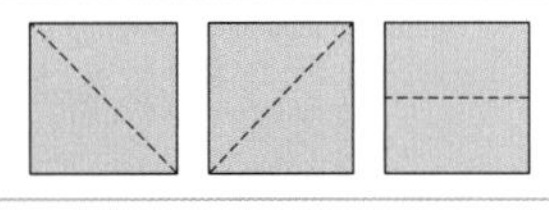	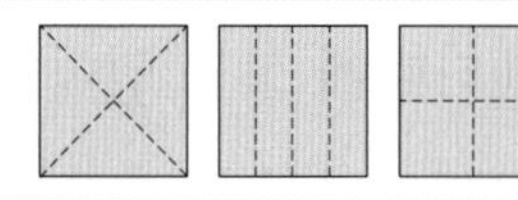

똑같이 나누기

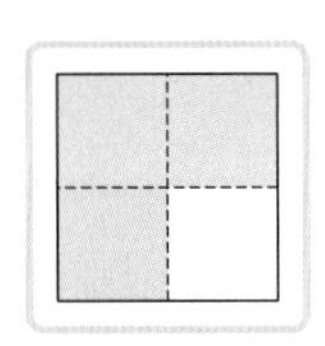

부분 [그림]은 전체 [그림]를 똑같이 4로 나눈 것 중의 3입니다.

분수

$\frac{2}{3}$와 같은 수

쓰기 $\frac{2}{3}$ ←분자, ←분모

읽기 3분의 2

단위분수

분수 중에서 $\frac{1}{2}$, $\frac{1}{3}$, $\frac{1}{4}$, $\frac{1}{5}$……과 같이 분자가 1인 분수

분모가 같은 분수의 크기 비교

$\frac{4}{5}$는 $\frac{1}{5}$이 4개이고 $\frac{3}{5}$은 $\frac{1}{5}$이 3개입니다.

➜ $4>3$이므로 $\frac{4}{5}>\frac{3}{5}$입니다.

분모가 같은 분수는 분자가 클수록 큰 수입니다.

단위분수의 크기 비교

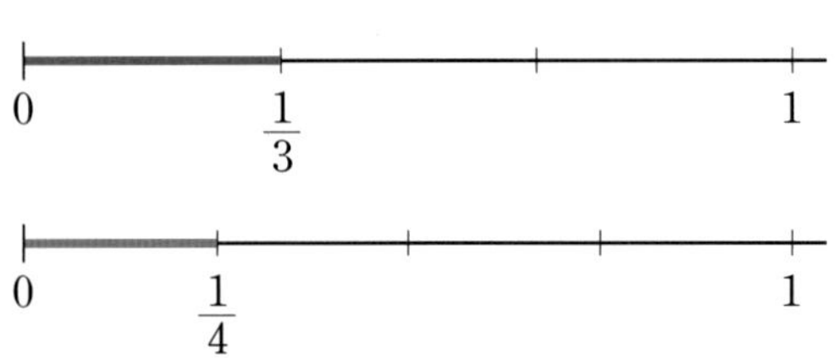

➜ $\frac{1}{3}$이 $\frac{1}{4}$보다 더 길므로 $\frac{1}{3}>\frac{1}{4}$입니다.

단위분수는 분모가 클수록 작은 수입니다.

진분수, 가분수, 자연수

- **진분수**: 분자가 분모보다 작은 분수
- **가분수**: 분자가 분모와 같거나 분모보다 큰 분수
- **자연수**: 1, 2, 3과 같은 수

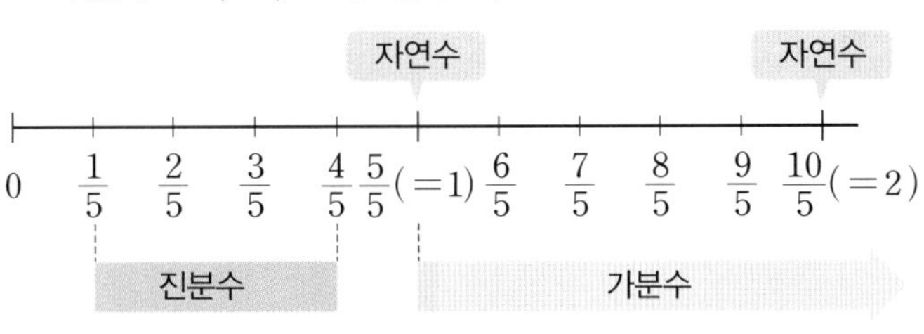

대분수

자연수와 진분수로 이루어진 분수

쓰기 $1\frac{3}{4}$

읽기 1과 4분의 3

대분수를 가분수로 나타내기

- $1\frac{2}{3}$를 가분수로 나타내기

$1\frac{2}{3}$ 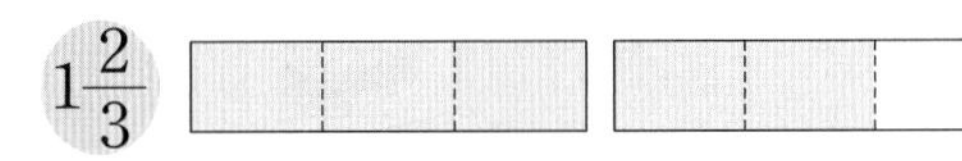

$1\frac{2}{3}$만큼 색칠하면 $\frac{1}{3}$이 5개이므로 $\frac{5}{3}$입니다.

가분수를 대분수로 나타내기

- $\frac{9}{5}$를 대분수로 나타내기

$\frac{9}{5}$

$\frac{9}{5}$만큼 색칠하면 큰 사각형 1개와 $\frac{1}{5}$만큼 색칠한 작은 사각형 4개이므로 $1\frac{4}{5}$입니다.

분모가 같은 분수의 크기 비교

분모가 같은 가분수끼리 분수의 크기 비교	분모가 같은 대분수끼리 분수의 크기 비교	분모가 같은 가분수와 대분수의 크기 비교
• $\frac{7}{4}$과 $\frac{9}{4}$의 크기 비교 $\frac{7}{4}$은 $\frac{1}{4}$이 7개이고 $\frac{9}{4}$는 $\frac{1}{4}$이 9개입니다. ➔ $7<9$이므로 $\frac{7}{4}<\frac{9}{4}$	• $1\frac{4}{5}$와 $2\frac{2}{5}$의 크기 비교 자연수를 비교하면 $1<2$입니다. ➔ $1\frac{4}{5}<2\frac{2}{5}$	• $\frac{16}{6}$과 $2\frac{1}{6}$의 크기 비교 $\frac{16}{6}$에서 $\frac{12}{6}$는 2로 나타내고 나머지 진분수는 $\frac{4}{6}$이므로 $2\frac{4}{6}$입니다. ➔ $2\frac{4}{6}>2\frac{1}{6}$이므로 $\frac{16}{6}>2\frac{1}{6}$

4 단원

5 들이와 무게

빵을 만들기 위해 날마다 20 kg짜리 밀가루를 여러 번 나른단다.
밀가루 20 kg
kg?
OO 베이커리
MENU
하하
손으로 만지면 안됩니다!
무게가 더 무거운 빵을 먹을거야.
?
여기야!
음료수를 300 mL씩 똑같이 나눠야지.
주르륵
도대체 몇 분째 그러고 있는 거야.

학습계획표

진 진도북, 매 매칭북

학습 계획 및 확인				학습 내용
STEP 1 개념 완성하기	월 일	진 112~115쪽	☐	1. 들이 비교하기 2. 들이의 단위 3. 들이 어림하고 재기 4. 들이의 덧셈과 뺄셈
	월 일	매 32쪽	☐	
STEP 2 실력 다지기	월 일	진 116~121쪽	☐	여러 가지 방법으로 들이 비교하기 알맞은 들이의 단위 알아보기 들이 단위 사이의 관계 들이의 크기 비교하기 들이 어림하기 들이의 합과 차 구하기 들이의 합과 차 활용 ☐ 안에 알맞은 들이 구하기 약점 체크 들이의 계산 결과 비교하기 약점 체크 들이를 가장 적절히 어림한 사람 찾기 약점 체크 여러 가지 그릇을 이용하여 물 담는 방법 구하기 약점 체크 물을 가득 채워 들이 구하기
	월 일	매 33~35쪽	☐	
STEP 1 개념 완성하기	월 일	진 122~125쪽	☐	5. 무게 비교하기 6. 무게의 단위 7. 무게 어림하고 재기 8. 무게의 덧셈과 뺄셈
	월 일	매 36쪽	☐	
STEP 2 실력 다지기	월 일	진 126~131쪽	☐	여러 가지 방법으로 무게 비교하기 알맞은 무게의 단위 알아보기 무게 단위 사이의 관계 무게의 크기 비교하기 무게 어림하기 무게의 합과 차 구하기 무게의 합과 차 활용 저울의 눈금을 읽고 무게 구하기 약점 체크 무게의 계산 결과 비교하기 약점 체크 무게를 가장 적절히 어림한 사람 찾기 약점 체크 여러 가지 물건을 이용하여 무게 구하기 약점 체크 똑같은 물건의 무게 구하기
	월 일	매 37~39쪽	☐	
STEP 3 서술형 해결하기	월 일	진 132~135쪽	☐	서술형 학습
	월 일	매 40~41쪽	☐	
평가 단원 마무리	월 일	진 136~138쪽	☐	마무리 학습
	월 일	매 59~61쪽	☐	

※ 이번 단원에서 공부할 계획을 세우고 계획대로 공부했다면 ☐ 안에 ○표 합니다.
특강을 활용하여 이전에 배운 내용과 이번에 배울 내용의 흐름을 이해합니다.

5 단원

STEP 1

개념 완성하기

1 들이 비교하기

예제 우유갑과 주스 병의 들이 비교하기

방법 1 직접 옮겨 담아 비교하기

주스 병에 물이 가득 차지 않았으므로 주스 병의 들이가 더 많습니다.

방법 2 모양과 크기가 같은 큰 그릇에 옮겨 담아 비교하기

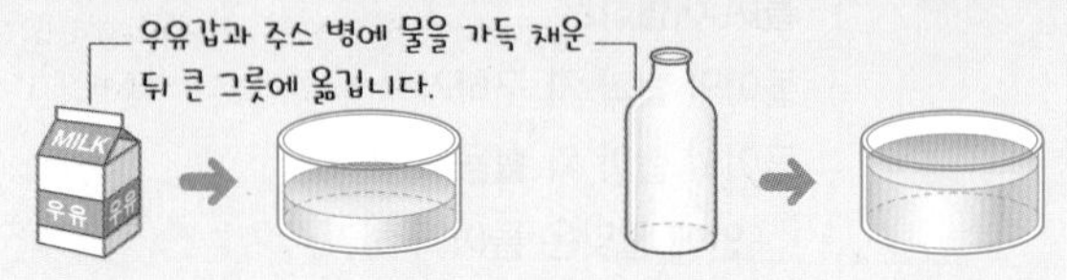

주스 병에서 옮겨 담은 물의 높이가 더 높으므로 주스 병의 들이가 더 많습니다.

방법 3 모양과 크기가 같은 작은 컵에 옮겨 담아 비교하기

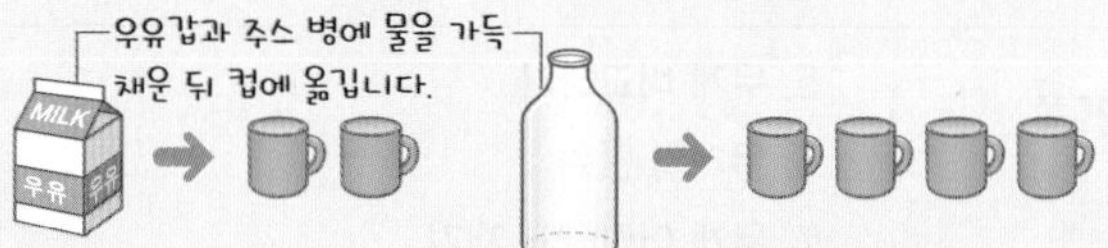

우유갑은 2컵, 주스 병은 4컵이므로 주스 병의 들이가 더 많습니다.

2 들이의 단위

• 들이의 단위: 리터, 밀리리터

• 1 L: 오른쪽과 같은 양

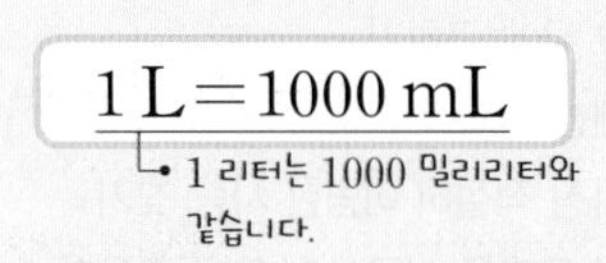

1 L=1000 mL

1 리터는 1000 밀리리터와 같습니다.

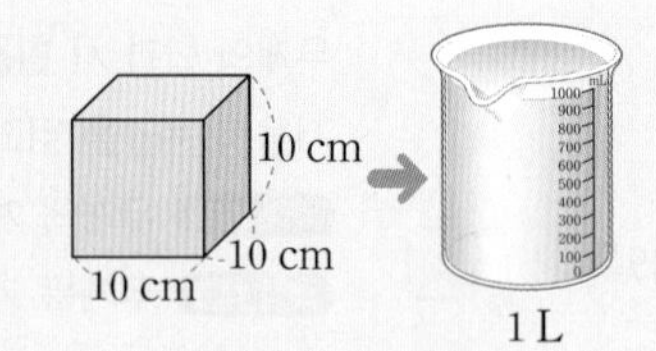

쓰기	1 L	1 mL
읽기	1 리터	1 밀리리터

예제 1 L보다 400 mL 더 많은 들이 나타내기

쓰기 1 L 400 mL 읽기 1 리터 400 밀리리터

1 L 400 mL=1400 mL

(1 L=1000 mL)

개념 확인

1 음료수 캔에 물을 가득 채운 후 생수병에 옮겨 담았습니다. 그림과 같이 물이 채워졌을 때 들이가 더 많은 것은 어느 것인가요?

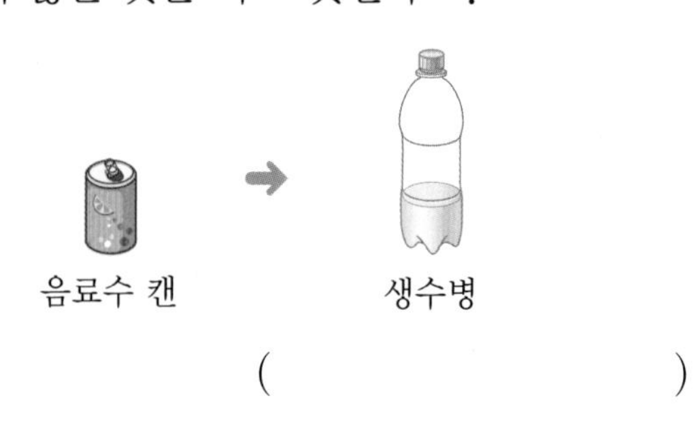

( )

2 꽃병과 양동이에 물을 가득 채운 후 모양과 크기가 같은 그릇에 옮겨 담았습니다. 그림과 같이 물이 채워졌을 때 들이가 더 적은 것은 어느 것인가요?

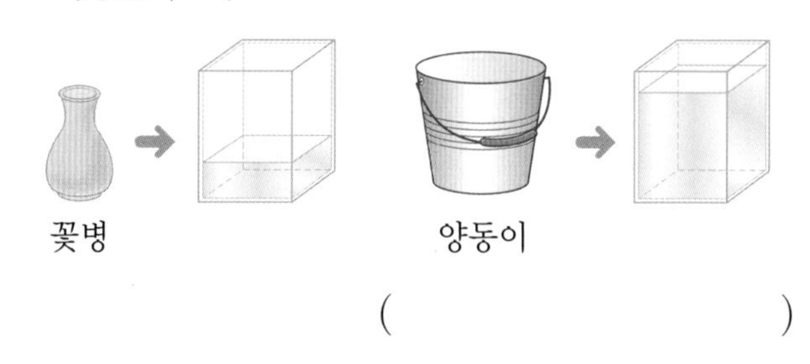

( )

3 주어진 들이를 읽어 보세요.

(1) 4 L

( )

(2) 3 L 200 mL

( )

정답 29쪽

4 물의 양이 얼마인지 눈금을 읽고 □ 안에 알맞은 수를 써넣으세요.

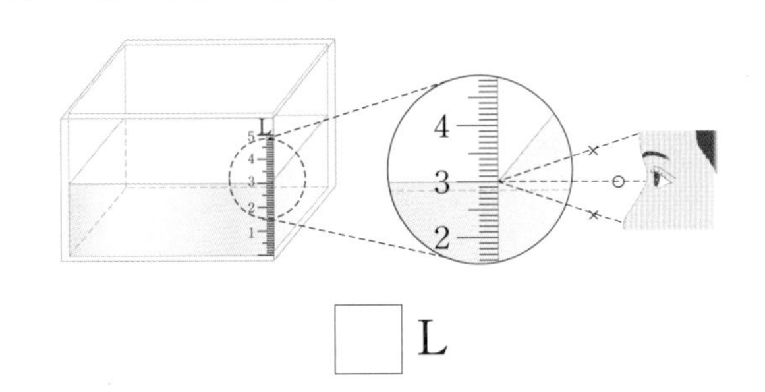

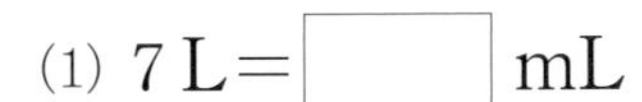

□ L

5 □ 안에 알맞은 수를 써넣으세요.

(1) 7 L=□ mL

(2) 2 L 500 mL=□ mL

(3) 4900 mL=□ L □ mL

6 가와 나 그릇에 물을 가득 채운 후 모양과 크기가 같은 작은 컵에 옮겨 담았습니다. 물음에 답하세요.

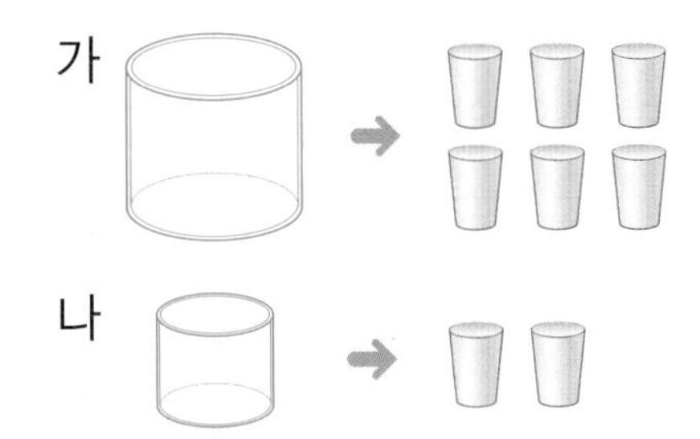

(1) 가와 나 그릇 중에서 어느 그릇의 들이가 더 많은가요?

( )

(2) 가 그릇의 들이는 나 그릇의 들이의 몇 배일까요?

( )

기본 유형 확인

7 그릇의 들이가 많은 순서대로 번호를 써 보세요.

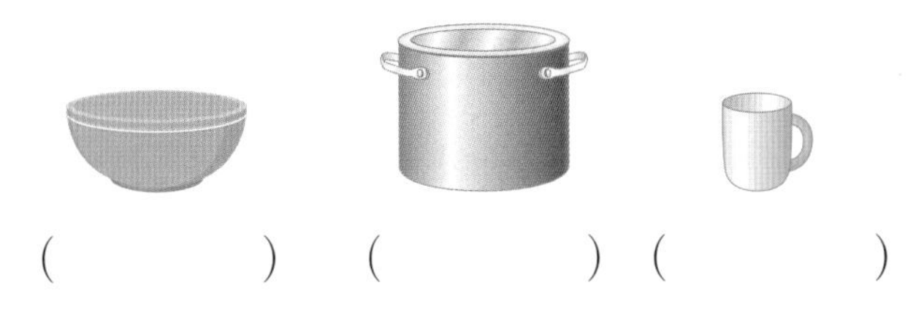

( ) ( ) ( )

8 각 그릇에 물을 가득 채운 후 모양과 크기가 같은 그릇에 옮겨 담았습니다. 그림과 같이 물이 채워졌을 때 그릇의 들이가 많은 순서대로 번호를 써 보세요.

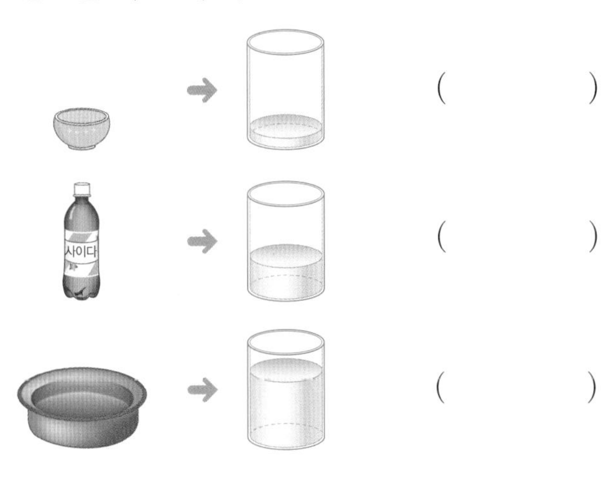

( )

( )

( )

9 현주는 들이가 1 L 300 mL인 망고 주스 한 병을 샀습니다. 현주가 산 망고 주스는 몇 mL일까요?

( )

STEP 1 개념 완성하기

3 들이 어림하고 재기

(1) 들이를 어림하고 재어 보기

들이를 어림하여 말할 때에는 약 □L 또는 약 □mL라고 합니다.

예제 물건의 들이를 어림하고 재어 보기

물건	어림한 들이	직접 잰 들이
물병	약 1 L	1 L 100 mL
주전자	약 2500 mL	2 L 700 mL
약수통	약 5 L 500 mL	5 L 400 mL

(2) 알맞은 단위 선택하기

간장 병의 들이는 약 2000□입니다.

mL L

양동이의 들이는 약 5□입니다.

mL L

4 들이의 덧셈과 뺄셈

(1) 들이의 덧셈

예제 **1 L 400 mL+1 L 500 mL**의 계산

$$\begin{array}{rrr} & 1\text{ L} & 400\text{ mL} \\ + & 1\text{ L} & 500\text{ mL} \\ \hline & 2\text{ L} & 900\text{ mL} \end{array}$$

L끼리 더합니다. mL끼리 더합니다.

(2) 들이의 뺄셈

예제 **5 L 500 mL−3 L 200 mL**의 계산

$$\begin{array}{rrr} & 5\text{ L} & 500\text{ mL} \\ - & 3\text{ L} & 200\text{ mL} \\ \hline & 2\text{ L} & 300\text{ mL} \end{array}$$

L끼리 뺍니다. mL끼리 뺍니다.

개념 확인

1 우유갑의 들이를 보고 다음의 들이를 각각 어림해 보세요.

우유갑	요구르트	물병
200 mL		

2 □ 안에 L와 mL 중 알맞은 단위를 써넣으세요.

(1) 음료수 캔의 들이는 약 300 □입니다.

(2) 욕조의 들이는 약 200 □입니다.

3 들이가 1 L인 비커에 다음과 같이 물이 들어 있습니다. 비커에 들어 있는 물을 모두 수조에 부으면 물의 양은 모두 얼마인지 구하세요.

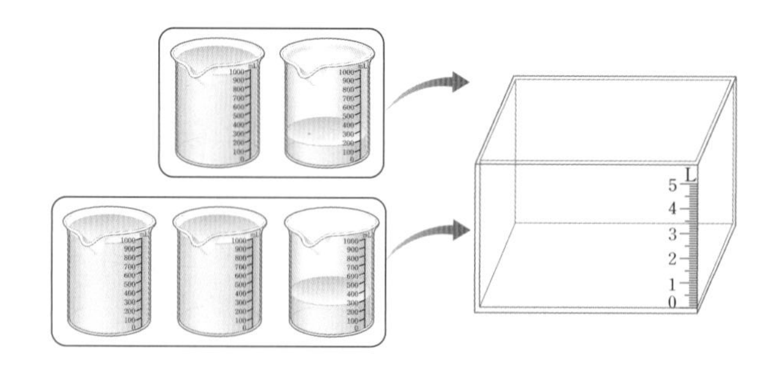

$$\begin{array}{rrr} & 1\text{ L} & 200\text{ mL} \\ + & 2\text{ L} & 300\text{ mL} \\ \hline & \square\text{ L} & \square\text{ mL} \end{array}$$

4 □ 안에 알맞은 수를 써넣으세요.

(1) 3500 mL+1300 mL
=□ mL=□ L □ mL

(2) 7800 mL−2500 mL
=□ mL=□ L □ mL

5 계산해 보세요.

(1) 5 L 100 mL+3 L 600 mL

(2) 6 L 700 mL−2 L 400 mL

(3)
  2 L 700 mL
+ 4 L 900 mL

(4)
  9 L 100 mL
− 5 L 300 mL

6 들이가 200 mL인 컵에 물을 가득 채운 후 바가지에 3번 부었더니 거의 가득 찼습니다. 바가지의 들이는 약 몇 mL일까요?

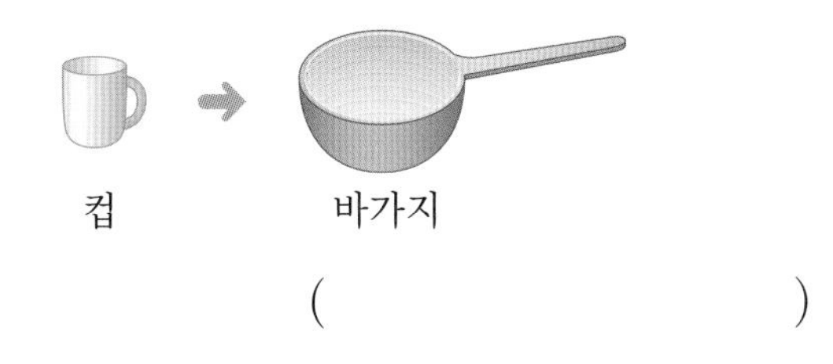

(　　　　　　)

기본 유형 확인

7 찻잔의 들이를 재려고 합니다. 어느 단위를 사용하여 들이를 재면 편리할지 알맞은 것에 ○표 하세요.

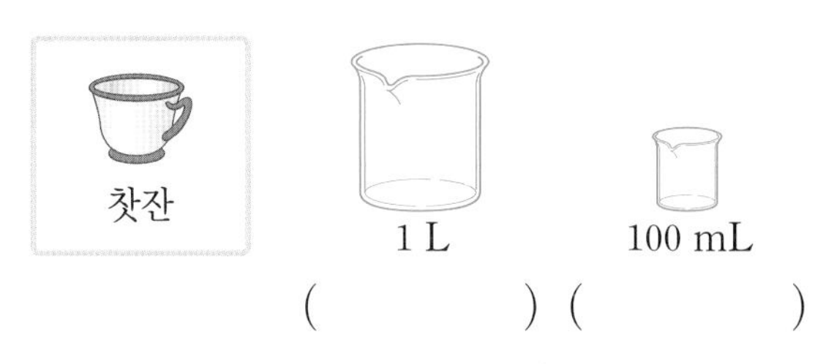

(　　　) (　　　)

8 □ 안에 알맞은 수를 써넣으세요.

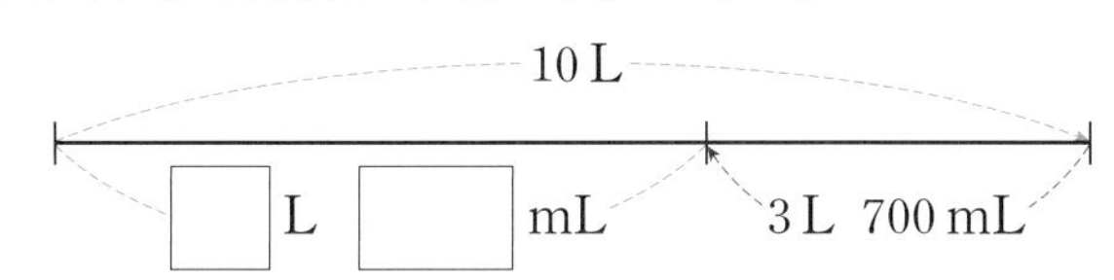

9 진욱이와 형은 약수터에서 각각 물을 받아 왔습니다. 진욱이는 1 L 400 mL를 받아 왔고, 형은 4 L 200 mL를 받아 왔습니다. 진욱이와 형이 약수터에서 받아 온 물은 모두 몇 L 몇 mL일까요?

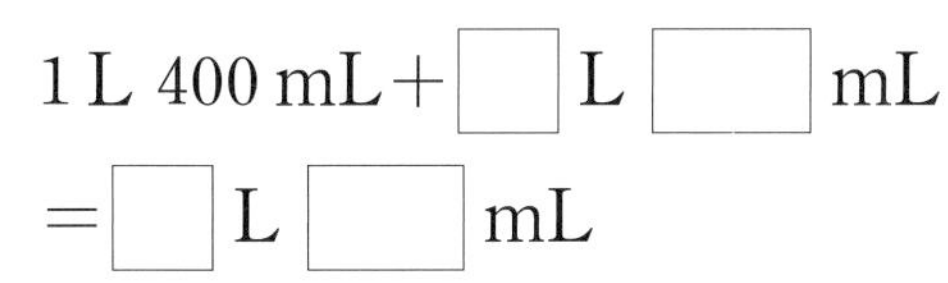

1 L 400 mL+□ L □ mL
=□ L □ mL

5 단원

여러 가지 방법으로 들이 비교하기

유형 **01** 가 그릇에 물을 가득 채운 후 나 그릇에 옮겨 담았더니 그림과 같이 물이 넘쳤습니다. 가와 나 그릇 중에서 들이가 더 많은 것은 어느 것인가요?

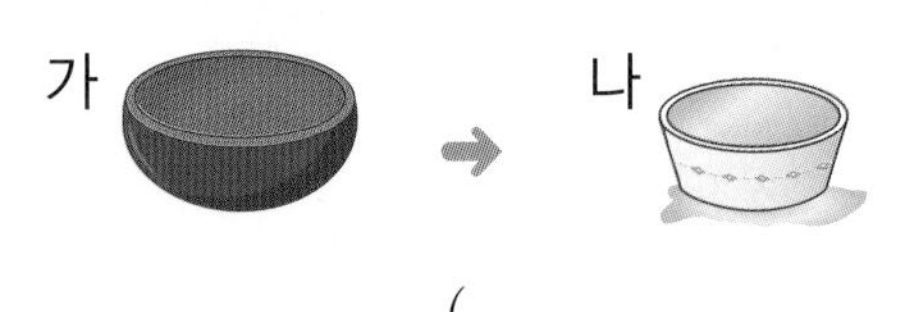

(　　　　　　　　)

확인 **02** 어느 수조에 물을 가득 채우려면 가, 나, 다 컵에 물을 가득 채워 각각 다음과 같이 부어야 합니다. 가, 나, 다 컵 중에서 들이가 가장 적은 것은 어느 것인가요?

컵	가	나	다
부은 횟수(번)	10	7	12

(　　　　　　　　)

강화 **03** 교과역량 과학 실험에 필요한 세 용기에 물을 가득 채운 후 모양과 크기가 같은 컵에 옮겨 담았더니 각각 다음과 같이 컵을 가득 채울 수 있었습니다. 들이가 가장 많은 용기의 들이는 들이가 가장 적은 용기의 들이의 몇 배일까요?

비커	삼각플라스크	눈금실린더
컵 2개	컵 8개	컵 4개

(　　　　　　　　)

알맞은 들이의 단위 알아보기

04 L와 mL 중에서 들이의 단위로 알맞은 것을 골라 (　　) 안에 써넣으세요.

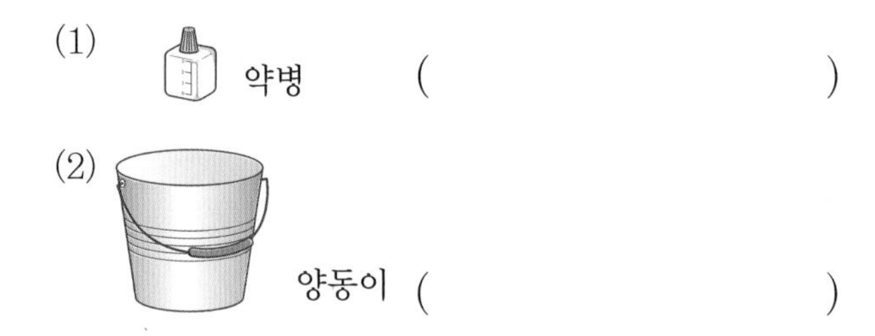

(1) 약병 (　　　　　　　　)

(2) 양동이 (　　　　　　　　)

05 다음 물건의 들이를 L와 mL로 나타내려고 합니다. L와 mL 중에서 사용하기에 알맞은 단위가 다른 하나를 찾아 기호를 써 보세요.

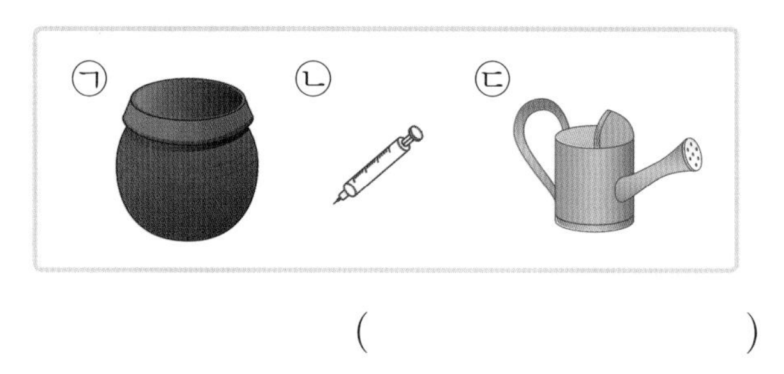

(　　　　　　　　)

06 들이의 단위를 가장 알맞게 사용한 사람의 이름을 써 보세요.

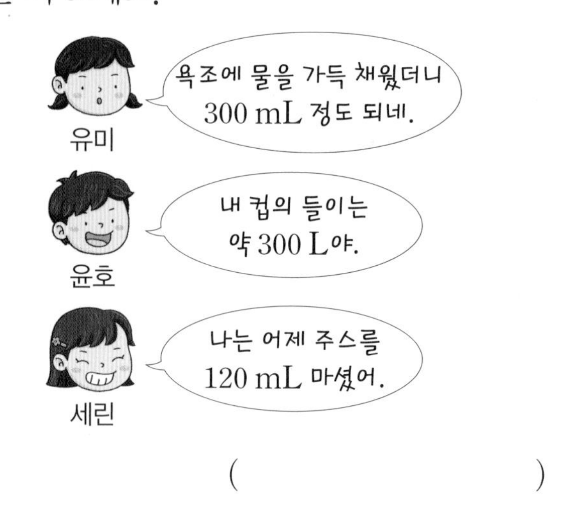

(　　　　　　　　)

들이 단위 사이의 관계

07 들이가 다른 하나를 찾아 써 보세요.

2 L 150 mL	2150 mL	2 L 15 mL

( )

서술형

08 단위가 틀린 문장을 찾아 기호를 쓰고, 옳게 고쳐 보세요.

㉠ 1800 mL는 1 L 800 mL입니다.
㉡ 5030 mL는 50 L 30 mL입니다.

답

옳게 고친 문장

09 교과역량 물이 수조에는 3 L, 물병에는 950 mL가 들어 있었습니다. 물병의 물을 수조에 모두 부으면 수조의 물은 몇 mL가 될까요?

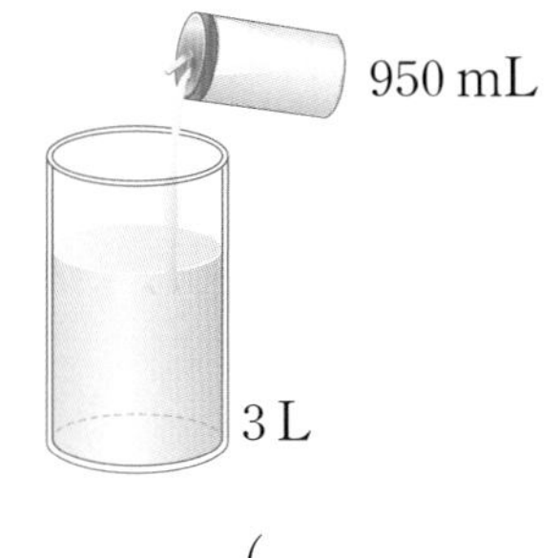

( )

들이의 크기 비교하기

10 들이를 비교하여 ○ 안에 >, =, <를 알맞게 써넣으세요.

(1) 3 L ○ 3100 mL

(2) 6080 mL ○ 6 L 80 mL

11 들이가 가장 적은 것을 찾아 기호를 써 보세요.

㉠ 8 L 400 mL
㉡ 8007 mL
㉢ 8 L 350 mL

( )

서술형

12 맛나 식당에 간장은 5 L 20 mL 있고, 참기름은 4950 mL 있습니다. 간장과 참기름 중에서 어느 것이 더 많은지 풀이 과정을 쓰고, 답을 구하세요.

풀이

답

5 단원

STEP 2 실력 다지기

들이 어림하기

유형 **13** 은규와 선혜의 대화를 읽고 □ 안에 L와 mL 중 알맞은 단위를 써넣으세요.

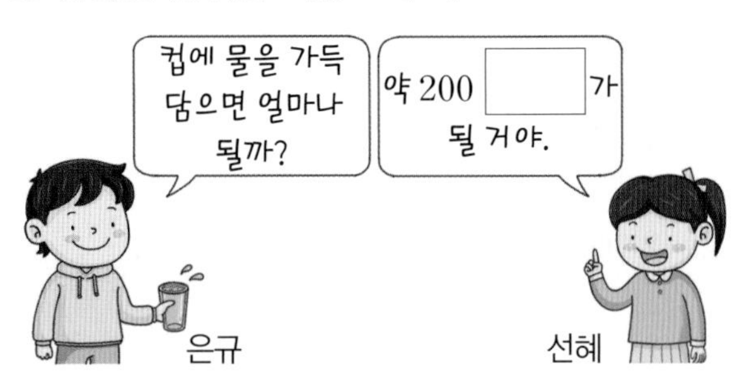

확인 **14** 보기에 있는 물건을 선택하여 문장을 완성해 보세요.

보기: 종이컵 수족관 주전자

(1) □의 들이는 약 230 L입니다.

(2) □의 들이는 약 150 mL입니다.

(3) □의 들이는 약 3 L입니다.

강화 **15** 대야에 물을 가득 채운 후 1 L들이 비커에 옮겨 담았더니 그림과 같이 비커 4개에 물이 반씩 채워졌습니다. 대야의 들이는 약 몇 L일까요?

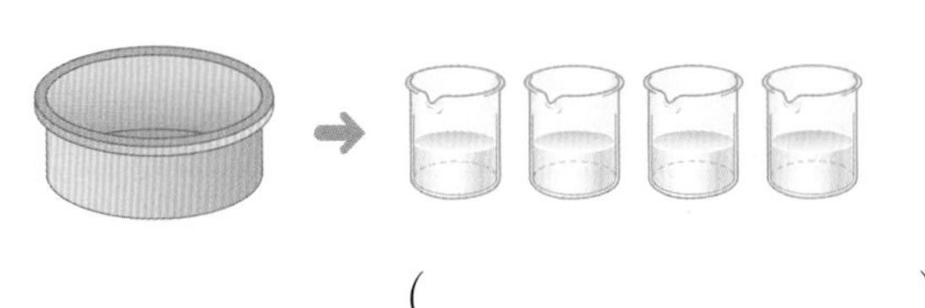

( )

들이의 합과 차 구하기

16 두 들이의 합과 차는 각각 몇 L 몇 mL일까요?

6 L 600 mL, 3200 mL

합 ( )
차 ( )

17 들이가 3 L보다 많은 것을 찾아 색칠하세요.

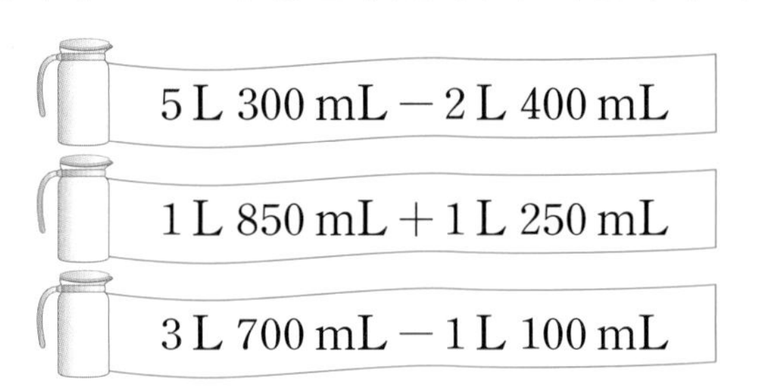

18 교과역량 동준이가 체험 학습 시간에 천을 염색하기 위해 만든 염색 물의 양입니다. 동준이가 만든 노란색 염색 물과 초록색 염색 물은 모두 몇 L 몇 mL일까요?

노란색 염색 물	초록색 염색 물
2700 mL	1 L 500 mL

( )

정답 29쪽

들이의 합과 차 활용

19 빨간색 페인트 2 L 150 mL와 파란색 페인트 2 L 400 mL를 섞어서 보라색 페인트를 만들었습니다. 만든 보라색 페인트는 모두 몇 L 몇 mL일까요?

(　　　　　　)

서술형

20 상은이는 그림과 같이 물이 들어 있는 수조에 1 L 300 mL의 물을 더 부었습니다. 수조에 들어 있는 물은 모두 몇 L 몇 mL인지 풀이 과정을 쓰고, 답을 구하세요.

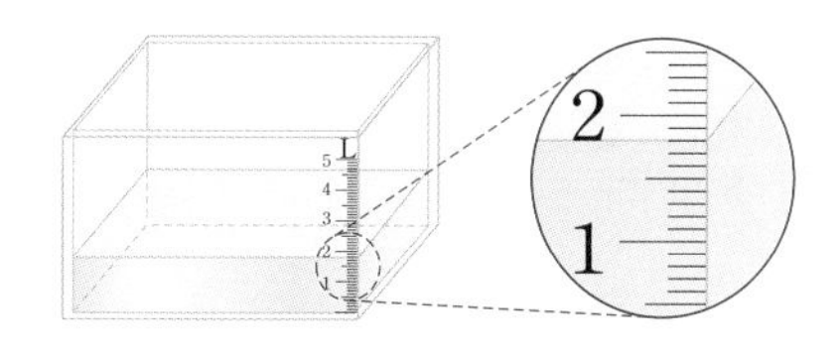

풀이

답

21 포도 주스가 1 L 있었습니다. 이 중에서 승준이가 320 mL, 정미가 280 mL를 마셨습니다. 남은 포도 주스는 몇 mL일까요?

(　　　　　　)

□ 안에 알맞은 들이 구하기

22 ㉠과 ㉡에 알맞은 수를 각각 구하세요.

	2 L	㉠	mL
+	㉡ L	900	mL
	7 L	300	mL

㉠ (　　　　　　)

㉡ (　　　　　　)

23 □ 안에 알맞은 수를 구하세요.

□ mL − 2 L 400 mL = 5 L 700 mL

(　　　　　　)

24 1부터 9까지의 자연수 중에서 ㉠과 ㉡에 들어갈 수의 합을 구하세요.

8800 mL < ㉠ L ㉡00 mL < 9 L

(　　　　　　)

들이의 계산 결과 비교하기 약점 체크

유형 **25** 지훈이는 사과 주스, 준석이는 포도 주스를 사려고 합니다. 대화를 읽고 3000원으로 더 많은 양의 주스를 살 수 있는 사람의 이름을 써 보세요.

(　　　　　　　　)

해결 지훈이가 3000원으로 살 수 있는 사과 주스의 양을 구하여 준석이가 3000원으로 살 수 있는 포도 주스의 양과 비교합니다.

확인 **26** 연주네 가족과 세훈이네 가족이 어제와 오늘 마신 물의 양입니다. 누구네 가족이 이틀 동안 물을 더 많이 마셨을까요?

	어제	오늘
연주네	4 L 300 mL	3500 mL
세훈이네	3 L 600 mL	4090 mL

(　　　　　　　　)

들이를 가장 적절히 어림한 사람 찾기 약점 체크

27 대화를 읽고 유미와 선우 중에서 보온병의 들이를 더 적절히 어림한 사람의 이름을 써 보세요.

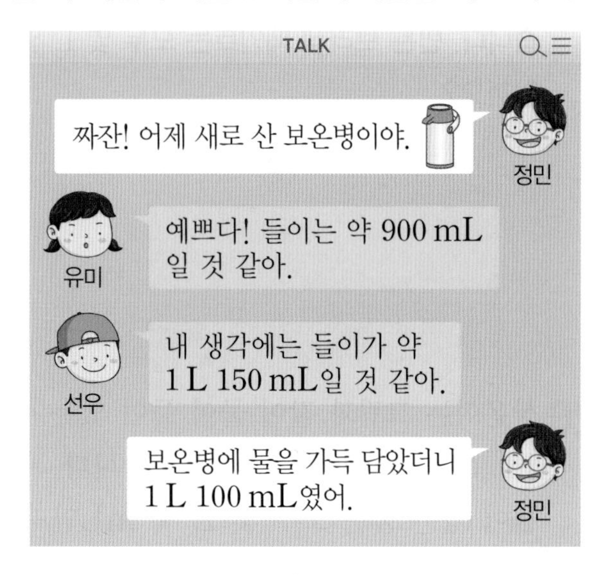

(　　　　　　　　)

주의 어림한 들이와 실제 들이의 차가 작을수록 더 적절히 어림한 것입니다.

28 들이가 3 L 200 mL인 물통이 있습니다. 이 물통의 들이를 정희는 약 2 L 900 mL, 범수는 약 3 L 100 mL, 영우는 약 3400 mL라고 어림하였습니다. 물통의 들이를 가장 적절히 어림한 사람의 이름을 써 보세요.

(　　　　　　　　)

여러 가지 그릇을 이용하여 물 담는 방법 구하기 약점 체크

29 ㉮ 그릇과 ㉯ 그릇의 들이를 나타낸 표입니다. 물음에 답하세요.

㉮ 그릇	㉯ 그릇
600 mL	2 L 400 mL

(1) ㉮ 그릇과 ㉯ 그릇을 이용하여 수조에 물 1 L 800 mL를 담는 방법을 설명하세요.

방법

(2) 그렇게 생각한 이유를 써 보세요.

이유

해결 ㉮ 그릇과 ㉯ 그릇의 들이를 이용하여 들이의 합 또는 차가 1 L 800 mL가 되는 방법을 생각해 봅니다.

30 들이가 각각 1 L, 500 mL, 1 L 200 mL인 그릇 3개를 이용하여 양동이에 물을 3 L 900 mL 담으려고 합니다. 물을 담을 수 있는 방법을 설명하세요.

방법

물을 가득 채워 들이 구하기 약점 체크

31 들이가 다음과 같은 ㉮ 냄비와 ㉯ 냄비를 이용하여 오른쪽 수조에 물을 채우려고 합니다. ㉮ 냄비에 물을 가득 담아 3번 부은 후 ㉯ 냄비에 물을 가득 담아 1번 부었더니 수조에 물이 가득 채워졌습니다. 수조의 들이는 몇 L 몇 mL일까요?

㉮ 냄비	700 mL
㉯ 냄비	1 L 400 mL

수조

(　　　　　　　　)

해결 ㉮ 냄비로 3번 부은 물의 양은 ㉮ 냄비의 들이의 3배와 같습니다.

32 들이가 300 mL인 주스 병에 물을 가득 담아 어항에 5번 부었더니 가득 채워졌습니다. 어항과 주전자 중에서 어느 것의 들이가 몇 mL 더 많을까요?

(　　　　　　,　　　　　　)

STEP 1 개념 완성하기

5 무게 비교하기

예제 지우개와 가위의 무게 비교하기

방법 1 지우개와 가위를 양손으로 직접 들어서 비교하기

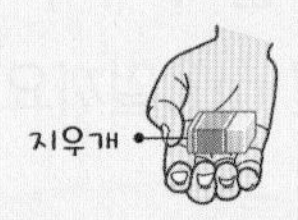

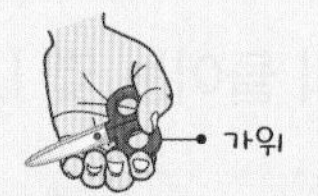

힘이 더 많이 드는 가위가 더 무겁습니다.

방법 2 지우개와 가위를 저울의 양쪽에 올려놓고 비교하기

└ 윗접시저울

가위를 올려놓은 쪽이 아래로 내려갔으므로 가위가 더 무겁습니다.

방법 3 바둑돌과 같은 물체를 단위로 정한 다음 저울에 올려진 물체의 수를 비교하기

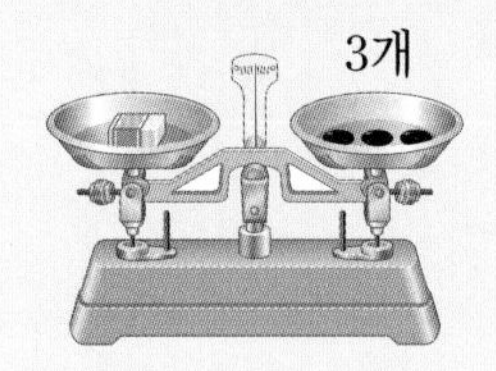

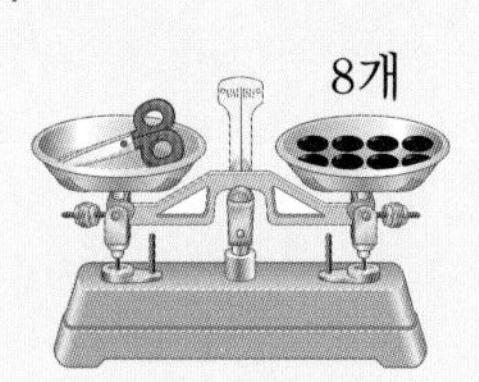

지우개는 바둑돌 3개, 가위는 바둑돌 8개와 무게가 같으므로 가위가 지우개보다 바둑돌 $8-3=5$(개)만큼 더 무겁습니다.

6 무게의 단위

• 무게의 단위: 킬로그램, 그램, 톤

1 킬로그램은 1000 그램과 같습니다.
1 kg=1000 g

1 톤은 1000 킬로그램과 같습니다.
1 t=1000 kg

쓰기	1 kg	1 g	1 t
읽기	1 킬로그램	1 그램	1 톤

예제 **1 kg보다 200 g 더 무거운 무게 나타내기**

쓰기 1 kg 200 g 읽기 1 킬로그램 200 그램

1 kg 200 g=1200 g

└ 1 kg=1000 g

개념 확인

1 필통과 수첩 중에서 어느 것이 더 무거운가요?

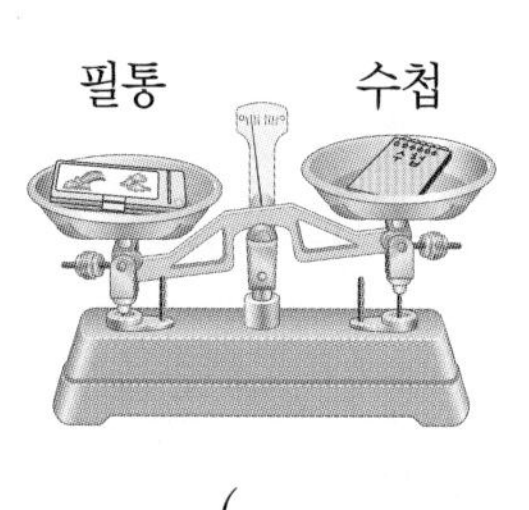

(   )

2 동전과 같은 물체를 단위로 정해 물건의 무게를 비교하려고 합니다. 단위 물체로 알맞지 않은 것을 찾아 기호를 써 보세요.

㉠ 클립 ㉡ 바둑돌
㉢ 옥수수 ㉣ 누름 못

(   )

3 □ 안에 알맞은 수를 써넣으세요.

(1) 1 kg보다 500 g 더 무거운 무게

➜ □ kg □ g

(2) 3 kg보다 20 g 더 무거운 무게

➜ □ kg □ g

(3) 700 kg보다 300 kg 더 무거운 무게

➜ □ t

기본 유형 확인

4 저울의 눈금을 읽고 □ 안에 알맞은 수를 써넣으세요.

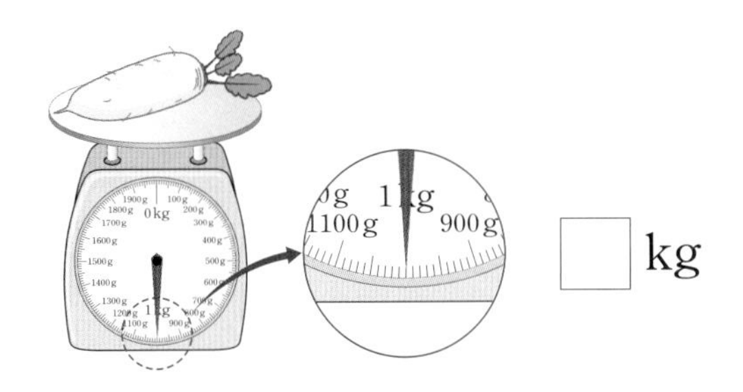

□ kg

5 □ 안에 알맞은 수를 써넣으세요.

(1) 3 kg=□ g

(2) 5 kg 800 g=□ g

(3) 1070 g=□ kg □ g

6 저울과 100원짜리 동전을 사용하여 감자와 당근의 무게를 비교하려고 합니다. 물음에 답하세요.

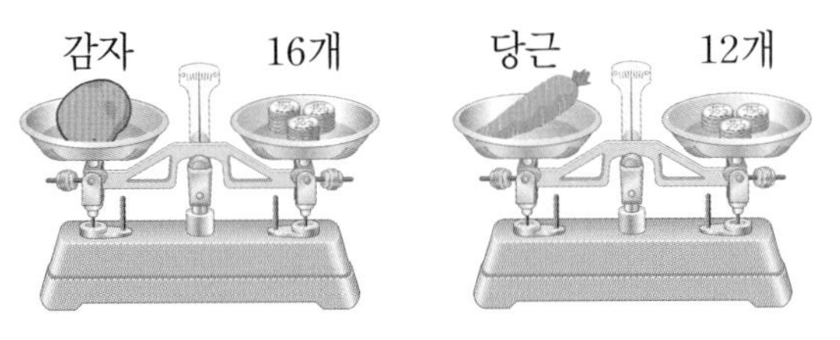

(1) 감자와 당근의 무게는 각각 100원짜리 동전 몇 개의 무게와 같은가요?

감자 (　　　　　　)

당근 (　　　　　　)

(2) 감자와 당근 중에서 어느 것이 100원짜리 동전 몇 개만큼 더 무거울까요?

(　　　　　　,　　　　　　)

7 무게가 무거운 순서대로 번호를 써 보세요.

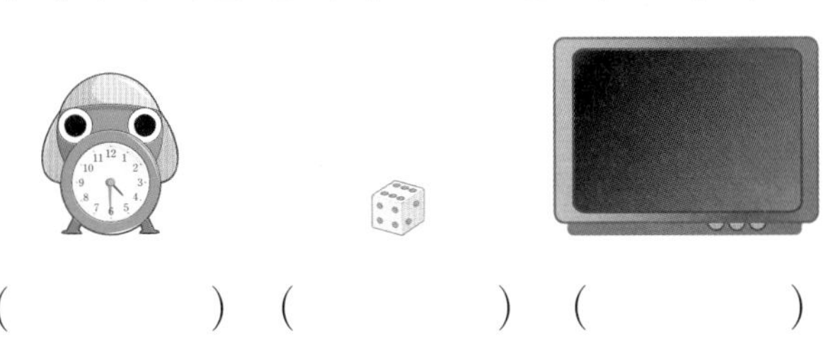

(　　　　) (　　　　) (　　　　)

8 정민, 유미, 선우가 클립과 사전의 무게를 각자의 방법으로 비교하려고 합니다. 잘못된 방법을 말한 사람의 이름을 써 보세요.

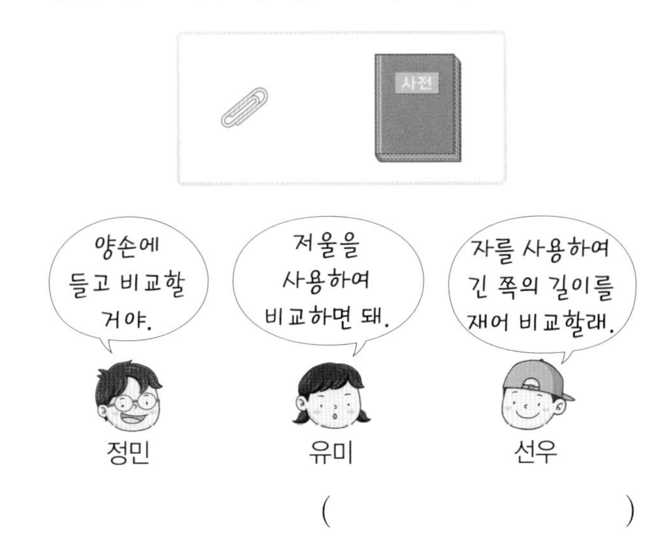

(　　　　　　)

9 진석이네 집에서 키우는 강아지의 무게입니다. 예삐와 몽이의 무게는 각각 몇 g일까요?

예삐 (　　　　　　)

몽이 (　　　　　　)

개념 완성하기

7 무게 어림하고 재기

(1) 무게를 어림하고 재어 보기

무게를 어림하여 말할 때에는 약 □kg 또는 약 □g이라고 합니다.

예제 물건의 무게를 어림하고 재어 보기

물건	어림한 무게	직접 잰 무게
연필	약 50 g	30 g
의자	약 4 kg 500 g	4 kg 100 g
세탁기	약 50 kg	45 kg

(2) 알맞은 단위 선택하기

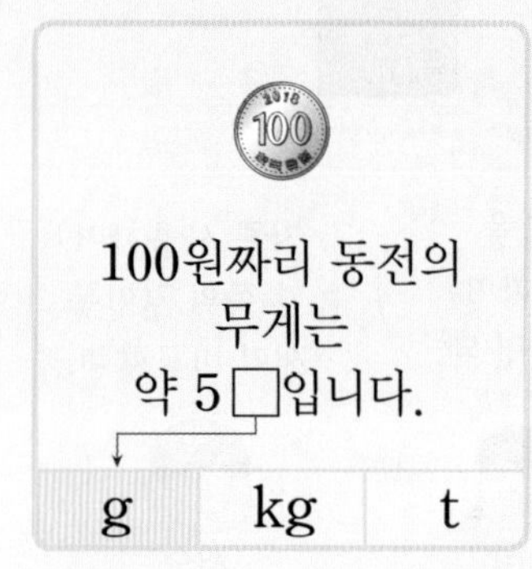

100원짜리 동전의 무게는 약 5□입니다.

g | kg | t

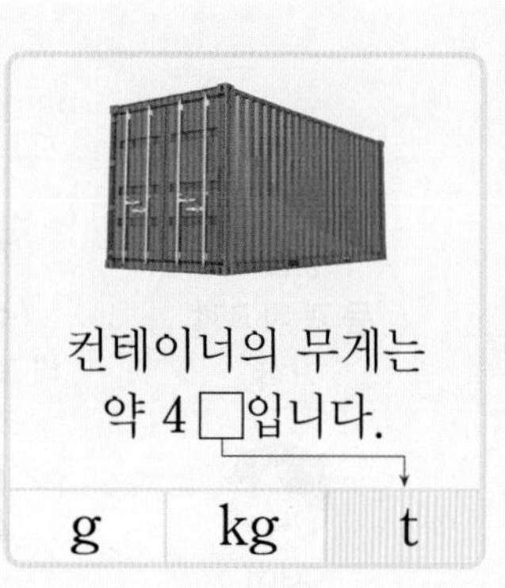

컨테이너의 무게는 약 4□입니다.

g | kg | t

8 무게의 덧셈과 뺄셈

(1) 무게의 덧셈

예제 1 kg 200 g+2 kg 600 g의 계산

```
   1 kg 200 g          1 kg 200 g
 + 2 kg 600 g   ➜    + 2 kg 600 g
                       3 kg 800 g
```

kg끼리 더합니다. g끼리 더합니다.

(2) 무게의 뺄셈

예제 3 kg 500 g−1 kg 300 g의 계산

```
   3 kg 500 g          3 kg 500 g
 − 1 kg 300 g   ➜    − 1 kg 300 g
                       2 kg 200 g
```

kg끼리 뺍니다. g끼리 뺍니다.

개념 확인

1 볼펜과 책상의 무게를 각각 어림해 보세요.

볼펜	책상

2 무게가 1 t보다 무거운 것을 찾아 기호를 써 보세요.

㉠ 치약 1개　㉡ 자전거 1대
㉢ 비행기 1대　㉣ 필통 1개

(　　　　　　)

3 설탕을 올려놓은 저울의 바늘이 2 kg 300 g을 가리키고 있습니다. 이 저울에 설탕 400 g을 더 올려놓으면 설탕의 무게는 모두 얼마인지 구하세요.

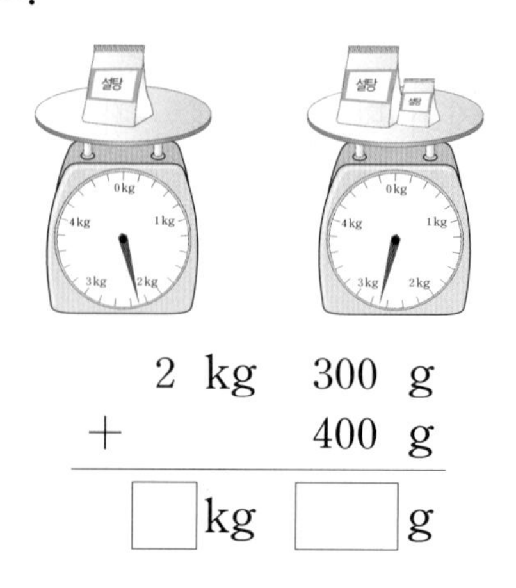


```
   2 kg  300 g
 +       400 g
   □ kg  □ g
```

4 □ 안에 알맞은 수를 써넣으세요.

(1) 4700 g+2000 g=□ g
=□ kg □ g

(2) 8500 g−1300 g=□ g
=□ kg □ g

5 계산해 보세요.

(1) 3 kg 100 g+2 kg 500 g

(2) 8 kg 600 g−6 kg 300 g

(3)
  1 kg 600 g
+ 5 kg 900 g

(4)
  5 kg 200 g
− 3 kg 900 g

6 오렌지 2개의 무게를 재었더니 다음과 같았습니다. 오렌지 1개의 무게는 약 몇 g일까요?

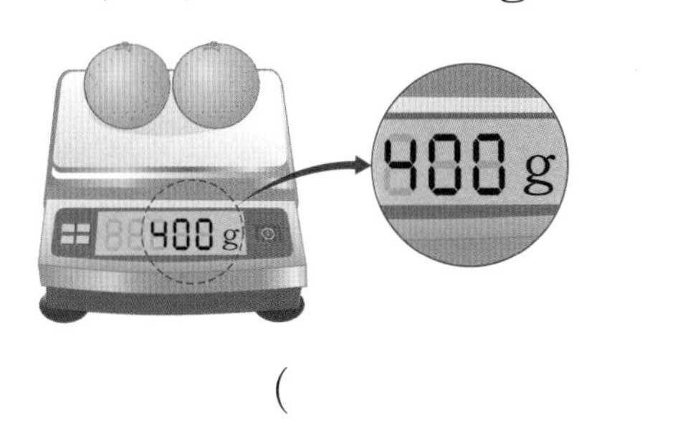

(　　　　)

기본 유형 확인

7 야구공의 무게를 재려고 합니다. 어느 단위를 사용하여 무게를 재면 편리할지 알맞은 것에 ○표 하세요.

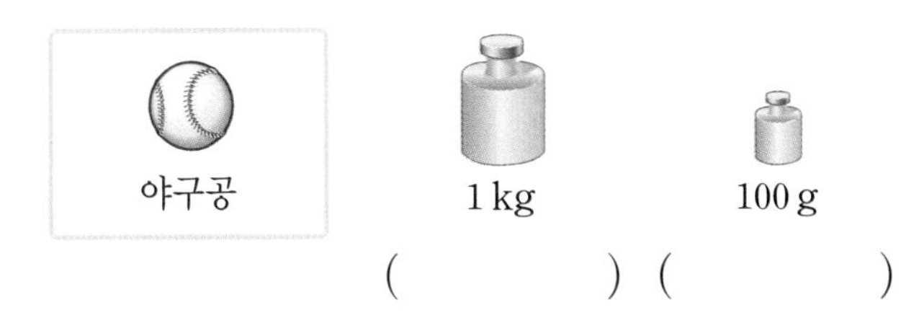

(　　　) (　　　)

8 두 무게의 합과 차를 각각 구하세요.

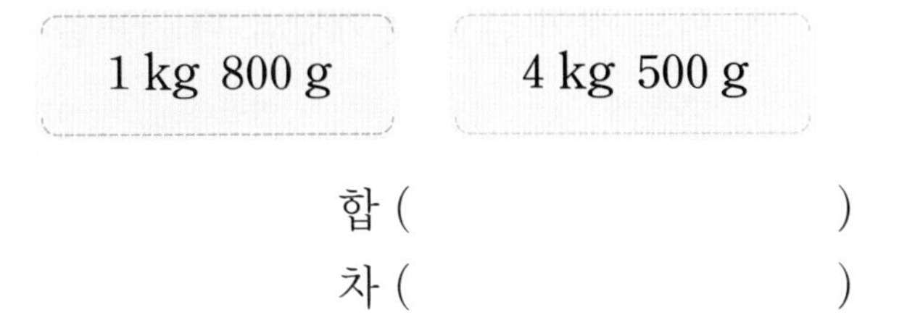

합 (　　　　)
차 (　　　　)

9 동민이네 반에서 신체검사를 하였습니다. 동민이의 몸무게는 34 kg 500 g이었고, 은영이의 몸무게는 30 kg 250 g이었습니다. 동민이는 은영이보다 몇 kg 몇 g 더 무거울까요?

□ kg □ g−30 kg 250 g
=□ kg □ g

실력 다지기

여러 가지 방법으로 무게 비교하기

유형 **01** 딸기 1개와 배 1개의 무게를 양손에 들고 비교하려고 합니다. 알맞은 말에 ○표 하세요.

양손으로 들어 무게를 비교하면
(딸기 , 배)가 더 무겁습니다.

확인 **02** 저울과 클립을 사용하여 지우개와 연필의 무게를 비교하려고 합니다. 지우개와 연필 중에서 어느 것이 클립 몇 개만큼 더 가벼울까요?

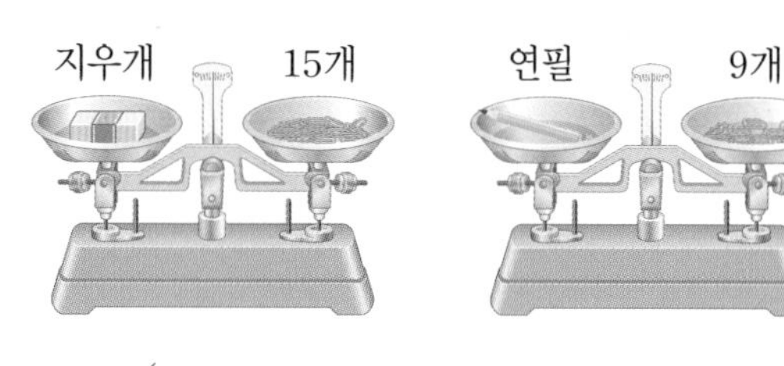

(,)

강화 **03** 복숭아, 자두, 살구 1개의 무게를 비교하려고 합니다. 무게가 무거운 것부터 차례로 써 보세요. (단, 각각의 종류별로 1개의 무게가 같습니다.)

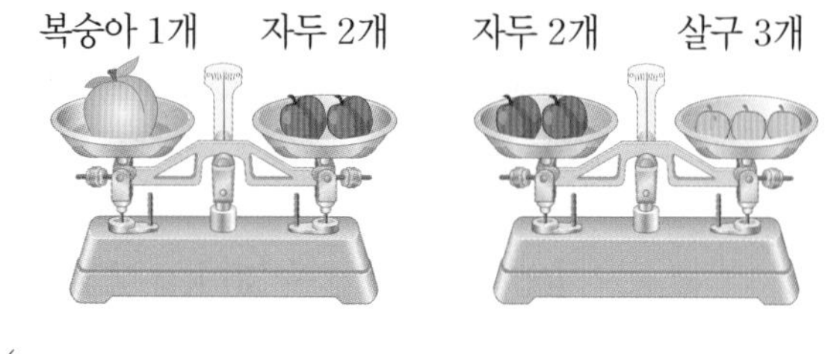

( )

알맞은 무게의 단위 알아보기

04 □ 안에 kg과 g 중에서 알맞은 단위를 써넣으세요.

(1) 텔레비전의 무게는 약 12 □입니다.

(2) 축구공의 무게는 약 450 □입니다.

05 보기 의 물건 중에서 무게의 단위 t, kg, g을 사용하기에 적당한 것을 각각 찾아 써 보세요.

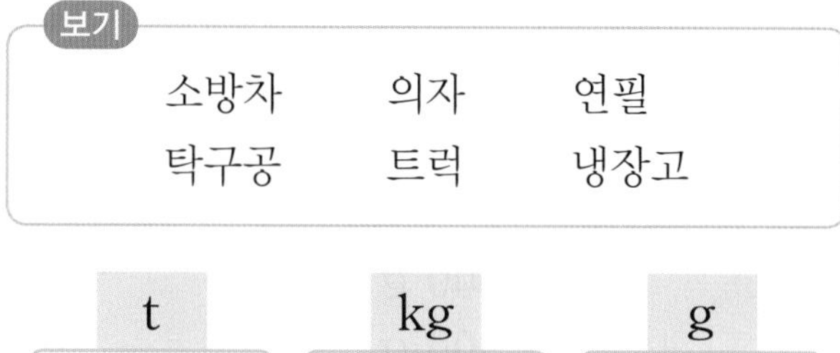

보기

소방차	의자	연필
탁구공	트럭	냉장고

t	kg	g

서술형

06 단위가 틀린 사람은 누구인지 이름을 쓰고, 옳게 고쳐 보세요.

- 태상: 우리 엄마의 몸무게는 52 kg이야.
- 병철: 이 동화책의 무게는 약 400 g이야.
- 윤아: 벽돌 한 장의 무게는 약 1 g이야.

답

옳게 고친 문장

무게 단위 사이의 관계

07 관계있는 것끼리 선으로 이어 보세요.

(1) 3 kg 500 g •

(2) 3000 kg •

• 3 t

• 3500 g

• 3050 g

서술형

08 단위가 틀린 문장을 찾아 기호를 쓰고, 옳게 고쳐 보세요.

㉠ 4 kg 8 g은 4080 g입니다.

㉡ 5 t은 5000 kg입니다.

답

옳게 고친 문장

09 ㉠과 ㉡에 알맞은 수의 합을 구하세요.

7 kg 5 g=㉠ g

4090 g=4 kg ㉡ g

(　　　　　　　)

무게의 크기 비교하기

10 무게를 비교하여 ○ 안에 >, =, <를 알맞게 써넣으세요.

(1) 5 kg 100 g ○ 5010 g

(2) 8590 g ○ 8 kg 900 g

11 무게가 가장 가벼운 것을 찾아 기호를 써 보세요.

㉠ 6880 g

㉡ 6 kg 800 g

㉢ 6090 g

(　　　　　　　)

12 교과역량 고구마 캐기 현장 체험 학습에서 고구마를 소현이는 4 kg 550 g 캤고, 윤석이는 4500 g 캤습니다. 소현이와 윤석이 중에서 고구마를 더 많이 캔 사람의 이름을 써 보세요.

(　　　　　　　)

5 단원

무게 어림하기

유형 **13** 1 kg보다 무거운 물건에 ○표, 가벼운 물건에 △표 하세요.

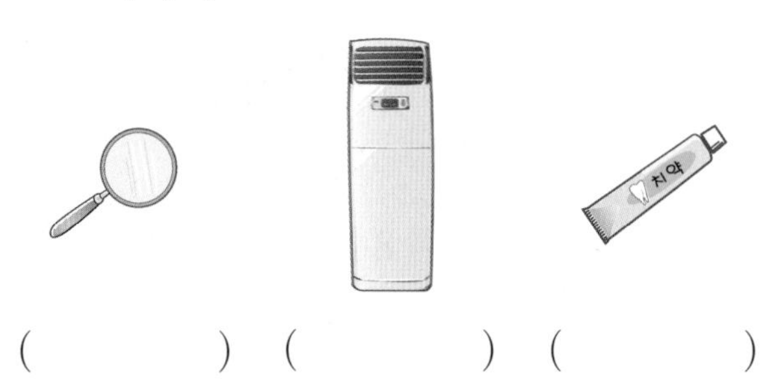

( ) ( ) ( )

확인 **14** 배구공의 무게를 가장 적절히 어림한 것을 찾아 기호를 써 보세요.

㉠ 약 3 g
㉡ 약 300 g
㉢ 약 3 kg
㉣ 약 3 t

( )

강화 **15** 저울을 사용하여 여러 가지 물건의 무게를 재어 보았더니 다음과 같았습니다. 무게가 약 8 kg인 물건을 찾아 써 보세요.

전자레인지	자전거	노트북
9200 g	7900 g	1700 g

( )

무게의 합과 차 구하기

16 빈 곳에 알맞은 무게는 몇 kg 몇 g인지 써넣으세요.

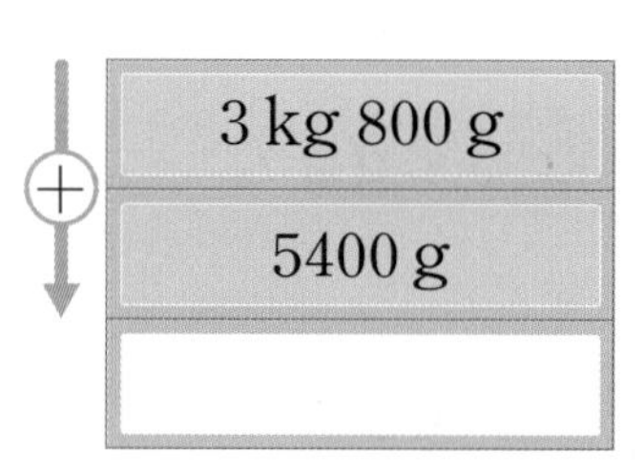

서술형
17 ㉠에 알맞은 수를 구하려고 합니다. 풀이 과정을 쓰고, 답을 구하세요.

8 kg 200 g−2 kg 750 g=㉠ g

풀이

답

18 무게가 무거운 것부터 차례로 ○ 안에 번호를 써넣으세요.

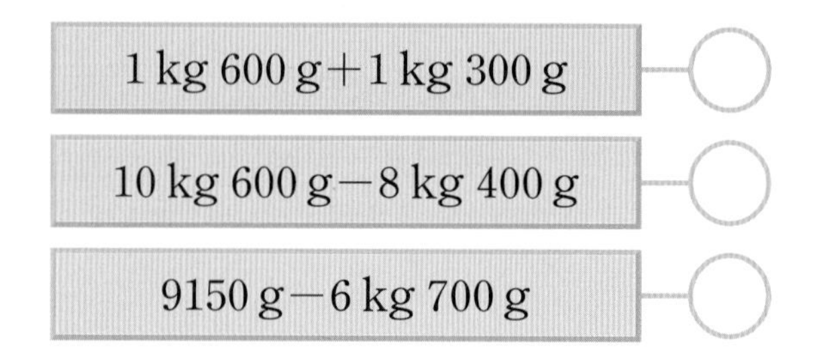

무게의 합과 차 활용

19 서율이는 멜론 2통을 샀습니다. 멜론의 무게가 각각 다음과 같을 때 서율이가 산 멜론 2통의 무게는 모두 몇 kg 몇 g일까요?

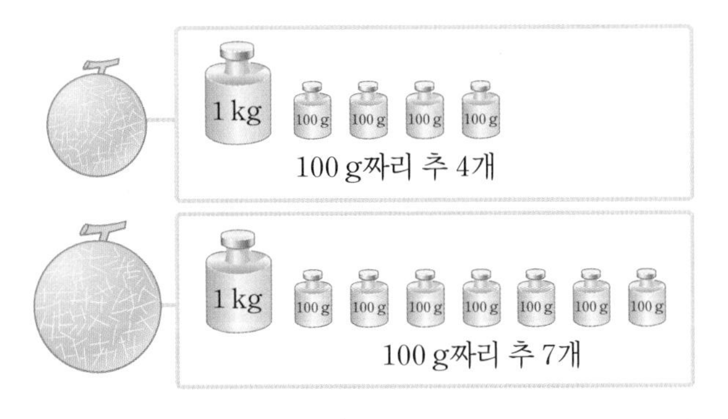

(　　　　　　　　)

20 밀가루가 3 kg 200 g 있었습니다. 현진이가 빵을 만들고 남은 밀가루의 무게를 재어 보았더니 2600 g이었습니다. 현진이가 빵을 만드는 데 사용한 밀가루의 무게는 몇 g일까요?

(　　　　　　　　)

21 교과역량 무게를 나타내는 여러 가지 단위 중에서 '근'은 고기의 무게를 말할 때 사용합니다. 한 근이 600 g일 때 어머니께서 산 소고기는 몇 kg 몇 g일까요?

(　　　　　　　　)

저울의 눈금을 읽고 무게 구하기

22 단호박의 무게는 몇 kg 몇 g일까요?

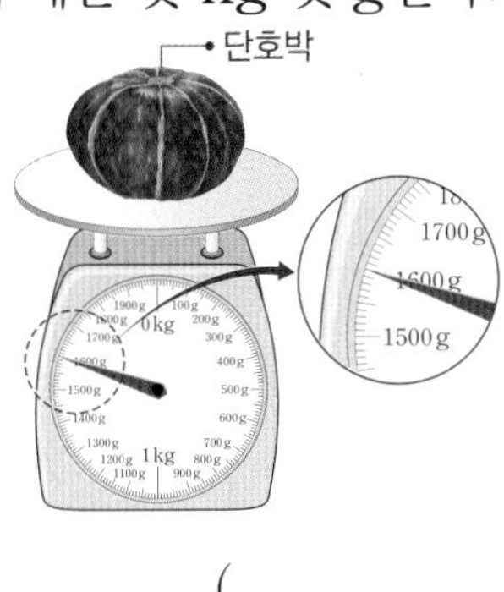

(　　　　　　　　)

23 빈 바구니의 무게는 몇 g일까요?

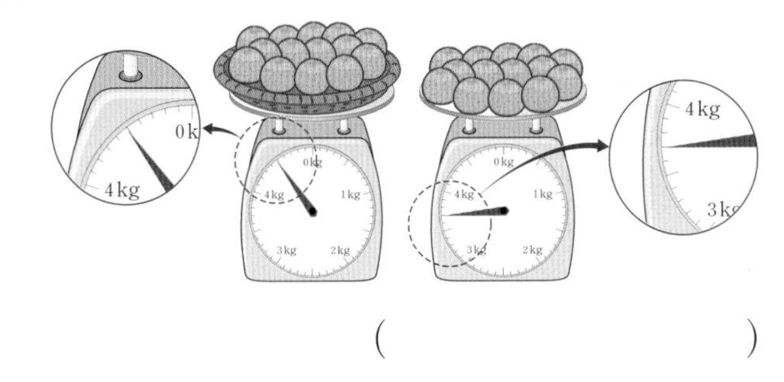

(　　　　　　　　)

24 정민이와 세린이가 모은 헌 종이의 무게입니다. 정민이와 세린이 중에서 누가 모은 헌 종이의 무게가 몇 kg 몇 g 더 무거울까요?

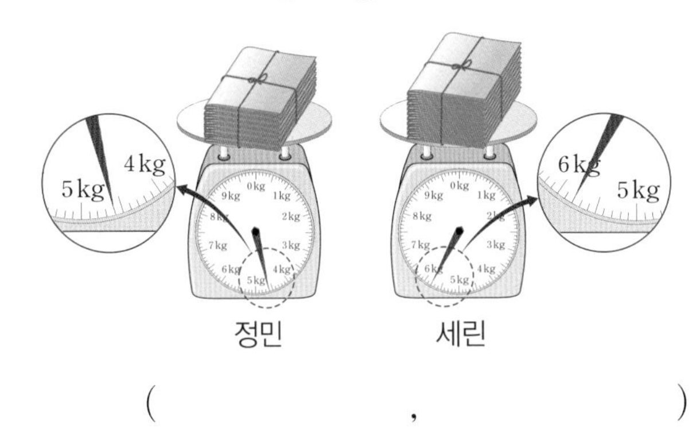

(　　　　　　,　　　　　　)

무게의 계산 결과 비교하기 약점 체크

유형 **25** 민준이와 보미가 굴 캐기 체험 활동에서 캔 굴의 무게를 나타낸 것입니다. 민준이와 보미 중에서 굴을 더 많이 캔 사람의 이름을 써 보세요.

	오전	오후
민준	2 kg 100 g	1 kg 800 g
보미	1 kg 700 g	2 kg 300 g

( )

해결 먼저 민준이와 보미가 캔 굴의 무게의 합을 각각 구합니다.

확인 **26** 과일 가게에서 유선이는 바나나 3 kg 500 g과 포도 4 kg 300 g을 샀고, 동건이는 자두 5 kg 700 g과 딸기 1 kg 800 g을 샀습니다. 유선이와 동건이 중에서 누가 과일을 몇 g 더 많이 샀을까요?

(,)

무게를 가장 적절히 어림한 사람 찾기 약점 체크

27 무게가 2 kg 100 g인 장난감의 무게를 지태와 효민이가 각각 다음과 같이 어림하였습니다. 장난감의 무게를 더 적절히 어림한 사람은 누구일까요?

지태	효민
약 1 kg 900 g	약 2 kg 400 g

( )

주의 어림한 무게와 실제 무게의 차가 작을수록 더 적절히 어림한 것입니다.

28 우람이네 모둠 학생들의 대화를 읽고 수박의 무게를 가장 적절히 어림한 사람의 이름을 써 보세요.

( )

여러 가지 물건을 이용하여 무게 구하기

29 공책 1권의 무게가 250 g일 때 지우개 1개의 무게는 몇 g일까요? (단, 각각의 종류별로 1개의 무게가 같습니다.)

가위 1개 공책 2권

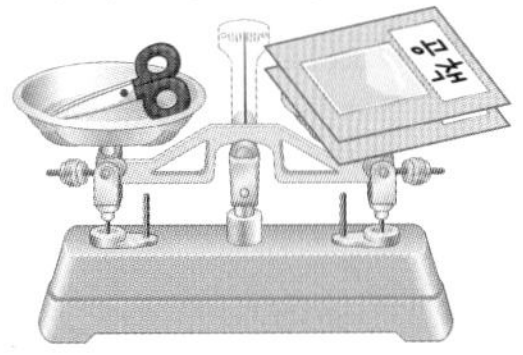

가위 2개 지우개 5개

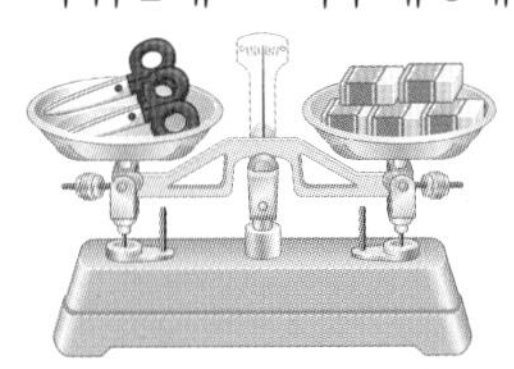

( )

해결
- (가위 1개의 무게)=(공책 2권의 무게)
- (가위 2개의 무게)=(지우개 5개의 무게)

30 생각수학 노란색 상자와 보라색 상자의 무게를 재었더니 다음과 같았습니다. 보라색 상자 1개의 무게는 몇 kg 몇 g일까요?

- 노란색 상자 1개와 보라색 상자 1개의 무게의 합: 24 kg 800 g
- 노란색 상자 2개와 보라색 상자 1개의 무게의 합: 32 kg 500 g

( )

똑같은 물건의 무게 구하기

31 똑같은 인형 3개를 담은 상자와 빈 상자의 무게를 각각 잰 것입니다. 인형 1개의 무게는 몇 g일까요?

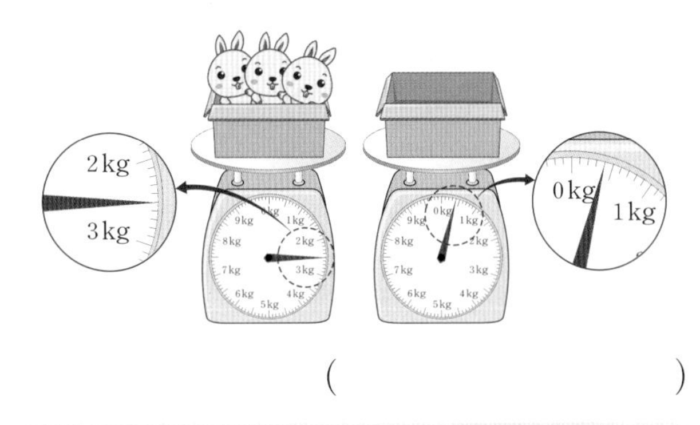

( )

해결

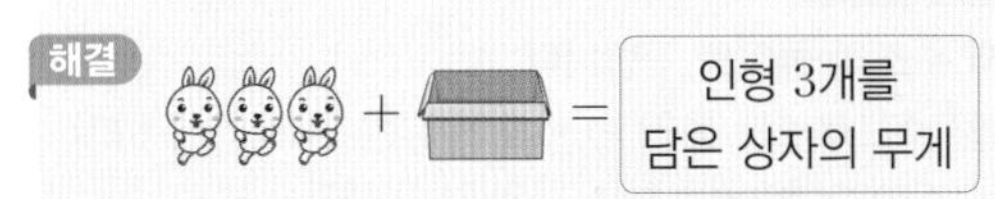

서술형

32 무게가 똑같은 위인전 4권을 넣은 가방의 무게는 3 kg 900 g입니다. 빈 가방의 무게가 1 kg 500 g이라면 위인전 1권의 무게는 몇 g인지 풀이 과정을 쓰고, 답을 구하세요.

풀이

답

STEP 3 서술형 해결하기

연습

01 ㉠ 수도로 물을 2분 동안 채우면 가득 채워지는 수조가 있습니다. 빈 수조에 ㉡ 수도로 물을 2분 동안 채웠습니다. 이 수조를 가득 채우려면 물을 몇 L 몇 mL 더 넣어야 하는지 풀이 과정을 쓰고, 답을 구하세요. (단, 수도에서 나오는 물의 양은 일정합니다.)

1분 동안 나오는 물의 양

㉠ 수도	㉡ 수도
3 L 400 mL	1 L 800 mL

서술형 포인트

먼저 수조의 들이를 구합니다.

❶ ㉡ 수도로 2분 동안 빈 수조에 넣은 물의 양 구하기

❷ 수조에 더 넣어야 하는 물의 양 구하기

풀이를 완성하세요.

❶ (수조의 들이)=3 L 400 mL+3 L 400 mL

=___ L ___ mL

(㉡ 수도로 2분 동안 빈 수조에 넣은 물의 양)

=1 L 800 mL+1 L 800 mL

=___ L ___ mL

❷ (수조에 더 넣어야 하는 물의 양)

=___ L ___ mL−___ L ___ mL

=___ L ___ mL

답 ________

단계

02 물이 1분에 4 L씩 나오는 ㉮ 수도와 2분에 6 L씩 나오는 ㉯ 수도가 있습니다. 두 수도를 동시에 틀어서 물을 받을 때 **1시간 동안 받을 수 있는 물은 모두 몇 L**인지 풀이 과정을 쓰고, 답을 구하세요. (단, 수도에서 나오는 물의 양은 일정합니다.)

❶ 두 수도에서 1분 동안 받을 수 있는 물의 양 구하기

풀이

❷ 두 수도에서 1시간 동안 받을 수 있는 물의 양 구하기

풀이

답 ________

실전

03 물이 1초에 20 mL씩 나오는 ㉮ 수도와 2초에 80 mL씩 나오는 ㉯ 수도가 있습니다. 두 수도를 동시에 틀어서 물을 받을 때 **1분 동안 받을 수 있는 물은 모두 몇 L 몇 mL**인지 풀이 과정을 쓰고, 답을 구하세요. (단, 수도에서 나오는 물의 양은 일정합니다.)

풀이

답 ________

연습

04 **다음은 은서와 준영이가 각각 물을 마시기 전과 마신 후의 물의 양을 나타낸 것입니다. 은서와 준영이가 마신 물의 양은 모두 몇 mL인지 풀이 과정을 쓰고, 답을 구하세요.**

	은서	준영
마시기 전	2 L 500 mL	2 L
마신 후	1 L 400 mL	1 L 300 mL

서술형 포인트

1 L=1000 mL이므로

■ L ●▲◆ mL=■●▲◆ mL입니다.

❶ 은서와 준영이가 마신 물의 양 각각 구하기

❷ 은서와 준영이가 마신 물의 양의 합을 몇 mL로 나타내기

풀이를 완성하세요.

❶ (은서가 마신 물의 양)

=2 L 500 mL−1 L 400 mL

=___ L ___ mL

(준영이가 마신 물의 양)

=2 L−1 L 300 mL

=___ mL

❷ (은서와 준영이가 마신 물의 양의 합)

=___ L ___ mL+___ mL

=___ L ___ mL=___ mL

답

단계

05 은주네 가족은 식혜 2 L 중에서 1 L 600 mL를 마셨고, 성우네 가족은 식혜 2 L 300 mL 중에서 1 L 800 mL를 마셨습니다. **은주네 가족과 성우네 가족이 마시고 남은 식혜는 모두 몇 mL**인지 풀이 과정을 쓰고, 답을 구하세요.

❶ 은주네 가족과 성우네 가족이 마시고 남은 식혜의 양 각각 구하기

풀이

❷ 마시고 남은 식혜의 양의 합 구하기

풀이

답

실전

06 어머니께서 빨래를 하는 데 물 5 L 200 mL 중에서 4 L 600 mL를 사용하였고, 음식을 하는 데 물 3 L 중에서 2 L 100 mL를 사용하였습니다. **어머니께서 사용하고 남은 물은 모두 몇 L 몇 mL**인지 풀이 과정을 쓰고, 답을 구하세요.

풀이

답

5 단원

연습

07 **사과, 귤, 자두의 무게를 비교하였습니다. 사과 1개의 무게는 자두 1개의 무게의 몇 배인지 풀이 과정을 쓰고, 답을 구하세요. (단, 각각의 종류별로 1개의 무게가 같습니다.)**

사과 1개 | 귤 3개 | 귤 3개 | 자두 4개

서술형 포인트

각각의 종류별 과일의 무게를 서로 비교합니다.

❶ 사과 1개의 무게는 자두 몇 개의 무게와 같은지 구하기

❷ 사과 1개의 무게는 자두 1개의 무게의 몇 배인지 구하기

풀이를 완성하세요.

❶ 사과 1개의 무게는 귤 ___개의 무게와 같고, 귤 3개의 무게는 자두 ___개의 무게와 같으므로 사과 1개의 무게는 자두 ___개의 무게와 같습니다.

❷ 사과 1개의 무게는 자두 ___개의 무게와 같으므로 사과 1개의 무게는 자두 1개의 무게의 ___배입니다.

답 ______

단계

08 저울과 바둑돌을 사용하여 세 물건의 무게를 비교하였습니다. **가장 무거운 물건의 무게는 가장 가벼운 물건의 무게의 몇 배**인지 풀이 과정을 쓰고, 답을 구하세요.

물건	연필	필통	지우개
바둑돌의 수(개)	8	24	16

❶ 가장 무거운 물건과 가장 가벼운 물건 각각 구하기

풀이

❷ 가장 무거운 물건의 무게는 가장 가벼운 물건의 무게의 몇 배인지 구하기

풀이

답 ______

실전

09 저울과 클립을 사용하여 세 물건의 무게를 비교하였습니다. **가장 무거운 물건의 무게는 가장 가벼운 물건의 무게의 몇 배**인지 풀이 과정을 쓰고, 답을 구하세요.

물건	물감	붓	사인펜
클립의 수(개)	30	6	18

풀이

답 ______

연습

10 10 kg까지 넣을 수 있는 여행 가방이 있습니다. 이 여행 가방에 무게가 다음과 같은 물건들을 넣었습니다. 여행 가방에 더 넣을 수 있는 무게는 몇 kg 몇 g인지 풀이 과정을 쓰고, 답을 구하세요.

옷	화장품	세면 도구
3 kg 200 g	2 kg 600 g	1800 g

서술형 포인트

무게의 단위를 몇 kg 몇 g으로 통일하여 같은 단위끼리 계산합니다.

❶ 여행 가방에 넣은 물건의 무게의 합 구하기

❷ 더 넣을 수 있는 무게 구하기

풀이를 완성하세요.

❶ (세면 도구의 무게)

=____ g=___ kg ____ g

(여행 가방에 넣은 물건의 무게의 합)

=3 kg 200 g+___ kg ____ g

+___ kg ____ g

=___ kg ____ g

❷ (더 넣을 수 있는 무게)

=10 kg−___ kg ____ g

=___ kg ____ g

답 ________

단계

11 지우네 고양이의 무게는 3 kg 900 g이고, 강아지는 고양이보다 1300 g 더 무겁습니다. 지우가 고양이와 강아지를 안고 저울에 올라갔더니 47 kg 400 g이었습니다. **지우의 몸무게는 몇 kg 몇 g**인지 풀이 과정을 쓰고, 답을 구하세요.

❶ 강아지의 무게 구하기

풀이

❷ 지우의 몸무게 구하기

풀이

답 ________

실전

12 유찬, 지원, 기태가 함께 저울에 올라가 몸무게를 재어 보니 108 kg 600 g이었습니다. 유찬이와 지원이가 함께 저울에 올라가 몸무게를 재어 보니 72 kg 800 g이었습니다. 지원이가 기태보다 1 kg 800 g 더 무거울 때 **유찬이의 몸무게는 몇 kg 몇 g**인지 풀이 과정을 쓰고, 답을 구하세요.

풀이

답 ________

5 단원

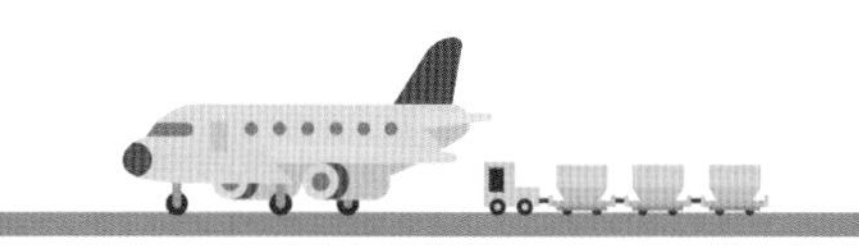

01 물병과 주스 병에 물을 가득 채운 후 모양과 크기가 같은 컵에 옮겨 담았습니다. 물병과 주스 병 중에서 들이가 더 많은 것은 어느 것인가요?

( )

02 저울의 눈금을 읽어 보세요.

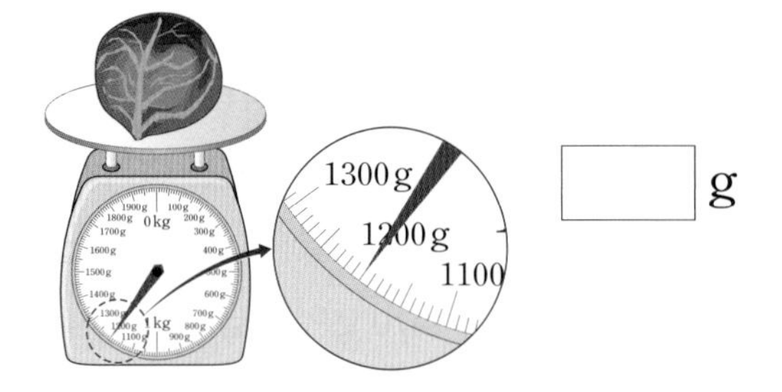

☐ g

03 ☐ 안에 알맞은 수를 써넣으세요.

3 L 700 mL = ☐ mL

04 무게의 차를 구하세요.

$$\begin{array}{r} 4\text{ kg } 800\text{ g} \\ -\ 2\text{ kg } 500\text{ g} \\ \hline \end{array}$$

05 무게의 단위가 틀린 것을 찾아 기호를 써 보세요.

㉠ 달걀 1개: 약 60 g
㉡ 책상 1개: 약 10 kg
㉢ 탁구공 1개: 약 3 kg

( )

06 ☐ 안에 알맞은 수를 써넣으세요.

3 L 200 mL

↓

+4 L 600 mL

↓

☐ L ☐ mL

07 관계있는 것끼리 선으로 이어 보세요.

(1)	2 kg 500 g •		• 2055 g
(2)	2 kg 5 g •		• 2500 g
(3)	2 kg 55 g •		• 2005 g

08 들이를 비교하여 ○ 안에 >, =, <를 알맞게 써넣으세요.

4090 mL ◯ 4 L 900 mL

09 두 무게의 합은 몇 kg 몇 g인지 빈 곳에 써넣으세요.

7200 g	
1 kg 500 g	

10 물이 양동이에는 1260 mL 들어 있고, 수조에는 1 L 300 mL 들어 있습니다. 양동이와 수조 중에서 물이 더 많이 들어 있는 것은 어느 것일까요?

( )

11 들이가 가장 많은 것을 찾아 기호를 써 보세요.

㉠ 8 L 30 mL	㉡ 8090 mL
㉢ 8009 mL	㉣ 8 L 300 mL

( )

12 저울과 바둑돌을 사용하여 양파와 오이의 무게를 비교하려고 합니다. 양파와 오이 중에서 어느 것이 바둑돌 몇 개만큼 더 무거울까요?

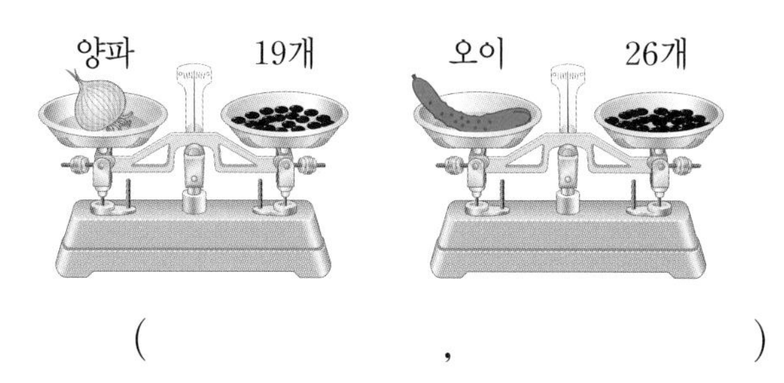

(,)

13 들이가 다음과 같은 주전자와 주스 병에 물을 가득 채운 후 수조에 모두 부었습니다. 수조에 부은 물은 모두 몇 L 몇 mL일까요?

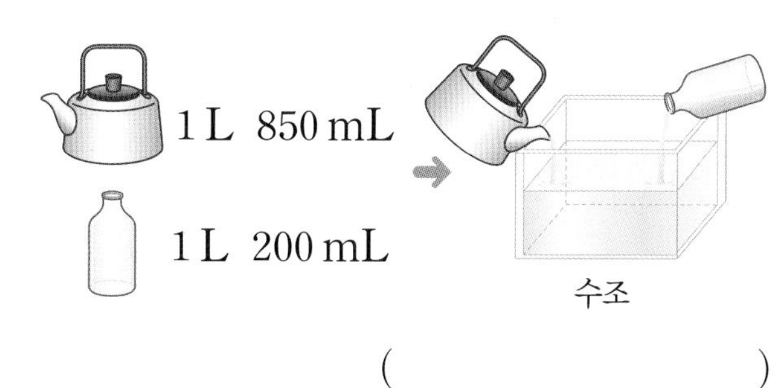

( )

14 귤, 참외, 배의 무게를 비교하였습니다. 귤, 참외, 배 중에서 1개의 무게가 무거운 것부터 차례로 써 보세요. (단, 각각의 종류별로 1개의 무게가 같습니다.)

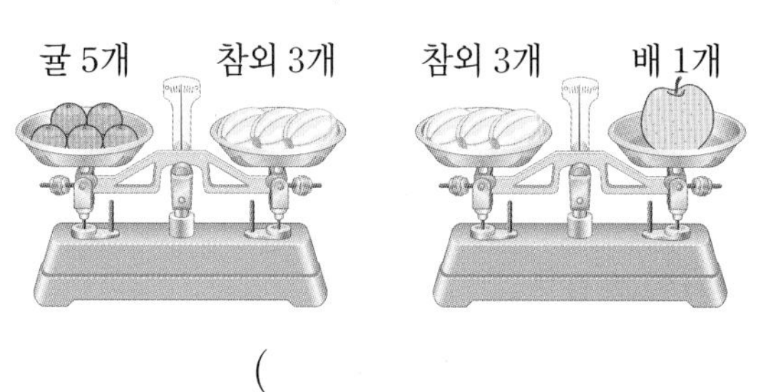

( )

5 단원

15 어느 식당에 식용유가 2 L 있었는데 어제는 750 mL, 오늘은 400 mL를 사용하였습니다. 사용하고 남은 식용유는 몇 mL일까요?

(   )

16 들이가 900 mL인 물통에 물을 가득 담아 약수통에 3번 부었더니 가득 채워졌습니다. 약수통과 양동이 중에서 어느 것의 들이가 몇 mL 더 많을까요?

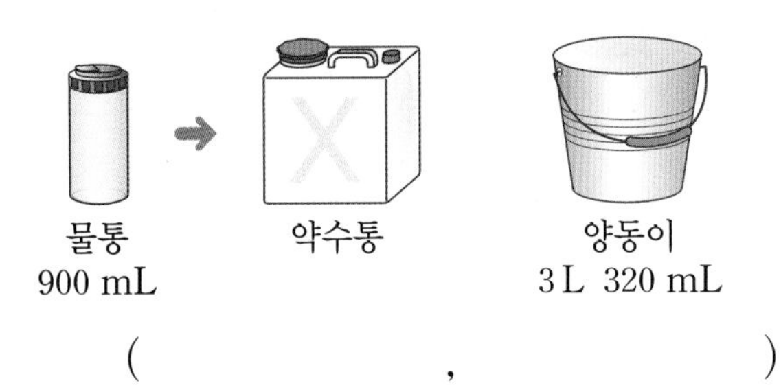

(,   )

17 무게가 똑같은 동화책 3권을 넣은 가방의 무게는 3 kg 200 g입니다. 빈 가방의 무게가 1 kg 400 g이라면 동화책 1권의 무게는 몇 g일까요?

(   )

서술형 문제

18 대야에 물을 가득 채우려면 가, 나, 다 컵에 물을 가득 담아 각각 다음과 같이 부어야 합니다. 가, 나, 다 컵 중에서 들이가 가장 많은 것은 어느 것인지 풀이 과정을 쓰고, 답을 구하세요.

컵	가	나	다
부은 횟수(번)	11	16	14

풀이

답

19 딸기를 동수는 2810 g 땄고, 서진이는 4 kg 460 g 땄습니다. 동수와 서진이 중에서 누가 딸기를 몇 kg 몇 g 더 많이 땄는지 풀이 과정을 쓰고, 답을 구하세요.

풀이

답   ,

20 무게가 8 kg인 물건의 무게를 은성이는 약 7 kg 850 g, 수영이는 약 8 kg 200 g이라고 어림하였습니다. 물건의 무게를 더 적절히 어림한 사람은 누구인지 풀이 과정을 쓰고, 답을 구하세요.

풀이

답

생각하며 쉬어가기

캐나다 친구

헬로우! 내 이름은 알렉스야.
나는 세계에서 두 번째로 큰 나라인 캐나다에 살고 있어. '헬로우'는 캐나다의 인사말로 '안녕하세요'라는 뜻이야.

캐나다에 대해 소개할게. 나이아가라 폭포는 천둥소리를 내는 물기둥이라는 뜻으로 어마어마한 폭포가 2개나 있어.
캐나다를 대표하는 탑인 CN타워는 지상 447 m의 높이에서 탁 트인 토론토 시내를 볼 수 있어. 타워의 꼭대기에서 보는 토론토의 풍경은 매우 아름다워!

CN타워

나이아가라 폭포

감자튀김에 치즈를 얹은 '푸틴'은
캐나다에서 즐겨 먹는 음식이에요.

5
단원

특강 들이와 무게

들이

두 가지 그릇에 담을 수 있는 양 비교하기

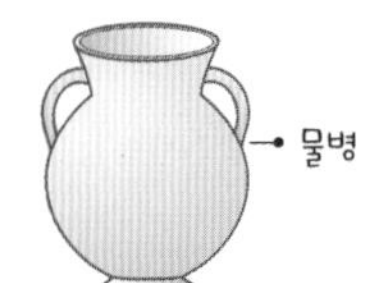

더 많다

더 적다

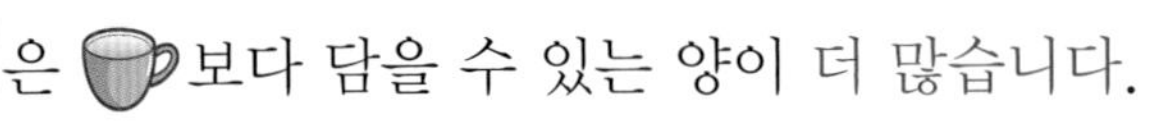

- 은 보다 담을 수 있는 양이 더 많습니다.
- 은 보다 담을 수 있는 양이 더 적습니다.

세 가지 그릇에 담을 수 있는 양 비교하기

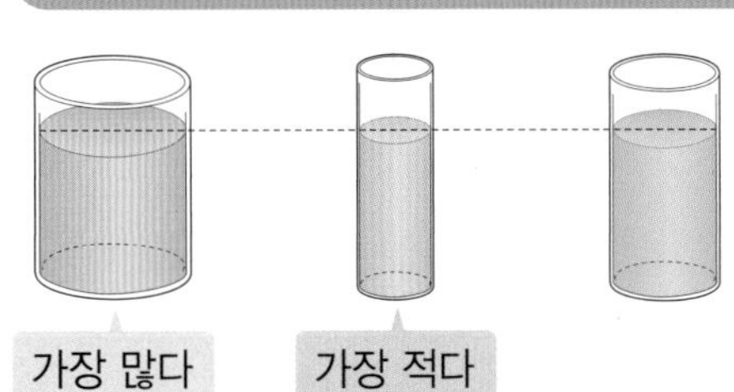

- 분홍색 물의 양이 가장 많습니다.
- 파란색 물의 양이 가장 적습니다.

물의 높이가 같으면 그릇의 폭이 넓을수록 담긴 물의 양이 더 많습니다.

무게

두 가지 물건의 무게 비교하기

더 무겁다

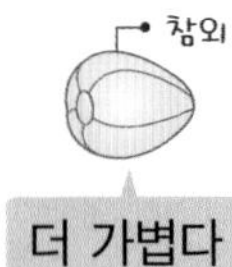

더 가볍다

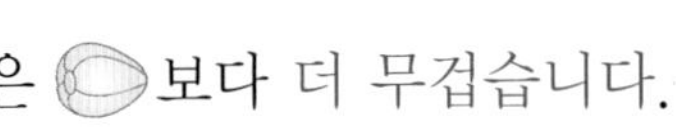

- 은 보다 더 무겁습니다.
- 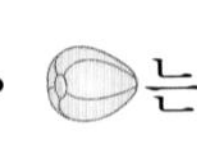는 보다 더 가볍습니다.

세 가지 물건의 무게 비교하기

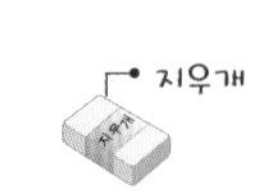

가장 가볍다

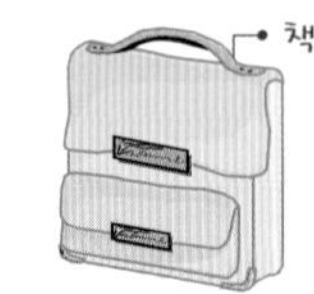

가장 무겁다

- 가 가장 가볍습니다.
- 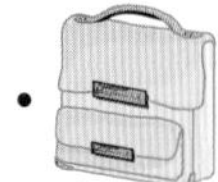이 가장 무겁습니다.

들이 비교하기

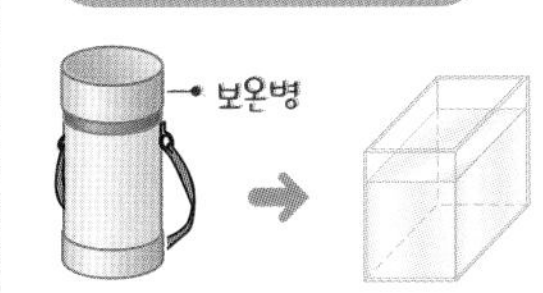

보온병에서 옮겨 담은 물의 높이가 더 높으므로 보온병의 들이가 더 많습니다.

들이의 단위

• 들이의 단위: 리터, 밀리리터

1 L=1000 mL

쓰기	1 L	1 mL
읽기	1 리터	1 밀리리터

• **1 L보다 500 mL 더 많은 들이**

쓰기 1 L 500 mL

읽기 1 리터 500 밀리리터

들이 어림하기

들이를 어림하여 말할 때에는 약 □L 또는 약 □mL라고 합니다.

들이의 덧셈

	2 L	300 mL
+	1 L	500 mL
	3 L	800 mL

들이의 뺄셈

	6 L	700 mL
−	3 L	200 mL
	3 L	500 mL

무게 비교하기

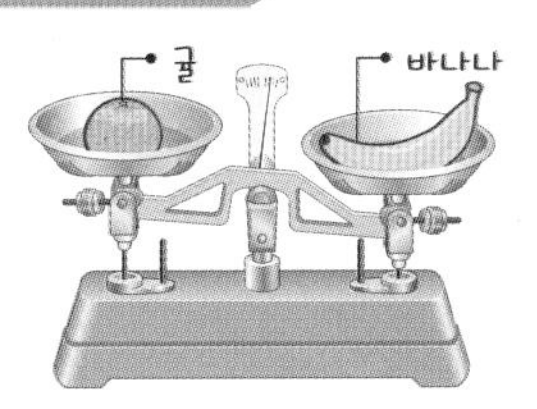

바나나를 올려놓은 쪽이 아래로 내려 갔으므로 바나나가 더 무겁습니다.

무게의 단위

• 무게의 단위: 킬로그램, 그램, 톤

1 kg=1000 g　　1 t=1000 kg

쓰기	1 kg	1 g	1 t
읽기	1 킬로그램	1 그램	1 톤

• **1 kg보다 800 g 더 무거운 무게**

쓰기 1 kg 800 g

읽기 1 킬로그램 800 그램

무게 어림하기

무게를 어림하여 말할 때에는 약 □kg 또는 약 □g이라고 합니다.

무게의 덧셈

	1 kg	300 g
+	2 kg	600 g
	3 kg	900 g

무게의 뺄셈

	4 kg	800 g
−	1 kg	400 g
	3 kg	400 g

5 단원

6 자료의 정리

까아아
좌아악
슬로프 이용자 수
초급 285명
중급 216명
고급 184명
고급 코스에 사람이 가장 적으니까 고급 코스를 이용해 볼까?
헉! 오늘 우리 처음 타는 건데…….
마음에 드는 작품
1
2
3
4
난 붙임딱지 수가 제일 많은 것을 선택할거야.
난 1번이 제일 마음에 들어.
지난 대회 작품별 사람 수
사람 수
100명
10명
작년에는 이 작품이 가장 인기가 많았구나.

학습계획표

진 진도북, 매 매칭북

학습 계획 및 확인				학습 내용
STEP 1 개념 완성하기	월 일	진 144~147쪽	□	1. 표 알아보기 2. 자료를 수집하여 표로 나타내기 3. 그림그래프 알아보기 4. 그림그래프로 나타내기
	월 일	매 42쪽	□	
STEP 2 실력 다지기	월 일	진 148~153쪽	□	표의 내용 알아보기 자료를 표로 나타내기 그림그래프의 내용 알아보기 표와 그림그래프 비교하기 그림그래프 그리기 표와 그림그래프 완성하기 수를 구하여 그림그래프 완성하기 그림의 단위를 바꾸어 그림그래프 그리기 약점 체크 그림의 단위를 구하여 문제 해결하기 약점 체크 3가지 그림으로 나타낸 그림그래프 알아보기 약점 체크 그림그래프 해석하기 약점 체크 그림그래프에서 지역별로 비교하기
	월 일	매 43~45쪽	□	
STEP 3 서술형 해결하기	월 일	진 154~155쪽	□	서술형 학습
	월 일	매 46쪽	□	
평가 단원 마무리	월 일	진 156~158쪽	□	마무리 학습
	월 일	매 62~64쪽	□	

※ 이번 단원에서 공부할 계획을 세우고 계획대로 공부했다면 □ 안에 ○표 합니다.

6 단원

개념 완성하기

1 표 알아보기

(1) 표를 보고 내용 알기

좋아하는 간식별 학생 수

간식	사탕	초콜릿	케이크	과자	합계
학생 수(명)	23	31	17	19	90

23+31+17+19 =90(명)

① 가장 많은 학생이 좋아하는 간식: 초콜릿

② 가장 많은 학생이 좋아하는 간식부터 순서대로 쓰기 ➡ 초콜릿, 사탕, 과자, 케이크

└ 학생 수를 비교하면 31>23>19>17입니다.

(2) 표를 다른 방법으로 나타내기

남학생과 여학생으로 나누어 표를 만들었습니다.

좋아하는 간식별 남녀 학생 수

간식	사탕	초콜릿	케이크	과자	합계
남학생 수(명)	11	12	2	16	41
여학생 수(명)	12	19	15	3	49

① 가장 많은 남학생이 좋아하는 간식: 과자

② 가장 많은 여학생이 좋아하는 간식부터 순서대로 쓰기 ➡ 초콜릿, 케이크, 사탕, 과자

└ 여학생 수를 비교하면 19>15>12>3입니다.

2 자료를 수집하여 표로 나타내기

예제 우리 반 학생들이 좋아하는 과목을 조사한 것을 보고 표로 나타내기

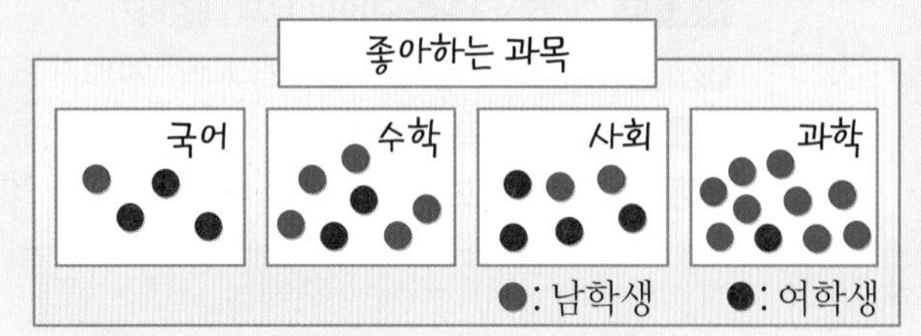

좋아하는 과목별로 남녀 학생 수를 세어 표로 나타냅니다.

좋아하는 과목별 남녀 학생 수

과목	국어	수학	사회	과학	합계
남학생 수(명)	1	5	2	9	17
여학생 수(명)	3	2	4	1	10

개념 확인

1 호영이네 학교 3학년 학생들이 가고 싶은 나라를 조사하여 표로 나타내었습니다. 물음에 답하세요.

가고 싶은 나라별 학생 수

나라	미국	스위스	프랑스	중국	합계
학생 수(명)	30	32	28	16	

(1) 조사한 학생은 모두 몇 명인가요?

( )

(2) 가장 많은 학생이 가고 싶은 나라는 어디인가요?

( )

2 은별이네 반 학생들이 좋아하는 꽃을 조사하였습니다. 물음에 답하세요.

(1) 조사하려는 것은 무엇인가요?

( )

(2) 자료를 수집할 대상은 누구인가요?

( )

(3) 조사한 자료를 보고 표로 나타내어 보세요.

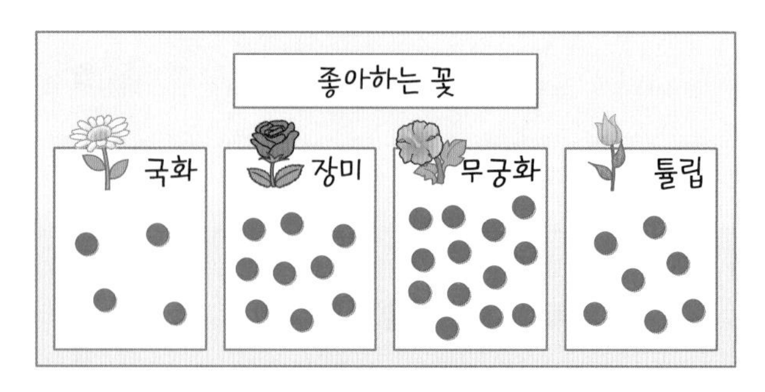

좋아하는 꽃별 학생 수

꽃	국화	장미	무궁화	튤립	합계
학생 수(명)					

[3~5] 아름이네 학교 3학년 학생들이 사는 마을을 여학생과 남학생으로 나누어 표를 만들었습니다. 물음에 답하세요.

사는 마을별 남녀 학생 수

마을	㉮	㉯	㉰	㉱	합계
여학생 수(명)	8		10	15	39
남학생 수(명)	9	14	4		37

3 빈칸에 알맞은 수를 써넣으세요.

4 가장 적은 여학생이 살고 있는 마을은 어디인가요?

( )

5 가장 많은 남학생이 살고 있는 마을부터 순서대로 써 보세요.

( )

6 진서네 반 학생들의 장래희망을 조사하였습니다. 자료를 보고 표로 나타내어 보세요.

학생들의 장래희망

이름	장래희망	이름	장래희망	이름	장래희망
진서	경찰관	종수	과학자	영은	의사
성규	의사	호준	의사	지원	요리사
혜정	요리사	유경	과학자	찬규	요리사
선하	의사	동엽	요리사	수진	경찰관
예솔	요리사	윤호	경찰관	동욱	요리사

장래희망별 학생 수

장래희망	경찰관	의사	요리사	과학자	합계
학생 수(명)					

기본 유형 확인

7 민경이네 학교 3학년의 반별 학급문고 수를 조사하여 표로 나타내었습니다. 물음에 답하세요.

반별 학급문고 수

반	1	2	3	4	합계
책 수(권)	134	240		125	750

(1) 3반의 학급문고는 몇 권일까요?

( )

(2) 학급문고 수가 가장 많은 반부터 순서대로 써 보세요.

( )

8 현욱이가 알뜰시장에 내놓은 물건입니다. 물음에 답하세요.

(1) 그림을 보고 표로 나타내어 보세요.

종류별 물건의 수

종류	인형	축구공	수첩	연필	합계
물건 수(개)					

(2) 알뜰시장에 가장 많이 내놓은 물건은 무엇일까요?

( )

6 단원

개념 완성하기

3 그림그래프 알아보기

그림그래프: 알고자 하는 수(조사한 수)를 그림으로 나타낸 그래프

예제 소현이네 학교 3학년 학생들이 가고 싶은 도시를 조사하여 나타낸 그림그래프 알아보기

가고 싶은 도시별 학생 수

도시	학생 수
부산 (12명)	큰 그림 1개, 작은 그림 2개
속초 (23명)	큰 그림 2개, 작은 그림 3개
인천 (15명)	큰 그림 1개, 작은 그림 5개

큰 그림 10명, 작은 그림 1명

① 그림 (큰 그림)은 10명, (작은 그림)은 1명을 나타냅니다.
② 부산에 가고 싶은 학생은 (큰 그림)이 1개, (작은 그림)이 2개이므로 12명입니다.

4 그림그래프로 나타내기

[그림그래프 그리는 방법]
① 그림을 몇 가지로 나타낼 것인지 정합니다.
② 어떤 그림으로 나타낼 것인지 정합니다.
③ 조사한 수에 맞도록 그림을 그립니다.
④ 그린 그림그래프에 알맞은 제목을 붙입니다.

예제 표를 보고 그림그래프로 나타내기

가게별 팔린 사탕 수

가게	가	나	다	합계
사탕 수(개)	53	35	42	130

④ 가게별 팔린 사탕 수

가게	사탕 수
가	큰 그림 5개, 작은 그림 3개
나	큰 그림 3개, 작은 그림 5개
다	큰 그림 4개, 작은 그림 2개

③ ② 큰 그림 10개, 작은 그림 1개 ①

개념 확인

1 영준이네 학교의 수영 대회에 참가한 학년별 학생 수를 그림그래프로 나타내었습니다. 물음에 답하세요.

수영 대회에 참가한 학년별 학생 수

학년	학생 수
3학년	큰 그림 1개, 작은 그림 2개
4학년	큰 그림 2개, 작은 그림 1개
5학년	큰 그림 2개, 작은 그림 5개
6학년	큰 그림 3개, 작은 그림 4개

큰 그림 10명, 작은 그림 1명

(1) 그림 (큰 그림)과 (작은 그림)은 각각 몇 명을 나타내나요?

(큰 그림) (　　　　　　), (작은 그림) (　　　　　　)

(2) 수영 대회에 참가한 3학년, 4학년, 5학년, 6학년 학생 수를 순서대로 써 보세요.

(　　　　　　　　　　　　　　)

2 희정이네 아파트의 동별 자동차 수를 조사하여 표로 나타내었습니다. 물음에 답하세요.

동별 자동차 수

동	1동	2동	3동	합계
자동차 수(대)	32	21	13	66

(1) 표를 보고 그림그래프를 그릴 때 그림을 몇 가지로 나타내는 것이 좋을까요?

(　　　　　　)

(2) 표를 보고 그림그래프를 완성하세요.

동별 자동차 수

동	자동차 수
1동	큰 그림 3개, 작은 그림 2개
2동	
3동	

큰 그림 10대, 작은 그림 1대

3 어느 지역의 과수원별 사과 생산량을 그림그래프로 나타내었습니다. 물음에 답하세요.

과수원별 사과 생산량

과수원	생산량
가	
나	
다	
라	

(1) 가 과수원의 사과 생산량은 몇 상자인가요?

( )

(2) 나 과수원과 라 과수원의 사과 생산량의 합은 몇 상자일까요?

( )

4 어느 지역의 마을별 심은 나무 수를 조사하여 표로 나타내었습니다. 물음에 답하세요.

마을별 심은 나무 수

마을	반달	샛별	은하	달님	합계
나무 수(그루)	23	51	16	34	124

(1) 표를 보고 그림그래프를 완성하세요.

마을별 심은 나무 수

마을	나무 수
반달	
샛별	
은하	
달님	

10그루
1그루

(2) 나무를 가장 적게 심은 마을은 어디인가요?

( )

기본 유형 확인

5 어느 지역의 가게별 자전거 판매량을 그림그래프로 나타내었습니다. 물음에 답하세요.

가게별 자전거 판매량

가게	판매량
가	
나	
다	
라	

10대
1대

(1) 자전거 판매량이 가장 많은 가게는 어디인가요?

( )

(2) 가 가게와 나 가게 중에서 자전거 판매량이 더 많은 가게는 어디인가요?

( )

6 수영이네 학교 3학년 학생들이 좋아하는 운동별 학생 수를 조사하여 표로 나타내었습니다. 표를 보고 그림그래프를 완성하세요.

좋아하는 운동별 학생 수

운동	축구	야구	피구	농구	합계
학생 수(명)	32	26	34	17	109

좋아하는 운동별 학생 수

운동	학생 수
축구	
야구	
피구	
농구	

10명
1명

STEP 2 실력 다지기

표의 내용 알아보기

유형 **01** 현수네 반 학생들이 가고 싶은 산을 조사하여 표로 나타내었습니다. 표를 보고 □ 안에 알맞게 써넣으세요.

가고 싶은 산별 학생 수

산	설악산	한라산	지리산	속리산	합계
학생 수(명)	5	8	7	4	24

- 가장 많은 학생이 가고 싶은 산은 □ 입니다.
- 현수네 반 학생 수는 모두 □명입니다.
- 지리산을 가고 싶은 학생은 속리산을 가고 싶은 학생보다 □명 더 많습니다.

확인 **02** 서술형

민선이네 학교 3학년에서 이웃 돕기 성금을 낸 학생 수를 반별로 조사하여 표로 나타내었습니다. 가장 많은 학생이 성금을 낸 반은 어디인지 쓰고, 그 이유를 써 보세요.

반별 성금을 낸 학생 수

반	1반	2반	3반	4반	합계
여학생 수(명)	14	8	9	15	46
남학생 수(명)	10	11	17	5	43

답

이유

자료를 표로 나타내기

03 은실이네 모둠 학생들이 체험 학습으로 가고 싶은 장소를 조사하였습니다. 자료를 보고 가고 싶은 장소별 학생 수를 표로 나타내어 보세요.

학생들이 가고 싶은 장소

이름	장소	이름	장소
은실	동물원	배연	박물관
명환	놀이공원	홍규	놀이공원
보람	박물관	연아	동물원
현아	박물관	지환	동물원
혁주	동물원	경준	놀이공원

가고 싶은 장소별 학생 수

장소	동물원	놀이공원	박물관	합계
학생 수(명)				

04 수희는 과일 가게에 갔습니다. 물음에 답하세요.

(1) 과일 가게에 있는 과일 수를 표로 나타내어 보세요.

과일 종류별 과일 수

종류	수박	복숭아	참외	사과	합계
과일 수(개)					

(2) 사과는 수박보다 몇 개 더 많을까요?

( )

그림그래프의 내용 알아보기

05 수경이네 반 학생들이 좋아하는 과목을 그림그래프로 나타내었습니다. 수학을 좋아하는 학생과 과학을 좋아하는 학생은 모두 몇 명일까요?

좋아하는 과목별 학생 수

과목	학생 수
국어	■■■□□
수학	■□□□
영어	■□□□□
과학	■■□□□□□□

■ 10명 □ 1명

(　　　　　　　　)

표와 그림그래프 비교하기

07 어느 지역의 마을별 초등학교 신입생 수를 조사하여 표와 그림그래프로 나타내었습니다. 네 마을의 전체 신입생 수를 쉽게 알 수 있는 것은 표와 그림그래프 중 어느 것일까요?

마을별 초등학교 신입생 수

마을	지혜	장수	은빛	장미	합계
신입생 수(명)	36	34	25	30	125

마을별 초등학교 신입생 수

마을	신입생 수
지혜	■■■□□□□□□
장수	■■■□□□□
은빛	■■□□□□□
장미	■■■

■ 10명 □ 1명

(　　　　　　　　)

서술형

06 어느 지역의 월별 강수량을 그림그래프로 나타내었습니다. 강수량이 가장 많은 달과 가장 적은 달의 강수량의 차는 몇 mm인지 풀이 과정을 쓰고, 답을 구하세요.

교과 역량

월별 강수량

월	강수량
6월	■■■□□□
7월	■■■■■■□□□□
8월	■■■■■■■□□□
9월	■□□□□□□□

■ 10 mm □ 1 mm

풀이

답

서술형

08 위 **07**번에서 마을별 초등학교 신입생 수의 많고 적음을 비교하려면 표와 그림그래프 중 어느 것이 더 편리한지 쓰고, 그 이유를 써 보세요.

답

이유

6 단원

STEP 2 실력 다지기

그림그래프 그리기

유형 **09** 어느 지역의 목장별 우유 생산량을 조사하여 표로 나타내었습니다. 표를 보고 그림그래프를 완성하세요.

목장별 우유 생산량

목장	튼튼	풍년	최고	누리	합계
생산량(kg)	52	45	32	36	165

목장별 우유 생산량

목장	생산량
튼튼	◎◎◎◎◎○○
풍년	
최고	
누리	

◎ ☐
○ ☐

확인 **10** 우영이네 학교 3학년 학생들이 좋아하는 음악의 종류를 조사하여 표로 나타내었습니다. 표를 보고 그림그래프로 나타내어 보세요.

좋아하는 음악 종류별 학생 수

음악	댄스	발라드	힙합	재즈	합계
학생 수(명)	25	32	14	21	92

☐

음악	학생 수
댄스	
발라드	
힙합	
재즈	

□ 10명
△ 1명

표와 그림그래프 완성하기

11 진우와 친구들이 1년 동안 영화를 본 횟수를 조사하여 표와 그림그래프로 나타내었습니다. 표와 그림그래프를 각각 완성하세요.

1년 동안 영화를 본 횟수

이름	진우	윤하	소라	민경	합계
횟수(번)	23	15			100

1년 동안 영화를 본 횟수

이름	횟수
진우	
윤하	
소라	■■■
민경	■■■▪▪

■ 10번
▪ 1번

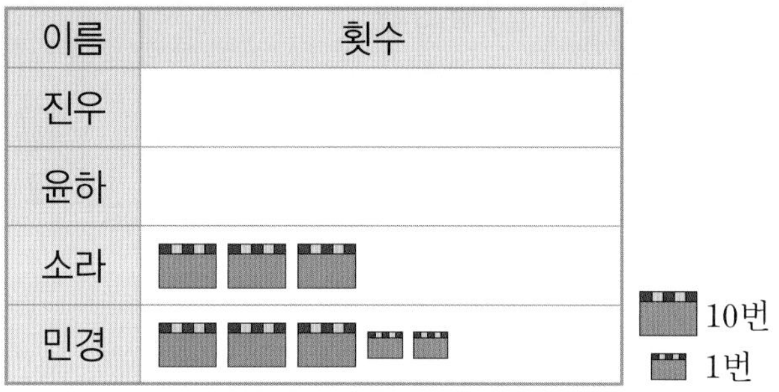

12 어느 지역의 농장별 고구마 생산량을 조사하여 표로 나타내었습니다. 물음에 답하세요.

농장별 고구마 생산량

농장	가	나	다	합계
생산량(kg)	320		250	

(1) 표를 보고 그림그래프를 완성하세요.

농장별 고구마 생산량

농장	생산량
가	
나	(100 kg 그림 1개, 10 kg 그림 7개)
다	

100 kg
10 kg

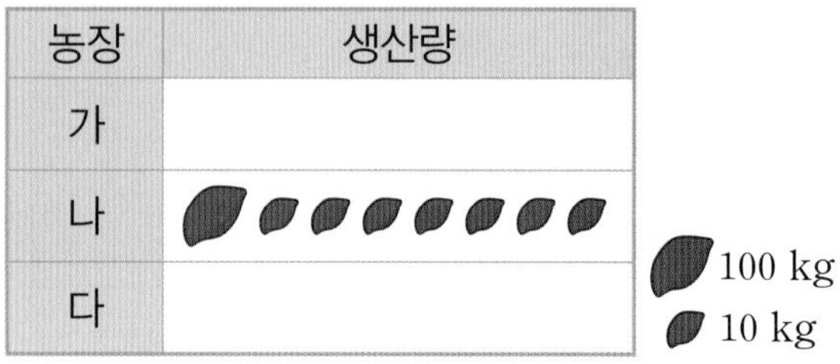

(2) 세 농장의 고구마 생산량은 모두 몇 kg일까요?

( )

수를 구하여 그림그래프 완성하기

13 민규네 모둠 학생들이 한 달 동안 모은 붙임딱지 수를 조사하여 표로 나타내었습니다. 표를 완성하고, 그림그래프로 나타내어 보세요.

학생별 모은 붙임딱지 수

이름	민규	형준	수영	정아	합계
붙임딱지 수(장)	26		45	30	142

학생별 모은 붙임딱지 수

이름	붙임딱지 수
민규	
형준	
수영	
정아	

☆ 10장 ☆ 1장

14 지아네 마을의 농장별 기르는 돼지 수를 그림그래프로 나타내었습니다. 네 농장에서 기르는 돼지가 모두 123마리일 때 그림그래프를 완성하세요.

농장별 기르는 돼지 수

농장	돼지 수
가	(10마리 3개, 1마리 2개)
나	(10마리 2개, 1마리 4개)
다	
라	(10마리 4개, 1마리 2개)

10마리 1마리

그림의 단위를 바꾸어 그림그래프 그리기

15 교과역량 현수네 모둠 학생들이 지난달에 저금한 금액을 조사하여 표로 나타내었습니다. 표를 보고 □는 1000원, △는 100원으로 나타내려고 합니다. 그림그래프를 만들어 보세요.

학생별 저금한 금액

이름	현수	선영	미진	혜경	합계
금액(원)	1800	2700	1400	3600	9500

학생별 저금한 금액

이름	금액
현수	
선영	
미진	
혜경	

□ 1000원 △ 100원

16 위 15번의 표를 보고 □는 1000원, ○는 500원, △는 100원으로 나타내려고 합니다. 그림그래프를 만들어 보세요.

학생별 저금한 금액

이름	금액
현수	
선영	
미진	
혜경	

□ 1000원 ○ 500원 △ 100원

6 단원

그림의 단위를 구하여 문제 해결하기

유형 **17** 민주네 학교 3학년의 반별 봉사 활동에 참여한 학생 수를 그림그래프로 나타내었습니다. 1반에서 봉사 활동에 참여한 학생이 17명일 때 4반에서 봉사 활동에 참여한 학생은 몇 명일까요?

반별 봉사 활동에 참여한 학생 수

반	학생 수
1반	
2반	
3반	
4반	

(　　　　　　　　　　)

해결 먼저 1반에서 봉사 활동에 참여한 학생 수로 큰 그림과 작은 그림이 나타내는 단위를 구합니다.

확인 **18** 우혁이네 고장에서 지난 식목일에 마을별 심은 나무 수를 그림그래프로 나타내었습니다. ㉮ 마을에서 심은 나무가 240그루일 때 네 마을에서 심은 나무는 모두 몇 그루일까요?

마을별 심은 나무 수

마을	나무 수
㉮	
㉯	
㉰	
㉱	

(　　　　　　　　　　)

3가지 그림으로 나타낸 그림그래프 알아보기

19 나연이와 친구들이 1년 동안 읽은 책의 수를 조사하여 표로 나타내었습니다. 표를 보고 그림그래프로 나타내어 보세요.

1년 동안 읽은 책의 수

이름	나연	형재	다현	지섭	합계
책의 수(권)	153	118	66		400

1년 동안 읽은 책의 수

이름	책의 수
나연	
형재	
다현	
지섭	

100권
10권
1권

주의 큰 그림, 중간 그림, 작은 그림이 나타내는 단위에 주의하여 그림그래프로 나타냅니다.

20 현아네 마을의 과수원별 귤 생산량을 그림그래프로 나타내었습니다. 네 과수원의 귤 생산량이 모두 964상자일 때 사랑 과수원의 귤 생산량은 몇 상자인지 구하세요.

과수원별 귤 생산량

과수원	귤 생산량
사랑	
희망	
최선	
노력	

100상자
10상자
1상자

(　　　　　　　　　　)

그림그래프 해석하기

21 효정이네 마을에서 농장별 하루 동안 수확한 땅콩의 양을 그림그래프로 나타내었습니다. 수확한 땅콩을 모두 모아 6 kg씩 자루에 담으려면 자루는 몇 개 필요할까요?

농장별 땅콩 수확량

농장	땅콩 수확량
㉮	
㉯	
㉰	
㉱	

10 kg
1 kg

( )

해결 먼저 그림그래프에서 농장별로 그림의 수를 세어 전체 땅콩 수확량을 구합니다.

22 어느 마을에서 가게별 하루 동안 판매한 아이스크림의 수를 그림그래프로 나타내었습니다. 아이스크림 한 개의 가격이 500원일 때 보람 가게의 판매액은 싱싱 가게의 판매액보다 얼마나 더 많을까요?

가게별 아이스크림 판매량

가게	판매량
나들	
싱싱	
보람	
대박	

10개
1개

( )

그림그래프에서 지역별로 비교하기

23 마을별 초등학생이 있는 가구 수를 그림그래프로 나타내었습니다. 초등학생이 있는 가구는 도로의 서쪽과 동쪽 중 어느 쪽이 몇 가구 더 많을까요?

마을별 초등학생이 있는 가구 수

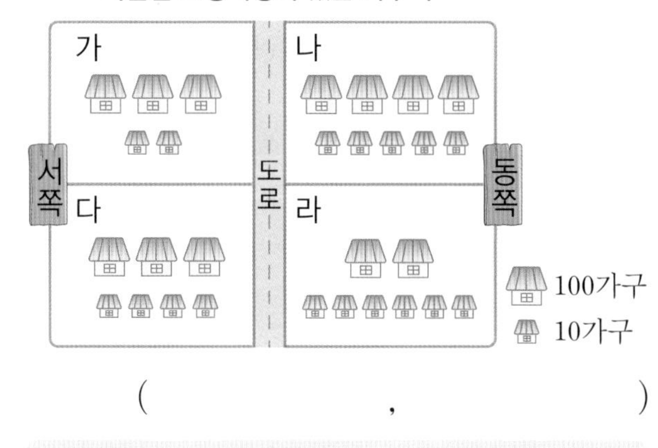

(,)

해결 도로의 서쪽에 있는 마을의 가구 수와 동쪽에 있는 마을의 가구 수를 각각 구해 비교합니다.

24 마을별 자동차 수를 그림그래프로 나타내었습니다. 도로의 남쪽에 있는 마을의 자동차 수는 북쪽에 있는 마을의 자동차 수보다 40대 더 적을 때 백합 마을의 자동차는 몇 대일까요?

마을별 자동차 수

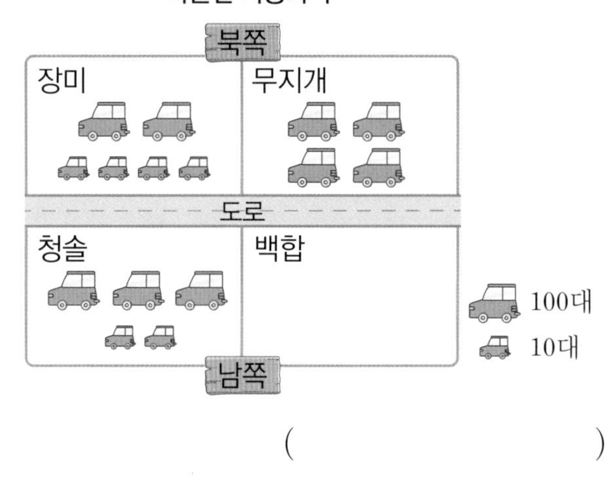

( )

6 단원

STEP 3

서술형 해결하기

연습

01 다음 그림그래프에서 구름 가게의 우산 판매량은 하늘 가게의 우산 판매량보다 80개 적습니다. 세 가게의 우산 판매량은 모두 몇 개인지 풀이 과정을 쓰고, 답을 구하세요.

가게별 우산 판매량

가게	판매량
구름	
하늘	(큰 우산 4개, 작은 우산 2개)
바람	(큰 우산 3개, 작은 우산 3개)

큰 우산 100개, 작은 우산 10개

서술형 포인트
❶ 구름 가게의 우산 판매량 구하기
❷ 세 가게의 우산 판매량의 합 구하기

풀이를 완성하세요.

❶ (하늘 가게의 우산 판매량)=_____개
(구름 가게의 우산 판매량)
=(하늘 가게의 우산 판매량)−80
=_____−_____=_____(개)

❷ (바람 가게의 우산 판매량)=_____개
(세 가게의 우산 판매량의 합)
=_____+_____+_____
=_____(개)

답 __________

단계

02 다음 그림그래프에서 기쁨 목장의 우유 판매량은 행복 목장의 우유 판매량보다 130상자 더 많습니다. **우유 판매량이 가장 많은 목장과 가장 적은 목장의 판매량의 차는 몇 상자**인지 풀이 과정을 쓰고, 답을 구하세요.

목장별 우유 판매량

목장	판매량
순수	(큰 우유 3개, 작은 우유 3개)
기쁨	
행복	(큰 우유 2개, 작은 우유 1개)

큰 우유 100상자, 작은 우유 10상자

❶ 기쁨 목장의 우유 판매량 구하기

풀이

❷ 우유 판매량이 가장 많은 목장과 가장 적은 목장의 판매량의 차 구하기

풀이

답 __________

실전

03 다음 그림그래프에서 맛나 빵집의 빵 판매량은 참맛 빵집의 빵 판매량보다 90개 적습니다. **빵 판매량이 가장 많은 빵집과 가장 적은 빵집의 판매량의 합은 몇 개**인지 풀이 과정을 쓰고, 답을 구하세요.

빵집별 빵 판매량

빵집	판매량
맛나	
건강	(큰 빵 2개, 작은 빵 3개)
참맛	(큰 빵 3개, 작은 빵 1개)

큰 빵 100개, 작은 빵 10개

풀이

답 __________

정답 39쪽

연습

04 선주네 반 학생들이 좋아하는 동물별 학생 수를 그림그래프로 나타내었습니다. 전체 학생 수가 25명일 때 토끼와 곰을 좋아하는 학생 수의 차는 몇 명인지 풀이 과정을 쓰고, 답을 구하세요.

좋아하는 동물별 학생 수

동물	강아지	토끼	곰	사자
학생 수	☺ ☺☺☺	☺ ☺☺		☺ ☺

☺ 5명 ☺ 1명

서술형 포인트

주어진 조건을 이용하여 곰을 좋아하는 학생 수를 먼저 구합니다.

❶ 곰을 좋아하는 학생 수 구하기

❷ 토끼와 곰을 좋아하는 학생 수의 차 구하기

풀이를 완성하세요.

❶ (강아지를 좋아하는 학생 수)= ___ 명

(토끼를 좋아하는 학생 수)= ___ 명

(사자를 좋아하는 학생 수)= ___ 명

(곰을 좋아하는 학생 수)

=25− ___ − ___ − ___ = ___ (명)

❷ (토끼와 곰을 좋아하는 학생 수의 차)

= ___ − ___ = ___ (명)

답 ______

단계

05 어느 마을의 가게별 하루 동안 판매한 핫도그 수를 그림그래프로 나타내었습니다. 네 가게에서 하루 동안 판매한 핫도그는 모두 198개이고, 가 가게와 다 가게의 핫도그 판매량은 같습니다. **가 가게와 다 가게의 핫도그 판매량은 각각 몇 개**인지 풀이 과정을 쓰고, 답을 구하세요.

가게별 하루 동안 판매한 핫도그 수

가	나 (큰 그림 4개, 작은 그림 2개)
다	라 (큰 그림 6개)

(큰 그림) 10개 (작은 그림) 1개

❶ 가 가게와 다 가게의 핫도그 판매량의 합 구하기

풀이

❷ 가 가게와 다 가게의 핫도그 판매량 각각 구하기

풀이

답 가 가게: ______, 다 가게: ______

실전

06 어느 병원의 하루 동안 진료 과목별 환자 수를 그림그래프로 나타내었습니다. 이 병원에서 하루 동안 진료한 환자는 모두 800명이고, 내과 환자 수는 안과 환자 수의 2배입니다. **내과 환자와 안과 환자는 각각 몇 명**인지 풀이 과정을 쓰고, 답을 구하세요.

진료 과목별 환자 수

풀이

답 내과: ______, 안과: ______

단원 마무리

[01~03] 은지네 반 학생들이 좋아하는 음식을 조사하여 표로 나타내었습니다. 물음에 답하세요.

좋아하는 음식별 학생 수

음식	피자	햄버거	떡볶이	김밥	합계
학생 수(명)	8		10	4	25

01 햄버거를 좋아하는 학생은 몇 명일까요?

( )

02 피자를 좋아하는 학생은 김밥을 좋아하는 학생보다 몇 명 더 많을까요?

( )

03 가장 많은 학생이 좋아하는 음식부터 순서대로 써 보세요.

( )

04 서현이가 가지고 있는 학용품입니다. 그림을 보고 표로 나타내어 보세요.

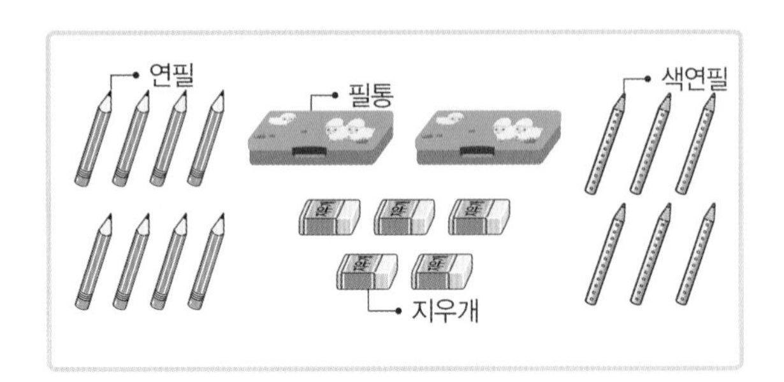

종류별 학용품 수

종류	연필	필통	지우개	색연필	합계
학용품 수(개)					

[05~08] 동민이네 학교 3학년 학생들이 태어난 계절을 조사하여 표로 나타내었습니다. 물음에 답하세요.

태어난 계절별 학생 수

계절	봄	여름	가을	겨울	합계
학생 수(명)	34	28	15	40	117

05 표를 보고 그림그래프를 그릴 때 그림을 몇 가지로 나타내는 것이 좋을까요?

( )

06 표를 보고 그림그래프로 나타내어 보세요.

태어난 계절별 학생 수

계절	학생 수
봄	
여름	
가을	
겨울	

(큰 그림) 10명
(작은 그림) 1명

07 가장 많은 학생이 태어난 계절은 언제인가요?

( )

08 봄에 태어난 학생은 가을에 태어난 학생보다 몇 명 더 많을까요?

( )

정답 39쪽

[09~11] 준영이네 반 학생들이 좋아하는 운동을 조사하였습니다. 물음에 답하세요.

좋아하는 운동

축구 야구 농구 배구

●: 남학생 ●: 여학생

09 조사한 내용을 남학생과 여학생으로 나누어 표로 나타내어 보세요.

좋아하는 운동별 남녀 학생 수

운동	축구	야구	농구	배구	합계
남학생 수(명)					
여학생 수(명)					

10 가장 많은 남학생이 좋아하는 운동은 무엇인가요?

( )

11 가장 많은 여학생이 좋아하는 운동부터 순서대로 써 보세요.

( )

12 네 가구의 한 달 동안 쌀 소비량을 그림그래프로 나타내었습니다. 쌀 소비량이 가장 많은 가구와 가장 적은 가구의 쌀 소비량의 차는 몇 kg일까요?

가구별 쌀 소비량

가구	소비량
가	(10 kg 1개, 1 kg 3개)
나	(10 kg 1개, 1 kg 2개)
다	(1 kg 9개)
라	(1 kg 8개)

10 kg
1 kg

( )

[13~14] 어느 지역의 마을별 당근 생산량을 조사하여 표로 나타내었습니다. 물음에 답하세요.

마을별 당근 생산량

마을	사랑	기쁨	행복	합계
생산량(kg)	340		160	

13 표를 보고 그림그래프를 완성하세요.

마을별 당근 생산량

마을	생산량
사랑	
기쁨	(100 kg 2개, 10 kg 5개)
행복	

100 kg
10 kg

14 세 마을의 당근 생산량은 모두 몇 kg일까요?

( )

15 승수네 아파트에서 동별 하루 동안 모은 빈 병의 수를 그림그래프로 나타내었습니다. 승수네 아파트에서 모은 빈 병이 모두 71개일 때 103동에서 모은 빈 병은 몇 개일까요?

동별 모은 빈 병의 수

동	빈 병의 수
101동	
102동	
103동	

10개 1개

( )

[16~17] 어느 지역의 마을별 유치원생 수를 그림그래프로 나타내었습니다. 전체 유치원생 수는 93명이고, 달님 마을의 유치원생 수는 하늘 마을의 유치원생 수의 2배입니다. 물음에 답하세요.

마을별 유치원생 수

마을	유치원생 수
푸른	◎ ◎
하늘	
햇살	◎ ◎ ○ ○
달님	

◎ 10명 ○ 1명

16 그림그래프를 완성하세요.

17 유치원생 수가 가장 많은 마을의 유치원생들에게 한 명당 연필을 2자루씩 나누어 주려면 연필은 모두 몇 자루 필요할까요?

( )

서술형 문제

18 표와 그림그래프의 장점을 각각 한 가지씩 써 보세요.

표	
그림그래프	

19 태희네 학교 3학년 학생들이 좋아하는 과일을 조사하여 표로 나타내었습니다. 표를 보고 알 수 있는 내용을 두 가지 써 보세요.

과일별 학생 수

과일	딸기	포도	사과	배	합계
학생 수(명)	53	45	28	33	159

내용1

내용2

20 어느 해 네 도시의 강수량을 그림그래프로 나타내었습니다. 부산의 강수량이 2450 mm일 때 네 도시의 강수량은 모두 몇 mm인지 풀이 과정을 쓰고, 답을 구하세요.

도시별 강수량

도시	서울	인천	대전	부산
강수량				

풀이

답

생각하며 쉬어가기

네덜란드 친구

할로! 내 이름은 얀이야.
나는 풍차의 나라 네덜란드에 살고 있어. '할로'는
네덜란드의 인사말로 '안녕하세요'라는 뜻이야.

네덜란드에 대해 소개할게.
네덜란드의 일부 지역은 바다보다 낮기 때문에
풍차를 이용하여 계속해서 들어오는 바닷물을 퍼낼 수 있어!
그리고 네덜란드의 치즈는 뛰어난 맛과 향으로 유명해. 치즈를 보관이 쉽고 운송하기 편리하도록 단단하게 만들어 다른 나라로 수출하고 있어!

치즈

풍차

화사한 색을 가진 '튤립'은
네덜란드의 상징이에요.

6 단원

MEMO

큐브 수학 실력

매칭북

3·2

◆ 1 : 1 매칭 학습 ▸ 매칭북으로 진도북의 문제를 한 번 더 복습 | 단원 평가지 제공

동아출판

매칭북

차례

3·2

STEP 1 한번더 개념 완성하기

진도북[008~011쪽]의 기본 유형 문제 복습

정답 41쪽

1 빈 곳에 알맞은 수를 써넣으세요.

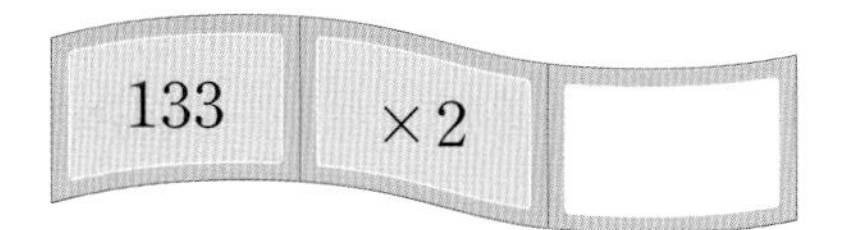

2 두 수의 곱을 구하세요.

(　　　　　　　　　)

3 구슬이 유리병 하나에 123개씩 들어 있습니다. 유리병 3개에 들어 있는 구슬은 모두 몇 개일까요?

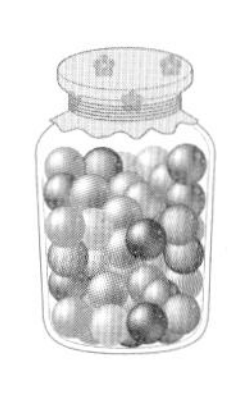

123×□=□(개)

4 빈 곳에 알맞은 수를 써넣으세요.

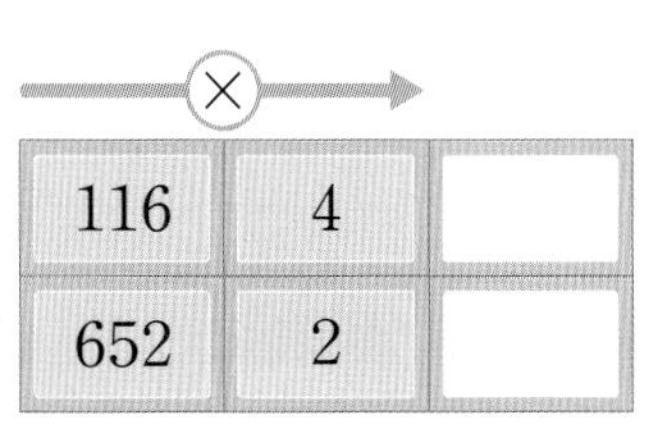

5 그림을 보고 □ 안에 알맞은 수를 써넣으세요.

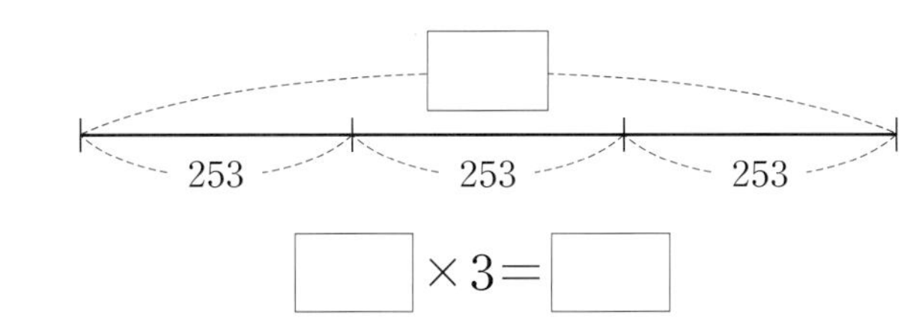

□×3=□

6 귤이 한 상자에 128개씩 들어 있습니다. 2상자에 들어 있는 귤은 모두 몇 개일까요?

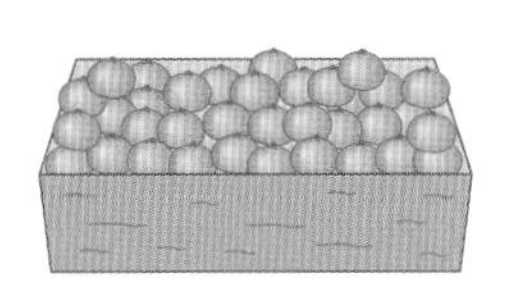
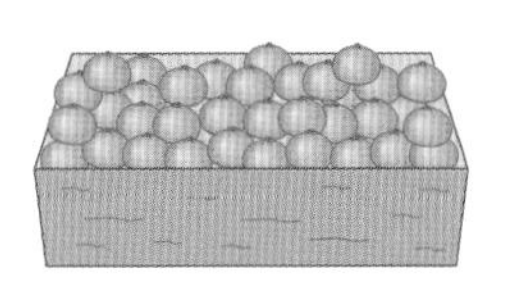

□×2=□(개)

STEP 2 한번 더 실력 다지기

서술형

01 곱을 어림해 보고, 어림한 방법을 설명하세요.

02 유사

216×2

어림한 곱 ______________________

설명 ______________________

____

02 지영이네 과수원에서 오늘 복숭아를 한 상자에 182개씩 4상자 수확했습니다. 오늘 수확한 복숭아는 모두 몇 개인지 식을 쓰고, 답을 구하세요.

03 유사

식 ______________________

답 ______________________

03 보기와 같이 계산 결과를 찾아 색칠해 보세요.

05 유사

보기

$337 \times 2 = 674$

㉠ 324×2 ㉡ 139×2

㉢ 228×3 ㉣ 192×4

786	288	768
684	648	396
278	468	674

04 빈 곳에 알맞은 수를 써넣으세요.

06 유사

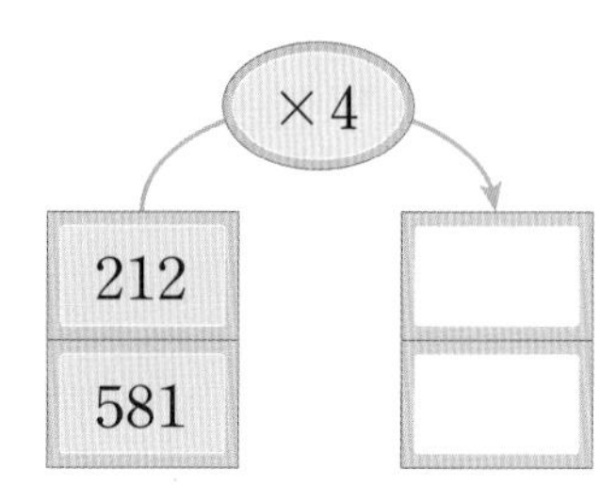

05 덧셈식을 곱셈식으로 나타내고, 답을 구하세요.

08 유사

$443 + 443 + 443$

식 ______________________

답 ______________________

서술형

06 다음이 나타내는 수와 3의 곱을 구하려고 합니다. 풀이 과정을 쓰고, 답을 구하세요.

09 유사

100이 5개, 10이 6개, 1이 2개인 세 자리 수

풀이 ______________________

____

____

답 ______________________

07 잘못 계산한 것의 기호를 쓰고, 바르게 계산한 값을 구하세요.

11 유사

㉠ $\begin{array}{r} 194 \\ \times \quad 2 \\ \hline 288 \end{array}$ ㉡ $\begin{array}{r} 117 \\ \times \quad 4 \\ \hline 468 \end{array}$

(,)

정답 41쪽

서술형

08 계산이 잘못된 부분을 찾아 이유를 쓰고, 바르게 계산하세요.

12 유사

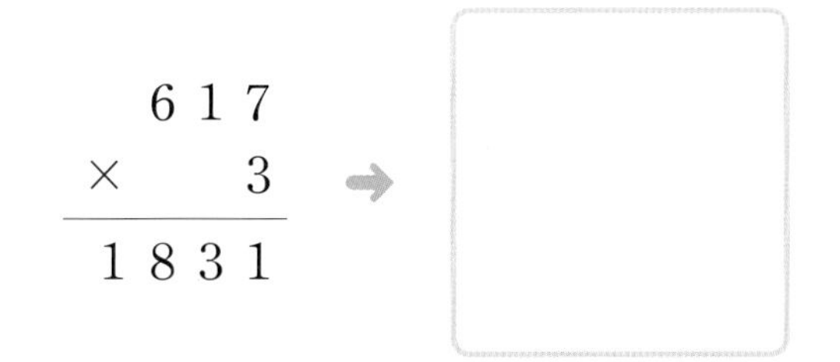

이유 ______

09 승현이와 은지 중에서 곱이 더 작은 사람의 이름과 그 곱을 써 보세요.

14 유사

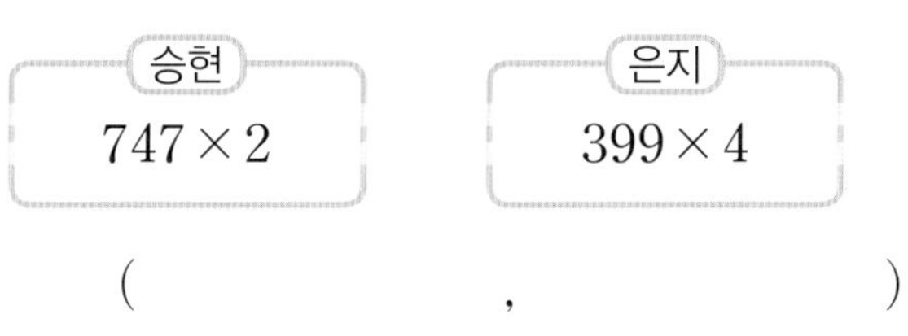

(,)

10 곱이 큰 것부터 순서대로 기호를 써 보세요.

15 유사

㉠ 183×5	㉡ 431×2
㉢ 307×3	㉣ 260×4

( )

교과 역량

11 소리는 1초에 340 m씩 이동합니다. 소희는 번개가 친 뒤 6초 후에 천둥소리를 들었다면 번개가 친 곳은 소희가 있는 곳으로부터 몇 m 떨어져 있을까요? (단, 소희는 천둥소리를 들은 곳에서 이동하지 않았습니다.)

17 유사

( )

서술형

12 초콜릿 가게에 아몬드 초콜릿이 145개 있고, 밀크 초콜릿 수는 아몬드 초콜릿 수의 3배입니다. 초콜릿 가게에 있는 아몬드 초콜릿과 밀크 초콜릿은 모두 몇 개인지 풀이 과정을 쓰고, 답을 구하세요.

18 유사

풀이 ______

답 ______

13 한 변이 261 cm인 정사각형 모양의 카펫이 있습니다. 이 카펫의 네 변의 길이의 합은 몇 cm일까요?

20 유사

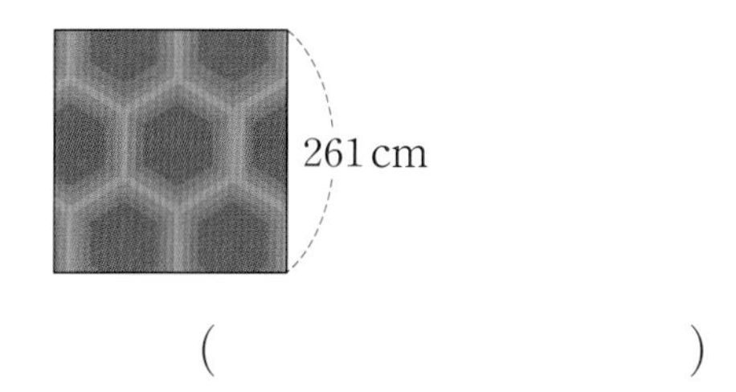

( )

14 진우는 철사를 사용하여 다음과 같이 네 변의 길이가 모두 같은 사각형을 만들었습니다. 남은 철사의 길이가 25 mm라면 진우가 처음에 가지고 있던 철사의 길이는 몇 mm일까요?

21 유사

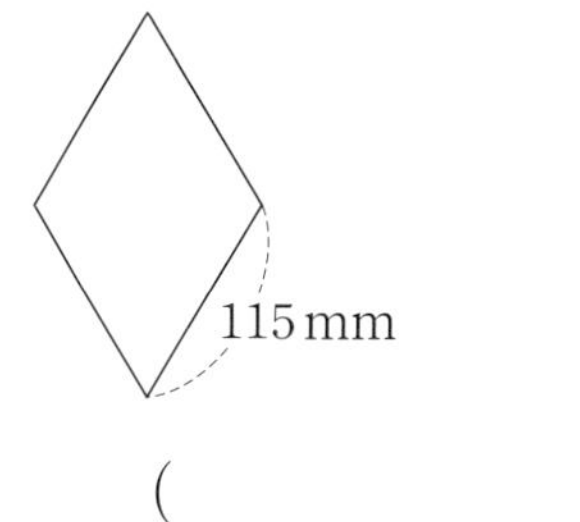

( )

1 단원

진도북[015~017쪽]의 확인, 강화 문제 복습

정답 41쪽

15 (23 유사) 현주가 편의점에서 산 물건의 영수증입니다. 현주가 낸 돈이 3000원이라면 받아야 할 거스름돈은 얼마일까요?

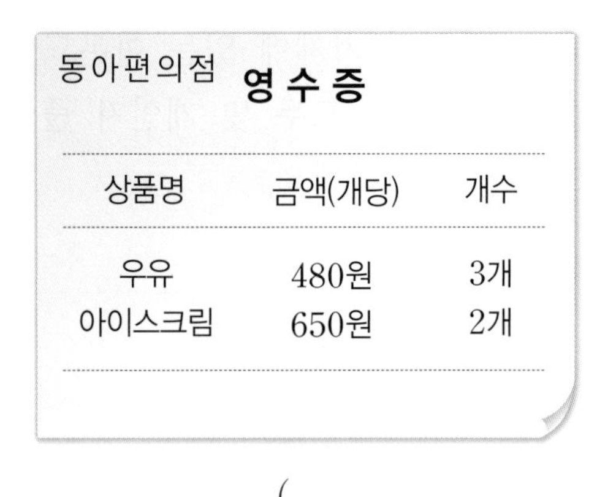
동아편의점 **영수증**

상품명	금액(개당)	개수
우유	480원	3개
아이스크림	650원	2개

( )

16 (24 유사) 지윤이는 590원짜리 막대 사탕 5개를 사려고 합니다. 지금 지윤이가 가지고 있는 돈이 2500원이라면 얼마가 모자랄까요?

( )

17 (26 유사) 5부터 9까지의 수를 한 번씩만 사용할 때 상호와 채원이가 만든 두 수의 곱을 구하세요.

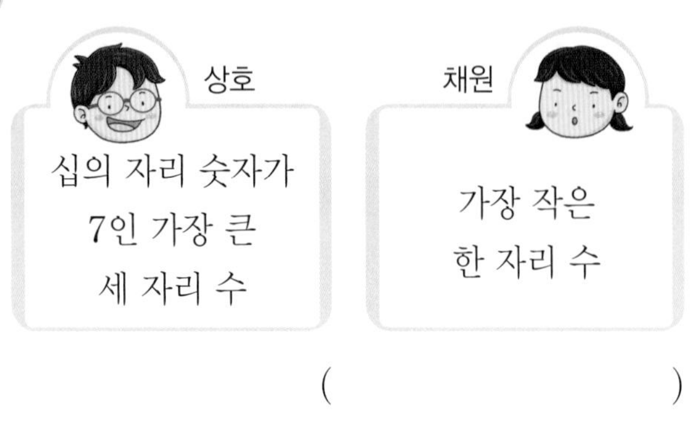

( )

18 (28 유사) 곱셈식에서 ㉠과 ㉡에 알맞은 수를 각각 구하세요.

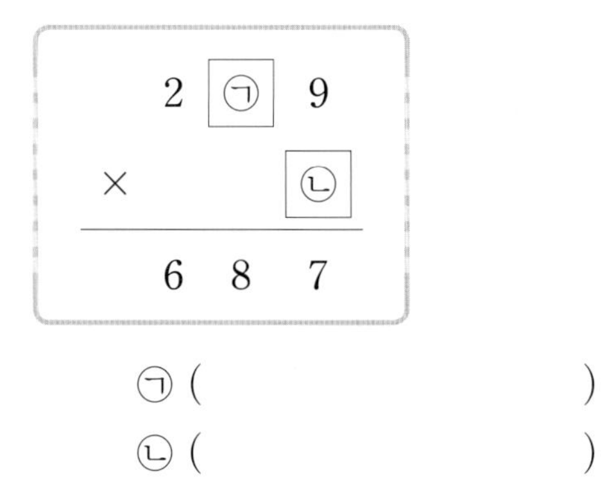

㉠ ( )

㉡ ( )

19 (30 유사) 4장의 수 카드 [4], [6], [3], [7]을 □ 안에 한 번씩만 써넣어 곱이 가장 큰 곱셈식을 만들고, 곱을 구하세요.

$$\square\square\square \times \square$$

( )

20 (32 유사) 식에서 한 자리 수가 지워져 보이지 않습니다. 지워진 부분에 들어갈 수 있는 수는 모두 몇 개일까요?

$$400 < 165 \times \square < 900$$

( )

STEP 1 한번더 **개념 완성하기**

진도북[018~021쪽]의 기본 유형 문제 복습

정답 42쪽

1 관계있는 것끼리 선으로 이어 보세요.

(1) 60×30 •　　• 1400

(2) 40×40 •　　• 1600

　　　　　　　　• 1800

2 빈 곳에 알맞은 수를 써넣으세요.

$\times 30$	13	24

3 자두가 한 봉지에 8개씩 18봉지 있습니다. 자두는 모두 몇 개일까요?

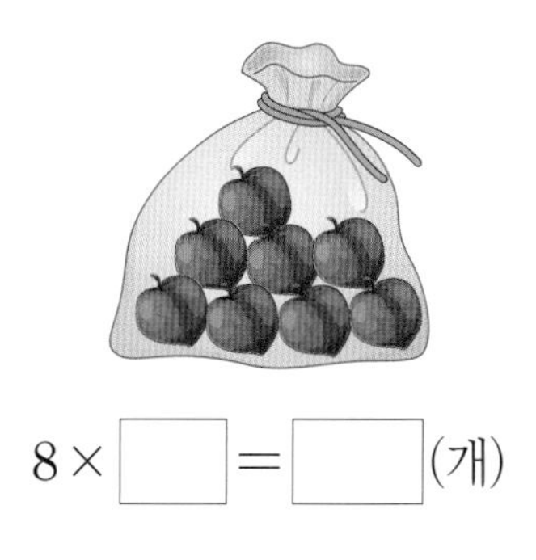

$8 \times \square = \square$(개)

4 보기에서 곱을 찾아 기호를 써 보세요.

보기

㉠ 715　　㉡ 635　　㉢ 504

(1) 36×14 (　　　　　　)

(2) 13×55 (　　　　　　)

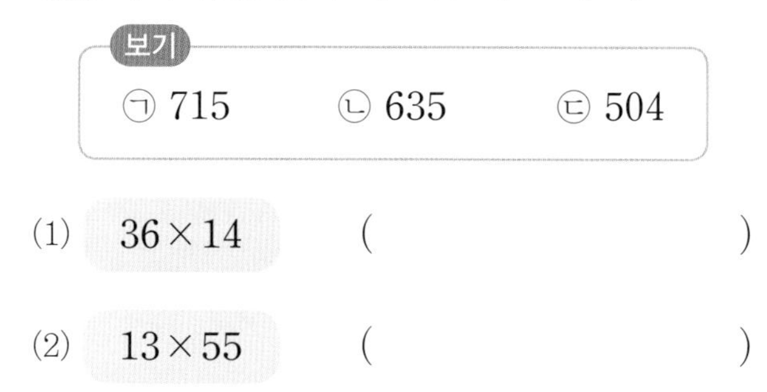

5 주희는 다음과 같이 계산하였습니다. 계산이 잘못된 부분을 찾아 바르게 계산하세요.

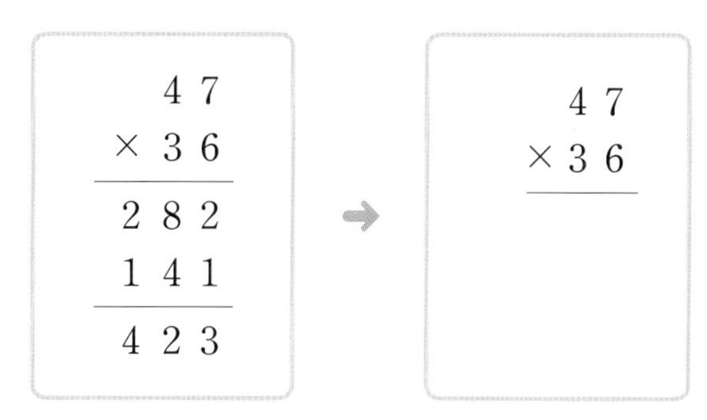

$$\begin{array}{r} 4\ 7 \\ \times\ 3\ 6 \\ \hline 2\ 8\ 2 \\ 1\ 4\ 1 \\ \hline 4\ 2\ 3 \end{array} \rightarrow \begin{array}{r} 4\ 7 \\ \times\ 3\ 6 \\ \hline \end{array}$$

6 경은이는 종이학을 하루에 25개씩 접으려고 합니다. 23일 동안 접는다면 종이학은 모두 몇 개인지 식을 쓰고, 답을 구하세요.

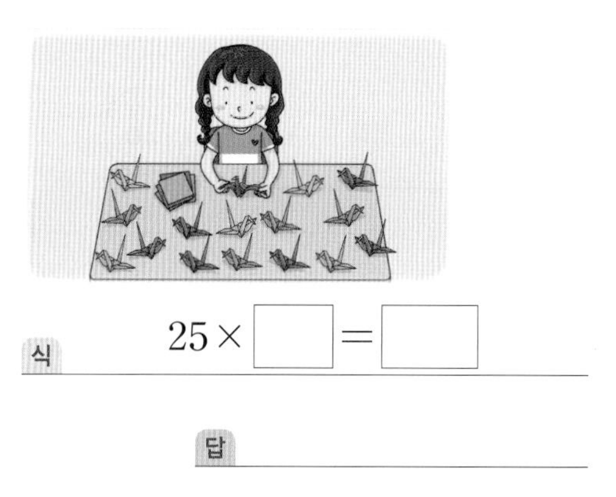

식 $25 \times \square = \square$

답

1 단원

한번 더 실력 다지기

01 빈 곳에 알맞은 수를 써넣으세요.

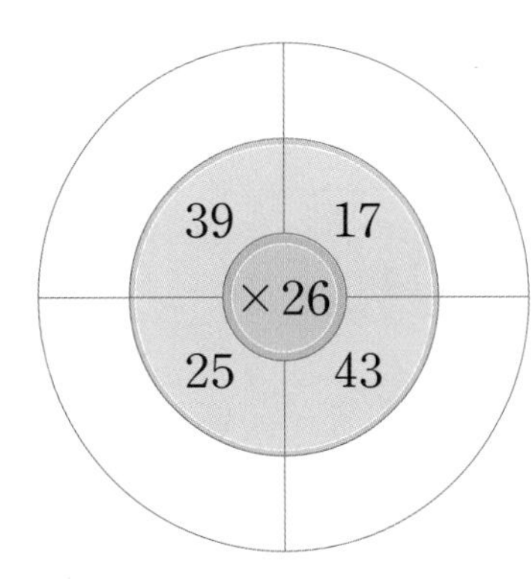

02 □ 안에 알맞은 수의 합을 구하세요.

$18 \times 33 = \square$, $65 \times 14 = \square$

(　　　　　　　　)

교과 역량

03 사각형, 삼각형, 원 안에 있는 수끼리 각각 곱을 구하세요.

05 유사

9, 72, 38, 30, 16, 52

사각형 (　　　　　　　　)

삼각형 (　　　　　　　　)

원 (　　　　　　　　)

서술형

04 가장 큰 수와 가장 작은 수의 곱을 구하려고 합니다. 풀이 과정을 쓰고, 답을 구하세요.

06 유사

35	29	68	73

풀이

답

05 계산 결과가 다른 사람의 이름을 써 보세요.

80×30	50×50	40×60
지현	동훈	수영

(　　　　　　　　)

06 계산 결과가 큰 것부터 차례로 기호를 써 보세요.

09 유사

㉠ 33×61
㉡ 58×40
㉢ 46×45

(　　　　　　　　)

정답 42쪽

교과 역량

07 접시 하나에 꿀떡을 5개씩 담으려고 합니다. 접시 25개에 꿀떡을 담으려면 꿀떡은 모두 몇 개 필요한지 두 가지 방법으로 구하세요.

11 유사

방법 1 (몇)×(몇십몇)으로 계산하기

방법 2 (몇십몇)×(몇)으로 계산하기

08 ★에 알맞은 수를 구하세요.

★×70=5600

(   )

서술형

09 □ 안에 알맞은 수를 구하려고 합니다. 풀이 과정을 쓰고, 답을 구하세요.

14 유사

$20\times60=30\times\square$

풀이

답

교과 역량

10 달걀 한 개에는 6 g의 단백질이 들어 있습니다. 재근이가 달걀을 3월 한 달 동안 매일 한 개씩 먹었습니다. 재근이가 3월 한 달 동안 먹은 달걀에 들어 있는 단백질은 모두 몇 g일까요? (단, 달걀 한 개에 들어 있는 단백질의 양은 일정합니다.)

16 유사

(   )

11 직사각형 모양의 종이를 게시판에 빈틈없이 붙이려면 가로로 32장, 세로로 26장이 필요합니다. 똑같은 크기의 게시판 3개에 종이를 모두 붙이려면 종이는 몇 장 필요할까요?

17 유사

(   )

12 □ 안에 들어갈 수 있는 수를 모두 찾아 ○표 하세요.

19 유사

$35\times\square0<1500$

(3 , 4 , 5 , 6 , 7)

1 단원

진도북[025~027쪽]의 확인, 강화 문제 복습

정답 42쪽

13 □ 안에 들어갈 수 있는 가장 작은 두 자리 수를 구하세요. (20 유사)

$\square \times 52 > 2200$

(   )

14 다음과 같이 약속할 때 11◉38의 값을 구하세요. (22 유사)

㉮◉㉯
=(㉮보다 3 작은 수)×(㉯보다 1 큰 수)

(   )

15 ㉠◆㉡=㉠+㉡+1이라고 약속할 때 17◆6과 29◆12의 곱을 구하세요. (23 유사)

(   )

16 4장의 수 카드 [1], [6], [7], [2]를 한 번씩만 사용하여 □ 안에 곱이 가장 큰 곱셈식을 만들고, 곱을 구하세요. (25 유사)

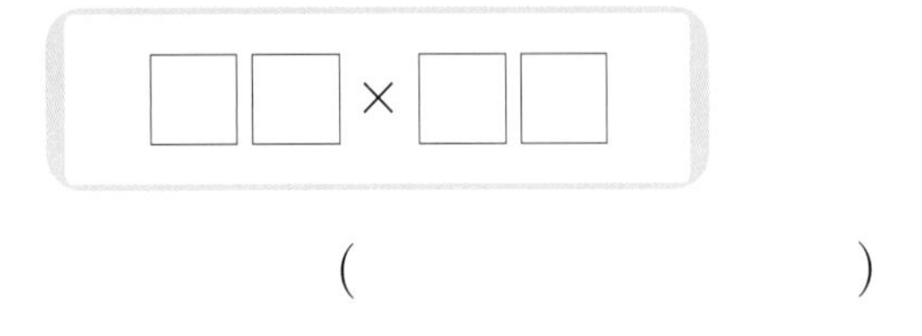

(   )

17 어떤 수에 27을 곱해야 하는데 잘못하여 뺐더니 29가 되었습니다. 바르게 계산하면 얼마일까요? (27 유사)

(   )

서술형

18 과일 가게에 감이 한 봉지에 15개씩 18봉지 있고, 참외가 한 봉지에 9개씩 29봉지 있습니다. 감과 참외 중에서 어느 것이 더 많은지 풀이 과정을 쓰고, 답을 구하세요. (29 유사)

풀이

답

서술형

19 윤찬이는 매일 25분씩 시간을 정해 놓고 컴퓨터 게임을 합니다. 윤찬이가 2주일 동안 컴퓨터 게임을 한 시간은 모두 몇 분인지 예상과 확인 방법으로 구하세요. (31 유사)

방법

답

STEP 3 한번더 서술형 해결하기

진도북[028~029쪽]의 연습, 실전 문제 복습

정답 43쪽

01 (01 유사) 오징어가 한 묶음에 12마리씩 60묶음 있습니다. 이 중에서 345마리를 팔았다면 **팔고 남은 오징어는 몇 마리**인지 풀이 과정을 쓰고, 답을 구하세요.

❶ 전체 오징어 수 구하기

풀이

❷ 팔고 남은 오징어의 수 구하기

풀이

답

02 (03 유사) 시후네 학교 3학년 학생들이 15인승 케이블카 22대에 나누어 탔습니다. 케이블카 한 대에 2자리씩 비어 있다면 시후네 학교 **3학년 학생은 모두 몇 명**인지 풀이 과정을 쓰고, 답을 구하세요. (단, 케이블카를 한 사람이 한 번씩만 탔습니다.)

풀이

답

03 (04 유사) 예진이는 윗몸일으키기를 매일 7개씩 15일 동안 한 다음 매일 14개씩 20일 동안 했습니다. 예진이는 **윗몸일으키기를 모두 몇 번** 했는지 풀이 과정을 쓰고, 답을 구하세요.

❶ 예진이가 윗몸일으키기를 15일 동안 한 횟수와 20일 동안 한 횟수 각각 구하기

풀이

❷ 예진이가 한 윗몸일으키기의 전체 횟수 구하기

풀이

답

04 (06 유사) 다음은 진주가 여러 가지 간식의 열량을 조사한 것입니다. 진주가 어제 고구마 2개와 딸기 10개를 먹었다면 **먹은 간식의 열량은 모두 몇 킬로칼로리**인지 풀이 과정을 쓰고, 답을 구하세요. (단, 각 간식의 열량은 일정합니다.)

간식	열량
고구마 1개	124킬로칼로리
바나나 1개	44킬로칼로리
딸기 1개	34킬로칼로리

풀이

답

진도북[030~031쪽]의 연습, 실전 문제 복습

정답 43쪽

05 (07 유사) 길이가 134 cm인 색 테이프 3장을 27 cm씩 한 줄로 겹치게 이어 붙였습니다. **이어 붙인 색 테이프의 전체 길이는 몇 cm**인지 풀이 과정을 쓰고, 답을 구하세요.

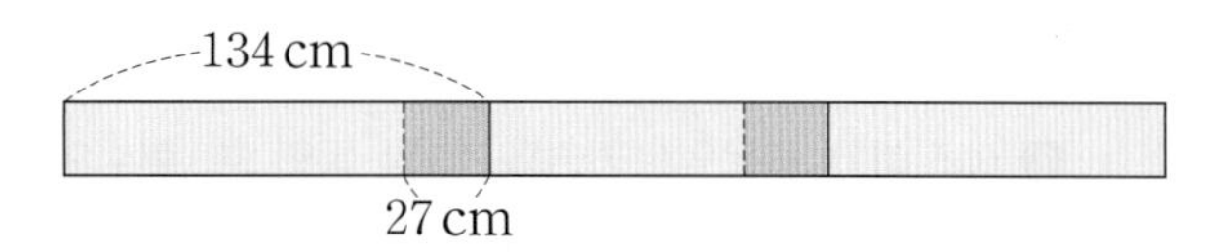

❶ 색 테이프 3장의 길이의 합 구하기

풀이

❷ 겹쳐진 부분의 길이의 합 구하기

풀이

❸ 이어 붙인 색 테이프의 전체 길이 구하기

풀이

답

06 (09 유사) 길이가 68 cm인 색 테이프 13장을 9 cm씩 한 줄로 겹치게 이어 붙였습니다. **이어 붙인 색 테이프의 전체 길이는 몇 cm**인지 풀이 과정을 쓰고, 답을 구하세요.

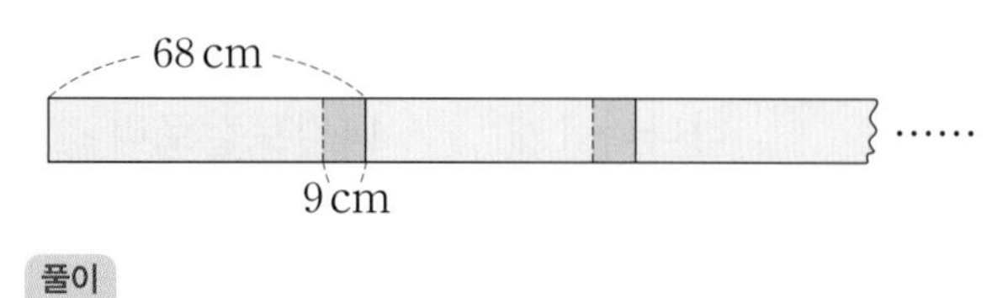

풀이

답

07 (10 유사) 다음 곱셈식에서 **㉠과 ㉡에 알맞은 수**를 구하려고 합니다. 풀이 과정을 쓰고, 답을 구하세요.

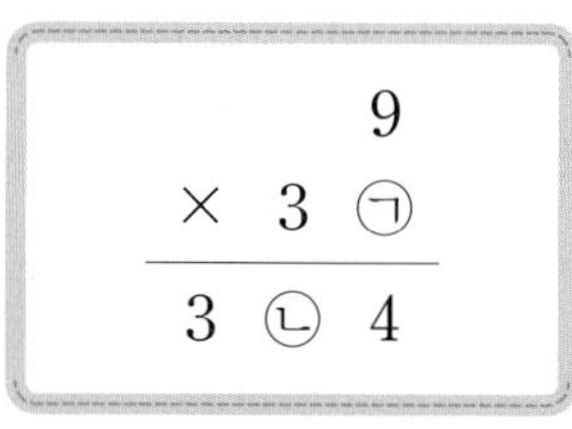

❶ ㉠에 알맞은 수 구하기

풀이

❷ ㉡에 알맞은 수 구하기

풀이

답 ㉠: , ㉡:

08 (12 유사) 다음 곱셈식에서 **㉠+㉡+㉢+㉣의 값**을 구하려고 합니다. 풀이 과정을 쓰고, 답을 구하세요.

		4	㉠
×		㉡	7
	3	0	1
2	㉢	5	0
2	㉣	5	1

풀이

답

STEP 1 한번 더 개념 완성하기

진도북[038~041쪽]의 기본 유형 문제 복습

정답 44쪽

1 □ 안에 알맞은 수를 써넣으세요.

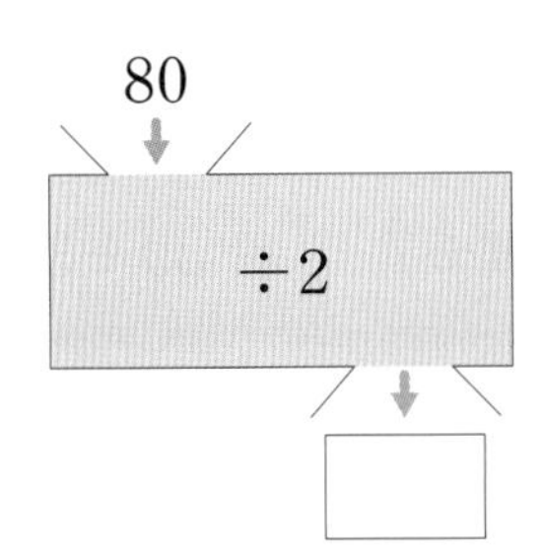

2 큰 수를 작은 수로 나눈 몫을 구하세요.

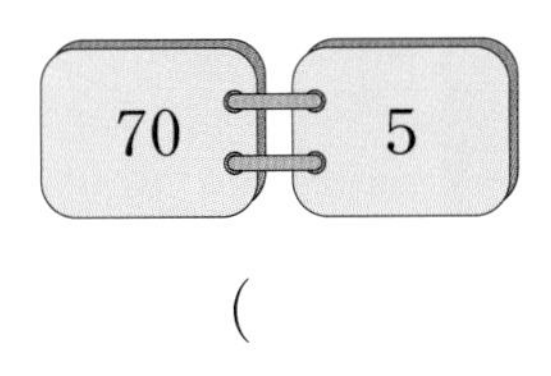

(　　　　　　　　)

3 도토리가 60개 있습니다. 이 도토리를 다람쥐 3마리에게 똑같이 나누어 주려면 한 마리에게 몇 개씩 줄 수 있을까요?

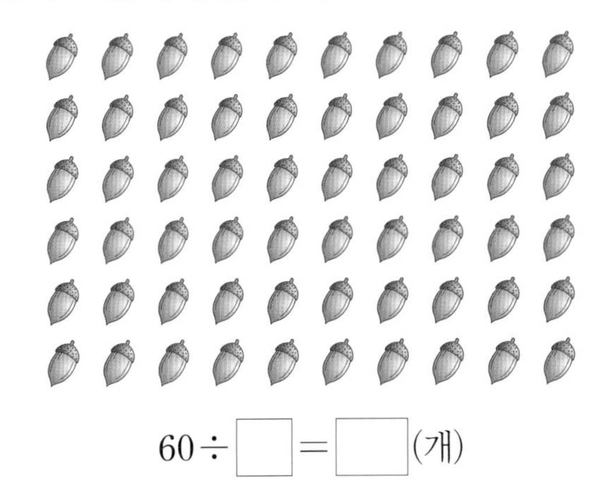

60÷□=□(개)

4 관계있는 것끼리 선으로 이어 보세요.

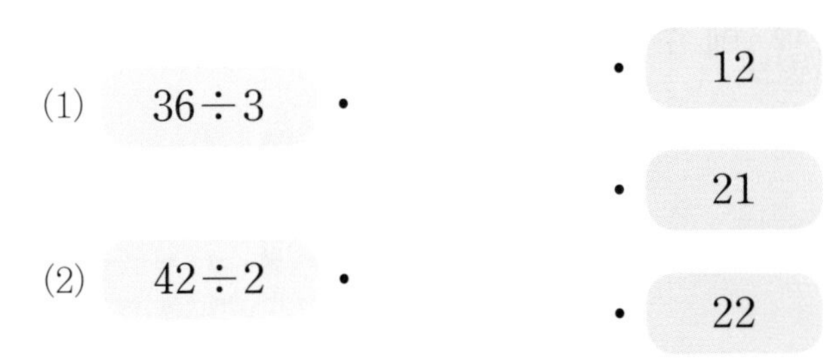

5 □ 안에 몫을 써넣으세요.

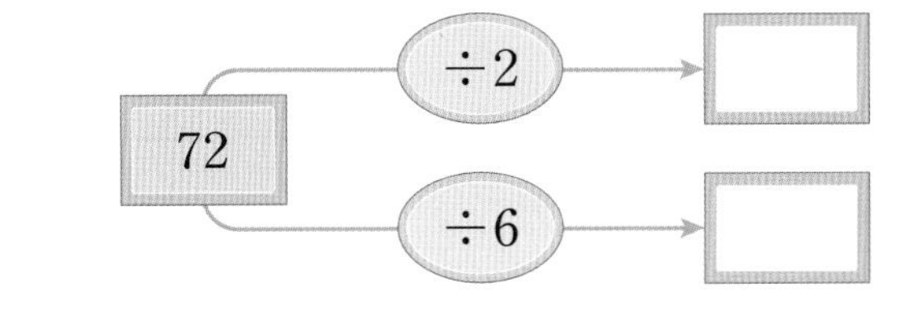

6 지우개가 33개 있습니다. 이 지우개를 3명이 똑같이 나누어 갖는다면 한 명이 몇 개씩 갖게 될까요?

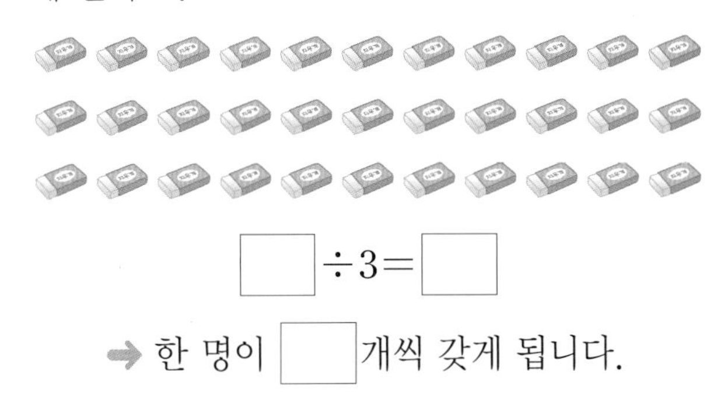

□÷3=□

→ 한 명이 □개씩 갖게 됩니다.

2 단원

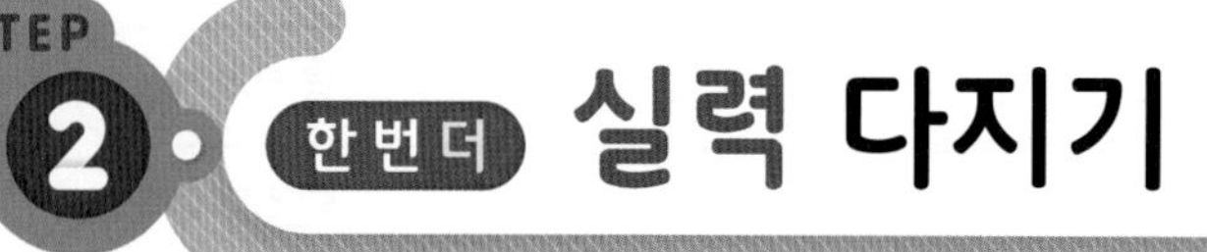

01 수 모형을 똑같이 3묶음으로 나누면 한 묶음에 수 모형은 몇 개씩 있는지 구하세요.

02 유사

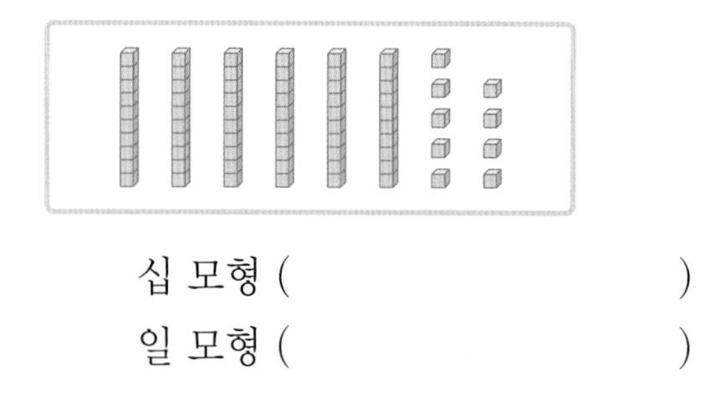

십 모형 (　　　　　　　　)
일 모형 (　　　　　　　　)

서술형

02 십 모형 9개와 일 모형 1개가 있습니다. 일 모형 7개씩 묶으면 몇 묶음이 되는지 설명해 보세요.

03 유사

설명

03 두 나눗셈의 몫의 합을 구하세요.

05 유사

$50 \div 5$　　$60 \div 4$

(　　　　　　　　)

교과 역량

04 몫을 따라 선을 그어 물고기를 찾아보세요.

06 유사

서술형

05 몫이 25보다 큰 것을 찾아 기호를 쓰려고 합니다. 풀이 과정을 쓰고, 답을 구하세요.

08 유사

㉠ $84 \div 7$　　㉡ $39 \div 3$　　㉢ $62 \div 2$

풀이

답

06 몫이 가장 큰 것을 찾아 기호를 써 보세요.

09 유사

㉠ $34 \div 2$　　㉡ $93 \div 3$
㉢ $72 \div 4$　　㉣ $60 \div 5$

(　　　　　　　　)

07 빈 곳에 큰 수를 작은 수로 나눈 몫을 써넣으세요.

11 유사

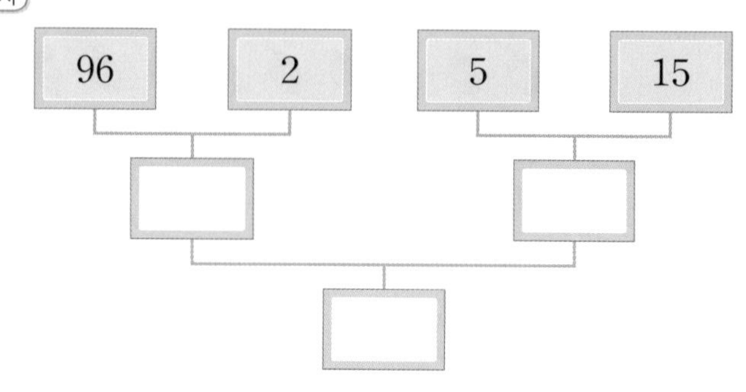

08 두 나눗셈의 □ 안에 같은 수가 들어갈 때 ★에 알맞은 수를 구하세요.
12 유사

$84 \div 2 = \square$ $\square \div 3 = ★$

( )

교과 역량

09 아이스하키는 얼음 위에서 스케이트를 신고, 막대기로 고무로 된 퍽을 쳐서 상대편 골에 넣는 경기입니다. 78명이 6명씩 한 팀을 이루어 경기를 할 때 모두 몇 팀이 될까요?
14 유사

( )

10 공책이 96권 있습니다. 한 묶음에 8권씩 묶었습니다. 공책은 모두 몇 묶음일까요?
15 유사

( )

11 재석이가 종이로 카네이션 6개를 접는 데 1시간 18분이 걸렸습니다. 카네이션 한 개를 접는 데 걸리는 시간이 일정하다면 카네이션 한 개를 접는 데 걸린 시간은 몇 분인지 식을 쓰고, 답을 구하세요.
17 유사

식

답

서술형

12 귤 52개와 감 44개가 있습니다. 이 귤과 감을 종류에 상관없이 4상자에 똑같이 나누어 담으려고 합니다. 한 상자에 몇 개씩 담아야 하는지 풀이 과정을 쓰고, 답을 구하세요.
18 유사

풀이

답

13 ㉠과 ㉡에 알맞은 수의 차를 구하세요.
20 유사

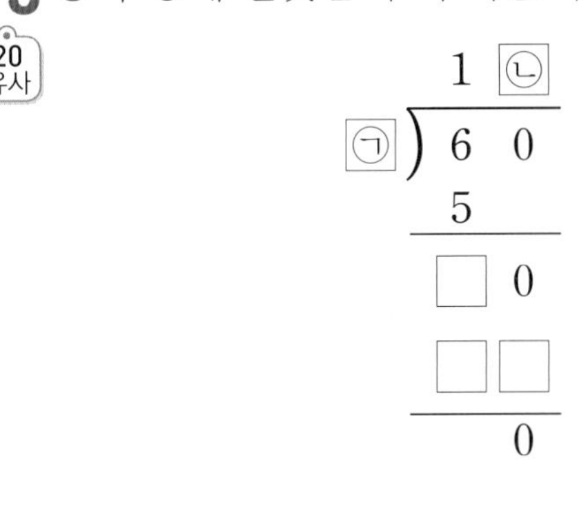

( )

14 오른쪽과 같은 직사각형 모양의 종이를 잘라서 한 장이 가로 4 cm, 세로 3 cm인 직사각형 모양의 메모지를 만들려고 합니다. 메모지는 몇 장까지 만들 수 있을까요?
22 유사

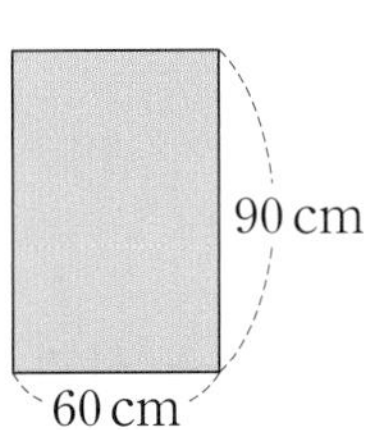

( )

2 단원

STEP 1 한번더

개념 완성하기

진도북[046~049쪽]의 기본 유형 문제 복습

정답 45쪽

1 어떤 수를 8로 나누었을 때 나머지가 될 수 없는 수에 ○표 하세요.

2	3	5	6	9

2 빈 곳에 알맞은 수를 써넣으세요.

$47 \div 3 = \square \cdots \square$

3 사과 98개를 한 상자에 8개씩 담으려고 합니다. 사과는 몇 상자가 되고 몇 개가 남을까요?

$98 \div \square = \square \cdots \square$

➡ 사과는 □상자가 되고 □개가 남습니다.

4 빈 곳에 알맞은 수를 써넣으세요.

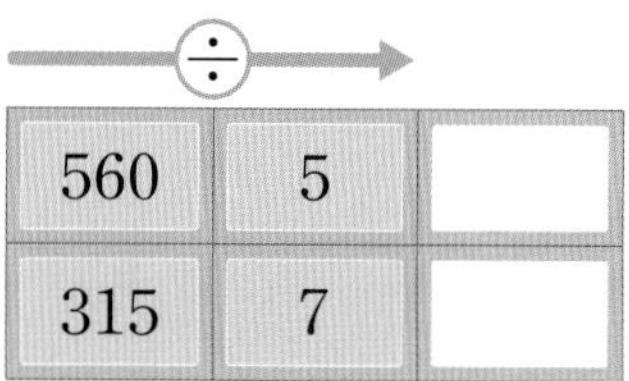

÷		
560	5	
315	7	

5 $510 \div 4$와 나머지가 같은 나눗셈식을 찾아 기호를 써 보세요.

㉠ $409 \div 6$
㉡ $455 \div 3$
㉢ $627 \div 2$

( )

6 젤리 270개를 8명이 똑같이 나누어 가지려고 합니다. 한 명이 젤리를 몇 개씩 가지게 되고 몇 개가 남을까요?

$\square \div \square = \square \cdots \square$

➡ 한 명이 □개씩 가지게 되고 □개가 남습니다.

STEP 2 한번 더 실력 다지기

진도북[050~051쪽]의 확인, 강화 문제 복습

정답 45쪽

서술형

01 다음 나눗셈식에서 ●가 될 수 있는 자연수 중 가장 큰 수는 얼마인지 풀이 과정을 쓰고, 답을 구하세요.
(02 유사)

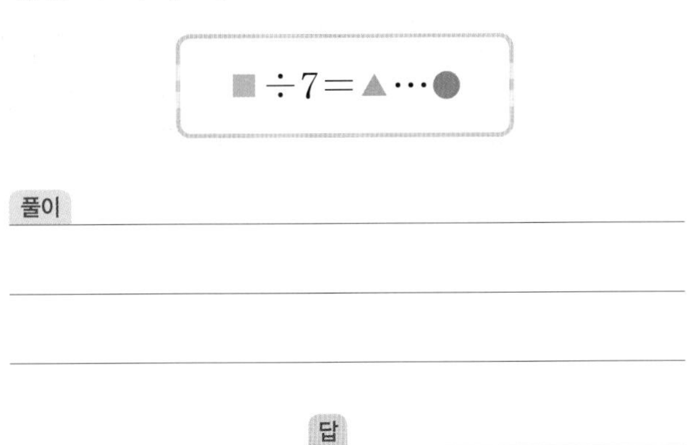

풀이

답

02 다음 수 중에서 9로 나누었을 때 나누어떨어지는 수를 모두 찾아 써 보세요.
(03 유사)

26	56	99	108

(　　　　　　　)

교과 역량

03 초콜릿 과자 한 봉지 안에 들어 있는 과자의 수입니다. 과자의 수 중에서 가장 큰 수를 가장 작은 수로 나눈 몫과 나머지를 구하세요.
(05 유사)

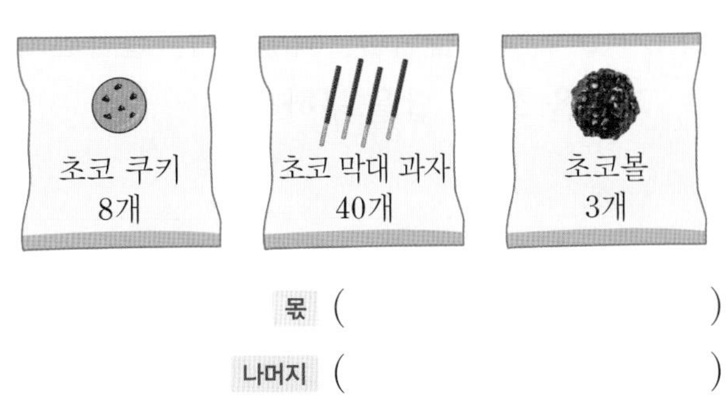

몫 (　　　　　　　)

나머지 (　　　　　　　)

04 효주가 말하는 수를 6으로 나눈 몫과 나머지를 구하세요.
(06 유사)

몫 (　　　　　　　)

나머지 (　　　　　　　)

05 계산이 잘못된 부분을 찾아 바르게 계산하세요.
(08 유사)

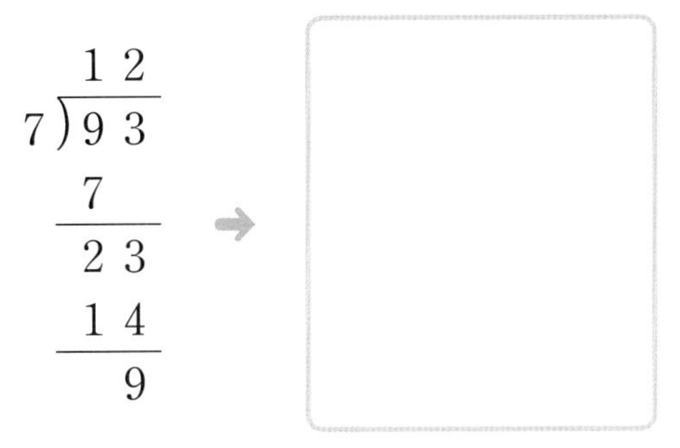

서술형

06 계산이 잘못된 부분을 찾아 이유를 쓰고, 바르게 계산하세요.
(09 유사)

```
     3 2
4 ) 1 3 5
    1 2
    -----
      1 5
        8
    -----
        7
```

→

이유

07 나머지가 가장 큰 나눗셈을 찾아 색칠하세요.

11 유사

서술형

08 몫이 작은 것부터 차례로 기호를 쓰려고 합니다. 풀이 과정을 쓰고, 답을 구하세요.

12 유사

㉠ $99 \div 7$ ㉡ $111 \div 8$ ㉢ $105 \div 4$

풀이

답

09 93일은 몇 주 며칠인지 차례로 써 보고, 맞게 계산했는지 확인해 보세요.

14 유사

(,)

확인

교과 역량

10 벚꽃은 꽃잎이 5장이고 코스모스는 꽃잎이 8장입니다. 물음에 답하세요.

15 유사

벚꽃 코스모스

(1) 벚꽃의 꽃잎을 세어 보니 모두 170장입니다. 벚꽃은 몇 송이일까요?

( )

(2) 코스모스의 꽃잎을 세어 보니 모두 112장입니다. 코스모스는 몇 송이일까요?

( )

11 다음 나눗셈이 나누어떨어진다고 할 때 0부터 9까지의 수 중에서 □ 안에 알맞은 수를 모두 구하세요.

17 유사

13□÷6

( )

서술형

12 어떤 수를 4로 나누었더니 몫이 5이고 나머지가 3이 되었습니다. 어떤 수는 얼마인지 풀이 과정을 쓰고, 답을 구하세요.

18 유사

풀이

답

정답 45쪽

13 태희와 재욱이가 다음과 같이 각각 구슬을 봉지에 담았습니다. 태희와 재욱이 중에서 봉지에 담고 남은 구슬은 누가 몇 개 더 많을까요?

20 유사

(,)

14 한 봉지에 들어 있는 과일의 수가 같을 때 봉지의 수와 과일의 수를 나타낸 표입니다. 물음에 답하세요.

22 유사

과일	배	방울토마토
봉지의 수	6봉지	5봉지
과일의 수	84개	125개

(1) 배 4봉지는 몇 개일까요?

( )

(2) 방울토마토 3봉지는 몇 개일까요?

( )

15 3장의 수 카드 [5], [4], [9] 중에서 2장을 골라 한 번씩만 사용하여 가장 큰 두 자리 수를 만들었습니다. 이 수를 남은 카드의 수로 나누었을 때의 몫과 나머지를 구하세요.

24 유사

몫 ( )

나머지 ( )

16 다음 나눗셈식은 나누어떨어집니다. 1부터 9까지의 수 중에서 □ 안에 들어갈 수 있는 수를 모두 구하세요.

26 유사

102÷□

( )

17 ★에 알맞은 수를 구하세요.

28 유사

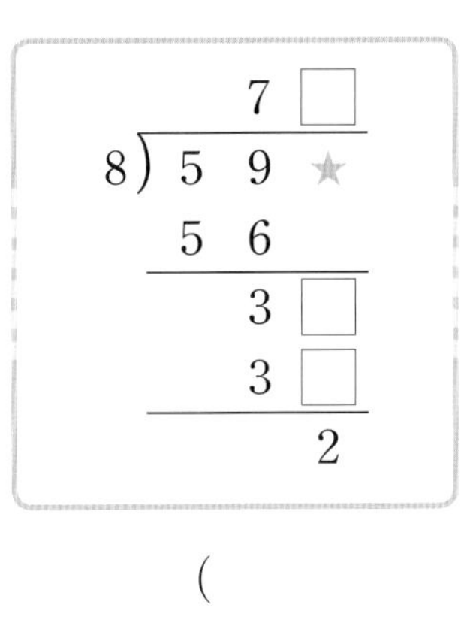

( )

18 어떤 수를 6으로 나누어야 할 것을 잘못하여 9로 나누었더니 몫이 19로 나누어떨어졌습니다. 바르게 계산한 몫과 나머지는 얼마일까요?

30 유사

몫 ( )

나머지 ( )

2 단원

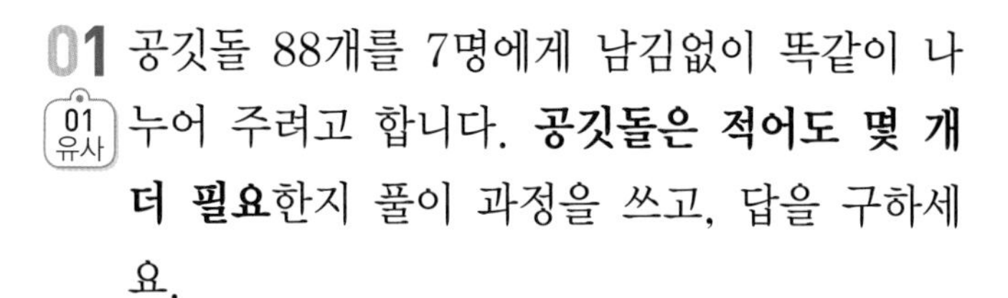

STEP 3 한번더 서술형 해결하기

01 (01 유사) 공깃돌 88개를 7명에게 남김없이 똑같이 나누어 주려고 합니다. **공깃돌은 적어도 몇 개 더 필요**한지 풀이 과정을 쓰고, 답을 구하세요.

❶ 나누어 주고 남은 공깃돌의 수 구하기

풀이

❷ 공깃돌은 적어도 몇 개 더 필요한지 구하기

풀이

답 ____________

02 (03 유사) 승현이는 한 봉지에 5개씩 들어 있는 사탕을 17봉지 샀습니다. 이 사탕을 4명에게 남김없이 똑같이 나누어 주려면 **사탕은 적어도 몇 개 더 필요**한지 풀이 과정을 쓰고, 답을 구하세요.

풀이

답 ____________

03 (04 유사) 그림과 같이 도로의 한쪽에 일정한 간격으로 가로등을 설치하려고 합니다. **도로의 처음부터 끝까지 가로등을 모두 설치한다면 필요한 가로등은 몇 개**인지 풀이 과정을 쓰고, 답을 구하세요. (단, 가로등의 두께는 생각하지 않습니다.)

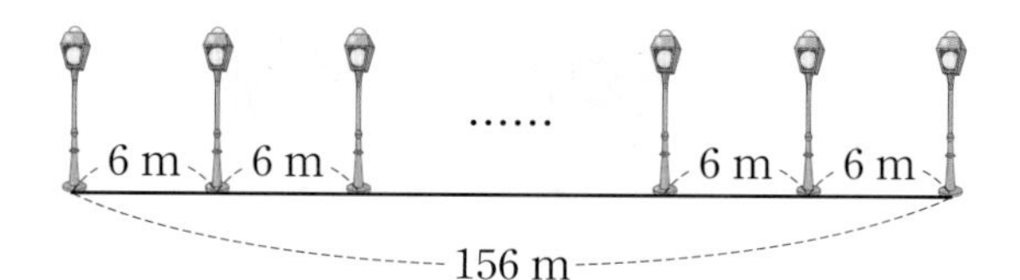

❶ 가로등과 가로등 사이의 간격의 수 구하기

풀이

❷ 필요한 가로등 수 구하기

풀이

답 ____________

04 (06 유사) 길이가 112 m인 오솔길 양쪽에 4 m 간격으로 민들레를 심으려고 합니다. **오솔길의 처음부터 끝까지 민들레를 심는다면 필요한 민들레는 몇 송이**인지 풀이 과정을 쓰고, 답을 구하세요. (단, 민들레의 두께는 생각하지 않습니다.)

풀이

답 ____________

05 07 유사 예린이는 철사로 왼쪽과 같은 삼각형을 만들었습니다. 같은 길이의 철사를 모두 사용하여 정사각형을 만든다면 **정사각형의 한 변은 몇 cm**인지 풀이 과정을 쓰고, 답을 구하세요.

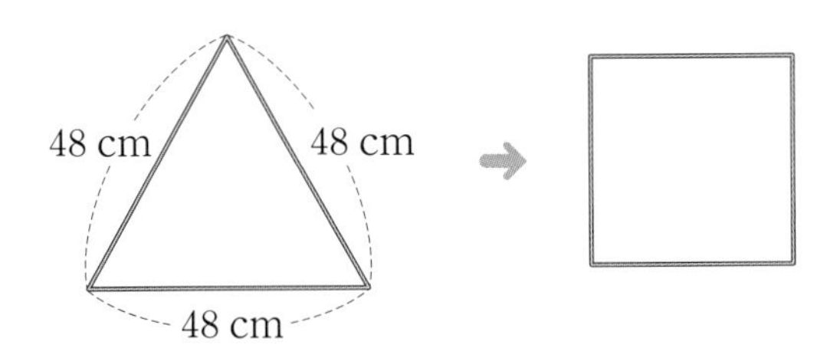

❶ 삼각형의 세 변의 길이의 합 구하기

풀이

❷ 정사각형의 한 변의 길이 구하기

풀이

답

06 09 유사 크기가 같은 정사각형 5개를 겹치지 않게 붙여서 그림과 같은 도형을 만들었습니다. 작은 정사각형 한 개의 네 변의 길이의 합이 92 cm라면 **굵은 선의 길이는 몇 cm**인지 풀이 과정을 쓰고, 답을 구하세요.

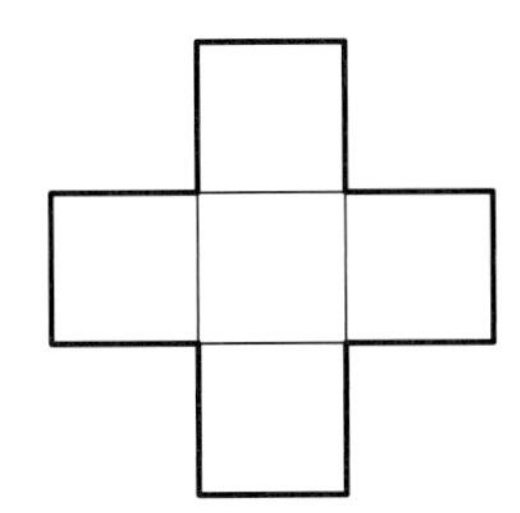

풀이

답

07 10 유사 지훈이가 설명하는 **가장 큰 수는 얼마인지** 풀이 과정을 쓰고, 답을 구하세요.

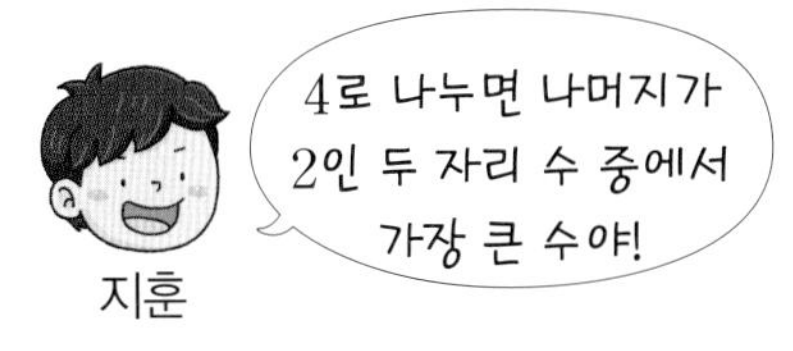

❶ 4로 나누어떨어지는 가장 큰 두 자리 수 구하기

풀이

❷ 지훈이가 설명하는 수 구하기

풀이

답

08 12 유사 다음 **조건을 모두 만족하는** ♥는 얼마인지 풀이 과정을 쓰고, 답을 구하세요.

- ♥는 150보다 크고 200보다 작습니다.
- ♥는 6으로 나누어떨어집니다.
- ♥는 7로 나누어떨어집니다.

풀이

답

STEP 1 한번더 **개념 완성하기**

진도북[066~071쪽]의 기본 유형 문제 복습

정답 48쪽

1 오른쪽 시계에서 원의 중심과 반지름을 각각 표시해 보세요.

2 오른쪽 원의 반지름은 몇 cm일까요?

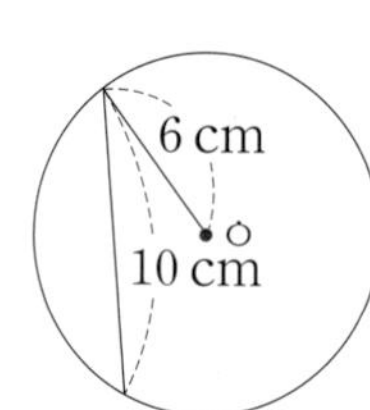

(　　　　　　　　)

3 성훈이가 실을 돌려서 원을 그렸습니다. 보기 에서 골라 □ 안에 알맞은 말을 써넣으세요.

보기
반지름, 지름, 중심

실을 잡고 있는 성훈이의 손이 원의 □이고, 돌린 실의 길이가 원의 □입니다.

4 □ 안에 알맞은 수를 써넣으세요.

(1)

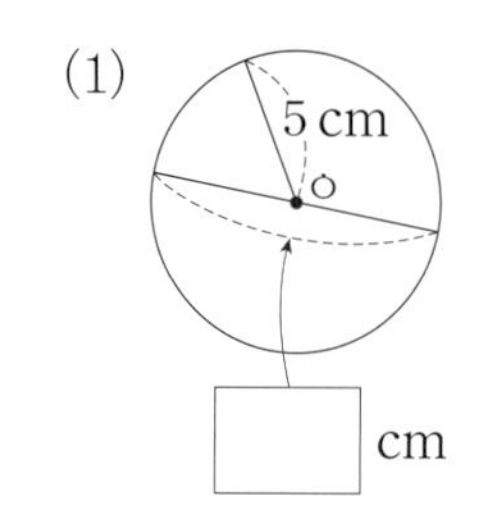

(2)

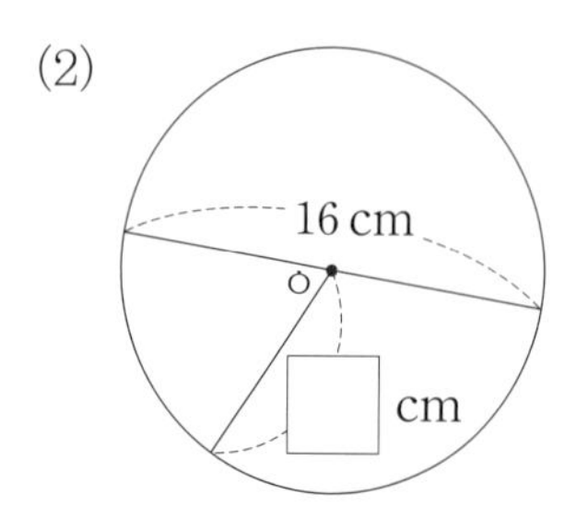

5 컴퍼스를 이용하여 점 ㅇ을 원의 중심으로 하는 반지름이 1 cm, 2 cm인 원을 각각 그려 보세요.

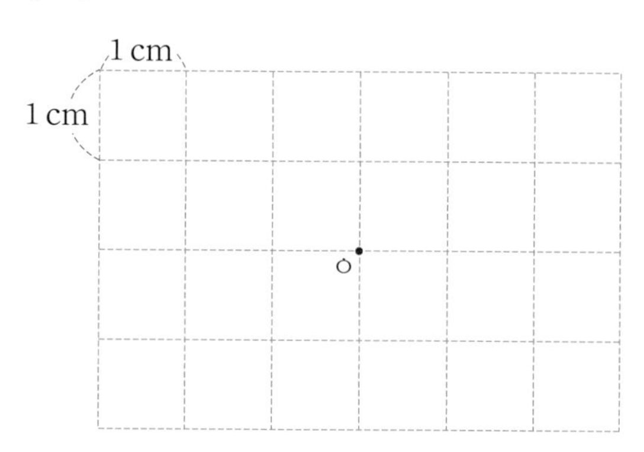

6 그림을 보고 물음에 답하세요.

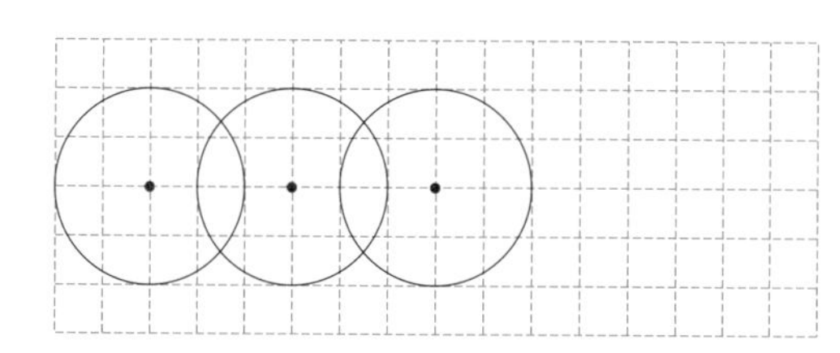

(1) □ 안에 알맞은 수를 써넣으세요.

원의 반지름은 모눈 □칸으로 같고, 원의 중심은 오른쪽으로 모눈 □칸씩 옮겨 가며 그린 규칙입니다.

(2) 규칙에 따라 원을 2개 더 그려 보세요.

7 주어진 모양과 똑같이 그려 보세요.

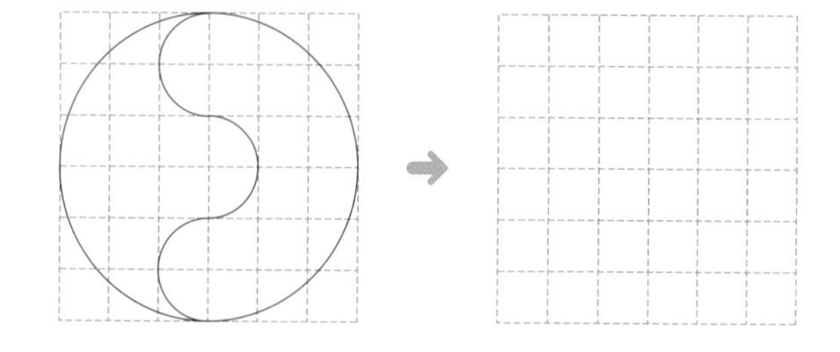

STEP 2 한번더 # 실력 다지기

진도북[072~073쪽]의 확인, 강화 문제 복습

정답 48쪽

01 원에 반지름을 2개 그어 보세요.
02 유사

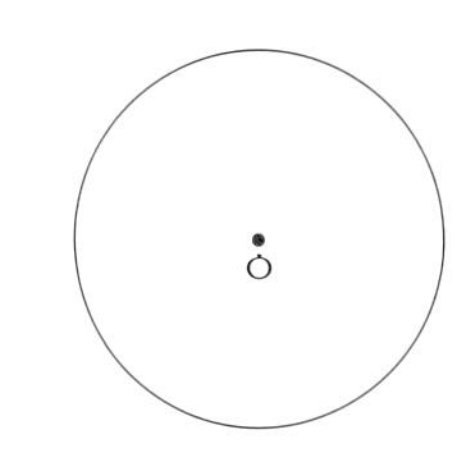

서술형

02 오른쪽 원에서 반지름을 나타내는 선분을 모두 찾아 쓰고, 찾은 선분들의 같은 점을 한 가지 써 보세요.
03 유사

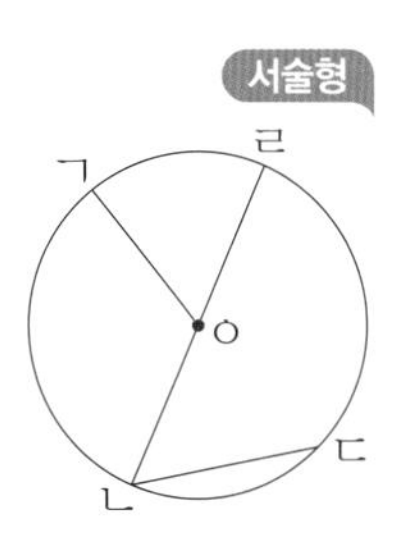

답

같은 점

서술형

03 원의 지름을 바르게 그은 사람을 찾아 이름을 쓰고, 그 이유를 설명해 보세요.
05 유사

승하

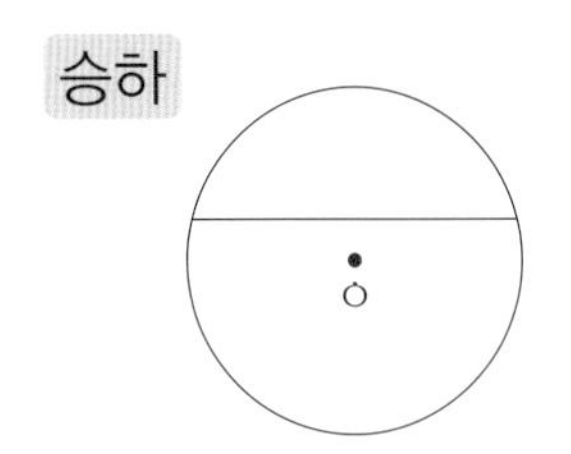

지우

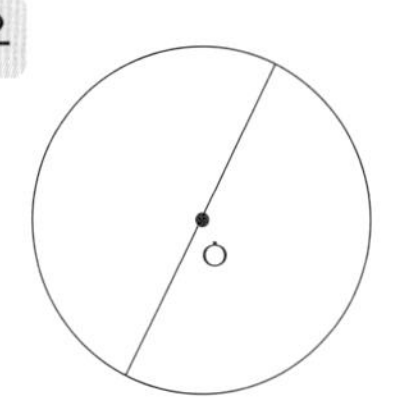

바르게 그은 사람

설명

04 두 원 가와 나의 지름의 합은 몇 cm일까요?
06 유사

가

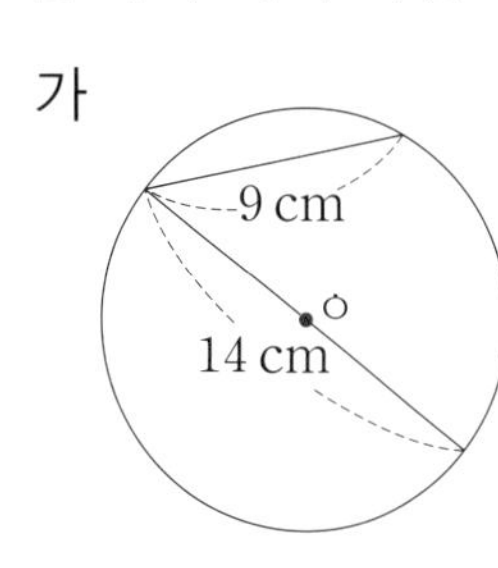

나

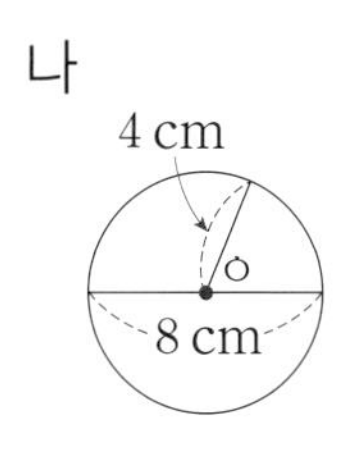

(　　　　　　　　)

교과 역량

눈길 등에서 미끄러지지 않도록 하기 위해 만든 타이어

05 지름이 68 cm인 스노타이어가 있습니다. 이 스노타이어의 반지름은 몇 cm일까요?
08 유사

(　　　　　　　　)

06 가장 작은 원을 찾아 기호를 써 보세요.
09 유사

㉠ 지름이 12 cm인 원
㉡ 반지름이 7 cm인 원
㉢

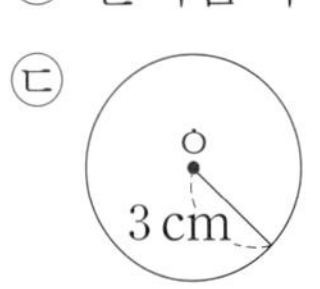

(　　　　　　　　)

3 단원

07 컴퍼스를 이용하여 점 ㅇ을 원의 중심으로 하는 반지름이 1.5 cm인 원을 그려 보세요.

11 유사

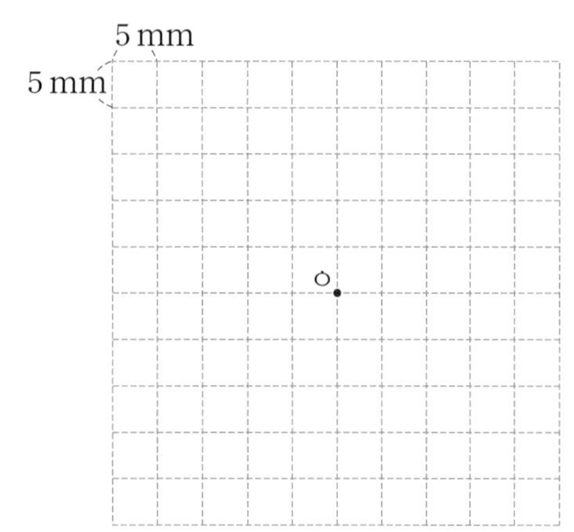

08 컴퍼스를 사용하여 주어진 원과 크기가 같은 원을 그려 보세요.

12 유사

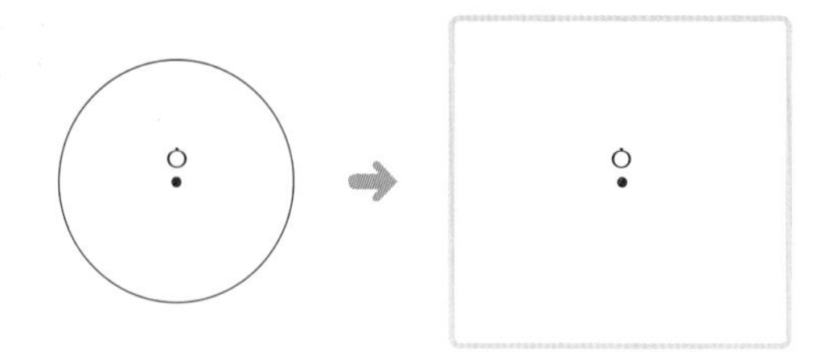

서술형

09 주어진 모양을 보고 어떤 규칙이 있는지 설명하고, 규칙에 따라 원을 2개 더 그려 보세요.

15 유사

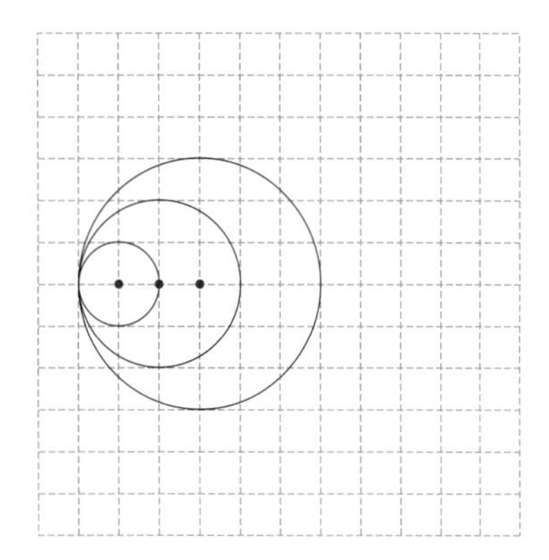

설명 ______________________

____

서술형

10 주어진 모양과 똑같이 그려 보고 그린 방법을 설명해 보세요.

17 유사

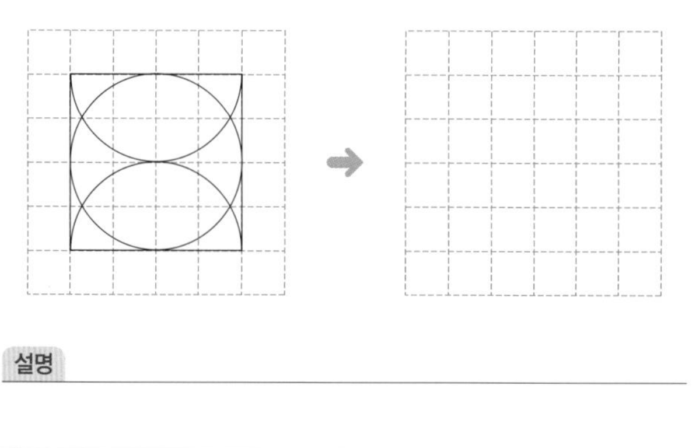

설명 ______________________

____

11 점 ㄱ, 점 ㄷ, 점 ㅁ은 원의 중심입니다. 선분 ㄱㅂ의 길이는 몇 cm일까요?

19 유사

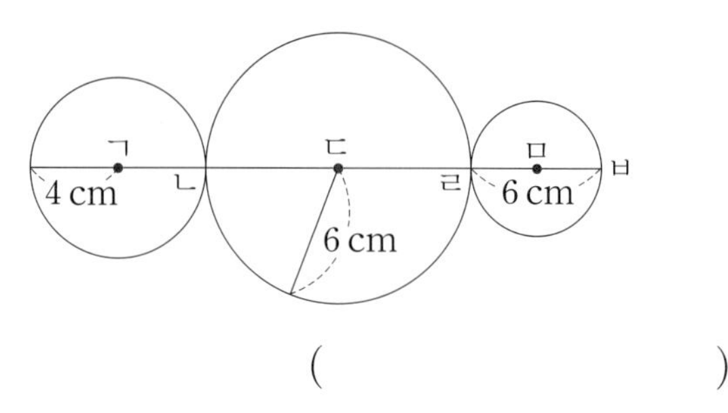

(　　　　　　　　　)

12 점 ㄴ, 점 ㄷ, 점 ㄹ, 점 ㅁ은 원의 중심입니다. 선분 ㄱㅁ의 길이는 몇 cm일까요?

20 유사

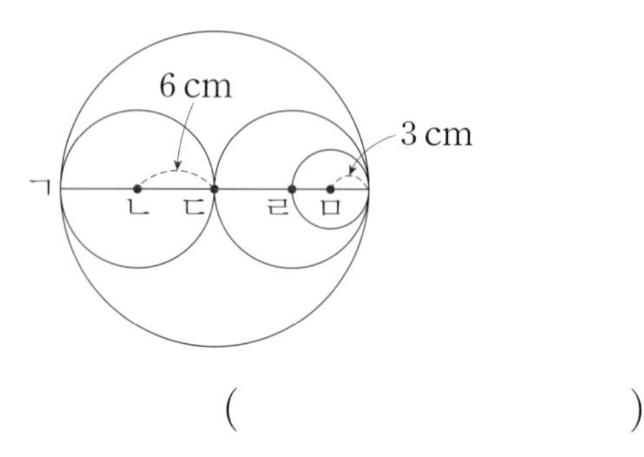

(　　　　　　　　　)

13 크기가 같은 원 3개를 서로 원의 중심을 지나도록 겹쳐서 그렸습니다. 원의 지름은 몇 cm일까요?
22 유사

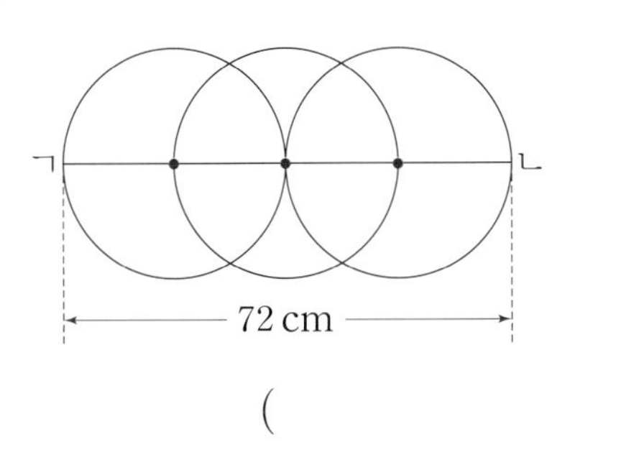

( )

14 큰 원 안에 크기가 같은 원 4개를 서로 원의 중심을 지나도록 겹쳐서 그렸습니다. 큰 원의 반지름이 40 cm일 때 작은 원의 반지름은 몇 cm일까요?
23 유사

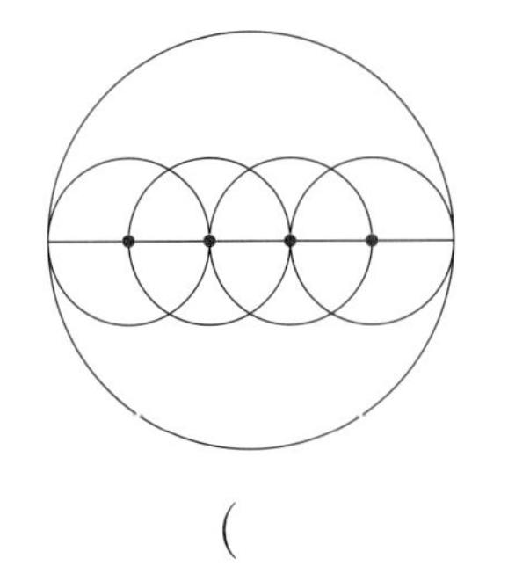

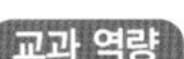

( )

이어달리기에서 앞선 주자가 다음 주자에게 넘겨 주는 작은 막대기

교과 역량

15 바통 3개를 맞닿게 놓은 것을 위에서 내려다본 모양입니다. 원의 중심을 이어 만든 삼각형의 세 변의 길이의 합이 12 cm일 때 원의 반지름은 몇 cm일까요?
25 유사

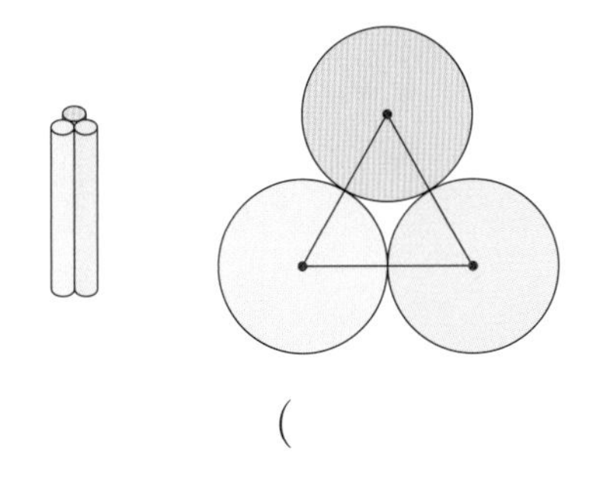

( )

16 직사각형 안에 크기가 같은 원 2개를 맞닿게 그렸습니다. 직사각형의 네 변의 길이의 합은 몇 cm일까요?
27 유사

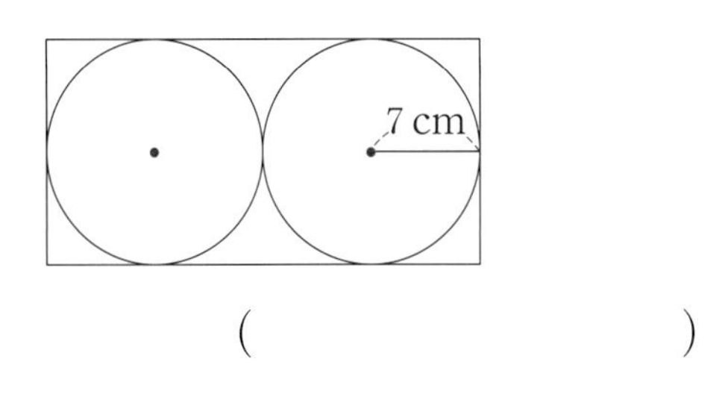

( )

17 규칙에 따라 원을 1개 더 그리려고 합니다. 지름이 모눈 2칸인 원의 지름이 10 cm일 때 그려야 할 원의 지름은 몇 cm일까요?
29 유사

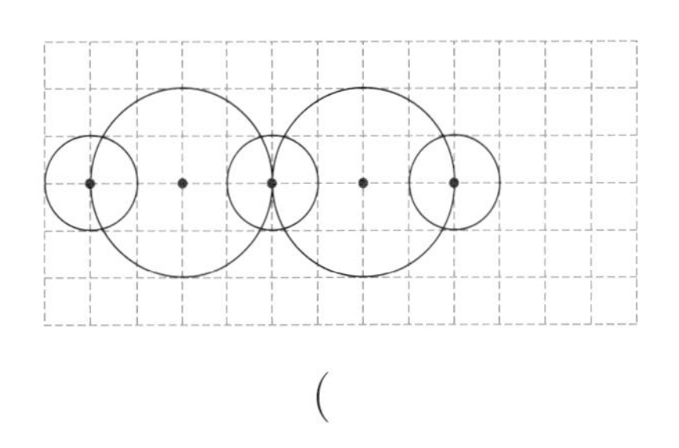

( )

18 점 ㄱ, 점 ㄴ, 점 ㄷ, 점 ㄹ은 원의 중심입니다. 선분 ㄹㅁ의 길이가 8 cm일 때 가장 큰 원의 지름은 몇 cm일까요?
31 유사

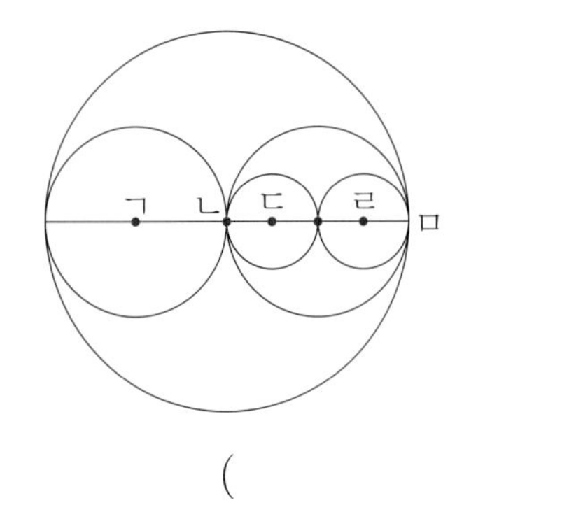

( )

3 단원

STEP 3 한번더 서술형 해결하기

진도북[078~079쪽]의 연습, 실전 문제 복습

정답 49쪽

01 (01 유사) 크기가 같은 원 2개를 서로 원의 중심을 지나도록 겹친 후 다음과 같이 삼각형을 그렸습니다. 이 삼각형의 세 변의 길이의 합이 24 cm일 때 **원의 반지름은 몇 cm**인지 풀이 과정을 쓰고, 답을 구하세요.

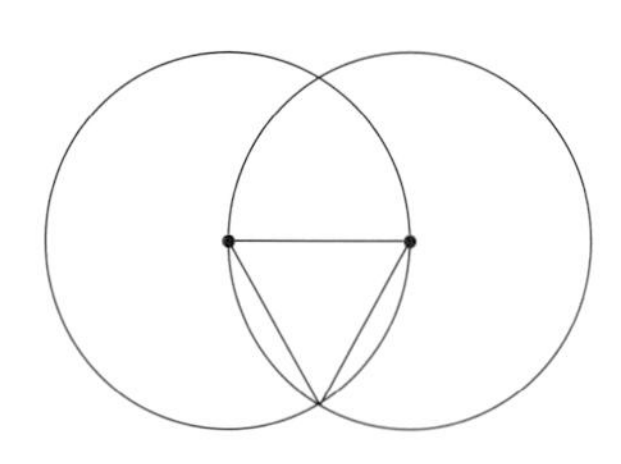

❶ 삼각형의 세 변의 길이의 합은 원의 반지름의 길이의 몇 배인지 구하기

풀이

❷ 원의 반지름 구하기

풀이

답

02 (03 유사) 삼각형 ㄱㅇㄴ의 세 변의 길이의 합은 39 cm입니다. **원의 반지름은 몇 cm**인지 풀이 과정을 쓰고, 답을 구하세요.

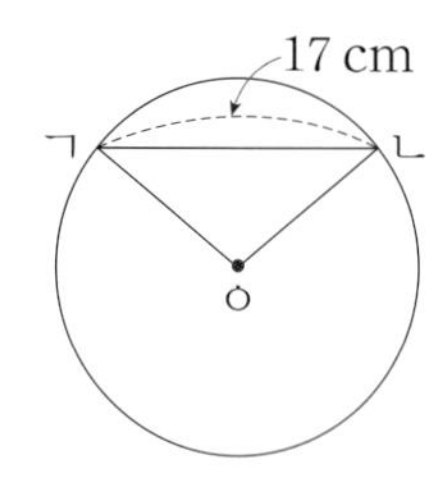

풀이

답

03 (04 유사) 주어진 모양과 똑같이 그리기 위해 **컴퍼스의 침을 꽂아야 할 곳은 몇 군데**인지 풀이 과정을 쓰고, 답을 구하세요.

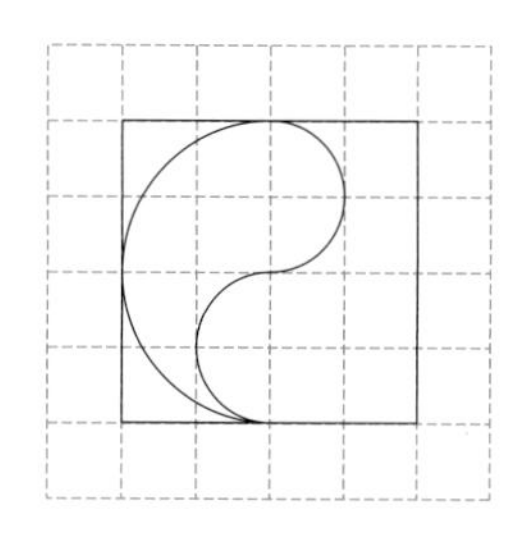

❶ 컴퍼스의 침을 꽂아야 할 곳을 모두 찾아 표시하기

풀이

❷ 컴퍼스의 침을 꽂아야 할 곳은 몇 군데인지 구하기

풀이

답

04 (06 유사) 가, 나의 모양과 똑같이 그리기 위해 **컴퍼스의 침을 꽂아야 할 곳의 수의 차는 몇 군데**인지 풀이 과정을 쓰고, 답을 구하세요.

가

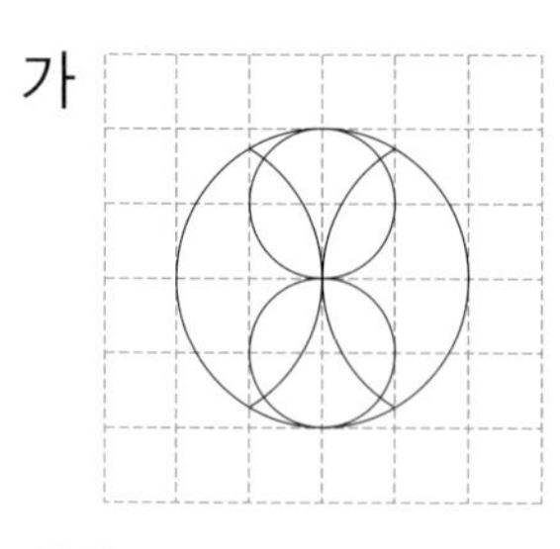

나

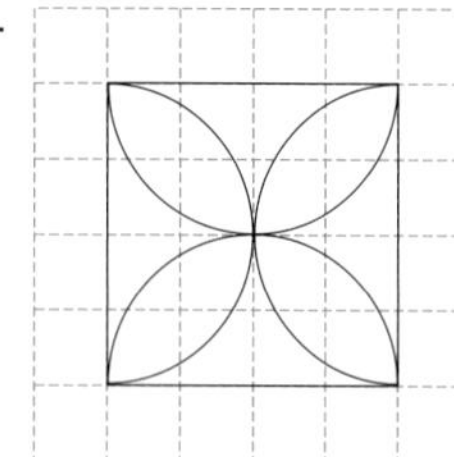

풀이

답

STEP 1 한번더 **개념 완성하기**

진도북[086~089쪽]의 기본 유형 문제 복습

정답 50쪽

1 그림을 보고 □ 안에 알맞은 수를 써넣으세요.

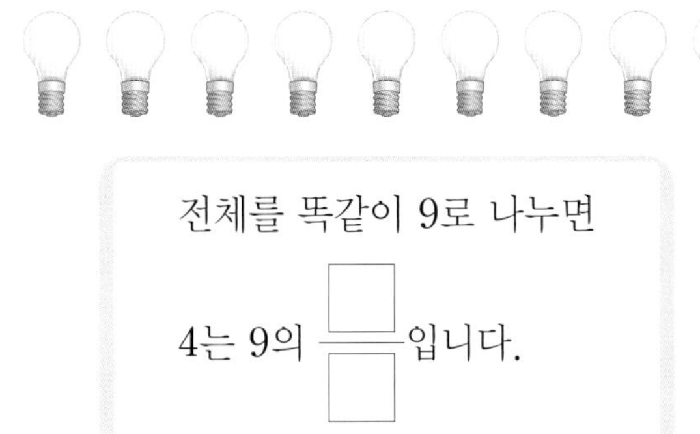

전체를 똑같이 9로 나누면

4는 9의 $\frac{\square}{\square}$입니다.

2 색칠한 딸기는 전체의 몇 분의 몇인지 □ 안에 알맞은 수를 써넣으세요.

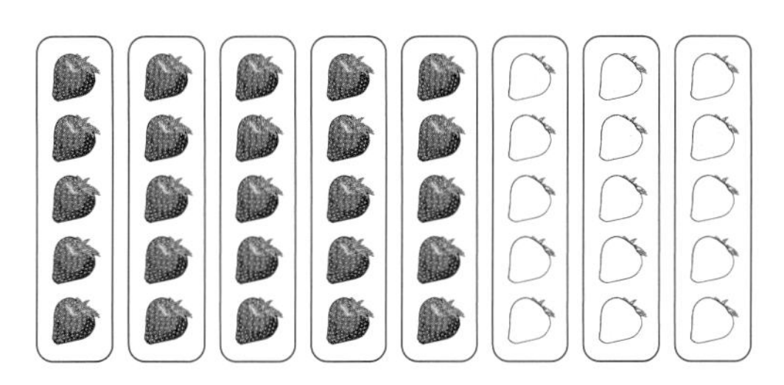

색칠한 부분은 8묶음 중에서 5묶음이므로

전체의 $\frac{\square}{\square}$입니다.

3 예준이는 클립 24개 중에서 6개를 사용하였습니다. 24를 6씩 묶으면 사용한 클립은 24의 몇 분의 몇일까요?

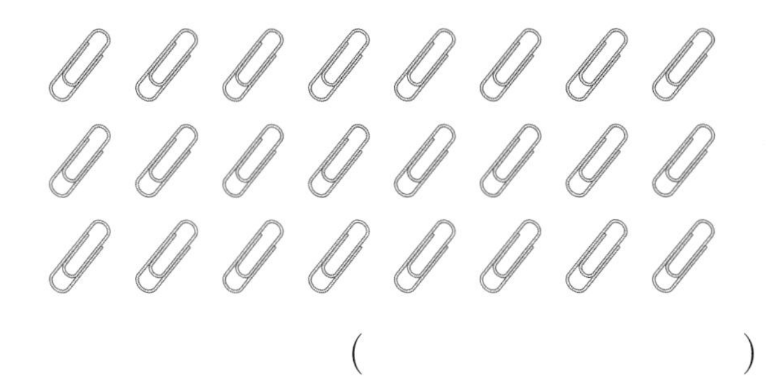

(　　　　　　　　)

4 관계있는 것끼리 선으로 이어 보세요.

(1) 15의 $\frac{2}{3}$ •　　　　• 18

　　　　　　　　　　• 12

(2) 42의 $\frac{3}{7}$ •　　　　• 10

5 □ 안에 알맞은 수를 써넣으세요.

(1) 1시간의 $\frac{1}{3}$은 □분입니다.

(2) 1시간의 $\frac{1}{2}$는 □분입니다.

6 진웅이는 귤 20개 중에서 $\frac{1}{5}$을 먹었습니다. 진웅이가 먹은 귤은 몇 개일까요?

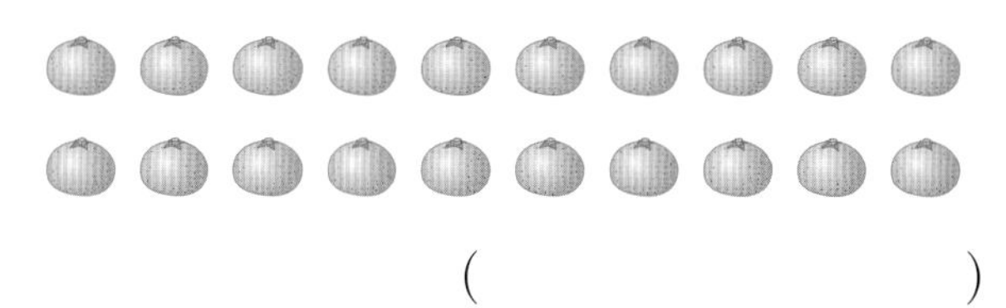

(　　　　　　　　)

4 단원

01 54를 6씩 묶으면 24는 54의 몇 분의 몇일까요?

02 유사

( )

02 □ 안에 알맞은 수가 가장 큰 것을 찾아 기호를 써 보세요.

03 유사

㉠ 18을 3씩 묶으면 6은 18의 $\frac{\square}{6}$입니다.

㉡ 45를 5씩 묶으면 25는 45의 $\frac{5}{\square}$입니다.

㉢ 28을 7씩 묶으면 21은 28의 $\frac{\square}{4}$입니다.

( )

03 10의 $\frac{1}{2}$, $\frac{2}{5}$만큼 되는 곳을 각각 찾아 ↓로 나타내어 보세요.

05 유사

0 1 2 3 4 5 6 7 8 9 10

서술형

04 나타내는 수가 다른 하나를 찾아 기호를 쓰려고 합니다. 풀이 과정을 쓰고, 답을 구하세요.

06 유사

㉠ 21의 $\frac{5}{7}$ ㉡ 20의 $\frac{3}{4}$ ㉢ 32의 $\frac{3}{8}$

풀이

답

교과 역량

05 나라별 전통 의상 체험 장소에 다음과 같이 전통 의상이 준비되어 있습니다. 48벌을 6벌씩 묶으면 한복의 수는 합계의 몇 분의 몇일까요?

08 유사

전통 의상	한복	기모노	치파오	합계
수(벌)		12	18	48

( )

서술형

06 캐러멜 63개를 봉지 9개에 똑같이 나누어 담았습니다. 캐러멜 49개는 63개를 9부분으로 똑같이 나눈 것 중의 몇 분의 몇인지 풀이 과정을 쓰고, 답을 구하세요.

09 유사

풀이

답

07 인형이 72개 있습니다. 그중에서 $\frac{4}{9}$는 곰 인형이고 $\frac{1}{8}$은 펭귄 인형입니다. 곰 인형과 펭귄 인형은 각각 몇 개일까요?

11 유사

곰 인형 ( )

펭귄 인형 ( )

08 어머니께서 고구마 30개를 상자 2개에 똑같이 나누어 담은 후 상자 1개에 들어 있는 고구마의 $\frac{2}{5}$를 오븐에 구웠습니다. 구운 고구마는 몇 개일까요?
12 유사

(　　　　　　　　)

09 ㉠과 ㉡에 알맞은 수의 차를 구하세요.
14 유사

- 16은 24의 $\frac{㉠}{6}$입니다.
- 35는 40의 $\frac{㉡}{8}$입니다.

(　　　　　　　　)

10 28과 32를 각각 4씩 묶을 때 ●와 ★의 합을 구하세요.
15 유사

- 12는 28의 $\frac{●}{7}$입니다.
- 20은 32의 $\frac{5}{★}$입니다.

(　　　　　　　　)

교과 역량

11 도화지를 12칸으로 똑같이 나눈 후 세 사람이 색칠했습니다. □ 안에 알맞은 수를 써넣고, 알맞게 색칠해 보세요.
17 유사

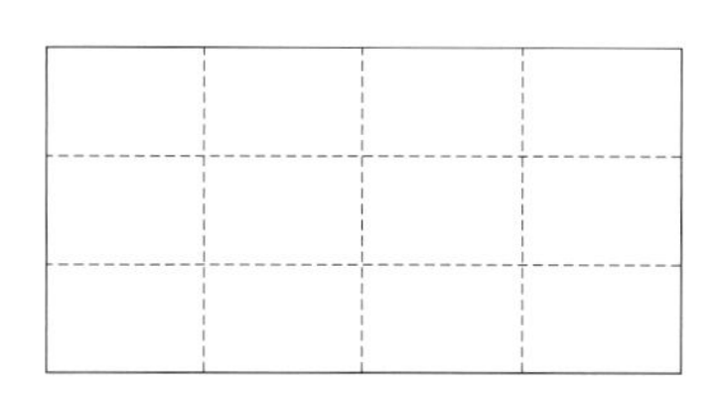

- 해찬: 12칸의 $\frac{1}{4}$ ➡ □칸(노란색)
- 은정: 12칸의 $\frac{1}{3}$ ➡ □칸(파란색)
- 소영: 두 사람이 색칠하고 남은 부분 ➡ □칸(주황색)

12 젤리 36개를 형과 동생이 나누어 먹었습니다. 형은 전체의 $\frac{2}{9}$를 먹었고 동생은 전체의 $\frac{1}{6}$을 먹었습니다. 남은 젤리는 몇 개일까요?
18 유사

(　　　　　　　　)

13 어떤 수의 $\frac{3}{8}$은 21입니다. 어떤 수의 $\frac{5}{7}$는 얼마일까요?
20 유사

(　　　　　　　　)

14 호떡 27개를 한 봉지에 3개씩 담았습니다. 그 중에서 3봉지는 친구에게 주고 2봉지는 먹었습니다. 남은 호떡의 봉지 수는 전체 호떡 봉지 수의 몇 분의 몇일까요?
22 유사

(　　　　　　　　)

STEP 1 한번 더 개념 완성하기

진도북[094~097쪽]의 기본 유형 문제 복습

정답 51쪽

1 관계있는 것끼리 선으로 이어 보세요.

(1) $2\frac{1}{4}$ • • 진분수

(2) $\frac{11}{13}$ • • 가분수

(3) $\frac{7}{2}$ • • 대분수

2 진분수와 가분수를 각각 찾아 기호를 모두 써 보세요.

㉠ $\frac{8}{5}$ ㉡ $\frac{4}{7}$ ㉢ $\frac{4}{3}$ ㉣ $\frac{1}{10}$
㉤ $\frac{11}{12}$ ㉥ $\frac{9}{4}$ ㉦ $\frac{6}{6}$ ㉧ $\frac{3}{16}$

진분수	가분수

3 주희가 가지고 있는 빨간 색연필은 $7\frac{1}{5}$ cm이고 파란 색연필은 $\frac{19}{2}$ cm입니다. 대분수는 가분수로, 가분수는 대분수로 나타내어 보세요.

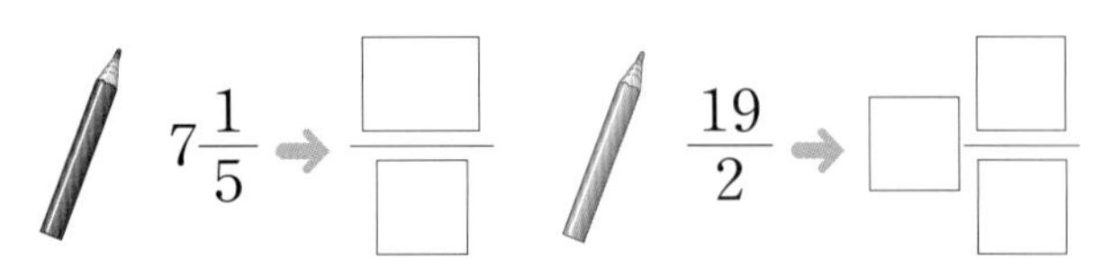

4 두 분수의 크기를 비교하여 더 큰 분수에 색칠해 보세요.

$\frac{33}{7}$	$\frac{29}{7}$

5 두 대분수를 수직선에 ↑로 나타내고, ○ 안에 >, =, <를 알맞게 써넣으세요.

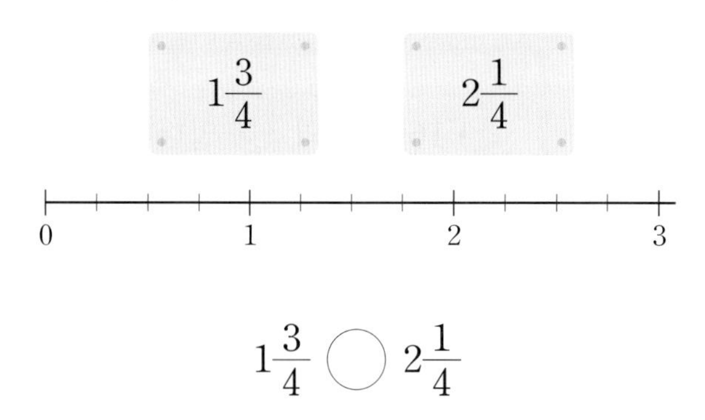

$1\frac{3}{4}$ ○ $2\frac{1}{4}$

6 민재가 딴 포도는 $5\frac{3}{5}$ kg이고 동희가 딴 포도는 $\frac{26}{5}$ kg입니다. 민재와 동희 중에서 포도를 더 많이 딴 사람은 누구일까요?

$5\frac{3}{5}$ ○ $\frac{26}{5}$

(　　　　　　　)

STEP 2 한번 더 실력 다지기

진도북[098~099쪽]의 확인, 강화 문제 복습

정답 51쪽

교과 역량

01 사다리를 타고 내려가 도착한 곳이 참이면 ○표, 거짓이면 ×표를 하세요.

02 유사

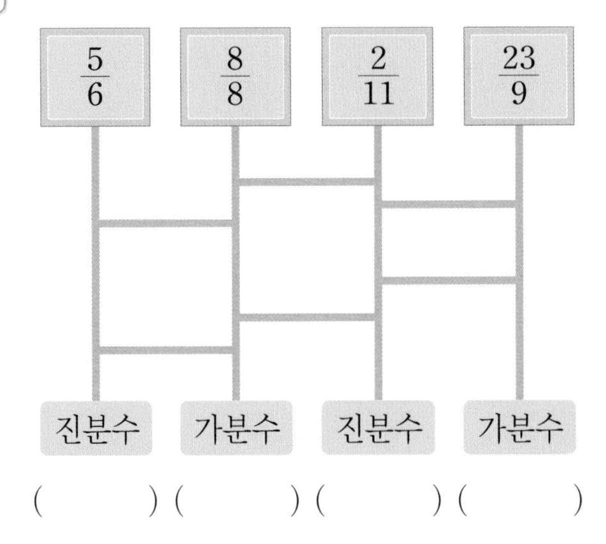

(　　　) (　　　) (　　　) (　　　)

02 가분수인 칸을 모두 색칠하면 어떤 글자가 나타날까요?

03 유사

$\frac{6}{7}$	$\frac{1}{9}$	$2\frac{3}{8}$	$\frac{9}{8}$	$\frac{8}{13}$
$\frac{3}{2}$	$\frac{25}{3}$	$\frac{3}{10}$	$\frac{17}{4}$	$3\frac{2}{3}$
$1\frac{1}{6}$	$\frac{10}{7}$	$\frac{1}{5}$	$\frac{19}{11}$	$\frac{10}{10}$
$\frac{4}{15}$	$\frac{5}{5}$	$4\frac{5}{12}$	$\frac{31}{6}$	$\frac{13}{14}$

(　　　　　　)

03 다음 대분수를 가분수로 나타내었더니 $\frac{29}{9}$가 되었습니다. □ 안에 알맞은 수를 구하세요.

05 유사

$3\frac{\square}{9}$

(　　　　　　)

04 대분수를 가분수로 각각 나타내었을 때 분자가 더 큰 분수를 찾아 기호를 써 보세요.

06 유사

㉠ $5\frac{1}{3}$　　㉡ $1\frac{8}{11}$

(　　　　　　)

05 분수의 크기를 비교하여 큰 분수부터 차례로 기호를 써 보세요.

08 유사

㉠ $2\frac{1}{7}$　　㉡ $\frac{18}{7}$　　㉢ $1\frac{6}{7}$

(　　　　　　)

서술형

06 $6\frac{1}{4}$보다 작은 분수는 모두 몇 개인지 풀이 과정을 쓰고, 답을 구하세요.

09 유사

$\frac{23}{4}$　　$\frac{25}{4}$　　$\frac{11}{4}$　　$\frac{31}{4}$　　$\frac{19}{4}$

풀이

답

교과 역량

07 길이가 $2\frac{1}{5}$ m인 코브라와 $\frac{8}{5}$ m인 구렁이가 있습니다. 코브라와 구렁이 중에서 어느 것의 길이가 더 길까요?

11 유사

(　　　　　　)

4 단원

08 지은, 장훈, 호동이의 키를 재어 보았습니다. 세 사람 중에서 키가 가장 큰 사람은 누구일까요?
12 유사

이름	지은	장훈	호동
키(m)	$\frac{23}{20}$	$1\frac{7}{20}$	$\frac{29}{20}$

( )

09 □ 안에 들어갈 수 있는 자연수는 모두 몇 개일까요?
14 유사

$$4\frac{2}{3} < \frac{\square}{3} < 6\frac{1}{3}$$

( )

10 □ 안에 들어갈 수 있는 가장 큰 자연수를 구하세요.
15 유사

$$\frac{25}{6} < \square\frac{5}{6} < \frac{49}{6}$$

( )

11 5장의 수 카드 중에서 3장을 골라 한 번씩만 사용하여 만들 수 있는 분수 중에서 분모가 7인 대분수는 모두 몇 개일까요?
17 유사

1 5 7 8 9

( )

12 6장의 수 카드가 있습니다. 이 중에서 수 카드 3장을 골라 분모가 4인 가장 큰 대분수를 만들고, 가분수로 나타내어 보세요.
18 유사

2 3 4 6 7 9

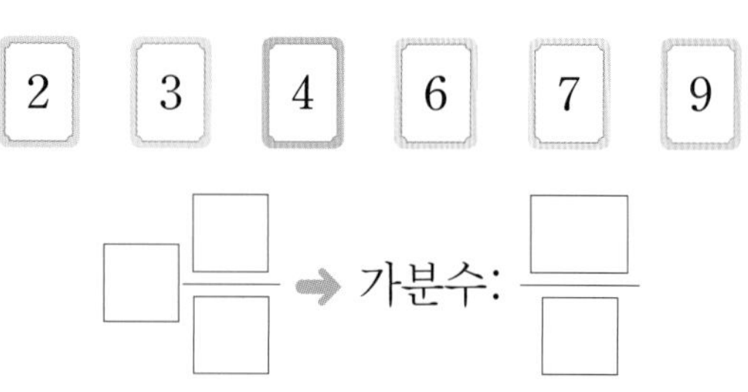

13 재영이는 $\frac{1}{8}$ kg짜리 찰흙을 19개 가지고 있고, 희준이는 1 kg짜리 찰흙 2개와 $\frac{1}{8}$ kg짜리 찰흙 5개를 가지고 있습니다. 재영이와 희준이 중에서 찰흙을 더 많이 가지고 있는 사람은 누구일까요?
20 유사

( )

14 다음 조건을 만족하는 분수를 모두 구하세요.
22 유사

- 분모가 15인 가분수입니다.
- $3\frac{2}{15}$보다 크고 $\frac{52}{15}$보다 작습니다.

( )

STEP 3 한번더 서술형 해결하기

진도북[102~103쪽]의 연습, 실전 문제 복습

정답 52쪽

01 (01 유사) 방울토마토가 42개 있습니다. 형은 42개의 $\frac{2}{7}$만큼을, 누나는 42개의 $\frac{3}{7}$만큼을 먹고, 나머지는 경수가 먹었습니다. **경수가 먹은 방울토마토는 몇 개**인지 풀이 과정을 쓰고, 답을 구하세요.

❶ 형과 누나가 먹은 방울토마토 수 각각 구하기

풀이

❷ 경수가 먹은 방울토마토 수 구하기

풀이

답

02 (03 유사) 성주는 사탕을 81개 가지고 있습니다. 전체의 $\frac{2}{9}$를 지영이에게 주고, 전체의 $\frac{1}{3}$을 연희에게 주었습니다. **누구에게 사탕을 몇 개 더 많이 주었는지** 풀이 과정을 쓰고, 답을 구하세요.

풀이

답 ,

03 (04 유사) 자연수가 4이고 분모가 7인 대분수 중에서 **가장 큰 수를 가분수로 나타내려고** 합니다. 풀이 과정을 쓰고, 답을 구하세요.

❶ 자연수가 4이고 분모가 7인 가장 큰 대분수 구하기

풀이

❷ 자연수가 4이고 분모가 7인 가장 큰 대분수를 가분수로 나타내기

풀이

답

04 (06 유사) 분모가 8인 가분수가 있습니다. 이 분수의 분자를 분모로 나누었더니 몫이 2이고 나머지가 7이었습니다. **이 분수를 대분수로 나타내려고** 합니다. 풀이 과정을 쓰고, 답을 구하세요.

풀이

답

4 단원

STEP 1 한번더 개념 완성하기

진도북[112~115쪽]의 기본 유형 문제 복습

정답 53쪽

1 들이가 가장 많은 것에 ○표 하세요.

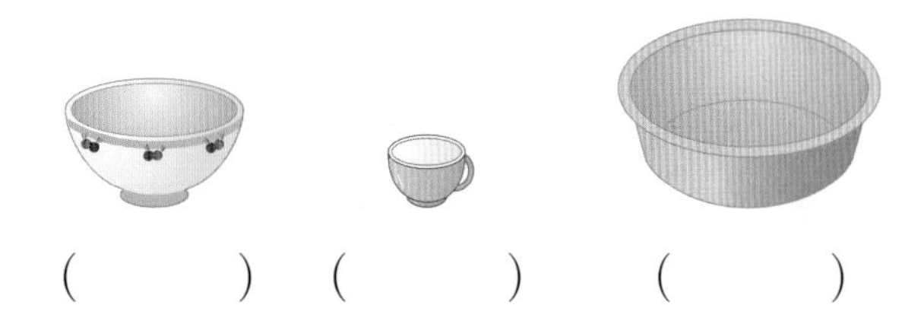

(　　) (　　) (　　)

2 각 그릇에 물을 가득 채운 후 모양과 크기가 같은 그릇에 옮겨 담았습니다. 그림과 같이 물이 채워졌을 때 그릇의 들이가 많은 순서대로 번호를 써 보세요.

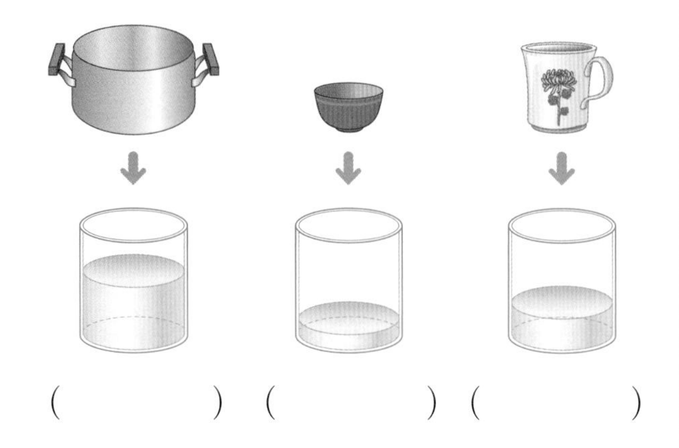

(　　) (　　) (　　)

3 어머니께서 1800 mL인 우유를 사 오셨습니다. 어머니께서 사 오신 우유는 몇 L 몇 mL일까요?

(　　　　)

4 세면대의 들이를 재려고 합니다. 어느 단위를 사용하여 들이를 재면 편리할지 알맞은 것에 ○표 하세요.

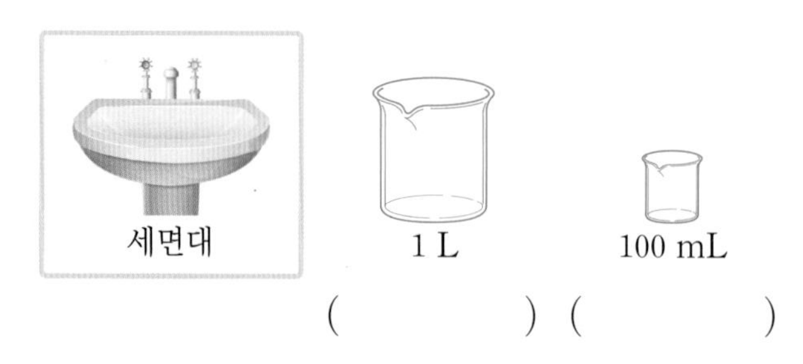

(　　) (　　)

5 □ 안에 알맞은 수를 써넣으세요.

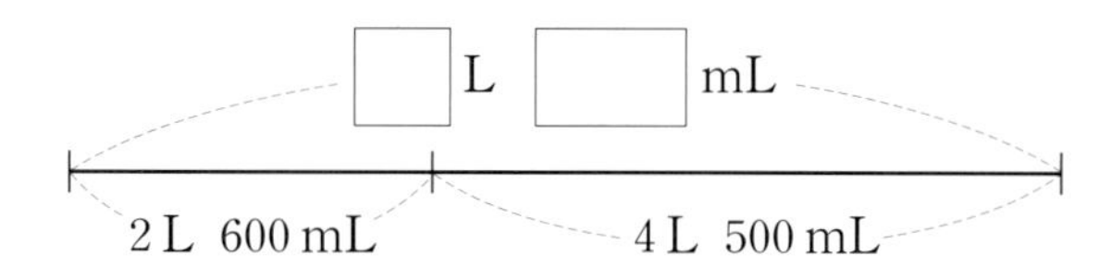

6 ㉮ 물통에는 물이 1 L 700 mL 들어 있고, ㉯ 물통에는 물이 3 L 200 mL 들어 있습니다. ㉯ 물통에는 ㉮ 물통보다 물이 몇 L 몇 mL 더 들어 있을까요?

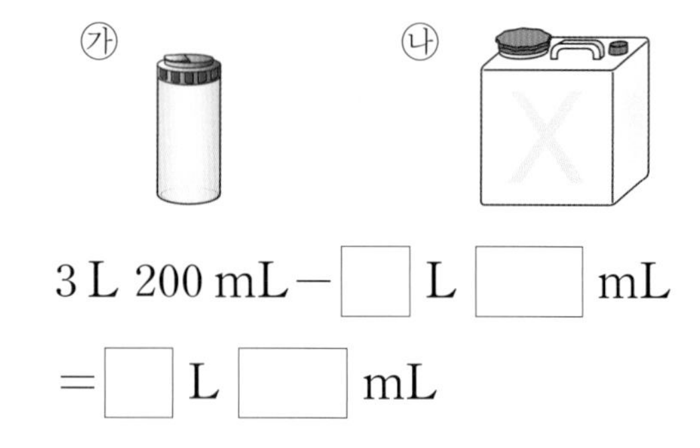

3 L 200 mL − □ L □ mL

= □ L □ mL

STEP 2 한번 더 실력 다지기

진도북[116~117쪽]의 확인, 강화 문제 복습

정답 53쪽

01 (02 유사) 양동이에 물을 가득 채우려면 가, 나, 다 컵에 물을 가득 채워 각각 다음과 같이 부어야 합니다. 가, 나, 다 컵 중에서 들이가 가장 많은 것은 어느 것일까요?

컵	가	나	다
부은 횟수(번)	15	8	11

( )

교과 역량

02 (03 유사) 도자기(흙으로 빚어서 만든 그릇) 공예가가 만든 세 도자기에 물을 가득 채운 뒤 모양과 크기가 같은 작은 컵에 각각 옮겨 담았더니 컵의 수가 다음과 같았습니다. 들이가 가장 많은 도자기는 들이가 가장 적은 도자기의 몇 배일까요?

가	나	다
5	3	9

( )

03 (05 유사) 다음 물건의 들이를 L와 mL로 나타내려고 합니다. L와 mL 중에서 사용하기에 알맞은 단위가 다른 하나를 찾아 기호를 써 보세요.

( )

04 (06 유사) 들이의 단위를 가장 알맞게 사용한 것의 기호를 써 보세요.

㉠ 냄비의 들이는 약 2 L입니다.
㉡ 물통의 들이는 약 1 mL입니다.
㉢ 음료수 캔의 들이는 약 200 L입니다.

( )

서술형

05 (08 유사) 단위가 틀린 사람을 찾아 이름을 쓰고, 옳게 고쳐 보세요.

• 진주: 2350 mL는 23 L 50 mL야.
• 영범: 6 L 20 mL는 6020 mL야.

답

옳게 고친 문장

교과 역량

06 (09 유사) 수조에 물이 2 L 있습니다. 140 mL가 들어 있는 비커의 물을 수조에 모두 부으면 수조의 물은 모두 몇 mL가 될까요?

( )

07 (11 유사) 들이가 가장 많은 것을 찾아 기호를 써 보세요.

㉠ 5080 mL
㉡ 5 L 500 mL
㉢ 5390 mL

( )

5 단원

서술형

08 현주네 집에 오렌지 주스는 1 L 90 mL 있고, 포도 주스는 1300 mL 있습니다. 오렌지 주스와 포도 주스 중에서 어느 것이 더 많은지 풀이 과정을 쓰고, 답을 구하세요.

12 유사

풀이

답

09 보기 에 있는 물건을 선택하여 문장을 완성해 보세요.

14 유사

보기

주사기 밥그릇 어항

(1) ☐ 의 들이는 약 350 mL입니다.

(2) ☐ 의 들이는 약 5 L입니다.

(3) ☐ 의 들이는 약 5 mL입니다.

10 물통에 가득 담긴 물을 100 mL들이 비커에 모두 옮겨 담았더니 다음과 같이 비커 5개에 가득 채워지고 마지막 비커 1개에 반이 채워졌습니다. 물통의 들이는 약 몇 mL일까요?

15 유사

( )

11 들이가 4 L보다 적은 것을 찾아 기호를 써 보세요.

17 유사

㉠ 650 mL+3 L 400 mL
㉡ 7 L 200 mL−2 L 400 mL
㉢ 1 L 900 mL+1 L 400 mL

( )

교과 역량

12 연아가 초록색 페인트를 만드는 데 섞은 노란색 페인트와 파란색 페인트의 양입니다. 섞은 노란색 페인트와 파란색 페인트는 모두 몇 L 몇 mL일까요?

18 유사

노란색 페인트	1300 mL
파란색 페인트	950 mL

( )

서술형

13 주희는 다음과 같이 물이 들어 있는 수조에 1500 mL의 물을 더 부었습니다. 수조에 들어 있는 물은 모두 몇 L 몇 mL가 되는지 풀이 과정을 쓰고, 답을 구하세요.

20 유사

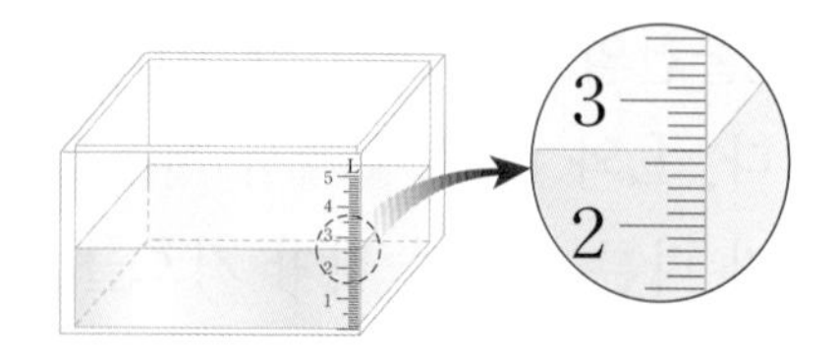

풀이

답

정답 53쪽

14 우유가 1 L 200 mL 있었습니다. 이 중에서 형이 400 mL를 마시고, 동생이 250 mL를 마셨습니다. 남은 우유는 몇 mL일까요?

21 유사

(　　　　　　　　)

15 □ 안에 알맞은 수를 구하세요.

23 유사

8 L 300 mL－□ mL＝4 L 400 mL

(　　　　　　　　)

16 1부터 9까지의 자연수 중에서 ㉠에 들어갈 수 있는 수의 합을 구하세요.

24 유사

9600 mL＜9 L ㉠00 mL＜10 L 100 mL

(　　　　　　　　)

17 다음은 맛나 식당과 행복 식당에서 어제와 오늘 사용한 간장의 양입니다. 이틀 동안 어느 식당에서 간장을 더 많이 사용했을까요?

26 유사

	어제	오늘
맛나 식당	2 L 200 mL	1750 mL
행복 식당	1900 mL	2 L 100 mL

(　　　　　　　　)

18 들이가 2 L 700 mL인 물뿌리개가 있습니다. 이 물뿌리개의 들이를 효리는 2 L 300 mL, 재은이는 3 L, 희동이는 2 L 100 mL라고 어림하였습니다. 가장 적절히 어림한 사람은 누구일까요?

28 유사

(　　　　　　　　)

19 들이가 1 L, 200 mL, 1 L 300 mL인 세 개의 그릇을 이용하여 대야에 물을 4 L 700 mL 담으려고 합니다. 물을 담을 수 있는 방법을 설명하세요.

30 유사

방법

20 들이가 200 mL인 컵에 물을 가득 채운 뒤 냄비에 7번 부었더니 가득 채워졌습니다. 냄비와 꽃병 중에서 어느 쪽의 들이가 몇 mL 더 많을까요?

32 유사

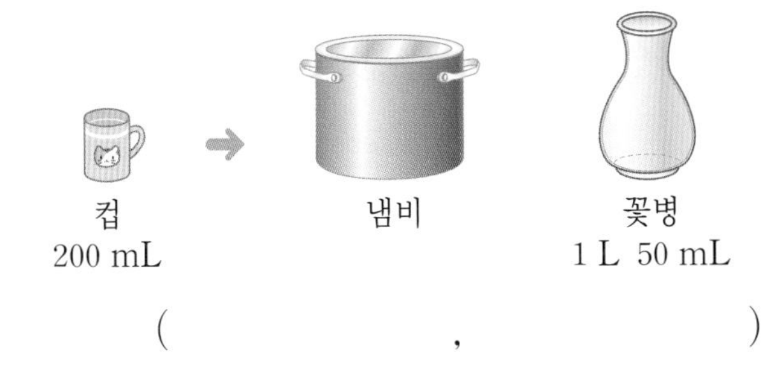

(　　　　　　,　　　　　　)

5 단원

STEP 1 한번 더

개념 완성하기

진도북[122~125쪽]의 기본 유형 문제 복습

정답 54쪽

1 무게가 무거운 순서대로 번호를 써 보세요.

( ) ( ) ( )

2 은주, 혜진, 정호가 휴대 전화와 공책의 무게를 각자의 방법으로 비교하려고 합니다. 잘못된 방법을 말한 사람의 이름을 써 보세요.

- 은주: 저울과 동전을 이용해서 동전 몇 개의 무게와 같은지 알아보고 비교할거야.
- 혜진: 직접 겹쳐서 크기를 비교해 볼거야.
- 정호: 내 양손에 각각 들어서 비교할래.

( )

3 파인애플의 무게는 몇 g일까요?

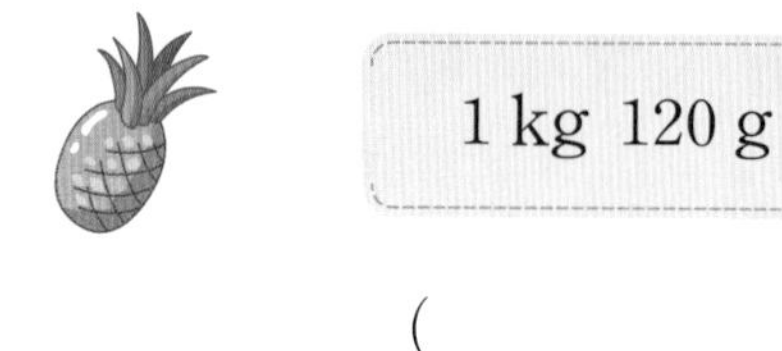

( )

4 선풍기의 무게를 재려고 합니다. 어느 단위를 사용하여 무게를 재면 편리할지 알맞은 것에 ◯표 하세요.

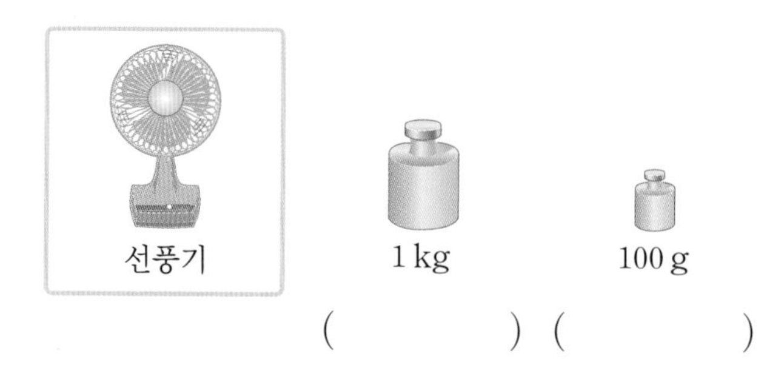

( ) ( )

5 두 무게의 합과 차를 각각 구하세요.

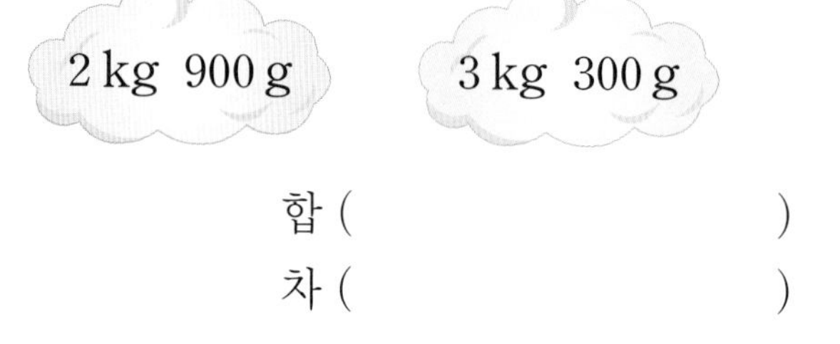

합 ( )

차 ( )

6 서준이네 집에 있는 강아지의 무게는 2 kg 450 g이고 고양이의 무게는 3 kg 600 g입니다. 고양이는 강아지보다 몇 kg 몇 g 더 무거울까요?

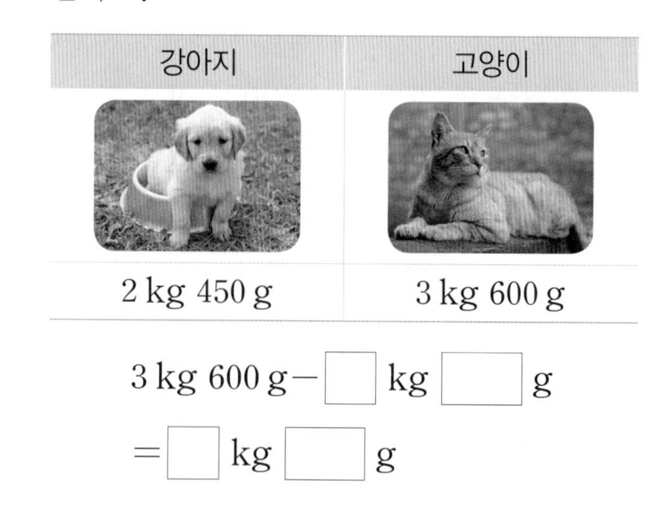

강아지	고양이
2 kg 450 g	3 kg 600 g

3 kg 600 g − ☐ kg ☐ g

= ☐ kg ☐ g

STEP 2 한번 더 실력 다지기

진도북[126~127쪽]의 확인, 강화 문제 복습

정답 54쪽

01 저울과 100원짜리 동전을 사용하여 지우개와 가위의 무게를 비교하려고 합니다. 지우개와 가위 중에서 어느 것이 동전 몇 개만큼 더 무거울까요?

02 유사

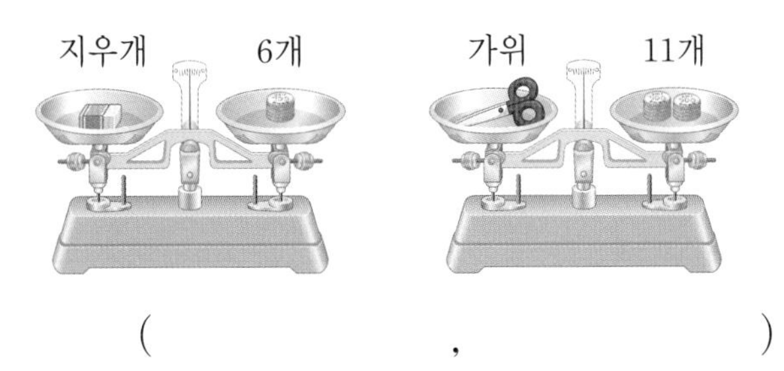

(,)

02 초콜릿, 큐브, 막대 사탕 1개의 무게를 비교하려고 합니다. 무게가 가벼운 것부터 차례로 써 보세요. (단, 각각의 종류별로 1개의 무게가 같습니다.)

03 유사

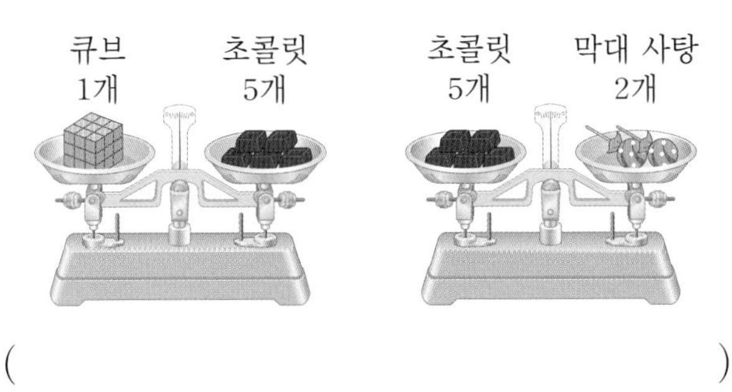

( )

03 보기 의 물건 중에서 무게의 단위 t, kg, g을 사용하기에 적당한 것을 각각 찾아 써 보세요.

05 유사

보기

풀	책상	전자레인지	기차
수박	머리끈	비행기	탁구공

t ( )

kg ( )

g ( )

서술형

04 무게의 단위가 틀린 것을 찾아 기호를 쓰고, 옳게 고쳐 보세요.

06 유사

㉠ 모자의 무게는 약 100 kg입니다.
㉡ 명수의 몸무게는 33 kg입니다.
㉢ 요구르트의 무게는 약 70 g입니다.

답

옳게 고친 문장

서술형

05 틀린 것을 찾아 ×표 하고, 옳게 고쳐 보세요.

08 유사

- 7000 kg=7 t ( )
- 6 kg 800 g=6800 g ( )
- 9050 g=90 kg 50 g ( )

옳게 고치기

06 ㉠과 ㉡에 알맞은 수의 차를 구하세요.

09 유사

㉠ g=8 kg 700 g
5030 g=5 kg ㉡ g

( )

07 무게가 무거운 순서대로 기호를 써 보세요.

11 유사

㉠ 3 kg 60 g
㉡ 3160 g
㉢ 3 kg 200 g

( )

5 단원

교과 역량

08 로봇 만들기 대회에서 승현이는 무게가 1 kg 850 g인 로봇을 만들었고 지훈이는 무게가 1500 g인 로봇을 만들었습니다. 승현이와 지훈이 중에서 만든 로봇의 무게가 더 무거운 사람은 누구일까요?

12 유사

( )

09 휴대 전화의 무게를 가장 적절히 어림한 것을 찾아 기호를 써 보세요.

14 유사

㉠ 약 5 t
㉡ 약 15 kg
㉢ 약 150 g

( )

10 저울을 사용하여 여러 가지 물건의 무게를 재어 보았더니 다음과 같았습니다. 무게가 약 8 kg인 것을 찾아 물건의 이름을 써 보세요.

15 유사

화분	세탁 세제	시계
7800 g	1800 g	800 g

( )

서술형

11 □ 안에 알맞은 수를 구하려고 합니다. 풀이 과정을 쓰고, 답을 구하세요.

17 유사

7 kg 300 g − 3 kg 600 g = □ g

풀이

답

12 무게가 가장 가벼운 것을 찾아 색칠하세요.

18 유사

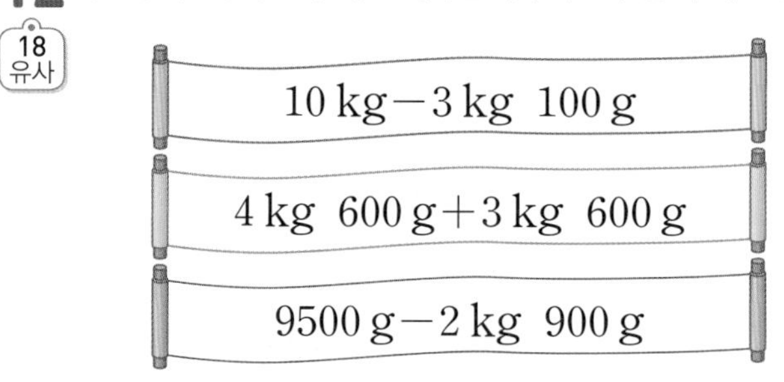

13 쌀이 5 kg 400 g 있었습니다. 떡을 만들고 남은 쌀의 무게를 재어 보니 3800 g이었습니다. 떡을 만드는 데 사용한 쌀의 무게는 몇 kg 몇 g일까요?

20 유사

( )

교과 역량

14 무게를 나타내는 여러 가지 단위 중에서 '관'은 채소의 무게를 말할 때 사용합니다. 한 관이 3750 g일 때 시금치 3관은 몇 kg 몇 g일까요?

21 유사

( )

15 빈 접시의 무게는 몇 g일까요?
23 유사

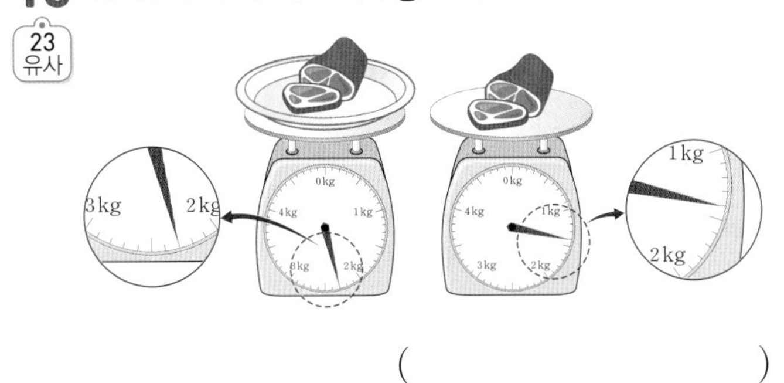

(　　　　　　　　)

16 포도 상자와 귤 상자의 무게입니다. 포도 상자와 귤 상자 중에서 어느 것의 무게가 몇 kg 몇 g 더 무거울까요?
24 유사

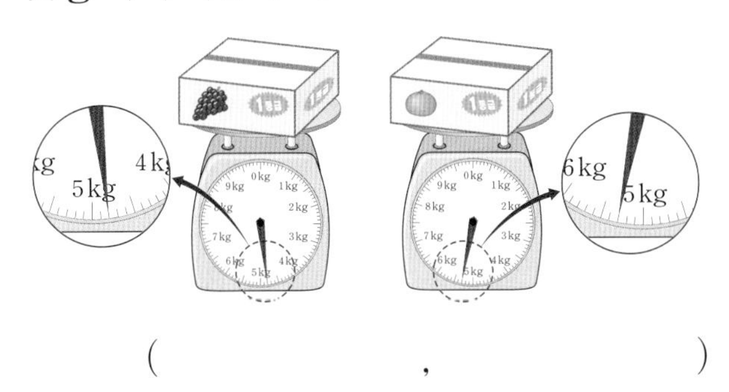

(　　　　　,　　　　　)

17 영주는 무게가 900 g인 가방에 2 kg 300 g의 책을 넣었고, 해솔이는 무게가 1 kg 100 g인 가방에 1 kg 900 g의 책을 넣었습니다. 책을 넣은 가방의 무게는 누가 몇 g 더 가벼울까요?
26 유사

(　　　　　,　　　　　)

18 무게가 2 kg 200 g인 돌의 무게를 가장 적절히 어림한 사람의 이름을 써 보세요.
28 유사

- 세희: 난 약 2 kg 500 g일 것 같아.
- 동훈: 난 약 1 kg 800 g일 것 같은데.
- 석주: 흠……. 약 2070 g일 것 같아.

(　　　　　　　　)

생각 수학

19 고구마와 감자의 무게를 재었더니 다음과 같았습니다. 고구마 한 자루의 무게는 몇 kg 몇 g일까요? (단, 종류별로 한 자루의 무게는 각각 같습니다.)
30 유사

- 고구마 한 자루와 감자 한 자루의 무게: 36 kg 800 g
- 고구마 한 자루와 감자 2자루의 무게: 58 kg 100 g

(　　　　　　　　)

서술형

20 무게가 똑같은 복숭아 5개를 넣은 상자의 무게는 2 kg 400 g입니다. 상자만의 무게가 900 g이라면 복숭아 1개의 무게는 몇 g인지 풀이 과정을 쓰고, 답을 구하세요.
32 유사

풀이

답

5 단원

STEP 3 한번더 서술형 해결하기

01 ㉠ 수도로 물을 3분 동안 채우면 가득 채워지는 수조가 있습니다. 빈 수조에 ㉡ 수도로 물을 2분 동안 채웠다면 **수조에 물을 몇 L 몇 mL 더 넣어야 가득 채워지는지** 풀이 과정을 쓰고, 답을 구하세요.

01 유사

1분 동안 나오는 물의 양

㉠ 수도	㉡ 수도
1 L 900 mL	2 L 100 mL

❶ ㉡ 수도로 2분 동안 빈 수조에 넣은 물의 양 구하기

풀이

❷ 수조에 더 넣어야 하는 물의 양 구하기

풀이

답

02 물이 1분에 4 L씩 나오는 ㉮ 수도와 4분에 12 L씩 나오는 ㉯ 수도가 있습니다. 두 수도를 동시에 틀어서 물을 받을 때 **1시간 동안 받을 수 있는 물은 모두 몇 L**인지 풀이 과정을 쓰고, 답을 구하세요.

03 유사

풀이

답

03 **예준이네 가족과 희수네 가족이 마신 주스의 양은 모두 몇 L 몇 mL**인지 풀이 과정을 쓰고, 답을 구하세요.

04 유사

	처음에 있던 주스의 양	마시고 남은 주스의 양
예준이네	3 L 300 mL	1 L 800 mL
희수네	4 L	2 L 600 mL

❶ 예준이네 가족과 희수네 가족이 마신 주스의 양 각각 구하기

풀이

❷ 두 가족이 마신 주스의 양의 합 구하기

풀이

답

04 은서는 과일을 씻는 데 물 3 L 500 mL 중에서 800 mL를 사용했고, 세수를 하는 데 물 5 L 200 mL 중에서 3600 mL를 사용하였습니다. **은서가 사용하고 남은 물은 모두 몇 L 몇 mL**인지 풀이 과정을 쓰고, 답을 구하시오.

06 유사

풀이

답

정답 56쪽

05 (07 유사) 테이프, 지우개, 자의 무게를 비교하였습니다. **테이프 1개의 무게는 자 1개의 무게의 몇 배**인지 풀이 과정을 쓰고, 답을 구하세요. (단, 각각의 종류별로 1개의 무게가 같습니다.)

테이프 1개 지우개 2개

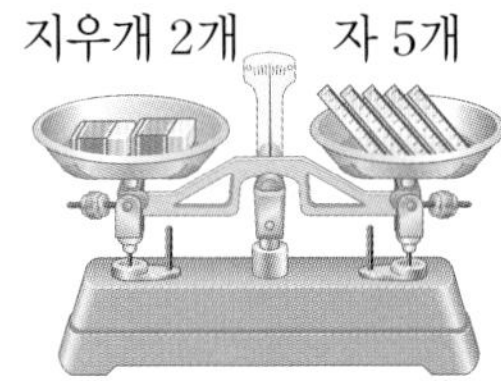

❶ 테이프 1개의 무게는 자 몇 개의 무게와 같은지 구하기

풀이

❷ 테이프 1개의 무게는 자 1개의 무게의 몇 배인지 구하기

풀이

답

06 (09 유사) 저울과 공깃돌을 사용하여 세 물건의 무게를 비교하였습니다. **가장 무거운 물건의 무게는 가장 가벼운 물건의 무게의 몇 배**인지 풀이 과정을 쓰고, 답을 구하세요.

물건	계산기	휴대 전화	태블릿 PC
공깃돌의 수	5개	10개	35개

풀이

답

07 (10 유사) 280 kg까지 실을 수 있는 엘리베이터가 있습니다. 이 엘리베이터에 몸무게가 다음과 같은 세 사람이 탔습니다. **더 실을 수 있는 무게는 몇 kg 몇 g**인지 풀이 과정을 쓰고, 답을 구하세요.

아버지	어머니	은석
77 kg	51 kg 500 g	36 kg 800 g

❶ 세 사람의 몸무게의 합 구하기

풀이

❷ 더 실을 수 있는 무게 구하기

풀이

답

08 (12 유사) 상자 ㉮, ㉯, ㉰를 함께 저울에 올려 무게를 재어 보니 67 kg 400 g이었습니다. 상자 ㉮와 ㉯를 함께 저울에 올려 무게를 재어 보니 48 kg 500 g이었습니다. 상자 ㉮가 상자 ㉰보다 1300 g 더 무거울 때 **상자 ㉯의 무게는 몇 kg 몇 g**인지 풀이 과정을 쓰고, 답을 구하세요.

풀이

답

5 단원

STEP 1 한번더 개념 완성하기

진도북[144~147쪽]의 기본 유형 문제 복습

정답 57쪽

1 영선이네 반 학생들이 좋아하는 운동을 조사하여 표로 나타내었습니다. 물음에 답하세요.

좋아하는 운동별 학생 수

운동	야구	축구	피구	농구	합계
학생 수(명)	6	12		3	30

(1) 피구를 좋아하는 학생은 몇 명일까요?

( )

(2) 좋아하는 학생 수가 많은 운동부터 순서대로 써 보세요.

( )

2 정수의 필통에 들어 있는 물건입니다. 물음에 답하세요.

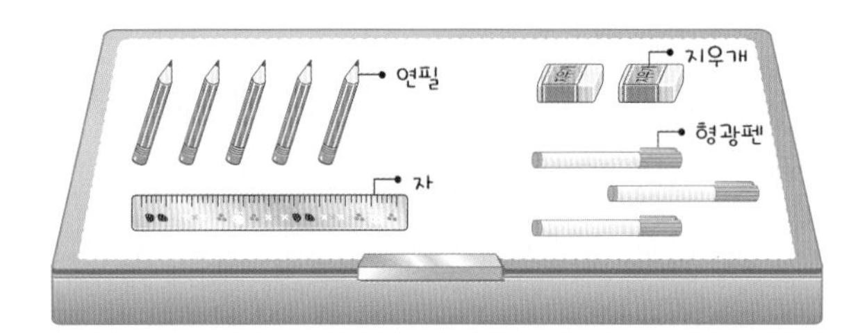

(1) 그림을 보고 표로 나타내어 보세요.

필통에 들어 있는 물건 수

종류	연필	지우개	자	형광펜	합계
물건 수(개)					

(2) 필통에 가장 많이 들어 있는 물건은 무엇일까요?

( )

[3~4] 학범이네 학교 3학년 학생들이 모은 빈 병 수를 반별로 조사하여 그림그래프로 나타내었습니다. 물음에 답하세요.

반별 모은 빈 병 수

반	빈 병 수
1반	
2반	
3반	
4반	

10병
1병

3 그림그래프를 보고 표로 나타내어 보세요.

반별 모은 빈 병 수

반	1반	2반	3반	4반	합계
빈 병 수(병)					

4 모은 빈 병 수가 가장 적은 반은 어느 반일까요?

( )

5 주차장에 있는 종류별 자동차 수를 조사하여 나타낸 표입니다. 표를 보고 그림그래프를 완성하세요.

종류별 자동차 수

종류	버스	승용차	트럭	합계
자동차 수(대)	13	21	5	39

종류	자동차 수
승용차	
트럭	

10대
1대

STEP 2 한번더 실력 다지기

진도북[148~149쪽]의 확인 문제 복습

정답 57쪽

서술형

01 (02 유사) 재석이네 학교 3학년에서 수학경시대회에 참가한 학생 수를 반별로 조사하여 표로 나타내었습니다. 가장 많은 학생들이 수학경시대회에 참가한 반은 몇 반인지 쓰고, 그 이유를 써 보세요.

반별 참가한 학생 수

반	1반	2반	3반	4반	합계
남학생 수(명)	6	9	10	8	33
여학생 수(명)	7	8	4	8	27

답

이유

02 (04 유사) 소현이네 반 학생들이 좋아하는 계절을 조사한 것입니다. 물음에 답하세요.

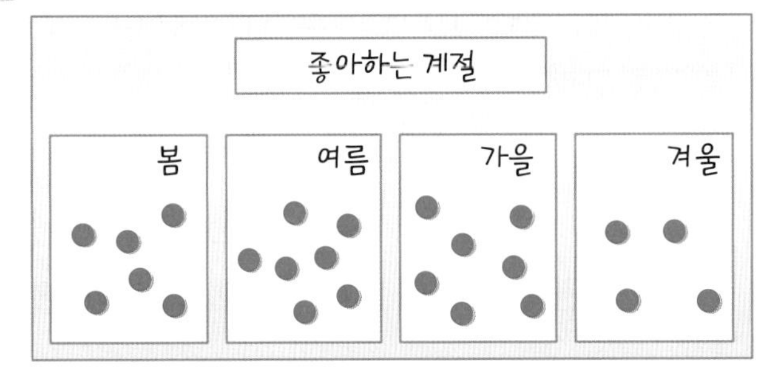

(1) 조사한 것을 보고 계절별 좋아하는 학생 수를 표로 나타내어 보세요.

계절별 좋아하는 학생 수

계절	봄	여름	가을	겨울	합계
학생 수(명)					

(2) 여름을 좋아하는 학생은 겨울을 좋아하는 학생보다 몇 명 더 많을까요?

( )

03 (06 유사) 어느 지역의 연도별 신생아 수를 그림그래프로 나타내었습니다. 2014년의 신생아 수와 2017년의 신생아 수의 차는 몇 명일까요?

연도별 신생아 수

연도	신생아 수
2014년	(큰 그림 3개, 작은 그림 4개)
2015년	(큰 그림 4개, 작은 그림 2개)
2016년	(큰 그림 3개, 작은 그림 1개)
2017년	(큰 그림 2개, 작은 그림 7개)

큰 그림 100명, 작은 그림 10명

( )

서술형

04 (08 유사) 성준이네 마을에서 하루 동안 수확한 사과의 양을 조사하여 표와 그림그래프로 나타내었습니다. 사과 수확량이 가장 많은 과수원을 알아보려면 표와 그림그래프 중 어느 것이 편리한지 쓰고, 그 이유를 써 보세요.

과수원별 사과 수확량

과수원	가	나	다	합계
사과 수확량(kg)	51	70	63	184

과수원별 사과 수확량

과수원	사과 수확량
가	(큰 사과 5개, 작은 사과 1개)
나	(큰 사과 7개)
다	(큰 사과 6개, 작은 사과 3개)

큰 사과 10 kg, 작은 사과 1 kg

답

이유

05 경규네 학교 3학년 학생들이 좋아하는 견과류를 조사하여 표로 나타내었습니다. 표를 보고 그림그래프로 나타내어 보세요.

10 유사

좋아하는 견과류별 학생 수

견과류	땅콩	호두	아몬드	잣	합계
학생 수(명)	25	13	31	20	89

좋아하는 견과류별 학생 수

견과류	학생 수

10명 1명

06 어느 케이크 가게에서 하루 동안 팔린 케이크의 조각 수를 조사하여 표로 나타내었습니다. 물음에 답하세요.

12 유사

팔린 케이크의 조각 수

케이크	초콜릿	치즈	생크림	합계
조각 수(조각)	43		35	

(1) 표를 보고 그림그래프를 완성하세요.

팔린 케이크의 조각 수

케이크	조각 수
초콜릿	
치즈	(10조각 4개, 1조각 1개)
생크림	

10조각 1조각

(2) 세 종류의 케이크는 모두 몇 조각 팔렸을까요?

( )

07 윤성이네 가족이 빚은 만두의 수를 그림그래프로 나타내었습니다. 윤성이네 가족 4명이 빚은 만두가 모두 121개일 때 그림그래프를 완성하세요.

14 유사

빚은 만두의 수

가족	만두 수
아버지	(10개 2개, 1개 2개)
어머니	(10개 4개)
누나	(10개 2개, 1개 6개)
윤성	

10개 1개

08 지우네 모둠 학생들이 지난달 학용품을 사는 데 사용한 금액을 조사하여 표로 나타내었습니다. 조사한 표를 보고 ▢는 1000원, ◯는 500원, ●는 100원으로 나타내려고 합니다. 그림그래프를 만들어 보세요.

16 유사

학생별 사용한 금액

이름	지우	용만	희준	서영	합계
금액(원)	3100	1700	2400	1500	8700

학생별 사용한 금액

이름	금액
지우	
용만	
희준	
서영	

1000원 500원 100원

정답 57쪽

09 18 유사 영준이네 학교 도서관에서 학생들이 빌려 간 책의 수를 그림그래프로 나타내었습니다. 빌려 간 동화책이 32권일 때, 빌려 간 과학책과 위인전의 수의 차는 몇 권일까요?

빌려 간 책의 수

종류	책의 수
동화책	
과학책	
만화책	
위인전	

( )

10 20 유사 과학의 날을 맞이하여 학교별로 과학 행사에 참여한 학생 수를 조사하여 그림그래프로 나타내었습니다. 네 학교에서 참여한 학생 수의 합이 701명일 때, 하늘 초등학교에서 참여한 학생은 몇 명일까요?

학교별 참여한 학생 수

학교	학생 수
바다	
하늘	
행복	
희망	

100명 10명 1명

( )

11 22 유사 사탕 가게에서 하루 동안 판매한 사탕의 수를 그림그래프로 나타내었습니다. 사탕 한 개의 값이 300원일 때, 오렌지 맛 사탕의 판매액은 포도 맛 사탕의 판매액보다 얼마나 더 많을까요?

사탕 판매량

종류	판매량
오렌지 맛	
딸기 맛	
포도 맛	
사과 맛	

10개
1개

( )

12 24 유사 마을별 심은 나무 수를 그림그래프로 나타내었습니다. 기찻길의 동쪽에 심은 나무 수가 서쪽에 심은 나무 수보다 28그루 더 많다면 기쁨 마을에 심은 나무는 몇 그루일까요?

마을별 심은 나무 수

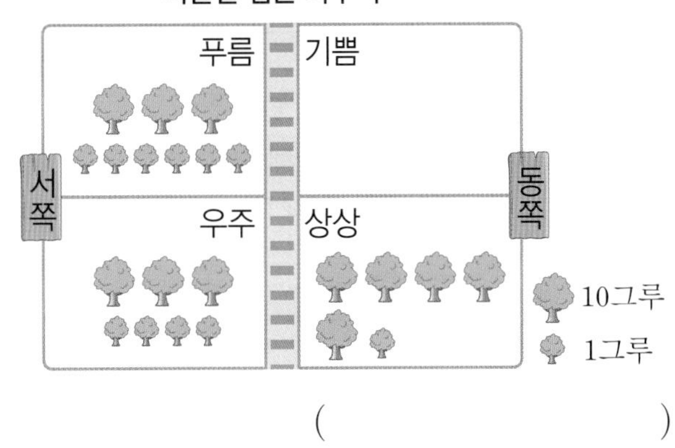

( )

STEP 3 한번 더

서술형 해결하기

진도북[154~155쪽]의 연습, 실전 문제 복습

정답 58쪽

01 (01 유사) 다음 그래프에서 화요일의 고구마 수확량은 수요일의 고구마 수확량보다 30 kg 더 많습니다. **3일 동안의 고구마 수확량은 모두 몇 kg**인지 풀이 과정을 쓰고, 답을 구하세요.

고구마 수확량

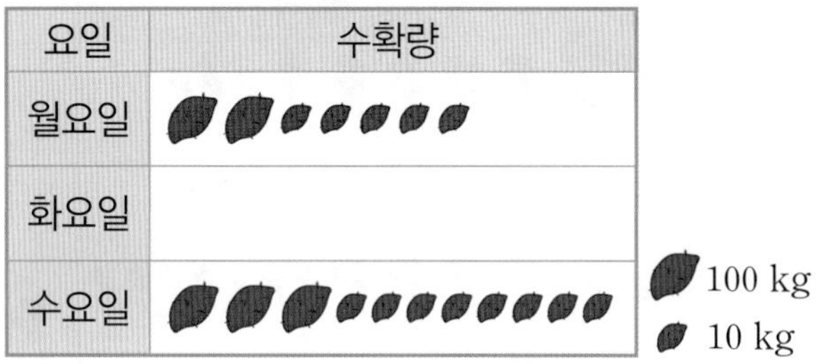

요일	수확량
월요일	
화요일	
수요일	

100 kg
10 kg

❶ 화요일의 고구마 수확량 구하기

풀이

❷ 3일 동안의 고구마 수확량 구하기

풀이

답

02 (03 유사) 다음 그림그래프에서 성공 가게의 휴대 전화 판매량은 탄탄 가게의 휴대 전화 판매량보다 13대 적습니다. **휴대 전화 판매량이 가장 많은 가게와 가장 적은 가게의 판매량의 차는 몇 대**인지 풀이 과정을 쓰고, 답을 구하세요.

휴대 전화 판매량

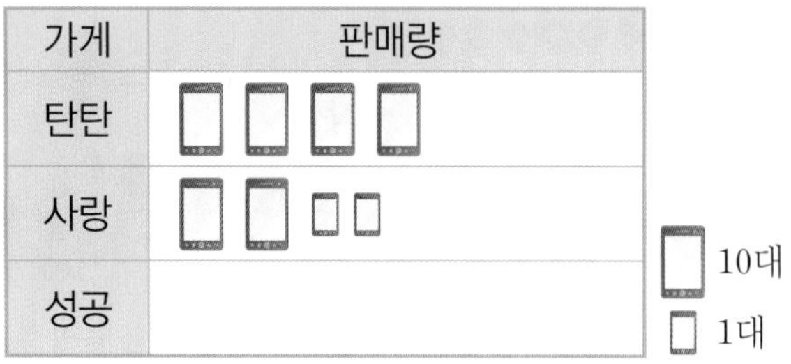

가게	판매량
탄탄	
사랑	
성공	

10대
1대

풀이

답

03 (04 유사) 유신이네 반 학생들이 좋아하는 꽃별 학생 수를 그림그래프로 나타내었습니다. 전체 학생 수가 27명일 때, **장미와 백합을 좋아하는 학생 수의 합은 몇 명**인지 풀이 과정을 쓰고, 답을 구하세요.

꽃별 학생 수

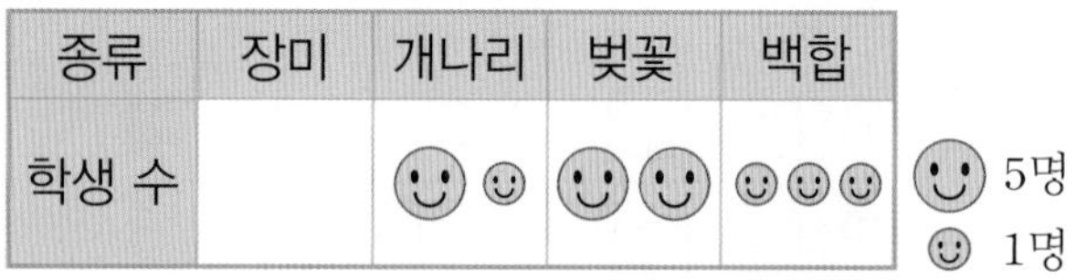

종류	장미	개나리	벚꽃	백합
학생 수				

5명
1명

❶ 장미를 좋아하는 학생 수 구하기

풀이

❷ 장미와 백합을 좋아하는 학생 수의 합 구하기

풀이

답

04 (06 유사) 하루 동안 판매한 종류별 신발 수를 그림그래프로 나타내었습니다. 하루 동안 판매한 신발은 모두 84켤레이고, 운동화 판매량이 구두 판매량의 3배입니다. **운동화 판매량은 몇 켤레**인지 풀이 과정을 쓰고, 답을 구하세요.

신발 판매량

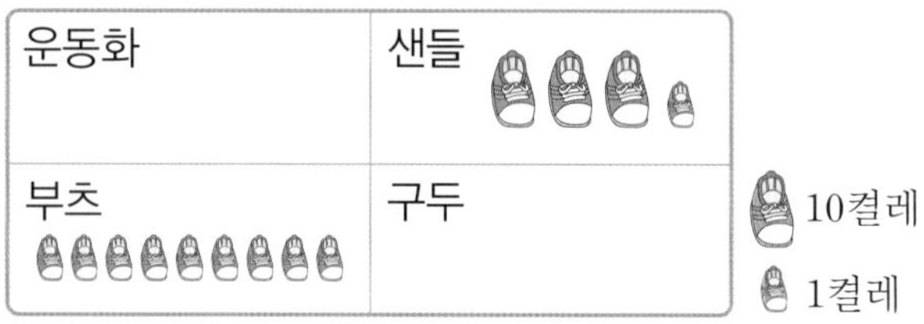

운동화	샌들
부츠	구두

10켤레
1켤레

풀이

답

단원 평가

5점 × ( ) 개 = ( ) 점

정답 59쪽

01 수 모형을 보고 □ 안에 알맞은 수를 써넣으세요.

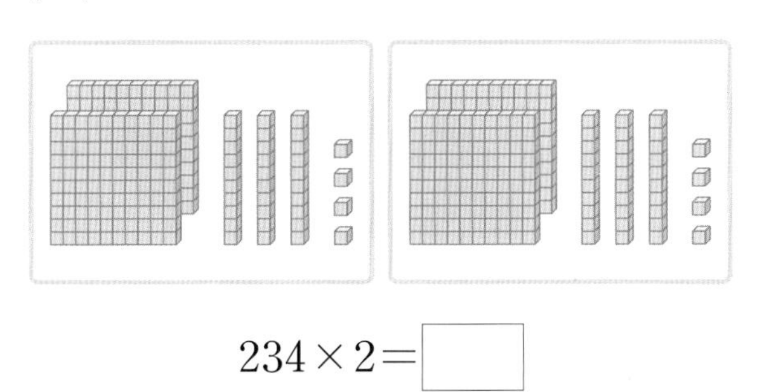

$234 \times 2 = \square$

02 □ 안에 알맞은 수를 써넣으세요.

$70 \times 60 = \square 00$

03 오른쪽 계산에서 [1]이 실제로 나타내는 수는 얼마일까요?

```
  1 [1]
  2  5  6
×       3
---------
  7  6  8
```

( )

04 □ 안에 알맞은 수를 써넣으세요.

```
     5 3
  ×  1 2
  ------
  [    ]  ← 53×2
  [    ]  ← 53×[ ]
  ------
  [    ]
```

05 계산해 보세요.

$$\begin{array}{r} 3\,5\,2 \\ \times \quad 4 \\ \hline \end{array}$$

06 빈 곳에 알맞은 수를 써넣으세요.

6 → ×72 → □

07 보기와 계산 결과가 같은 것을 찾아 기호를 써 보세요.

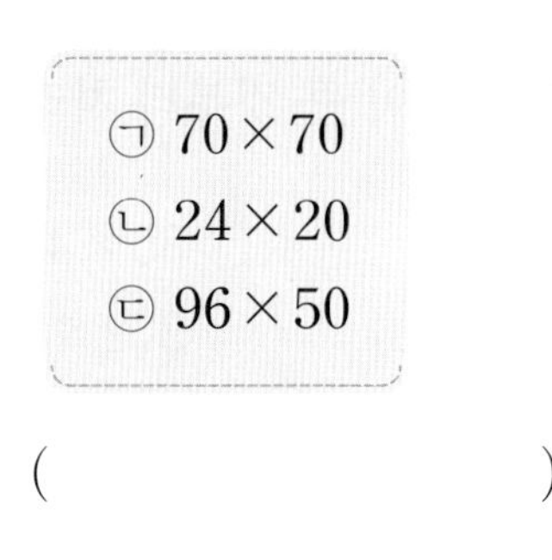

보기: 60×80

㉠ 70×70
㉡ 24×20
㉢ 96×50

( )

단원 평가지

단원 평가

08 계산이 잘못된 부분을 찾아 바르게 계산하세요.

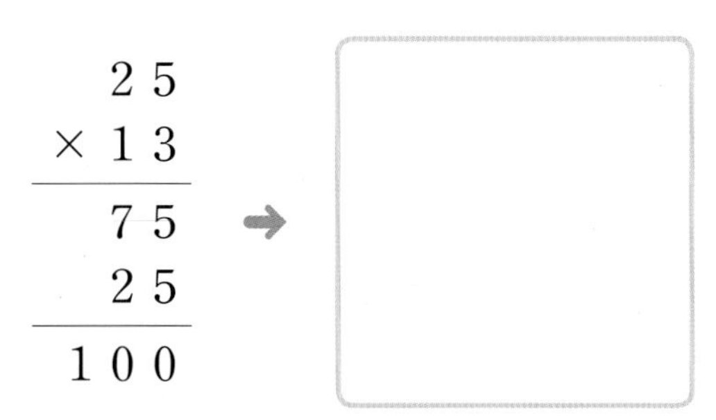

09 곱의 크기를 비교하여 ○ 안에 >, =, <를 알맞게 써넣으세요.

129×3  5×65

10 덧셈식을 곱셈식으로 나타내고, 답을 구하세요.

212+212+212+212

식 ______________________

답 ______________________

11 곱이 큰 것부터 차례로 기호를 써 보세요.

㉠ 30×40	㉡ 47×39
㉢ 372×4	㉣ 8×98

( )

12 골프공이 한 상자에 8개씩 들어 있습니다. 25상자에 들어 있는 골프공은 모두 몇 개일까요?

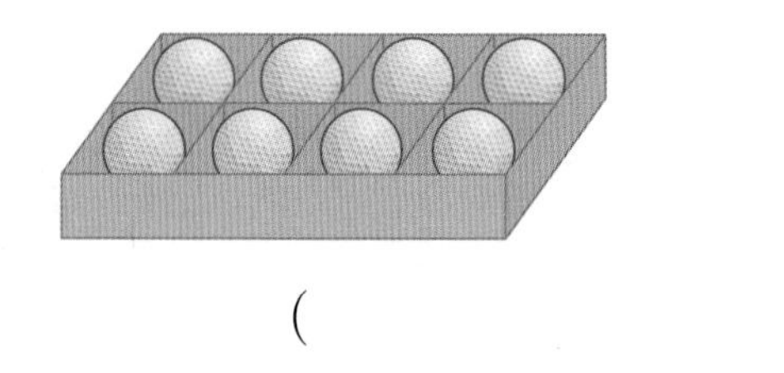

( )

13 도서관에 과학책이 책꽂이 한 칸에 62권씩 18칸 꽂혀 있습니다. 도서관에 과학책은 모두 몇 권 꽂혀 있을까요?

( )

14 정민이가 가지고 있는 돈은 다음과 같고, 미영이는 정민이가 가지고 있는 돈의 3배를 가지고 있습니다. 미영이가 가지고 있는 돈은 얼마일까요?

( )

서술형 문제

15 1부터 9까지의 수 중에서 □ 안에 들어갈 수 있는 가장 큰 수를 구하세요.

$\square \times 97 < 500$

(　　　　　　　　)

16 □ 안에 알맞은 수를 써넣으세요.

$$\begin{array}{r} 7\ 3 \\ \times\ 4\ \square \\ \hline 4\ 3\ 8 \\ 2\ 9\ \square\ 0 \\ \hline 3\ \square\ 5\ 8 \end{array}$$

17 한 변이 325 mm인 정사각형이 있습니다. 이 정사각형의 네 변의 길이의 합은 몇 cm일까요?

(　　　　　　　　)

18 가장 큰 수와 가장 작은 수의 곱을 구하는 풀이 과정을 쓰고, 답을 구하세요.

48　　53　　29　　26

풀이

답

19 과일 가게에 멜론이 한 상자에 4개씩 38상자 있고, 복숭아가 278개 있습니다. 과일 가게에 있는 멜론과 복숭아는 모두 몇 개인지 풀이 과정을 쓰고, 답을 구하세요.

풀이

답

20 어떤 수에 40을 곱해야 할 것을 잘못하여 더했더니 78이 되었습니다. 바르게 계산하면 얼마인지 풀이 과정을 쓰고, 답을 구하세요.

풀이

답

단원 평가지

단원 평가

01 그림을 보고 □ 안에 알맞은 수를 써넣으세요.

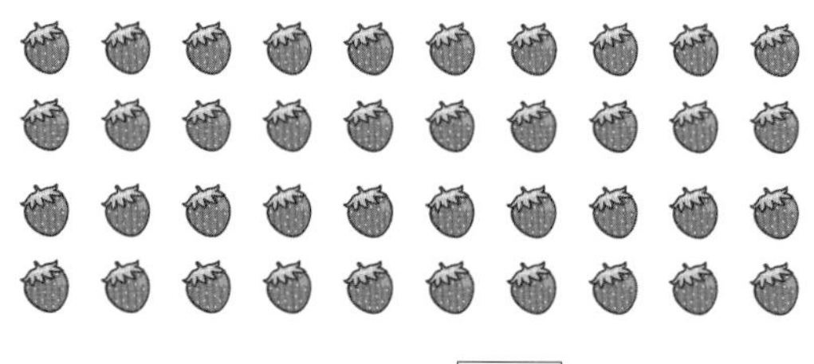

40÷2=□

02 □ 안에 알맞은 수를 써넣으세요.

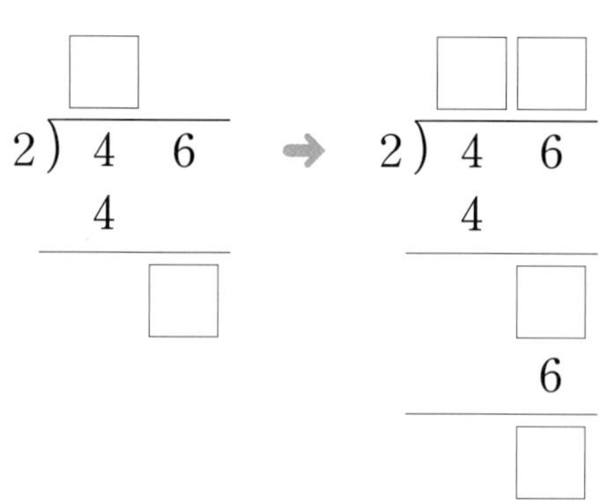

03 □ 안에 알맞은 수를 써넣으세요.

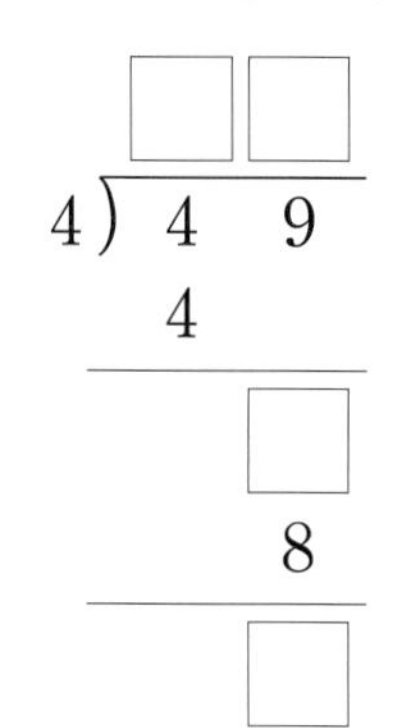

➡ 49를 4로 나누면 몫은 □이고 나머지는 □입니다.

04 나눗셈을 하고 맞게 계산했는지 확인해 보세요.

확인

05 □ 안에 알맞은 수를 써넣으세요.

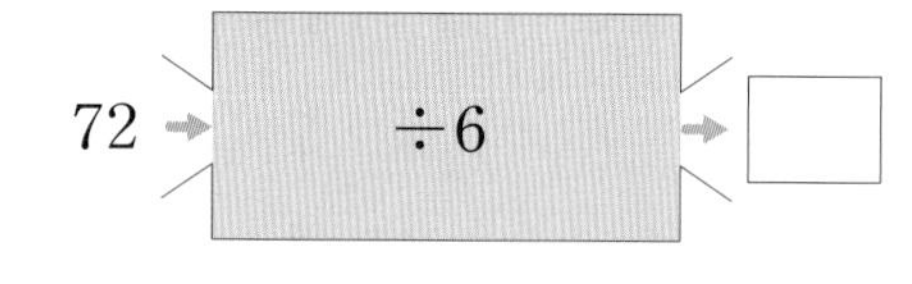

06 □ 안에는 몫을, ○ 안에는 나머지를 써넣으세요.

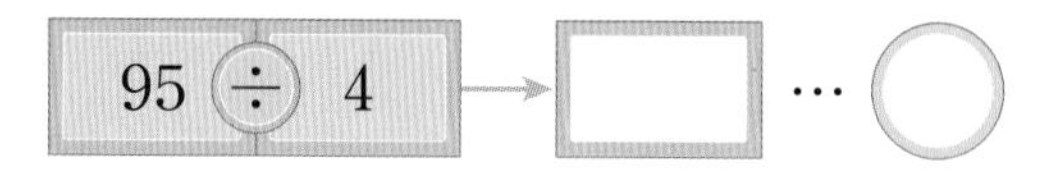

07 큰 수를 작은 수로 나눈 몫을 구하세요.

(　　　　　　　)

정답 60쪽

08 □÷8에서 나머지가 될 수 없는 수를 모두 찾아 ◯표 하세요.

7 5 8 6 9

09 몫의 크기를 비교하여 ◯ 안에 >, =, <를 알맞게 써넣으세요.

93÷3  145÷5

10 나누어떨어지는 나눗셈을 찾아 기호를 써 보세요.

㉠ $7\overline{)9\ 0}$ ㉡ $6\overline{)6\ 9}$ ㉢ $4\overline{)9\ 6}$

( )

11 씨앗 36개를 3명에게 똑같이 나누어 주려고 합니다. 한 명에게 몇 개씩 줄 수 있을까요?

□÷□=□(개)

12 나머지가 가장 큰 나눗셈을 만든 사람은 누구일까요?

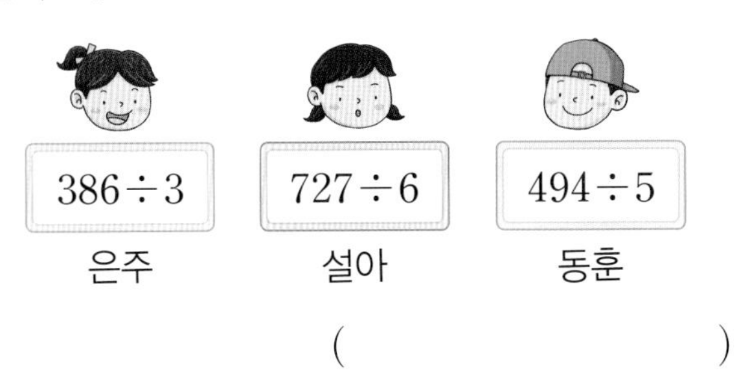

( )

13 메뚜기 한 마리의 다리는 6개입니다. 메뚜기의 다리가 모두 144개 있다면 메뚜기는 몇 마리일까요?

( )

14 색종이 79장을 한 명에게 4장씩 주려고 합니다. 몇 명에게 나누어 줄 수 있고 몇 장이 남을까요?

(,)

단원 평가지

15 ♥에 알맞은 수를 구하세요.

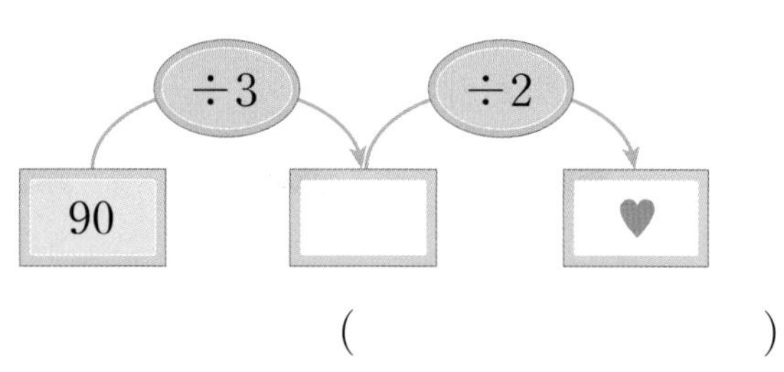

(　　　　　　　　)

16 귤 196개를 2상자에 똑같이 나누어 담은 후 한 상자에 담은 귤을 7명이 똑같이 나누어 가졌습니다. 한 명이 귤을 몇 개씩 가졌을까요?

(　　　　　　　　)

17 다음 나눗셈이 나누어떨어진다고 할 때 0부터 9까지의 수 중에서 □ 안에 들어갈 수 있는 수를 모두 구하세요.

6□÷4

(　　　　　　　　)

서술형 문제

18 나머지가 6이 될 수 있는 식을 모두 찾아 기호를 쓰고, 그 이유를 설명해 보세요.

㉠ □÷3	㉡ □÷7
㉢ □÷6	㉣ □÷9

답

이유

19 연필 9타를 모두 학생 한 명에게 3자루씩 주려고 합니다. 연필을 몇 명에게 나누어 줄 수 있는지 풀이 과정을 쓰고, 답을 구하세요.

(단, 연필 한 타는 12자루입니다.)

풀이

답

20 조건을 모두 만족하는 수는 얼마인지 풀이 과정을 쓰고, 답을 구하세요.

- 56보다 크고 60보다 작습니다.
- 4로 나누었을 때 나머지가 3입니다.

풀이

답

단원 평가

5점 × ( ) 개 = ( ) 점

정답 61쪽

01 원의 중심을 찾아 기호를 써 보세요.

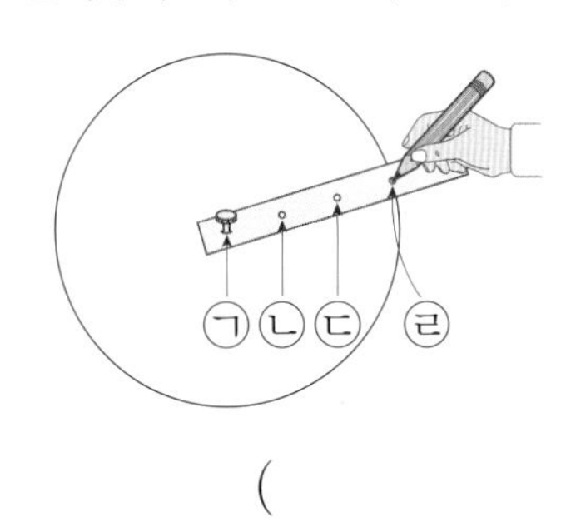

( )

02 □ 안에 알맞은 말을 써넣으세요.

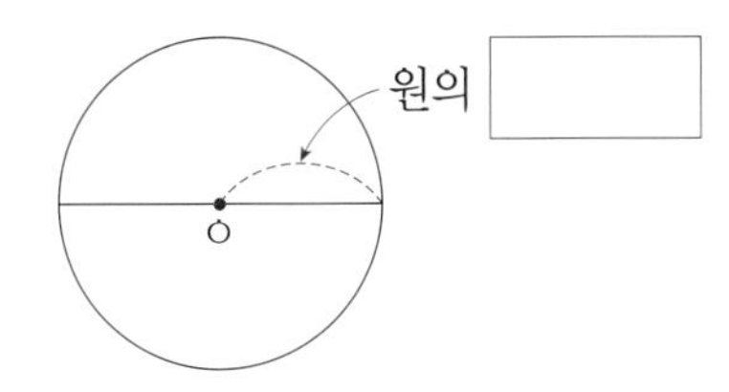

[03~04] 그림을 보고 물음에 답하세요.

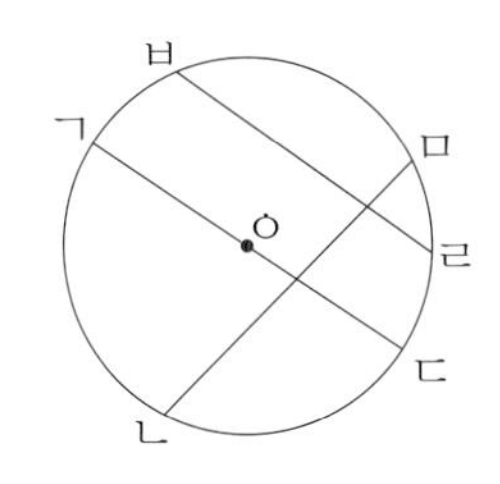

03 길이가 가장 긴 선분을 찾아 써 보세요.

( )

04 원의 지름을 나타내는 선분을 찾아 써 보세요.

( )

05 반지름이 4 cm인 원을 그리려고 합니다. 컴퍼스를 바르게 벌린 것에 ○표 하세요.

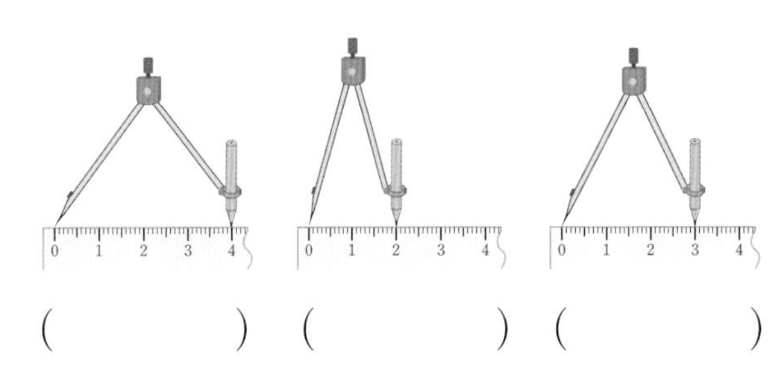

( ) ( ) ( )

06 □ 안에 알맞은 수를 써넣으세요.

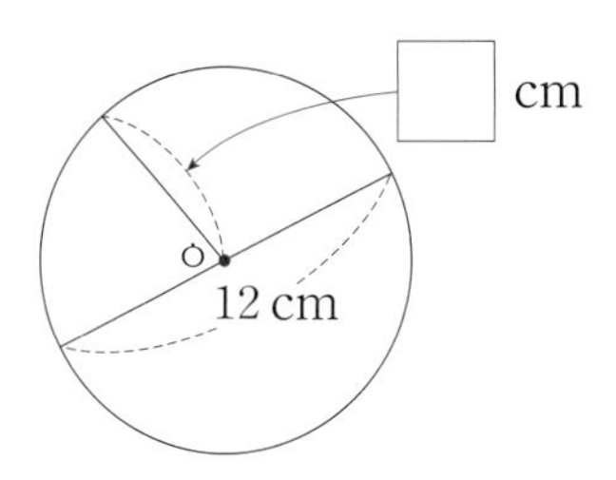

07 컴퍼스를 이용하여 점 ㅇ을 원의 중심으로 하는 반지름이 2 cm인 원을 그려 보세요.

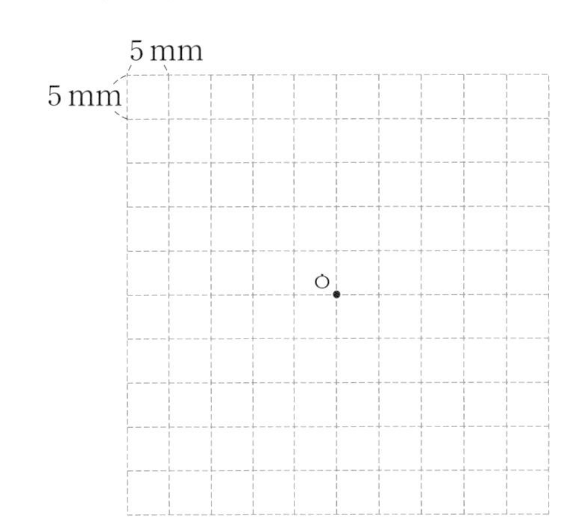

단원 평가지

08 원의 지름은 몇 cm일까요?

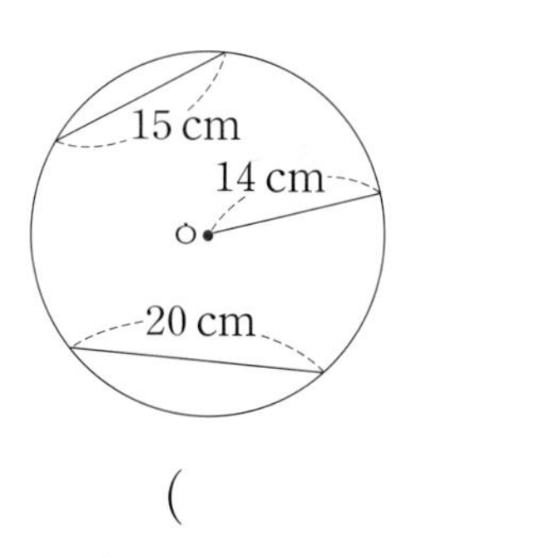

( )

09 주어진 모양을 보고 규칙을 바르게 설명한 것을 찾아 기호를 써 보세요.

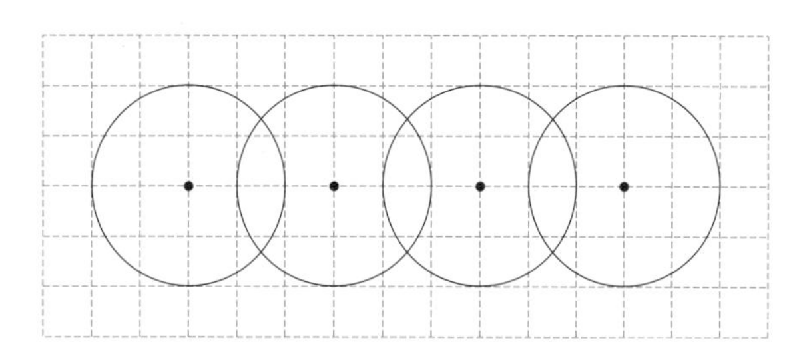

㉠ 원의 중심은 같습니다.
㉡ 원의 반지름의 길이는 같습니다.
㉢ 원의 지름이 늘어나는 규칙입니다.

( )

10 다음과 같은 모양을 그리기 위해 컴퍼스의 침을 꽂아야 할 곳은 모두 몇 군데일까요?

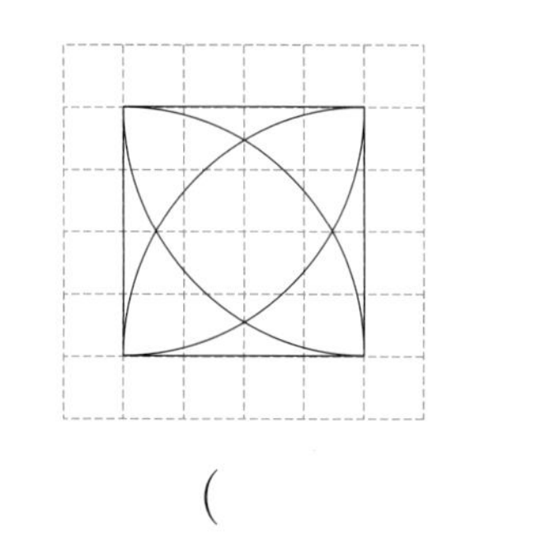

( )

11 바르게 설명한 것을 찾아 기호를 써 보세요.

㉠ 한 원에서 그릴 수 있는 반지름은 1개입니다.
㉡ 한 원에서 지름의 길이는 모두 같습니다.
㉢ 한 원에서 지름은 가장 짧은 선분입니다.

( )

12 주어진 모양과 똑같이 그려 보세요.

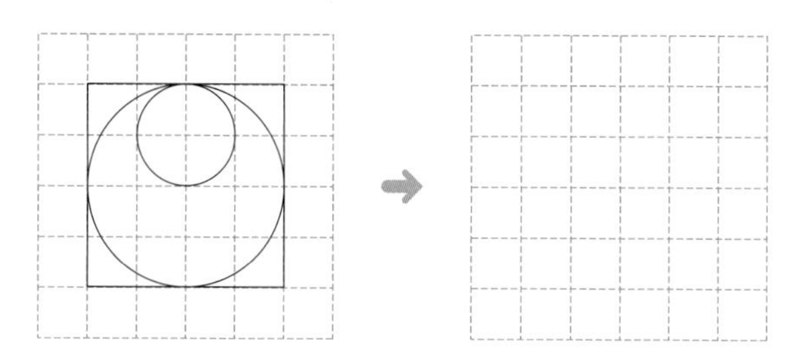

13 가장 큰 원을 찾아 기호를 써 보세요.

㉠ 지름이 8 cm인 원
㉡ 반지름이 5 cm인 원
㉢ 지름이 9 cm인 원

( )

14 원의 반지름은 7 cm입니다. 삼각형 ㄱㅇㄴ의 세 변의 길이의 합은 몇 cm일까요?

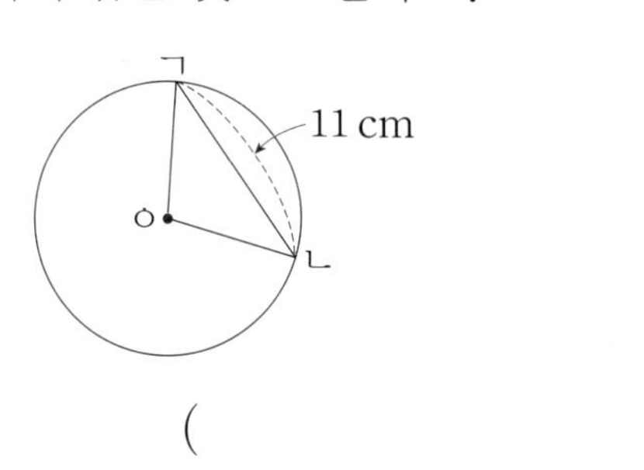

( )

서술형 문제

15 점 ㄱ과 점 ㄴ은 원의 중심입니다. 선분 ㄱㄴ의 길이는 몇 cm일까요?

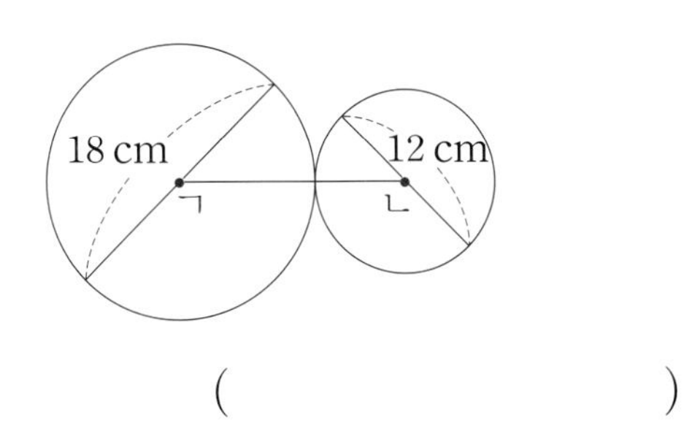

( )

16 가장 큰 원 안에 원 2개가 맞닿게 그려져 있습니다. 가장 큰 원의 반지름은 몇 cm일까요?

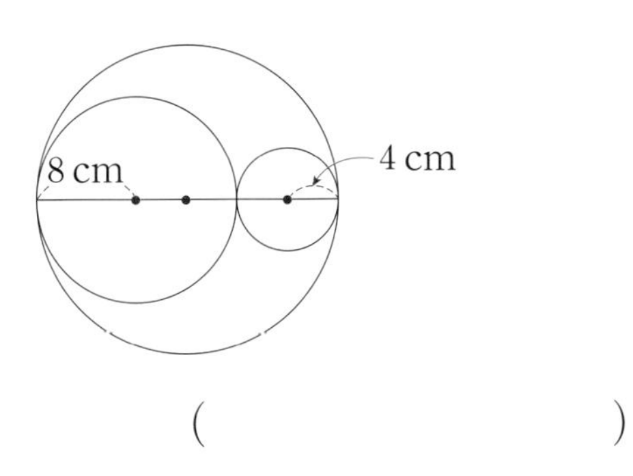

( )

17 직사각형 안에 그림과 같이 크기가 같은 원을 4개 그렸습니다. 직사각형의 네 변의 길이의 합은 몇 cm일까요?

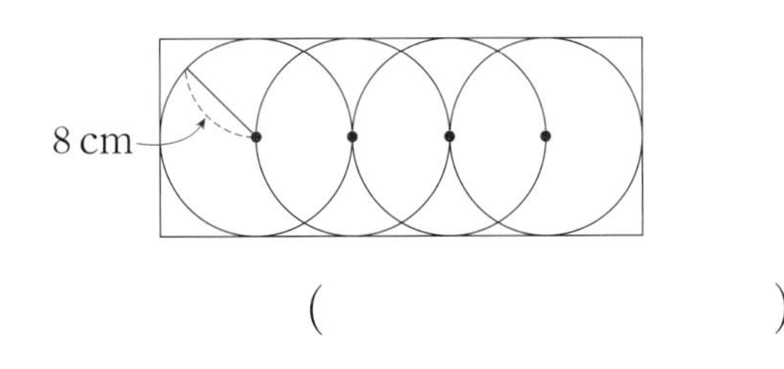

( )

18 오른쪽 그림에서 큰 원의 반지름은 몇 cm인지 풀이 과정을 쓰고, 답을 구하세요.

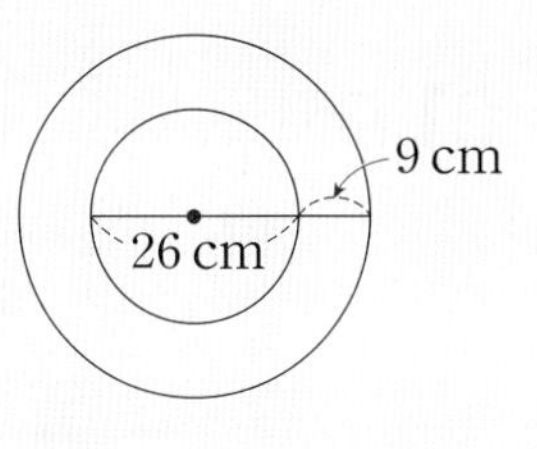

풀이

답

19 주어진 모양을 보고 어떤 규칙이 있는지 설명하고, 규칙에 따라 원을 1개 더 그려 보세요.

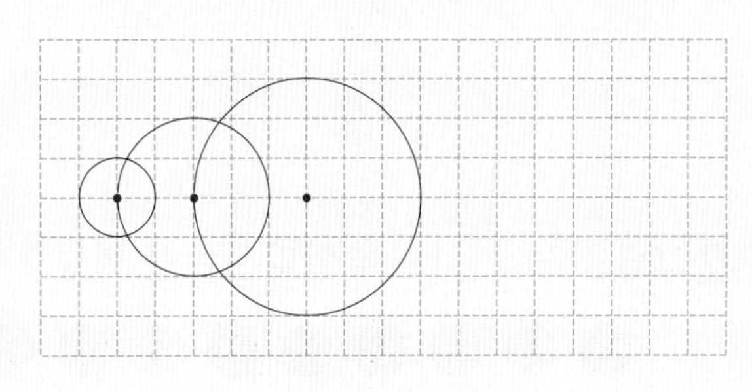

설명

20 점 ㄱ, 점 ㄷ은 원의 중심입니다. 사각형 ㄱㄴㄷㄹ의 네 변의 길이의 합이 20 cm일 때 선분 ㄷㄹ의 길이는 몇 cm인지 풀이 과정을 쓰고, 답을 구하세요.

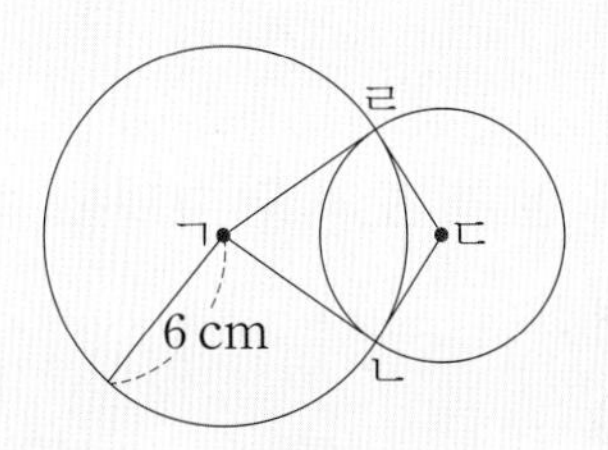

풀이

답

단원 평가

단원 평가

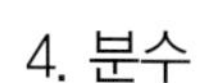

01 그림을 보고 □ 안에 알맞은 수를 써넣으세요.

전체를 똑같이 8로 나누면

3은 8의 $\frac{\square}{\square}$입니다.

02 그림을 보고 □ 안에 알맞은 수를 써넣으세요.

9의 $\frac{2}{3}$는 □입니다.

03 보기 를 보고 오른쪽 그림을 대분수로 나타내어 보세요.

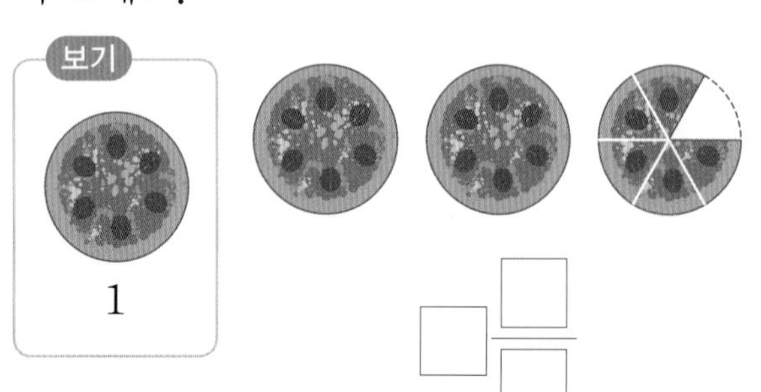

$\square\frac{\square}{\square}$

04 그림을 2칸씩 묶고 8은 14의 몇 분의 몇인지 구하세요.

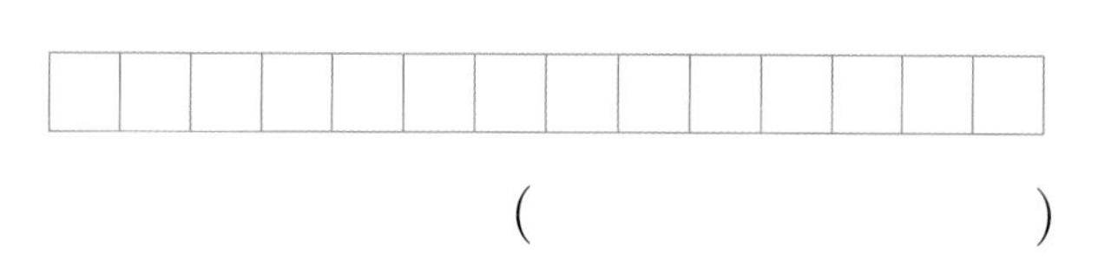

(　　　　　　　　)

05 □ 안에 알맞은 가분수를 써넣으세요.

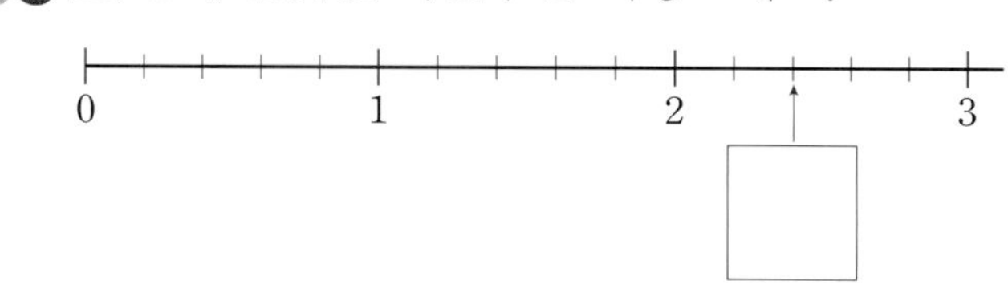

06 가분수는 모두 몇 개일까요?

$\frac{7}{4}$	$\frac{6}{6}$	$\frac{3}{7}$
$\frac{5}{8}$	$1\frac{1}{2}$	$\frac{6}{5}$

(　　　　　　　　)

07 가분수를 대분수로 나타내어 보세요.

$\frac{19}{7}$

(　　　　　　　　)

08 관계있는 것끼리 선으로 이어 보세요.

(1) 40의 $\frac{5}{8}$ •

(2) 48의 $\frac{3}{6}$ •

• 24

• 25

• 26

09 바르게 설명한 것을 찾아 기호를 써 보세요.

㉠ 16을 2씩 묶으면 2는 16의 $\frac{1}{4}$입니다.

㉡ 24를 8씩 묶으면 16은 24의 $\frac{2}{3}$입니다.

㉢ 30을 6씩 묶으면 12는 30의 $\frac{2}{6}$입니다.

( )

10 두 분수의 크기를 비교하여 ○ 안에 >, =, <를 알맞게 써넣으세요.

$2\frac{1}{5}$ ○ $\frac{9}{5}$

11 분모가 6인 진분수 중에서 가장 큰 수를 구하세요.

( )

12 색종이가 32장 있습니다. 그중에서 $\frac{3}{4}$을 사용했다면 사용한 색종이는 몇 장일까요?

( )

13 수직선의 눈금을 잘못 나타낸 것을 찾아 기호를 써 보세요.

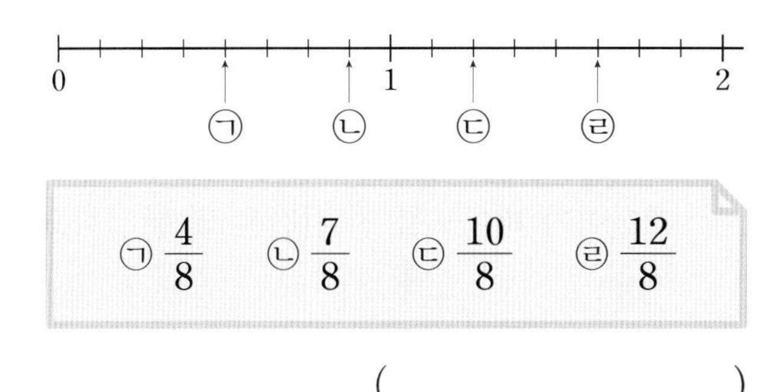

( )

14 ★과 ♥에 알맞은 수의 합을 구하세요.

• 24는 42의 $\frac{★}{7}$입니다.

• 12는 54의 $\frac{♥}{9}$입니다.

( )

단원 평가지

단원 평가

15 $1\frac{1}{7}$보다 크고 $\frac{16}{7}$보다 작은 분수를 모두 찾아 기호를 써 보세요.

㉠ $2\frac{1}{7}$ ㉡ $2\frac{3}{7}$
㉢ $\frac{5}{7}$ ㉣ $\frac{12}{7}$

(   )

16 재인이는 2시간의 $\frac{2}{5}$만큼 피아노를 쳤습니다. 재인이가 피아노를 친 시간은 몇 분일까요?

(   )

17 초콜릿이 모두 48개 있습니다. 인성, 보라, 현규가 각각 먹은 초콜릿의 수를 나타낸 것입니다. 세 사람이 먹은 초콜릿 수의 합은 몇 개일까요?

인성	보라	현규
전체의 $\frac{1}{8}$	전체의 $\frac{3}{8}$	전체의 $\frac{1}{4}$

(   )

서술형 문제

18 분모가 10인 진분수 중에서 $\frac{3}{10}$보다 큰 수는 모두 몇 개인지 풀이 과정을 쓰고, 답을 구하세요.

풀이

답

19 책꽂이에 책이 63권 꽂혀 있습니다. 전체 책 수의 $\frac{2}{9}$만큼 만화책이 꽂혀 있고, 전체 책 수의 $\frac{5}{9}$만큼 동화책이 꽂혀 있습니다. 나머지는 과학책이 꽂혀 있다면 과학책은 몇 권 꽂혀 있는지 풀이 과정을 쓰고, 답을 구하세요.

풀이

답

20 어떤 수의 $\frac{5}{6}$는 20입니다. 어떤 수의 $\frac{3}{4}$은 얼마인지 풀이 과정을 쓰고, 답을 구하세요.

풀이

답

단원 평가

5점 × 개 = 점

정답 63쪽

01 주전자와 보온병에 물을 가득 채운 후 모양과 크기가 같은 그릇에 각각 옮겨 담았습니다. 그림과 같이 물이 채워졌을 때 들이가 더 적은 것은 어느 것일까요?

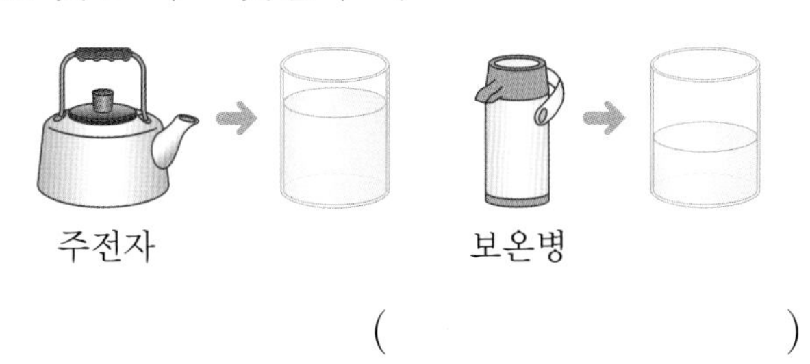

(　　　　　　　　)

02 무게가 무거운 순서대로 번호를 써 보세요.

(　　　) (　　　) (　　　)

03 물의 양이 얼마인지 눈금을 읽어 보세요.

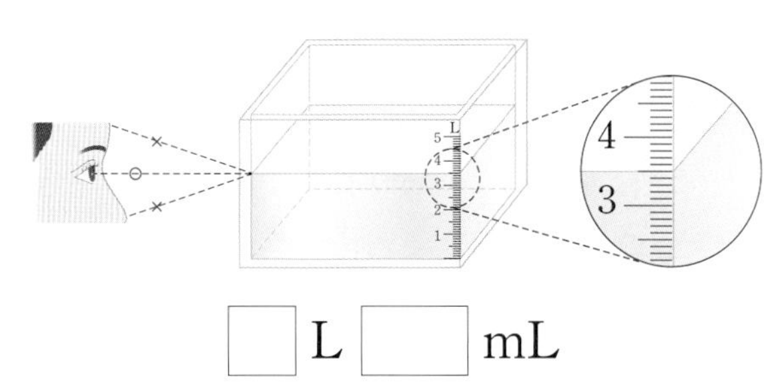

□ L □ mL

04 □ 안에 알맞은 수를 써넣으세요.

4900 mL = □ L □ mL

05 보기 에 주어진 무게의 단위 중 알맞은 것을 찾아 □ 안에 알맞게 써넣으세요.

보기
t　kg　g

연필의 무게는 6 □ 입니다.

06 잘못 나타낸 것을 찾아 기호를 써 보세요.

㉠ 7 kg 100 g = 7100 g
㉡ 1040 g = 1 kg 40 g
㉢ 8 kg 300 g = 830 g

(　　　　　　　　)

07 들이의 합은 몇 L 몇 mL일까요?

6 L 500 mL　　5 L 700 mL

(　　　　　　　　)

단원 평가지

08 □ 안에 알맞은 수를 써넣으세요.

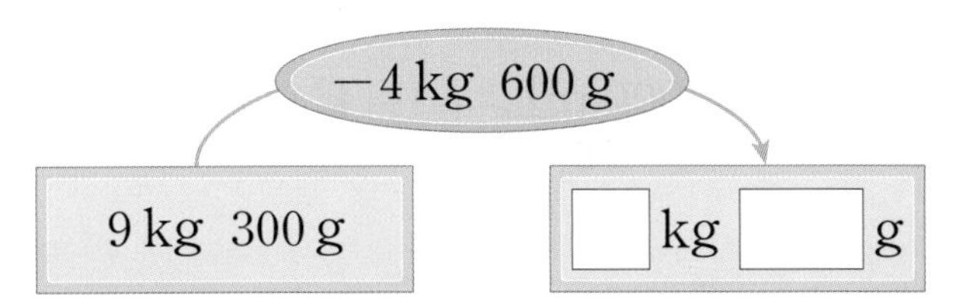

09 윤정이는 하루에 물을 1 L 350 mL 마셨고 강호는 1090 mL 마셨습니다. 윤정이와 강호 중에서 누가 물을 더 많이 마셨을까요?

( )

10 무게가 가장 무거운 것을 찾아 기호를 써 보세요.

㉠ 7 kg 9 g
㉡ 7100 g
㉢ 7070 g

( )

11 저울과 추를 사용하여 배와 사과의 무게를 비교하려고 합니다. 배와 사과 중에서 어느 것이 추 몇 개만큼 더 가벼울까요?

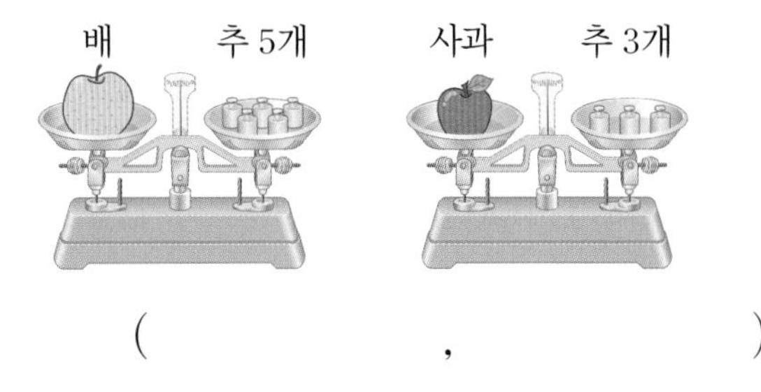

(,)

12 항아리에 오미자차가 2 L 300 mL 들어 있습니다. 이 중에서 700 mL를 마셨다면 항아리에 남은 오미자차는 몇 L 몇 mL일까요?

( )

13 쿠키를 만드는 데 밀가루를 3 kg 700 g 넣고 버터를 1800 g 넣었습니다. 쿠키를 만드는 데 넣은 밀가루와 버터의 양의 합은 몇 kg 몇 g일까요?

( )

14 오른쪽 냄비에 물을 가득 채우려면 각각의 컵에 물을 가득 담아 다음과 같이 각각 부어야 합니다. 들이가 가장 많은 컵은 어느 것일까요?

컵	유리컵	머그잔	종이컵
부은 횟수(번)	6	5	8

( )

서술형 문제

15 □ 안에 알맞은 수를 써넣으세요.

$$\begin{array}{rrrr} & 9\ \text{L} & \square & \text{mL} \\ - & \square\ \text{L} & 700 & \text{mL} \\ \hline & 5\ \text{L} & 800 & \text{mL} \end{array}$$

16 15 kg까지 넣을 수 있는 여행 가방이 있습니다. 이 가방에 4 kg 600 g의 옷과 5800 g의 음식을 넣었습니다. 더 넣을 수 있는 물건의 무게는 몇 kg 몇 g일까요?

( )

17 1L들이 비커에 물을 반씩 담아서 빈 수조에 5번 부었습니다. 이 수조의 물을 1 L 600 mL 사용했다면 남은 물은 몇 mL일까요?

( )

18 단위가 틀린 문장을 찾아 기호를 쓰고, 옳게 고쳐 보세요.

㉠ 탁구공의 무게는 약 3 g입니다.
㉡ 수박의 무게는 약 2 kg 600 g입니다.
㉢ 빵의 무게는 약 270 kg입니다.

답

옳게 고친 문장

19 직접 잰 들이에 더 적절히 어림한 물건은 무엇인지 풀이 과정을 쓰고, 답을 구하세요.

물건	어림한 들이	직접 잰 들이
대야	750 mL	700 mL
양동이	1 L 500 mL	1 L 600 mL

풀이

답

20 어머니의 몸무게는 53 kg 400 g이고, 이모의 몸무게는 어머니보다 5 kg 가볍습니다. 어머니와 이모의 몸무게의 합은 몇 kg 몇 g인지 풀이 과정을 쓰고, 답을 구하세요.

풀이

답

[01~02] 지영이네 반 학생들이 좋아하는 색깔을 조사하여 표로 나타내었습니다. 물음에 답하세요.

좋아하는 색깔별 학생 수

색깔	노랑	파랑	초록	분홍	합계
학생 수(명)	5	7	8	4	

01 빈칸에 알맞은 수를 써넣으세요.

02 가장 많은 학생들이 좋아하는 색깔은 무엇인가요?

( )

[03~04] 지훈이네 반 학생들이 좋아하는 동물을 조사하였습니다. 물음에 답하세요.

좋아하는 동물

강아지 고양이 토끼 햄스터

03 조사한 자료를 보고 표로 나타내어 보세요.

좋아하는 동물별 학생 수

동물	강아지	고양이	토끼	햄스터	합계
학생 수(명)					

04 좋아하는 학생 수가 같은 동물을 써 보세요.

(,)

[05~07] 혜영이와 친구들이 한 달 동안 읽은 책의 수를 그림그래프로 나타내었습니다. 물음에 답하세요.

한 달 동안 읽은 책의 수

이름	책의 수
혜영	
은석	
강민	
아람	

10권
1권

05 혜영이가 한 달 동안 읽은 책은 몇 권인가요?

( )

06 한 달 동안 읽은 책의 수가 가장 많은 사람은 누구인가요?

( )

07 강민이와 아람이가 읽은 책의 수의 합은 모두 몇 권일까요?

( )

정답 64쪽

[08~11] 성준이네 반 학생들의 혈액형을 조사하여 표로 나타내었습니다. 물음에 답하세요.

혈액형별 학생 수

혈액형	A형	B형	AB형	O형	합계
학생 수(명)	10	12		6	35

08 혈액형이 AB형인 학생은 몇 명일까요?

( )

09 표를 보고 그림그래프로 나타내어 보세요.

혈액형별 학생 수

혈액형	학생 수
A형	
B형	
AB형	
O형	

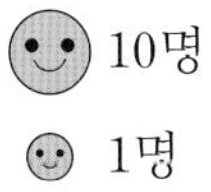

10명 1명

10 학생 수가 많은 혈액형부터 순서대로 써 보세요.

( )

11 위 표와 그림그래프 중 성준이네 반 전체 학생 수를 알아보기 더 편리한 것은 어느 것인가요?

( )

12 예지네 반 학생들이 좋아하는 장난감을 조사하였습니다. 자료를 보고 표로 나타내어 보세요.

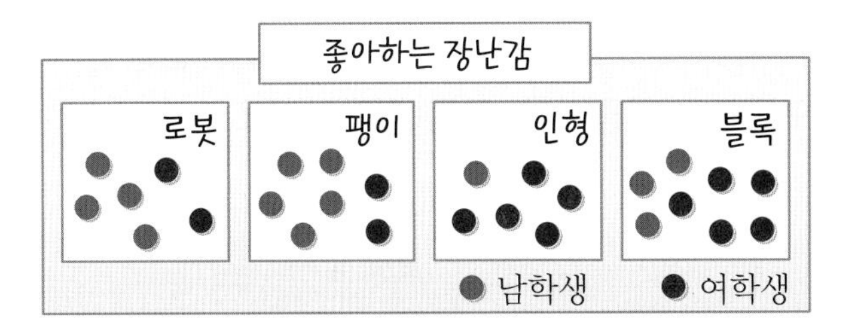

좋아하는 장난감별 학생 수

장난감	로봇	팽이	인형	블록	합계
남학생 수(명)					
여학생 수(명)					

[13~14] 마을별 배추 생산량을 그림그래프로 나타내었습니다. 물음에 답하세요.

마을별 배추 생산량

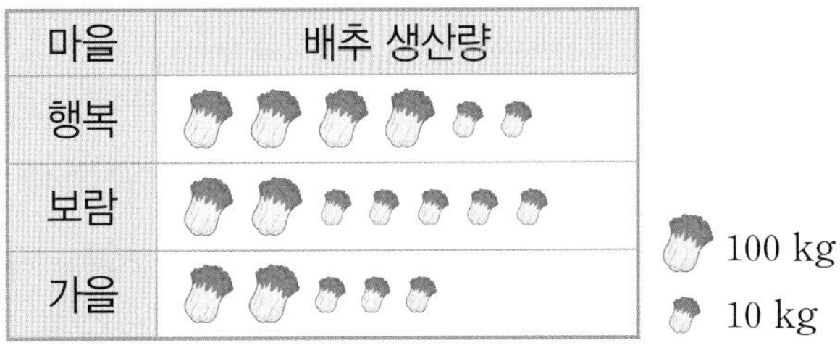

마을	배추 생산량
행복	
보람	
가을	

100 kg
10 kg

13 배추 생산량이 가장 많은 마을과 가장 적은 마을의 배추 생산량의 차는 몇 kg일까요?

( )

14 세 마을의 배추 생산량의 합은 몇 kg일까요?

( )

단원 평가지

단원 평가

[15~16] 진범이네 학교 3학년 학생들이 신청한 방과후수업별 학생 수를 그림그래프로 나타내었습니다. 성장요가를 신청한 학생 수는 창의미술을 신청한 학생 수보다 12명 적고, 방과후수업을 신청한 학생은 모두 114명입니다. 물음에 답하세요.

방과후수업별 학생 수

수업	학생 수
컴퓨터	
성장요가	
플룻	
창의미술	

10명 1명

15 컴퓨터를 신청한 학생은 몇 명일까요?

( )

16 그림그래프를 완성하세요.

17 마을별 가구 수를 그림그래프로 나타내었습니다. 도로의 북쪽에 사는 가구 수가 남쪽에 사는 가구 수의 2배일 때, 나 마을에 사는 가구 수는 몇 가구일까요?

마을별 가구 수

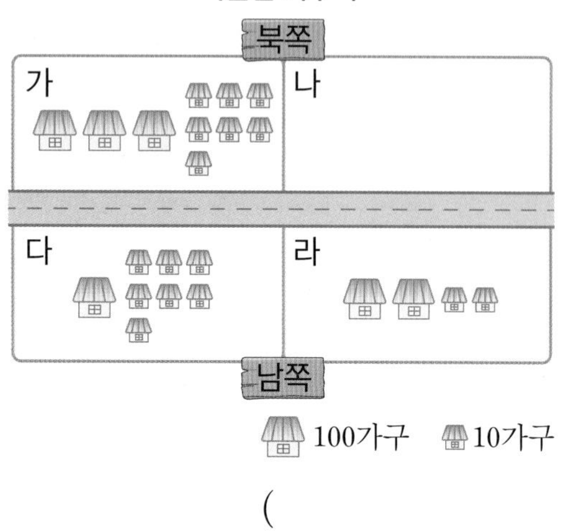

( )

서술형 문제

18 수민이네 반 학생들이 모두 함께 놀이를 하려면 어떤 놀이를 하면 좋을지 고르고, 그 이유를 써 보세요.

수민이네 반 학생들이 좋아하는 놀이별 학생 수

놀이	공기놀이	보드게임	딱지치기	비석치기	합계
학생 수(명)	5	11	7	7	30

답

이유

[19~20] 맛나 아이스크림 가게의 아이스크림별 판매량을 그림그래프로 나타내었습니다. 물음에 답하세요.

아이스크림별 판매량

아이스크림	판매량
바닐라	
초콜릿	
딸기	

10개 1개

19 그림그래프를 보고 알 수 있는 내용을 한 가지 써 보세요.

내용

20 아이스크림 한 개의 값이 800원일 때 초콜릿 아이스크림의 판매액은 딸기 아이스크림의 판매액보다 얼마나 더 많은지 풀이 과정을 쓰고, 답을 구하세요.

풀이

답

큐브 수학 실력

매칭북 3·2

엄마 매니저의 큐브수학 STORY

초등수학 문제집 추천

3년째 큐브수학 개념으로 엄마표 수학 완성!

닉네임
사*

4학년부터 개념은 큐브수학으로 시작했는데요. 설명이 쉽게 되어 있어서 접근하기가 좋더라고요. 기초개념만 제대로 잡히면 그다음 단계로 올라가는 건 어렵지 않아요. 처음부터 너무 어려우면 부담스러워 피하기도 하는데 아이가 쉽게 잘 풀어나가는게 효과가 아주 좋았어요. **기초 잡기에는 큐브수학 개념이 제일 만족스러웠어요.**

쉽고 재미있게 개념도 탄탄하게!

닉네임
그**

큐브수학 개념을 계속해서 선택한 이유는 **기초 수학을 체계적으로 풀어가면서 수학 실력을 쌓을 수 있기 때문이에요.** 무료 스마트러닝 개념 동영상 강의도 쉽고 재미나서 혼자서도 충실하게 잘 듣더라고요! 수학 익힘 문제, 더 확장된 문제들까지 다양하게 풀어 볼 수 있어서 좋았어요. 큐브수학만큼 만족도가 큰 문제집은 없는 것 같네요.

무료 동영상 강의로 빈틈 없는 홈스쿨링

닉네임
매****

엄마표 수학을 진행하고 있기 때문에 아이가 잘 따라올 수 있는 수준의 문제집을 고르려고 해요. **특히 홈스쿨링으로 예습을 할 때 가장 좋은 건 동영상 강의예요.** QR코드를 찍으면 바로 동영상을 볼 수 있고, 선생님이 제가 알려주는 것보다 더 알기 쉽게 알려주세요. 부족한 학습은 동영상을 통해 채워줄 수 있어서 정말 좋아요. 혼자서도 언제 어느 때나 강의를 들을 수 있다는 점이 최고!

큐브 수학

실력

정답 및 풀이

3·2

동아출판

정답 및 풀이

차례

3·2

| 모바일 빠른 정답 |

QR코드를 찍으면 **정답 및 풀이**를 쉽고 빠르게 확인할 수 있습니다.

진도북 정답 및 풀이

1. 곱셈

STEP 1 개념 완성하기 008~009쪽

1 369
2 342, 2, 684
3 (왼쪽에서부터) 800, 40, 8 / 848
4 (1) 363 (2) 806 (3) 696
5 (1) (2)
6 ( ) (○)
7 336
8 868
9 2, 286

1 • 백 모형: $1\times3=3$(개) → 300
• 십 모형: $2\times3=6$(개) → 60
• 일 모형: $3\times3=9$(개) → 9
➡ $123\times3=300+60+9=369$

2 수 모형으로 342를 2번 놓았으므로 덧셈식으로 나타내면 $342+342$입니다.
➡ $342+342$를 곱셈식으로 나타내어 계산하면 $342\times2=684$입니다.

3 $212=200+10+2$로 생각하여 계산합니다.
➡ $212\times4=800+40+8=848$

4 (3) $232\times3=696$

5 (1) $233\times3=699$ (2) $324\times2=648$

6 • $414\times2=828>700$ • $231\times3=693<700$

7 $112\times3=336$

8 $434\times2=868$

9 (전체 자두의 수)
=(한 상자에 들어 있는 자두의 수)×(상자의 수)
$=143\times2=286$(개)

STEP 1 개념 완성하기 010~011쪽

1 127, 2, 254
2 20
3 (위에서부터) 1 / 2, 4, 0, 40 / 6, 0, 0, 100 / 8, 4, 6
4 $721\times5=3605$ (올림 1)
5 (1) 372 (2) 728 (3) 658 (4) 1689
6 ㉡
7 978, 1356
8 856 / 214, 856
9 251, 1506

2 □ 안의 수는 일의 자리에서 십의 자리로 올림한 수이므로 실제로 나타내는 수는 20입니다.
중요 각 자리의 곱이 10이거나 10보다 크면 바로 윗자리로 올림합니다.

3 • 일의 자리 계산: $1\times6=6$
• 십의 자리 계산: $4\times6=24$
• 백의 자리 계산: 올림한 수 → 2, $1\times6=6$ ⊕ ➡ 8
➡ $141\times6=6+240+600=846$

4 주의 올림이 있는 (세 자리 수)×(한 자리 수)를 계산할 때에는 올림한 수를 작은 숫자로 표시하여 잊지 않고 더해야 합니다.

5 (3) $329\times2=658$ (올림 1) (4) $563\times3=1689$ (올림 1)

6 ㉠ $218\times4=872$ (올림 3) ㉡ $764\times2=1528$ (올림 1)
➡ ㉡이 십의 자리와 백의 자리에서 올림이 있으므로 올림이 2번 있습니다.

7 $326\times3=978$ (올림 1) $452\times3=1356$ (올림 1)
중요 일의 자리, 십의 자리, 백의 자리 순서로 계산합니다. 이때 각 자리의 곱이 10이거나 10보다 크면 올림하여 바로 윗자리의 곱에 더하여 계산합니다.

8 $214+214+214+214=856$ ➡ $214\times4=856$

진도북 1 단원

STEP 2 실력 다지기 012~017쪽

01 예 800 / 844

02 ❶ 예 900 ▸3점

❷ 예 319를 300으로 어림하여 곱을 구하면 $300 \times 3 = 900$입니다. ▸2점

03 (1) 예 3600명 (2) $381 \times 9 = 3429$ / 3429명

04 990

05

789	㉡ 496	584
378	638	㉢ 987
㉠ 874	967	㉣ 462

06

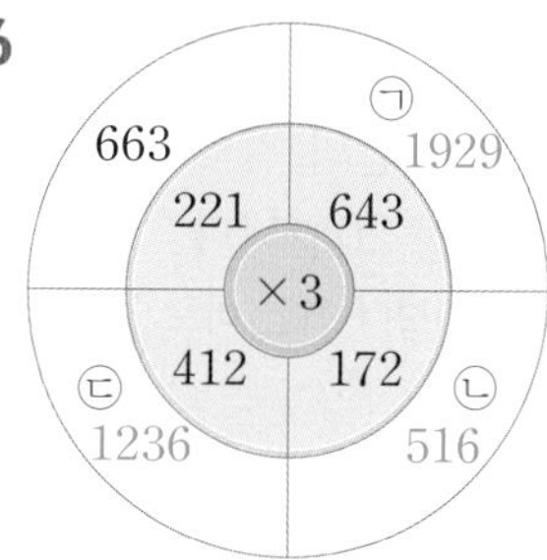

07 963

08 $182 \times 4 = 728$ / 728

09 예 ❶ 100이 7개이면 700, 10이 5개이면 50, 1이 2개이면 2이므로 752입니다. ▸2점

❷ 752와 4의 곱은 $752 \times 4 = 3008$입니다. ▸3점 / 3008

10 ㉡

11 미라, 656

12 ❶ 예 일의 자리에서 올림한 수를 생각하지 않고 계산했습니다. ▸3점

❷ $\begin{array}{r} 567 \\ \times \quad 4 \\ \hline 2268 \end{array}$ ▸2점

13 <

14 세린, 1168

15 유, 비, 무, 환

16 3328원

17 1700 m

18 예 ❶ (감자를 담은 상자 수) $= 145 \times 2 = 290$(상자) ▸3점

❷ (고구마와 감자를 담은 상자 수의 합) $= 145 + 290 = 435$(상자) ▸2점 / 435상자

19 972 cm **20** 608 m **21** 528 mm

22 220원 **23** 680원 **24** 880원

25 654, 2, 1308 **26** 5508

27 8 **28** 4, 2

29 (1) 8 (2) 4968

30 (위에서부터) 3, 5, 7, 2 / 714

31 3 **32** 2개

01 [어림한 곱] 211을 200으로 어림하여 곱을 구하면 $200 \times 4 = 800$입니다.
[실제 계산] $211 \times 4 = 844$

02

채점 기준	❶ 319×3 어림하기	3점
	❷ 어림한 방법 설명하기	2점

04 $121 \times 4 = 484$, $253 \times 2 = 506$
➡ $484 + 506 = 990$

05 ㉠ $437 \times 2 = 874$ ㉡ $124 \times 4 = 496$
㉢ $329 \times 3 = 987$ ㉣ $231 \times 2 = 462$

06 ㉠ $\begin{array}{r} {}^{1}\ \ \\ 643 \\ \times \quad 3 \\ \hline 1929 \end{array}$ ㉡ $\begin{array}{r} {}^{2}\ \ \\ 172 \\ \times \quad 3 \\ \hline 516 \end{array}$ ㉢ $\begin{array}{r} 412 \\ \times \quad 3 \\ \hline 1236 \end{array}$

07 321의 3배 ➡ $321 \times 3 = 963$

08 $182 + 182 + 182 + 182 = 182 \times 4 = 728$ (4번)

09

채점 기준	❶ 정민이가 말하는 수 구하기	2점
	❷ 위 ❶의 수와 4의 곱 구하기	3점

10 ㉠ $292 \times 3 = 876$ ㉡ $115 \times 6 = 690$
㉢ $364 \times 2 = 728$
➡ 계산을 바르게 한 것은 ㉡입니다.

11 미라: 일의 자리 계산 $8 \times 2 = 16$에서 십의 자리로 올림한 수를 생각하지 않고 계산하여 잘못되었습니다.

[바른 계산] $\begin{array}{r} {}^{1}\ \ \\ 328 \\ \times \quad 2 \\ \hline 656 \end{array}$

12

채점 기준	❶ 계산이 잘못된 이유 쓰기	3점
	❷ 바르게 계산하기	2점

13 $419 \times 2 = 838$, $126 \times 7 = 882$ ➡ $838 < 882$

14 $316 \times 4 = 1264$, $584 \times 2 = 1168$ ➡ $1264 > 1168$

15 비: $218 \times 3 = 654$, 환: $117 \times 5 = 585$,
무: $321 \times 2 = 642$, 유: $406 \times 2 = 812$
➡ 812(유) > 654(비) > 642(무) > 585(환)

16 (호주 돈 1달러) = (우리나라 돈 832원)
➡ (가희가 받은 용돈) $= 832 \times 4 = 3328$(원)

17 (번개가 친 곳까지의 거리)
=(소리가 1초에 이동하는 거리)
×(번개가 친 뒤 천둥소리를 들을 때까지 걸린 시간)
$=340\times5=1700$ (m)

18

채점 기준	❶ 감자를 담은 상자 수 구하기	3점
	❷ 고구마와 감자를 담은 상자 수의 합 구하기	2점

19 (삼각형의 세 변의 길이의 합)
$=324\times3=972$ (cm)

20 정사각형은 네 변의 길이가 모두 같습니다.
➡ (밭의 네 변의 길이의 합) $=152\times4=608$ (m)

21 (사각형의 네 변의 길이의 합)
$=128\times4=512$ (mm)
➡ (처음에 가지고 있던 철사의 길이)
$=512+16=528$ (mm)

22 (젤리 3개의 값) $=260\times3=780$(원)
➡ (거스름돈) $=1000-780=220$(원)

23 (요구르트 4개의 값) $=850\times4=3400$(원)
(사탕 2개의 값) $=460\times2=920$(원)
➡ (거스름돈) $=5000-3400-920=680$(원)

24 (비스킷 6개의 값) $=480\times6=2880$(원)
➡ 2000원을 가지고 있으므로
$2880-2000=880$(원)이 모자랍니다.

주의 사려고 하는 물건값이 가지고 있는 돈보다 더 비쌀 때 돈이 모자랍니다.
➡ (모자라는 돈)=(물건값)−(가지고 있는 돈)

25 약점 포인트 ●정답률 75%

❶ 높은 자리부터 큰 수를 차례로 놓아 가장 큰 세 자리 수를 만듭니다.
❷ ❶에서 만든 수와 가장 작은 한 자리 수의 곱을 구합니다.

$6>5>4>3>2$
• 가장 큰 세 자리 수: 654
• 가장 작은 한 자리 수: 2
➡ $654\times2=1308$

26 $1<2<3<4<5<6<7<8<9$
• 소희가 만든 수: 6□□ → 612
└작은 수부터 십, 일의 자리에 차례로 놓기
• 정우가 만든 수: 9
➡ $612\times9=5508$

27 약점 포인트 ●정답률 70%

일의 자리 계산에서 올림이 없으므로 십의 자리 계산에서 □와 4의 곱의 일의 자리 숫자가 2가 되는 □를 모두 구한 후 조건에 맞는 □를 선택합니다.

□×4의 일의 자리 숫자가 2가 되는 □를 찾으면 □=3 또는 □=8입니다.
• □=3일 때: 6[3]1×4=2524 (×)
• □=8일 때: 6[8]1×4=2724 (○)
➡ □ 안에 알맞은 수는 8입니다.

28 7×㉡의 일의 자리 숫자가 4이므로 $7\times2=14$에서 ㉡=2입니다.
십의 자리 계산에서 올림이 없으므로 ㉠×㉡=8입니다.
㉡=2이므로 ㉠×2=8, ㉠=4입니다.

29 약점 포인트 ●정답률 70%

곱이 가장 큰 (세 자리 수)×(한 자리 수) 만들기
➡ 가장 큰 수를 한 자리 수에 놓고, 나머지 수로 가장 큰 세 자리 수를 만들어 곱셈식을 만듭니다.

(1) $8>6>2>1$이므로 곱하는 수에 가장 큰 수인 8을 놓습니다. ➡ ㉠=8
(2) 곱하는 수에 가장 큰 수인 8을 놓고 나머지 수로 가장 큰 세 자리 수를 만들면 621입니다.
➡ $621\times8=4968$

30 $7>5>3>2$이므로 곱하는 수에 가장 작은 수인 2를 놓습니다.
나머지 수로 가장 작은 세 자리 수를 만들면 357입니다.
➡ $357\times2=714$

31 약점 포인트 ●정답률 65%

□ 안에 1, 2, 3……을 차례로 넣어 681×□를 계산한 후 계산 결과가 2325보다 작은 경우의 □를 모두 구합니다.

□ 안에 1부터 차례로 넣어 계산해 봅니다.
$681\times1=681$ → $681<2325$ (○)
$681\times2=1362$ → $1362<2325$ (○)
$681\times3=2043$ → $2043<2325$ (○)
$681\times4=2724$ → $2724>2325$ (×)
➡ □ 안에 들어갈 수 있는 자연수는 1, 2, 3이므로 가장 큰 수는 3입니다.

32 물감이 묻은 부분의 한 자리 수를 □라 하면
600 < 219×□ < 1000입니다.
□ 안에 1부터 차례로 넣어 219×□를 계산합니다.
219×1=219 → 219 < 600 (×)
219×2=438 → 438 < 600 (×)
219×3=657 → 600 < 657 < 1000 (○)
219×4=876 → 600 < 876 < 1000 (○)
219×5=1095 → 1095 > 1000 (×)
➜ □ 안에 들어갈 수 있는 한 자리 수는 3, 4이므로 모두 2개입니다.

STEP 1 개념 완성하기 018~019쪽

1 (위에서부터) (1) 1600, 100 (2) 750, 10
2 방법 1 2, 2, 620 방법 2 2, 62, 620
3 (위에서부터) 2, 4, 8 / 9, 0, 30 / 1, 1, 4
4 ④
5 (1) 2400 (2) 1840 (3) 486 (4) 268
6 203
7 (1) (2)
8 (위에서부터) 480, 1120
9 9, 144

4 □ 안의 숫자끼리의 곱이 실제로 나타내는 수는 5×30=150입니다.

5 (3)
```
   3
   9
×5 4
----
4 8 6
```
(4)
```
   2
   4
×6 7
----
2 6 8
```

6
```
  6
  7
×2 9
----
2 0 3
```
중요 일의 자리를 계산한 결과로 나온 63 중 6을 십의 자리로 올림하고 나머지 3을 일의 자리에 씁니다.

7 (1)
```
   8 0
 × 4 0
------
3 2 0 0
```
(2)
```
   6 0
 × 6 0
------
3 6 0 0
```

8
```
  1 6
× 3 0
-----
4 8 0
```
```
   1 6
 × 7 0
------
1 1 2 0
```

9 (전체 감의 수)=(한 줄에 꿴 감의 수)×(줄의 수)
=9×16=144(개)

STEP 1 개념 완성하기 020~021쪽

1 (위에서부터) 240, 72, 312
2 (위에서부터) (1) 10, 2, 320, 64, 384
(2) 20, 6, 940, 282, 1222
3 (위에서부터) 1, 0, 8, 4 / 1, 6, 2, 0, 60 / 1, 7, 2, 8
4 (1) 391 (2) 2108 (3) 3922
5 예 / 204
6 (1) 예 4일 동안 만들 수 있는 장난감 로봇의 수
(2) 328, 4, 1312 / 1312개
7 (1) (2)
8
```
   3 2
 × 1 7
------
  2 2 4
  3 2 0
------
  5 4 4
```
9 15, 360 / 360명

3 • (몇십몇)×(몇)의 계산: 27×4=108
• (몇십몇)×(몇십)의 계산: 27×60=1620
➜ 27×64=108+1620=1728

5

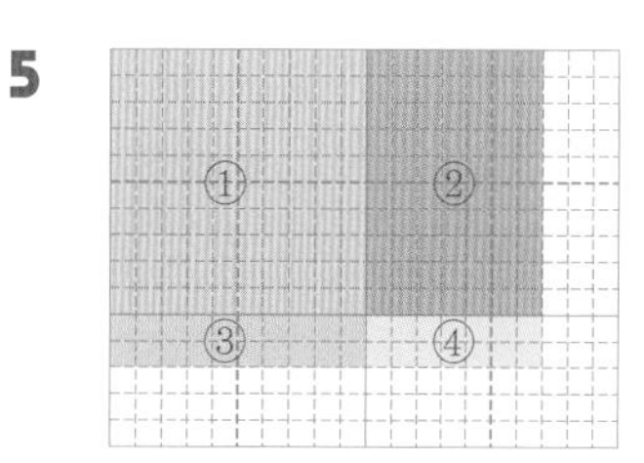

① 10×10=100
② 7×10=70
③ 10×2=20
④ 7×2=14
➜ 17×12=100+70+20+14=204

7 (1)
```
   4 7
 × 1 3
------
  1 4 1
  4 7 0
------
  6 1 1
```
(2)
```
   2 4
 × 3 9
------
  2 1 6
  7 2 0
------
  9 3 6
```

9 (전체 학생 수)
=(한 줄에 세우려는 학생 수)×(줄의 수)
=24×15=360(명)

STEP 2 실력 다지기 022~027쪽

01 1600, 5600, 4160

02 (위에서부터) 104, 1170, 208, 585

03 24 **04** 476

05 1218, 826, 141

06 예 ❶ 51 > 42 > 39 > 20이므로 가장 큰 수는 51이고, 가장 작은 수는 20입니다. ▸2점
❷ 가장 큰 수와 가장 작은 수의 곱은 $51 \times 20 = 1020$입니다. ▸3점 / 1020

07 > **08** 사자 **09** ㉡, ㉢, ㉠

10 방법 1 예

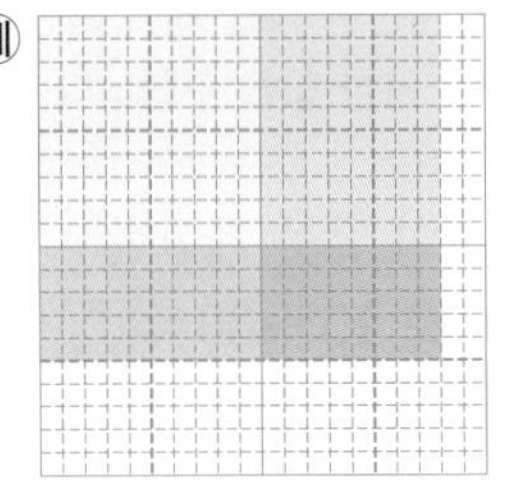

➡ 색칠된 모눈은 $100+80+50+40=270$(칸)이므로 $18 \times 15 = 270$입니다.

방법 2 예

$$\begin{array}{r} 18 \\ \times\ 15 \\ \hline 90 \\ 180 \\ \hline 270 \end{array}$$

11 방법 1 ❶ 예 $\begin{array}{r} {}^{1}\ \ \\ 6 \\ \times 32 \\ \hline 192 \end{array}$ ▸2점 방법 2 ❷ 예 $\begin{array}{r} {}^{1}\ \ \\ 32 \\ \times\ \ 6 \\ \hline 192 \end{array}$ ▸2점

❸ 예 두 수를 바꾸어 곱해도 곱은 같습니다. ▸1점

12 ㉠ **13** 70

14 예 ❶ $90 \times 20 = 1800$입니다. ▸2점
❷ $1800 = 30 \times \square$에서 $30 \times 60 = 1800$이므로 $\square = 60$입니다. ▸3점 / 60

15 1260 밀리그램 **16** 572 g

17 3360개 **18** 2개

19 5, 6에 ○표 **20** 27

21 70, 325 / 395 **22** 288

23 594

24 (위에서부터) 7, 4, 2 / 294

25 예 (위에서부터) 3, 5, 4, 6 / 1610

26 1350 **27** 42, 672

28 수지

29 예 ❶ (사과 파이의 수) $= 12 \times 15 = 180$(개)
(호두 파이의 수) $= 8 \times 21 = 168$(개) ▸4점
❷ 180 > 168이므로 사과 파이가 더 많습니다. ▸1점 / 사과 파이

30 (위에서부터) 18 / 22, 23, 24 / 360, 378, 396, 414, 432 / 414그루

31 예 ❶ $5 \times 17 = 85$, $10 \times 17 = 170$이므로 승희가 읽은 책의 쪽수는 85쪽보다 많고 170쪽보다 적을 것입니다. 일주일은 7일로 5일보다 2일 더 많으므로 85쪽에 2일 동안 읽은 $2 \times 17 = 34$(쪽)을 더하면 $85 + 34 = 119$(쪽)입니다. ▸4점
❷ 119쪽 ▸1점

03 $19 \times 24 = 456$, $36 \times 12 = 432$ ➡ $456 - 432 = 24$

04 수직선에서 화살표(↓)가 가리키는 수는 17입니다.
➡ $17 \times 28 = 476$

05
- 사각형: $58 \times 21 = 1218$
- 삼각형: $59 \times 14 = 826$
- 원: $3 \times 47 = 141$

06

채점 기준		
	❶ 가장 큰 수와 가장 작은 수 각각 구하기	2점
	❷ 가장 큰 수와 가장 작은 수의 곱 구하기	3점

07 $9 \times 28 = 252$, $4 \times 53 = 212$ ➡ 252 > 212

08 $40 \times 40 = 1600$, $80 \times 20 = 1600$, $70 \times 30 = 2100$

09 ㉠ $26 \times 30 = 780$ ㉡ $32 \times 31 = 992$
㉢ $41 \times 22 = 902$
➡ ㉡ 992 > ㉢ 902 > ㉠ 780

11

채점 기준		
	❶ (몇)×(몇십몇)으로 계산하기	2점
	❷ (몇십몇)×(몇)으로 계산하기	2점
	❸ 알게 된 점 쓰기	1점

12 ㉠ $60 \times 50 = 3000$ (3개)
㉡ $20 \times 70 = 1400$ (2개)
㉢ $35 \times 20 = 700$ (2개)

13 ㉠ $\times 60 = 4200$, $70 \times 60 = 4200$ ➡ ㉠ $= 70$

14

채점 기준		
	❶ 90×20 계산하기	2점
	❷ □ 안에 알맞은 수 구하기	3점

15 3주일은 $7 \times 3 = 21$(일)입니다.
➡ $21 \times 60 = 1260$ (밀리그램)

16 장바구니의 탄소 발자국이 0 g이므로 일주일에 줄일 수 있는 탄소 발자국은 비닐봉지의 탄소 발자국인 11 g입니다.
➡ $11 \times 52 = 572$ (g)

17 (벽면 1곳에 붙이는 데 필요한 타일의 수)
$= 24 \times 35 = 840$(개)
➡ (벽면 4곳에 붙이는 데 필요한 타일의 수)
$= 840 \times 4 = 3360$(개)

18 $3 \times 16 = 48$, $3 \times 26 = 78$, $3 \times 36 = 108$……이므로 계산 결과가 두 자리 수인 경우는 $3 \times 16 = 48$, $3 \times 26 = 78$입니다.
➡ □ 안에 들어갈 수 있는 수는 1, 2이므로 모두 2개입니다.

19 $28 \times 20 = 560 \rightarrow 560 < 1300$ (×)
$28 \times 30 = 840 \rightarrow 840 < 1300$ (×)
$28 \times 40 = 1120 \rightarrow 1120 < 1300$ (×)
$28 \times 50 = 1400 \rightarrow 1400 > 1300$ (○)
$28 \times 60 = 1680 \rightarrow 1680 > 1300$ (○)
➡ □ 안에 들어갈 수 있는 수는 5, 6입니다.

20 $\square \times 29 < 800$에서 $20 \times 30 = 600$, $30 \times 30 = 900$이므로 □ 안에 알맞은 수의 십의 자리 숫자를 2로 예상하고 확인합니다.
$29 \times 29 = 841 \rightarrow 841 > 800$ (×)
$28 \times 29 = 812 \rightarrow 812 > 800$ (×)
$27 \times 29 = 783 \rightarrow 783 < 800$ (○)
➡ □ 안에 들어갈 수 있는 가장 큰 두 자리 수는 27입니다.

21 • 유미: 5◆14 $= 5 \times 14 = 70$
• 선우: 13◆25 $= 13 \times 25 = 325$
➡ $70 + 325 = 395$

22 7★34 = (7보다 2 큰 수) × (34보다 2 작은 수)
$= 9 \times 32 = 288$

23 23■5 $= 23 - 5 = 18$, 42■9 $= 42 - 9 = 33$
➡ $18 \times 33 = 594$

24 약점 포인트 • 정답률 75%

곱이 가장 큰 (몇) × (몇십몇) 만들기
➡ 가장 큰 수를 곱해지는 수에 놓고, 나머지 수로 가장 큰 두 자리 수를 만들어 곱하는 수에 놓습니다.

$7 > 4 > 2$이므로 가장 큰 수인 7을 한 자리 수에 놓아야 하고, 두 번째로 큰 수인 4를 두 자리 수의 십의 자리에 놓아야 합니다. ➡ $7 \times 42 = 294$

25 $6 > 5 > 4 > 3$이므로 곱하는 두 수의 십의 자리에 각각 가장 작은 수와 두 번째로 작은 수를 놓고 일의 자리에는 나머지 두 수를 놓아 곱셈식을 만듭니다.
$36 \times 45 = 1620$
$35 \times 46 = 1610$
➡ 곱이 가장 작은 곱셈식은
$35 \times 46 = 1610$(또는 $46 \times 35 = 1610$)입니다.

26 약점 포인트 • 정답률 70%

❶ 원균이가 잘못 계산한 식을 세워 어떤 수를 구합니다.
❷ 어떤 수에 30을 곱한 값을 구합니다.

어떤 수를 □라 하여 잘못 계산한 식을 세우면
$\square - 30 = 15$이므로 $15 + 30 = \square$, $\square = 45$입니다.
➡ (바르게 계산한 값) $= 45 \times 30 = 1350$

27 어떤 수를 □라 하여 잘못 계산한 식을 세우면
$\square + 16 = 58$이므로 $58 - 16 = \square$, $\square = 42$입니다.
➡ (바르게 계산한 값) $= 42 \times 16 = 672$

28 약점 포인트 • 정답률 75%

동현이와 수지가 요가 동작을 한 횟수를 각각 곱셈식을 세워 구한 후 계산 결과가 더 큰 사람을 구합니다.

(동현이가 요가 동작을 한 횟수) $= 20 \times 12 = 240$(번)
(수지가 요가 동작을 한 횟수) $= 15 \times 18 = 270$(번)
➡ $240 < 270$이므로 요가 동작을 한 횟수가 더 많은 사람은 수지입니다.

29

채점 기준	❶ 사과 파이와 호두 파이의 수 각각 구하기	4점
	❷ 어느 것이 더 많은지 구하기	1점

30 약점 포인트 • 정답률 70%

자원봉사 단체의 사람 수를 20, 21, 22……명으로 늘려 가며 표를 만들어 심을 수 있는 전체 나무 수를 구한 후 문제에 알맞은 답을 구합니다.

(한 사람이 심을 수 있는 나무 수) = 18그루
(자원봉사 단체의 사람 수) = 23명
➡ (자원봉사 단체가 심을 수 있는 나무 수)
$= 18 \times 23 = 414$(그루)

31

채점 기준	❶ 예상과 확인 방법으로 해결하기	4점
	❷ 승희가 읽은 책의 쪽수 구하기	1점

STEP 3 서술형 해결하기 028~031쪽

01 예 ❶ $14\times50=700$(송이) ▸2점
❷ $700-450=250$(송이), 250 ▸3점 / 250송이

02 예 ❶ (버스 한 대에 탄 마을 사람 수)
$=45-2=43$(명) ▸2점
❷ (버스에 탄 전체 마을 사람 수)
$=43\times14=602$(명) ▸3점 / 602명

03 예 ❶ (한 번 운행할 때 롤러코스터를 탄 사람 수)
$=54-7=47$(명) ▸2점
❷ (롤러코스터를 탄 전체 사람 수)
$=47\times12=564$(명) ▸3점 / 564명

04 예 ❶ $19\times5=95$(쪽), $21\times10=210$(쪽) ▸3점
❷ $95+210=305$(쪽), 305 ▸2점 / 305쪽

05 예 ❶ (배 3개의 열량)
$=148\times3=444$(킬로칼로리)
(단감 4개의 열량)
$=90\times4=360$(킬로칼로리) ▸4점
❷ (먹은 과일의 열량의 합)
$=444+360=804$(킬로칼로리) ▸1점
/ 804킬로칼로리

06 예 ❶ (삶은 달걀 5개의 열량)
$=60\times5=300$(킬로칼로리)
(치킨 2조각의 열량)
$=359\times2=718$(킬로칼로리) ▸4점
❷ (먹은 간식의 열량의 합)
$=300+718=1018$(킬로칼로리) ▸1점
/ 1018킬로칼로리

07 예 ❶ $117\times3=351$ (cm) ▸2점
❷ 2, $38\times2=76$ (cm) ▸2점
❸ $351-76=275$ (cm) ▸1점 / 275 cm

08 예 ❶ (색 테이프 7장의 길이의 합)
$=132\times7=924$ (cm) ▸2점
❷ 겹쳐진 부분은 $7-1=6$(군데)입니다.
(겹쳐진 부분의 길이의 합)$=40\times6=240$ (cm) ▸2점
❸ (이어 붙인 색 테이프의 전체 길이)
$=924-240=684$ (cm) ▸1점 / 684 cm

09 예 ❶ (색 테이프 18장의 길이의 합)
$=55\times18=990$ (cm) ▸2점
❷ 겹쳐진 부분은 $18-1=17$(군데)입니다.
(겹쳐진 부분의 길이의 합)$=8\times17=136$ (cm) ▸2점
❸ (이어 붙인 색 테이프의 전체 길이)
$=990-136=854$ (cm) ▸1점 / 854 cm

10 예 ❶ 5, 40, 5 ▸3점
❷ 8, 8, 12, 2 ▸2점 / 5, 2

11 예 ❶ ㉢4$+180=234$에서
㉢4$=234-180=54$ → ㉢$=5$
㉠$\times6=54$에서 $9\times6=54$ → ㉠$=9$
$9\times$㉡0$=180$에서 $9\times20=180$ → ㉡$=2$ ▸4점
❷ ㉠+㉡+㉢$=9+2+5=16$ ▸1점 / 16

12 예 ❶ ㉠7$\times$㉡$=228$에서 $7\times$㉡의 일의 자리 숫자가 8이므로 $7\times4=28$ → ㉡$=4$
㉠7$\times4=228$에서 $57\times4=228$ → ㉠$=5$
$57\times70=3$㉢90에서 $57\times70=3990$ → ㉢$=9$
$228+3990=4218$ → ㉣$=2$ ▸4점
❷ ㉠+㉡+㉢+㉣$=5+4+9+2=20$ ▸1점
/ 20

01
채점 기준		
	❶ 전체 장미 수 구하기	2점
	❷ 팔고 남은 장미 수 구하기	3점

02
채점 기준		
	❶ 버스 한 대에 탄 마을 사람 수 구하기	2점
	❷ 버스에 탄 전체 마을 사람 수 구하기	3점

03
채점 기준		
	❶ 한 번 운행할 때 롤러코스터를 탄 사람 수 구하기	2점
	❷ 롤러코스터를 탄 전체 사람 수 구하기	3점

04
채점 기준		
	❶ 읽은 과학책과 동화책의 쪽수 각각 구하기	3점
	❷ 읽은 과학책과 동화책의 쪽수의 합 구하기	2점

05
채점 기준		
	❶ 배 3개와 단감 4개의 열량 각각 구하기	4점
	❷ 먹은 과일의 열량의 합 구하기	1점

06
채점 기준		
	❶ 삶은 달걀 5개와 치킨 2조각의 열량 각각 구하기	4점
	❷ 먹은 간식의 열량의 합 구하기	1점

07
채점 기준		
	❶ 색 테이프 3장의 길이의 합 구하기	2점
	❷ 겹쳐진 부분의 길이의 합 구하기	2점
	❸ 이어 붙인 색 테이프의 전체 길이 구하기	1점

08
채점 기준		
	❶ 색 테이프 7장의 길이의 합 구하기	2점
	❷ 겹쳐진 부분의 길이의 합 구하기	2점
	❸ 이어 붙인 색 테이프의 전체 길이 구하기	1점

09

채점 기준		
	❶ 색 테이프 18장의 길이의 합 구하기	2점
	❷ 겹쳐진 부분의 길이의 합 구하기	2점
	❸ 이어 붙인 색 테이프의 전체 길이 구하기	1점

10

채점 기준		
	❶ ㉠에 알맞은 수 구하기	3점
	❷ ㉡에 알맞은 수 구하기	2점

11

채점 기준		
	❶ ㉠, ㉡, ㉢의 값 각각 구하기	4점
	❷ ㉠+㉡+㉢의 값 구하기	1점

12

채점 기준		
	❶ ㉠, ㉡, ㉢, ㉣의 값 각각 구하기	4점
	❷ ㉠+㉡+㉢+㉣의 값 구하기	1점

단원 마무리 032~034쪽

01 648 **02** (위에서부터) 1200, 100

03 (위에서부터) 1, 5, 5 / 6, 0, 20 / 7, 5

04 654 **05** ㉡ **06** (1) (2) (3)

07 예 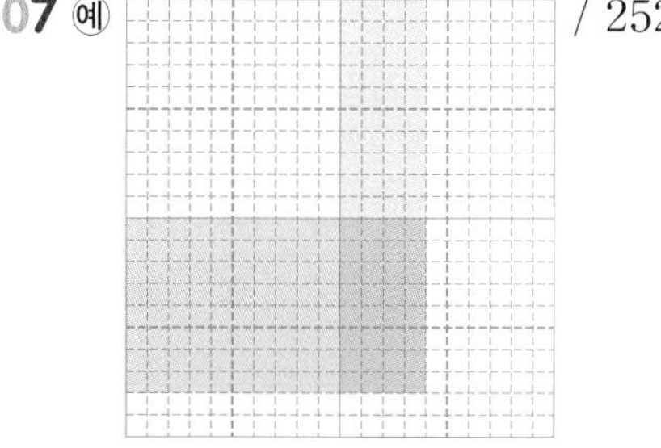 / 252

08 142, 5, 710

09 (위에서부터) 384, 3483, 688, 1944

10 ㉡ **11** $143 \times 2 = 286$ / 286권

12 896벌 **13** 312자루 **14** 2

15 2 **16** (위에서부터) 3, 6, 8 / 204

17 2340

18 ❶ 예 38×40의 계산에서 곱의 자리를 잘못 맞추어 썼습니다. ▸3점

❷
```
    3 8
  × 4 6
  -----
  2 2 8
1 5 2 0
-------
1 7 4 8
```
▸2점

19 예 ❶ (케이블카에 탄 학생 수)
$=25 \times 20 = 500$(명) ▸3점

❷ (은지네 학교의 전체 학생 수)
$=500 + 8 = 508$(명) ▸2점 / 508명

20 예 ❶ (빵 3개의 값)$=430 \times 3 = 1290$(원)
(사탕 12개의 값)$=80 \times 12 = 960$(원) ▸3점

❷ (석희가 내야 할 돈)$=1290 + 960 = 2250$(원) ▸2점 / 2250원

09 • $16 \times 24 = 384$ • $43 \times 81 = 3483$
• $16 \times 43 = 688$ • $24 \times 81 = 1944$

10 ㉠ $213 \times 3 = 639 < 700$
㉡ $364 \times 2 = 728 > 700$
㉢ $172 \times 4 = 688 < 700$

11 (전체 책의 수)$=143 \times 2 = 286$(권)

12 (전체 티셔츠의 수)$=28 \times 32 = 896$(벌)

13 (준성이네 반 학생 수)$=14 + 12 = 26$(명)
➡ (필요한 연필 수)$=26 \times 12 = 312$(자루)

14 $4 \times 13 = 52$, $4 \times 23 = 92$, $4 \times 33 = 132$……에서 계산 결과가 두 자리 수인 경우는 $4 \times 13 = 52$, $4 \times 23 = 92$입니다.
➡ □ 안에 들어갈 수 있는 수는 1, 2이므로 가장 큰 수는 2입니다.

15 □×4의 일의 자리 숫자가 8이 되는 □를 찾으면 □=2 또는 □=7입니다.
• □=2일 때: 37[2]×4=1488 (○)
• □=7일 때: 37[7]×4=1508 (×)

16 곱이 가장 작으려면 가장 작은 수를 한 자리 수에 놓아야 하고, 두 번째로 작은 수를 두 자리 수의 십의 자리에 놓아야 합니다.
➡ $3 < 6 < 8$이므로 $3 \times 68 = 204$입니다.

17 6♥13$=6 \times 13 = 78$, 2♥15$=2 \times 15 = 30$
➡ $78 \times 30 = 2340$

18

채점 기준		
	❶ 계산이 잘못된 이유 쓰기	3점
	❷ 바르게 계산하기	2점

19

채점 기준		
	❶ 케이블카에 탄 학생 수 구하기	3점
	❷ 은지네 학교의 전체 학생 수 구하기	2점

20

채점 기준		
	❶ 빵 3개의 값과 사탕 12개의 값 각각 구하기	3점
	❷ 석희가 내야 할 돈 구하기	2점

2. 나눗셈

STEP 1 개념 완성하기 038~039쪽

1 (1) 3개 (2) 30
2 (위에서부터) (1) 10, 6, 60 (2) 40, 2, 80
3 (왼쪽에서부터) 3, 1 / 3, 5, 0, 1, 0, 0
4 (1) 10 (2) 15 (3) 10 (4) 16
5 ( ) (○) ( )
6 종민
7 25
8 30
9 50, 10

2 (1) 나누어지는 수 60은 기호) 의 아래쪽, 나누는 수 6은 왼쪽, 몫 10은 위쪽에 씁니다.
(2) 나누어지는 수 80은 기호) 의 아래쪽, 나누는 수 2는 왼쪽, 몫 40은 위쪽에 씁니다.

참고 세로 형식에서 나누는 수와 나누어지는 수를 쓰는 순서는 상관이 없습니다.

4

```
(1)   1 0     (2)   1 5     (3)   1 0     (4)   1 6
    2)2 0         6)9 0         4)4 0         5)8 0
      2             6             4             5
        0           3 0             0           3 0
                    3 0                         3 0
                      0                           0
```

5 $60 \div 3 = 20$, $30 \div 3 = 10$, $80 \div 4 = 20$

6 • 윤선: $60 \div 5 = 12$ • 종민: $90 \div 5 = 18$

7

```
    2 5
  2)5 0
    4
    1 0
    1 0
      0
```

8

```
    3 0
  3)9 0
    9
      0
```

중요 • 큰 수 → 나누어지는 수 • 작은 수 → 나누는 수

9 (토끼 한 마리에게 줄 수 있는 당근의 수)
=(전체 당근의 수)÷(토끼의 수)
$= 50 \div 5 = 10$(개)

STEP 1 개념 완성하기 040~041쪽

1 34
2 (왼쪽에서부터) 1, 1 / 1, 3, 1, 5, 1, 5, 0
3 (위에서부터) (1) 2, 9, 6, 6 (2) 12, 6, 12
4 (1) 13 (2) 18 (3) 11 (4) 17
5 ( ) (○)
6 35
7 (1)과 (2)를 각각 오른쪽 점에 X자 모양으로 잇기
8 28, 14
9 45, 15 / 15

1 십 모형 6개와 일 모형 8개를 똑같이 2묶음으로 나누면 한 묶음에 십 모형 3개, 일 모형 4개씩 있습니다.
→ $68 \div 2 = 34$

3

```
(1)   3 2     (2)   1 2
    3)9 6         6)7 2
      9             6
        6           1 2
        6           1 2
        0             0
```

4

```
(1)   1 3     (2)   1 8     (3)   1 1     (4)   1 7
    2)2 6         3)5 4         6)6 6         5)8 5
      2             3             6             5
        6           2 4             6           3 5
        6           2 4             6           3 5
        0             0             0             0
```

5 세로로 몫을 구할 때에는 자릿값이 큰 수부터 나누어 줍니다.

7

```
(1)   3 2     (2)   1 6
    2)6 4         3)4 8
      6             3
        4           1 8
        4           1 8
        0             0
```

8

```
    2 8           1 4
  3)8 4         6)8 4
    6             6
    2 4           2 4
    2 4           2 4
      0             0
```

9 (전체 사탕의 수)÷(나누어 갖는 사람 수)
$= 45 \div 3 = 15$(개)

진도북 2단원

STEP 2 실력 다지기 042~045쪽

01 60, 60, 12
02 2개, 2개
03 예 십 모형 7개를 일 모형으로 바꿔서 일 모형 75개를 5개씩 묶으면 15묶음이 됩니다. ▸5점
04 (위에서부터) 33, 21
05 65
06

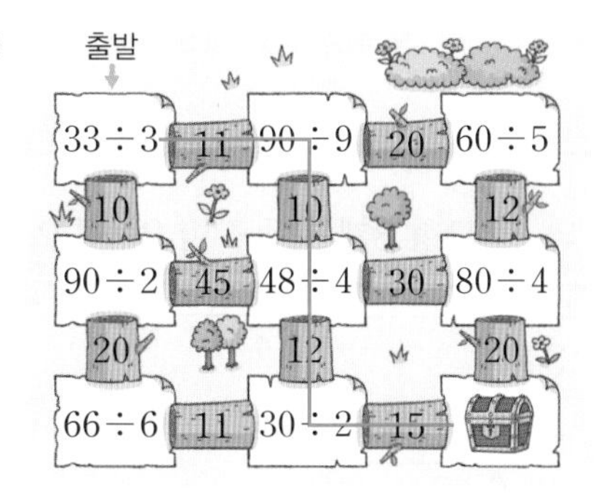

07 <
08 예 ❶ ㉠ $48\div2=24$, ㉡ $96\div3=32$, ㉢ $44\div4=11$ ▸3점
❷ 몫이 ㉠은 24, ㉡은 32, ㉢은 11이므로 30보다 큰 것은 ㉡입니다. ▸2점 / ㉡
09 ㉡, ㉠, ㉢, ㉣
10 16
11 (위에서부터) 40, 10
12 14
13 11모둠
14 21팀
15 27명
16 23 cm
17 $84\div7=12$, 12분
18 예 ❶ (전체 과일의 수)
=(사과의 수)+(배의 수)
$=36+51=87$(개) ▸2점
❷ (한 봉지에 담는 과일의 수)
$=87\div3=29$(개) ▸3점 / 29개
19 (위에서부터) 2, 3, 3, 3
20 7
21 10칸, 11칸
22 480장

01 달걀 60개를 5명이 똑같이 나누어 가질 때 한 명이 가질 수 있는 달걀 수를 구하는 식은 $60\div5$입니다.
➡ $60\div5=12$(개)

02 십 모형 8개를 똑같이 4묶음으로 나누고 일 모형 8개를 똑같이 4묶음으로 나누면 한 묶음에 십 모형 2개, 일 모형 2개씩 있습니다.

03

채점 기준		
	몇 묶음이 되는지 설명하기	5점

04 • $42\div2=21$ • $66\div2=33$

05 $60\div3=20$, $90\div2=45$ ➡ $20+45=65$

06 $33\div3=11$, $90\div9=10$,
$48\div4=12$, $30\div2=15$

07 $70\div7=10$, $36\div3=12$ ➡ $10<12$

08

채점 기준		
	❶ 나눗셈의 몫 구하기	3점
	❷ 몫이 30보다 큰 것 찾기	2점

09 ㉠ $90\div6=15$ ㉡ $85\div5=17$
㉢ $96\div8=12$ ㉣ $77\div7=11$
➡ $17>15>12>11$이므로 몫이 큰 것부터 기호를 쓰면 ㉡, ㉠, ㉢, ㉣입니다.

10 $96\div2=48$, $48\div3=16$ ➡ ㉮$=16$

11 $80>2$ ➡ $80\div2=40$
$40>4$ ➡ $40\div4=10$

12 $84\div3=28$이므로 □$=28$입니다.
□$\div2=$♥에서 $28\div2=14$이므로 ♥$=14$입니다.

13 (모둠의 수)=(전체 학생 수)÷(한 모둠의 학생 수)
$=33\div3=11$(모둠)

14 $84\div4=21$
➡ 모두 21팀이 됩니다.

15 (나누어 줄 수 있는 사람 수)
=(전체 색연필 수)÷(한 명에게 나누어 주는 색연필 수)
$=81\div3=27$(명)

16 (한 변의 길이)=(네 변의 길이의 합)÷4
$=92\div4=23$ (cm)

17 1시간 24분=60분+24분=84분
(공룡 1개를 접는 데 걸린 시간)
=(공룡 7개를 접는 데 걸린 시간)÷(만든 개수)

18

채점 기준		
	❶ 전체 과일의 수 구하기	2점
	❷ 한 봉지에 담는 과일의 수 구하기	3점

19 약점 포인트 ●정답률 75%

세로 형식의 나눗셈식에서 모르는 수를 기호로 나타낸 후 내림이 없는 나눗셈 과정에서 먼저 구할 수 있는 기호의 수부터 구합니다.

```
   ㉠1
3)6㉡
  6
   ㉢
   ㉣
   0
```

- $3\times$㉠$=6\rightarrow$㉠$=2$
- $3\times1=$㉣ $\rightarrow$ ㉣$=3$
- ㉢$-$㉣$=$㉢$-3=0\rightarrow$㉢$=3$
- ㉡$=$㉢$=3$

20

```
    2㉡
㉠)5 0
  ㉢
  1㉣
  ㉤㉥
    0
```

- $5-$㉢$=1$, ㉢$=4$
- ㉠$\times2=4$, ㉠$=2$
- ㉣$=0$
- $10-$㉤㉥$=0$, ㉤㉥$=10$
  $\rightarrow$ ㉤$=1$, ㉥$=0$
- $2\times$㉡$=10$, ㉡$=5$

➜ ㉠$+$㉡$=2+5=7$

21 약점 포인트 ●정답률 70%

- (가로의 칸 수)=(그림의 가로)÷(나누려는 한 칸의 가로)
- (세로의 칸 수)=(그림의 세로)÷(나누려는 한 칸의 세로)

- 가로: $80\div8=10$(칸)
- 세로: $44\div4=11$(칸)

22
- 가로: $90\div3=30$(장)
- 세로: $80\div5=16$(장)

➜ (만들 수 있는 카드의 수)$=30\times16=480$(장)

STEP 1 개념 완성하기 046~047쪽

1 몫, 나머지
2 (위에서부터) 3, 2, 4, 1 / 3, 1
3 (위에서부터) (1) 17, 3, 21, 1 (2) 19, 4, 38, 2
4 (1) 5…3 (2) 16…3 (3) 8…4 (4) 16…4
5 ㉡
6

```
   1 2
6)7 5
  6
  1 5
  1 2
    3
```

/ 12, 3

7 7에 ○표
8 28, 1
9 85, 12, 1 / 12, 1

4

```
(1)     5   (2)   1 6   (3)     8   (4)   1 6
    7)3 8      4)6 7       6)5 2       5)8 4
      3 5        4           4 8         5
        3        2 7           4         3 4
                 2 4                     3 0
                   3                       4
```

5 십의 자리 계산 $30\div2$를 가장 먼저 계산해야 합니다.

7 7로 나누었을 때 나머지는 7보다 작습니다.
➜ 7은 나머지가 될 수 없습니다.

중요 나눗셈에서 나머지는 나누는 수보다 작아야 합니다.
➜ (나누는 수)>(나머지)

8

```
   2 8 ← 몫
2)5 7
  4
  1 7
  1 6
    1 ← 나머지
```

9 (전체 동화책의 수)÷(책꽂이 한 칸에 꽂는 책의 수)
$=85\div7=12\cdots1$
➜ 책꽂이 12칸에 꽂을 수 있고 1권이 남습니다.

STEP 1 개념 완성하기 048~049쪽

1 (왼쪽에서부터) 9, 2 / 9, 8, 2, 4, 2, 4, 0
2 (위에서부터) 79, 56, 74, 2
3 13, 3 / 7, 13, 3
4 (1) 140 (2) 32…1 (3) 78 (4) 69…5
5 윤호
6 $71\div4=17\cdots3$ / 17, 3
7 (위에서부터) 96, 120
8 ㉢
9 196, 9, 21, 7 / 21, 7

4

```
(1)   1 4 0  (2)     3 2  (3)     7 8  (4)     6 9
    3)4 2 0     6)1 9 3      4)3 1 2      9)6 2 6
      3           1 8          2 8          5 4
      1 2           1 3          3 2          8 6
      1 2           1 2          3 2          8 1
          0             1            0            5
```

5 윤호:

```
    8 4
3)2 5 4
  2 4
    1 4
    1 2
      2
```

세린:

```
    3 9
5)1 9 9
  1 5
    4 9
    4 5
      4
```

➡ 나눗셈을 바르게 계산한 사람은 윤호입니다.

7

```
    9 6
5)4 8 0
  4 5
    3 0
    3 0
      0
```

```
  1 2 0
4)4 8 0
  4
    8
    8
      0
```

8 $308 \div 3 = 102 \cdots 2$

㉠ $653 \div 5 = 130 \cdots 3$

㉡ $421 \div 4 = 105 \cdots 1$

㉢ $386 \div 6 = 64 \cdots 2$

➡ $308 \div 3$과 나머지가 같은 나눗셈식은 ㉢입니다.

9 (전체 구슬의 수)÷(나누어 가지는 사람 수)

$= 196 \div 9 = 21 \cdots 7$

➡ 한 명이 21개씩 가지게 되고 7개가 남습니다.

STEP 2 실력 다지기 050~055쪽

01 ㉡

02 예 ❶ 나눗셈식에서 ●는 나머지입니다. 나머지는 나누는 수인 8보다 작아야 합니다. ▸3점

❷ ●가 될 수 있는 가장 큰 수는 7입니다. ▸2점

/ 7

03 66, 90

04 ㉢

05 12, 2

06 96, 3

07

```
    3 9
3)7 8
  9
  2 8
  2 7
    1
```

×

```
    1 3
4)5 4
  4
  1 4
  1 2
    2
```

○

08

```
  2 4
4)9 7
  8
  1 7
  1 6
    1
```

09 ❶ 예 $119 \div 5$에서 나누어지는 수 중 왼쪽 두 자리 수를 나눌 때 남은 수 6이 나누는 수 5보다 크므로 몫을 1 크게 해야 합니다. ▸3점

❷

```
    2 3
5)1 1 9
  1 0
    1 9
    1 5
      4
```

▸2점

10 <

11 $92 \div 7$에 색칠

12 예 ❶ ㉠ $71 \div 5 = 14 \cdots 1$, ㉡ $85 \div 3 = 28 \cdots 1$, ㉢ $92 \div 8 = 11 \cdots 4$ ▸3점

❷ $28 > 14 > 11$이므로 몫이 큰 것부터 차례로 기호를 쓰면 ㉡, ㉠, ㉢입니다. ▸2점 / ㉡, ㉠, ㉢

13 5개

14 12주, 1일 / $7 \times 12 = 84$ ➡ $84 + 1 = 85$

15 (1) 17마리 (2) 29마리

16 5

17 2, 6

18 예 ❶ 어떤 수를 □라 하면 $□ \div 7 = 6 \cdots 2$입니다. ▸3점

❷ $7 \times 6 = 42$ ➡ $42 + 2 = 44$이므로 □$= 44$입니다. ▸2점 / 44

19 28, 12 / 공책

20 (1) 1개, 6개 (2) 지원, 5개

21 16개

22 (1) 58개 (2) 210자루

23 28, 2

24 37, 1

25 (1) 63명 (2) 42줄 (3) 6, 7, 9

26 1, 2, 4, 8

27 4

28 9

29 16, 3

30 16, 4

01 ㉡ $□ \div 4$에서 나누는 수가 4이므로 나머지는 4가 될 수 없습니다.

02

채점 기준		
	❶ ●가 될 수 있는 수의 범위 구하기	3점
	❷ ●가 될 수 있는 가장 큰 수 구하기	2점

03
- $25 \div 6 = 4 \cdots 1$
- $66 \div 6 = 11$
- $50 \div 6 = 8 \cdots 2$
- $90 \div 6 = 15$

04 ㉠ $82 \div 7 = 11 \cdots 5$ ➡ 몫: 11, 나머지: 5

㉡ $31 \div 2 = 15 \cdots 1$ ➡ 몫: 15, 나머지: 1

㉢ $92 \div 6 = 15 \cdots 2$ ➡ 몫: 15, 나머지: 2

05 가장 큰 수는 50이고, 가장 작은 수는 4입니다.

➡ $50 \div 4 = 12 \cdots 2$

06 100이 4개, 10이 8개, 1이 3개인 세 자리 수는 483입니다. ➡ $483 \div 5 = 96 \cdots 3$

07 78÷3에서 십의 자리의 몫을 3으로 하면 70에서 90을 뺄 수 없으므로 잘못되었습니다.

➡ $78 \div 3 = 26$

$$\begin{array}{r} 26 \\ 3\overline{)78} \\ 6 \\ \hline 18 \\ 18 \\ \hline 0 \end{array}$$

08 나머지는 나누는 수보다 작아야 하는데 나머지 5는 나누는 수 4보다 크므로 잘못되었습니다.

➡ $97 \div 4 = 24 \cdots 1$이므로 $97 \div 4$의 몫은 24, 나머지는 1입니다.

09

채점 기준		
	❶ 계산이 잘못된 이유 쓰기	3점
	❷ 바르게 계산하기	2점

10 $98 \div 8 = 12 \cdots 2$, $59 \div 3 = 19 \cdots 2$ ➡ $12 < 19$

11 • $563 \div 4 = 140 \cdots 3$ • $92 \div 7 = 13 \cdots 1$
• $76 \div 6 = 12 \cdots 4$ • $192 \div 5 = 38 \cdots 2$

➡ $1 < 2 < 3 < 4$이므로 나머지가 가장 작은 나눗셈은 $92 \div 7$입니다.

12

채점 기준		
	❶ ㉠, ㉡, ㉢을 각각 계산하기	3점
	❷ 몫이 큰 것부터 차례로 쓰기	2점

13 $77 \div 6 = 12 \cdots 5$

➡ 접시 12개에 담고 남은 복숭아는 5개입니다.

14 일주일은 7일이므로 $85 \div 7 = 12 \cdots 1$입니다.

➡ 85일은 12주 1일입니다.

15 (1) (장수풍뎅이 한 마리의 다리 수)$=2 \times 3 = 6$(개)

➡ (장수풍뎅이의 수)$=102 \div 6 = 17$(마리)

(2) (잠자리 한 마리의 날개 수)$=2 \times 2 = 4$(장)

➡ (잠자리의 수)$=116 \div 4 = 29$(마리)

16 $250 \div \square = 50$

➡ $\square \times 50 = 250$, $5 \times 50 = 250$, $\square = 5$

17

$$\begin{array}{r} 3\ \blacktriangle \\ 4\overline{)13\square} \\ 12 \\ \hline 1\square \\ 1\square \\ \hline 0 \end{array}$$

13□÷4가 나누어떨어지려면 $4 \times \blacktriangle = 1\square$가 되어야 합니다.

➡ $4 \times 2 = 8(\times)$, $4 \times 3 = 12(\bigcirc)$, $4 \times 4 = 16(\bigcirc)$, $4 \times 5 = 20(\times)$이므로 □ 안에 알맞은 수는 2, 6입니다.

18

채점 기준		
	❶ 어떤 수를 □라 하고 나눗셈식 세우기	3점
	❷ 어떤 수 구하기	2점

19 (공책을 받은 학생 수)$=56 \div 2 = 28$(명)

(연필을 받은 학생 수)$=72 \div 6 = 12$(명)

➡ $28 > 12$이므로 공책을 받은 학생 수가 더 많습니다.

20 (1) • 윤호: $57 \div 4 = 14 \cdots 1$이므로 봉지 14개에 담고 사과 1개가 남습니다.

• 지원: $102 \div 8 = 12 \cdots 6$이므로 봉지 12개에 담고 사과 6개가 남습니다.

(2) $1 < 6$이므로 남은 사과는 지원이가 $6 - 1 = 5$(개) 더 많습니다.

21 (전체 장미의 수)$=6 \times 13 = 78$(송이)

➡ $78 \div 5 = 15 \cdots 3$

꽃병 15개에 5송이씩 꽂고, 남은 3송이도 꽂아야 하므로 꽃병은 적어도 $15 + 1 = 16$(개) 필요합니다.

22 (1) 지우개 3묶음이 87개이므로 지우개 한 묶음은 $87 \div 3 = 29$(개)입니다.

➡ 지우개 2묶음은 $29 \times 2 = 58$(개)입니다.

(2) 연필 4묶음이 168자루이므로 연필 한 묶음은 $168 \div 4 = 42$(자루)입니다.

➡ 연필 5묶음은 $42 \times 5 = 210$(자루)입니다.

23 **약점 포인트** •정답률 75%

몫이 가장 큰 나눗셈식을 만들려면 나누어지는 수는 가장 크게, 나누는 수는 가장 작게 만들어야 합니다.

$8 > 6 > 5 > 3$이므로 가장 큰 두 자리 수는 86이고, 가장 작은 한 자리 수는 3입니다.

➡ $86 \div 3 = 28 \cdots 2$이므로 몫은 28이고, 나머지는 2입니다.

24 $7 > 5 > 2$이므로 가장 큰 두 자리 수는 75입니다.

➡ $75 \div 2 = 37 \cdots 1$이므로 몫은 37이고, 나머지는 1입니다.

25 **약점 포인트** •정답률 75%

126÷□에서 □ 안에 4부터 9까지의 수를 차례로 넣어 계산하였을 때 나머지가 0인 경우의 □를 모두 구합니다.

(1) $126 \div 2 = 63$(명)

(2) $126 \div 3 = 42$(줄)

(3) $126 \div 4 = 31 \cdots 2$, $126 \div 5 = 25 \cdots 1$, $126 \div 6 = 21$, $126 \div 7 = 18$, $126 \div 8 = 15 \cdots 6$, $126 \div 9 = 14$

➡ 126을 나누어떨어지게 하는 수: 6, 7, 9

26 $272\div1=272$, $272\div2=136$, $272\div3=90\cdots2$,
$272\div4=68$, $272\div5=54\cdots2$,
$272\div6=45\cdots2$, $272\div7=38\cdots6$,
$272\div8=34$, $272\div9=30\cdots2$
➡ 272를 나누어떨어지게 하는 수: 1, 2, 4, 8

27 약점 포인트 ●정답률 70%

세로 형식의 나눗셈식에서 모르는 수를 기호로 나타낸 후 내림이 있는 나눗셈 과정에서 먼저 구할 수 있는 기호의 수부터 구합니다.

```
    2 ㉠
㉢)9 8
   ㉡
   1 8
   1 6
     2
```

$9-$㉡$=1$ → ㉡$=8$
㉢$\times2=$㉡에서 ㉢$\times2=8$ → ㉢$=4$
➡ ㉢$\times$㉠$=16$에서 $4\times$㉠$=16$
→ ㉠$=4$

28

```
     8 ㉠
 7)6 1 ♥
   5 6
     5 ㉡
     5 ㉢
       3
```

$7\times$㉠$=5$㉢에서 $7\times$㉠의 십의 자리 숫자가 5인 경우는 $7\times8=56$이므로 ㉠$=8$, ㉢$=6$입니다.
5㉡$-$5㉢$=3$에서 5㉡$-56=3$이므로 ㉡$=9$입니다.
➡ ♥에 알맞은 수는 9입니다.

29 약점 포인트 ●정답률 70%

❶ 어떤 수를 □라 하여 잘못 계산한 식을 세운 후 어떤 수를 구합니다.
❷ 어떤 수를 4로 나누었을 때의 몫과 나머지를 구합니다.

어떤 수를 □라 하여 잘못 계산한 식을 세우면
$4\times$□$=268$이므로 $268\div4=$□, □$=67$입니다.
➡ 바르게 계산하면 $67\div4=16\cdots3$이므로 몫은 16이고, 나머지는 3입니다.

30 어떤 수를 □라 하여 잘못 계산한 식을 세우면
□$\div7=12$이므로 $12\times7=$□, □$=84$입니다.
➡ 바르게 계산하면 $84\div5=16\cdots4$이므로 몫은 16이고, 나머지는 4입니다.

STEP 3 서술형 해결하기 056~059쪽

01 예 ❶ 11, 3, 11, 3 ▸3점
❷ $5-3=2$(개), 2 ▸2점 / 2개

02 예 ❶ (두 사람이 가진 사탕 수의 합)
$=40+50=90$(개)
(두 사람이 가진 사탕 수의 합)÷(나누어 주는 사람 수)
$=90\div7=12\cdots6$
➡ 한 명에게 사탕을 12개씩 주고 6개가 남습니다. ▸3점
❷ 사탕 90개를 7명에게 남김없이 똑같이 나누어 주려면 사탕은 적어도 $7-6=1$(개) 더 필요합니다. ▸2점 / 1개

03 예 ❶ (희선이가 산 초콜릿 수)$=4\times19=76$(개)
(희선이가 산 초콜릿 수)÷(나누어 주는 사람 수)
$=76\div6=12\cdots4$
➡ 한 명에게 초콜릿을 12개씩 주고 4개가 남습니다. ▸3점
❷ 초콜릿 76개를 6명에게 남김없이 똑같이 나누어 주려면 초콜릿은 적어도 $6-4=2$(개) 더 필요합니다. ▸2점 / 2개

04 예 ❶ $88\div4=22$(군데) ▸3점
❷ 1, 1, $22+1=23$(개), 23 ▸2점 / 23개

05 예 ❶ (도로 한쪽의 나무와 나무 사이의 간격 수)
$=140\div5=28$(군데) ▸3점
❷ (도로 한쪽에 심는 나무 수)
$=28+1=29$(그루)
➡ (필요한 나무 수)$=29\times2=58$(그루) ▸2점 / 58그루

06 예 ❶ (산책로 한쪽의 의자와 의자 사이의 간격 수)
$=216\div8=27$(군데) ▸3점
❷ (산책로 한쪽에 놓는 의자 수)
$=27+1=28$(개)
➡ (필요한 의자 수)$=28\times2=56$(개) ▸2점 / 56개

07 예 ❶ 3, $24\times3=72$ (cm), 72 ▸2점
❷ 4, $72\div4=18$ (cm), 18 ▸3점 / 18 cm

08 예 ❶ (작은 정사각형의 한 변의 길이)
$=48\div4=12$ (cm) ▸3점
❷ 빨간색 선의 길이는 작은 정사각형의 한 변의 길이의 8배입니다.
(빨간색 선의 길이)$=12\times8=96$ (cm) ▸2점 / 96 cm

09 예 ❶ (작은 정사각형의 한 변의 길이)
$=56\div4=14$ (cm) ▸3점

❷ 파란색 선의 길이는 작은 정사각형의 한 변의 길이의 12배입니다.
(파란색 선의 길이)$=14\times12=168$ (cm) ▸2점
/ 168 cm

10 예 ❶ 100, 95, 90, 95 ▸3점
❷ 95, 98, 98 ▸2점 / 98

11 예 ❶ 4로 나누어떨어지는 세 자리 수는 100, 104, 108, 112, 116, 120, 124, 128, 132, 136, 140……입니다.
6으로 나누어떨어지는 세 자리 수는 102, 108, 114, 120, 126, 132, 138, 144……입니다. ▸3점
❷ 4와 6으로 모두 나누어떨어지는 세 자리 수는 108, 120, 132……이고 이 중 가장 작은 수는 108입니다. ▸2점 / 108

12 예 ❶ 100보다 크고 130보다 작은 수 중에서 5로 나누어떨어지는 수는 105, 110, 115, 120, 125 입니다.
100보다 크고 130보다 작은 수 중에서 8로 나누어떨어지는 수는 104, 112, 120, 128입니다. ▸3점
❷ 조건을 모두 만족하는 ◆는 120입니다. ▸2점
/ 120

01

채점 기준		
	❶ 나누어 주고 남은 블록의 수 구하기	3점
	❷ 블록은 적어도 몇 개 더 필요한지 구하기	2점

02

채점 기준		
	❶ 나누어 주고 남은 사탕의 수 구하기	3점
	❷ 사탕은 적어도 몇 개 더 필요한지 구하기	2점

03

채점 기준		
	❶ 나누어 주고 남은 초콜릿의 수 구하기	3점
	❷ 초콜릿은 적어도 몇 개 더 필요한지 구하기	2점

04

채점 기준		
	❶ 깃발과 깃발 사이의 간격 수 구하기	3점
	❷ 필요한 깃발 수 구하기	2점

05

채점 기준		
	❶ 도로 한쪽의 나무와 나무 사이의 간격 수 구하기	3점
	❷ 필요한 나무 수 구하기	2점

06

채점 기준		
	❶ 산책로 한쪽의 의자와 의자 사이의 간격 수 구하기	3점
	❷ 필요한 의자 수 구하기	2점

07

채점 기준		
	❶ 삼각형의 세 변의 길이의 합 구하기	2점
	❷ 정사각형의 한 변의 길이 구하기	3점

08

채점 기준		
	❶ 작은 정사각형의 한 변의 길이 구하기	3점
	❷ 빨간색 선의 길이 구하기	2점

09

채점 기준		
	❶ 작은 정사각형의 한 변의 길이 구하기	3점
	❷ 파란색 선의 길이 구하기	2점

10

채점 기준		
	❶ 5로 나누어떨어지는 가장 큰 두 자리 수 구하기	3점
	❷ 윤선이가 설명하는 수 구하기	2점

11

채점 기준		
	❶ 4와 6으로 나누어떨어지는 세 자리 수 각각 구하기	3점
	❷ 조건을 모두 만족하는 가장 작은 수 구하기	2점

12

채점 기준		
	❶ 100보다 크고 130보다 작은 수 중에서 5와 8로 나누어떨어지는 수 각각 구하기	3점
	❷ 조건을 모두 만족하는 ◆ 구하기	2점

단원 마무리

060~062쪽

01 20 **02** (왼쪽에서부터) 4, 2 / 4, 1, 2, 0
03 (위에서부터) 18, 3, 24
04 9, 2 / 4, 9, 2
05 (1) 13 ··· 3 (2) 79 ··· 1 **06** (1) • • (2) • •
07 (위에서부터) 12, 18 **08** 3
09 = **10** 12 **11** 25명
12 ㉡ **13** 11개
14 16개, 1개 / $6\times16=96$ ➡ $96+1=97$
15 13일 **16** 11 **17** 25, 1
18 예 ❶ 나눗셈의 나머지는 나누는 수보다 작아야 합니다. ▸2점
❷ 어떤 수를 5로 나누었을 때 나머지가 될 수 없는 수는 5입니다. ▸3점 / 5
19 예 ❶ 정사각형은 네 변의 길이가 모두 같습니다. ▸2점
❷ (정사각형의 한 변)$=256\div4=64$ (cm) ▸3점
/ 64 cm
20 예 ❶ 어떤 수를 □라 하여 잘못 계산한 식을 세우면 □$\div4=23$이므로 $23\times4=$□, □$=92$입니다. ▸2점
❷ 바르게 계산하면 $92\div3=30\cdots2$이므로 몫은 30이고, 나머지는 2입니다. ▸3점 / 30, 2

진도북 2 단원

06 (1) $39 \div 3 = 13$
(2) $46 \div 2 = 23$

07 $72 \div 6 = 12$, $72 \div 4 = 18$

08 $63 \div 3 = 21$, $48 \div 2 = 24$
➡ $24 - 21 = 3$

09 $292 \div 4 = 73$, $365 \div 5 = 73$

10 $96 \div 4 = 24$이므로 $\square = 24$입니다.
➡ $\square \div 2 = \blacktriangle$에서 $24 \div 2 = 12$이므로 $\blacktriangle = 12$입니다.

11 (나누어 줄 수 있는 사람 수)$= 50 \div 2 = 25$(명)

12 ㉠ $70 \div 7 = 10$ ㉡ $80 \div 4 = 20$ ㉢ $50 \div 5 = 10$
➡ 몫이 15보다 큰 것은 ㉡입니다.

13 고구마를 담은 봉지의 수를 □개라 하여 나눗셈식으로 나타내면 $90 \div 8 = \square \cdots 2$입니다.
➡ $90 \div 8 = \boxed{11} \cdots 2$이므로 고구마를 담은 봉지는 11개입니다.

14 $97 \div 6 = 16 \cdots 1$
➡ 바구니 16개에 나누어 담을 수 있고 1개가 남습니다.

15 (전체 동화책의 쪽수)$= 29 \times 3 = 87$(쪽)
$87 \div 7 = 12 \cdots 3$이므로 하루에 7쪽씩 12일 동안 읽고, 남은 3쪽도 읽어야 합니다.
➡ 모두 읽는 데 $12 + 1 = 13$(일)이 걸립니다.

16

```
     ㉠
7 ) 4 1
    3 ㉢
    ---
      ㉡
```

• $7 \times 4 = 28$, $7 \times 5 = 35$, $7 \times 6 = 42$이므로 ㉠$=5$, ㉢$=5$입니다.
• $41 - 35 = 6$이므로 ㉡$=6$입니다.
➡ ㉠$+$㉡$= 5 + 6 = 11$

17 $7 > 6 > 4 > 3$이므로 가장 큰 두 자리 수는 76이고, 가장 작은 한 자리 수는 3입니다.
➡ $76 \div 3 = 25 \cdots 1$

18

채점 기준		
	❶ 나머지가 될 수 있는 조건 알기	2점
	❷ 나머지가 될 수 없는 수 구하기	3점

19

채점 기준		
	❶ 정사각형의 성질 알기	2점
	❷ 정사각형의 한 변의 길이 구하기	3점

20

채점 기준		
	❶ 어떤 수 구하기	2점
	❷ 바르게 계산한 몫과 나머지 구하기	3점

3. 원

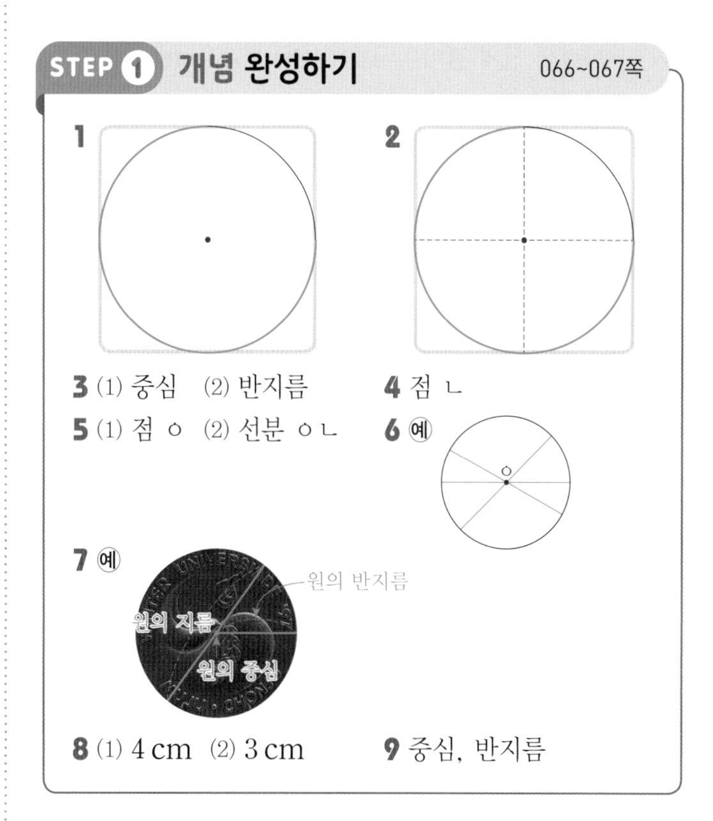

2 띠 종이의 한쪽 끝을 누름 못으로 고정시키고 다른 쪽 끝에 연필을 꽂아 원을 그립니다.
중요 누름 못이 꽂힌 점에서 원 위의 한 점까지의 길이는 모두 같습니다.

4 원의 중심은 원의 가장 안쪽에 있는 점입니다.

5 (2) 원의 반지름은 원의 중심과 원 위의 한 점을 이은 선분입니다.

6 원 위의 두 점을 이은 선분 중 원의 중심을 지나는 선분을 그어 봅니다.

7 참고 메달의 모양은 원입니다.

8 원의 중심과 원 위의 한 점을 이은 선분을 찾습니다.

STEP 1 개념 완성하기 068~069쪽

1 (1) 선분 ㄱㄴ (2) 선분 ㄱㄴ
2 (위에서부터) 1, 2
3 3, 1, 2
4 (1) ○ (2) ×
5 7, 14

6

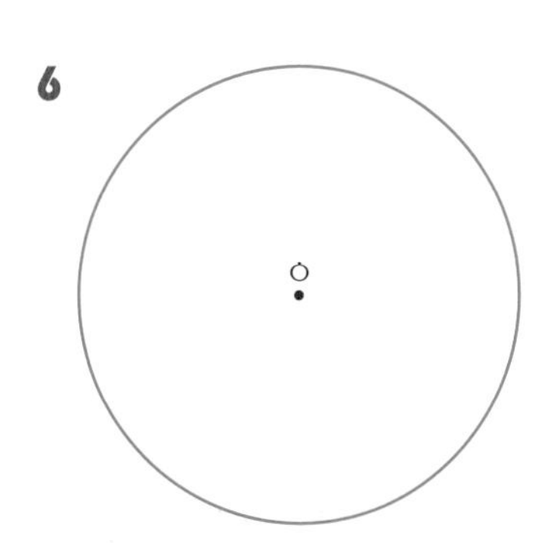

7 (1) 8 (2) 6

8 ㉠

9

1 (2) 원 위의 두 점을 이은 선분 중 원의 중심을 지나는 선분이 원의 지름입니다.

참고 원의 지름은 원 안에 그을 수 있는 선분 중 가장 긴 선분입니다.

2 중요 한 원에서 지름의 길이는 반지름의 길이의 2배입니다.

4 (2) 한 원에서 지름은 셀 수 없이 많이 그을 수 있습니다.

5 (원의 지름)=(원의 반지름)×2
=7×2=14 (cm)

6 ① 점 ㅇ을 원의 중심으로 합니다.
② 컴퍼스를 2 cm만큼 벌립니다.
③ 컴퍼스의 침을 점 ㅇ에 꽂고 원을 그립니다.

참고 컴퍼스를 이용하여 원을 그릴 때 컴퍼스를 원의 반지름만큼 벌립니다.

7 (1) 한 원에서 지름의 길이는 반지름의 길이의 2배입니다.
(원의 지름)=4×2=8 (cm)
(2) 한 원에서 반지름의 길이는 지름의 길이의 반입니다.
(원의 반지름)=12÷2=6 (cm)

8 컴퍼스를 이용하여 원을 그릴 때에는 컴퍼스의 침과 연필심 사이를 원의 반지름만큼 벌려서 그립니다.

9 모눈 한 칸의 길이가 1 cm이므로 컴퍼스를 모눈 한 칸만큼 벌려서 원을 그립니다.

STEP 1 개념 완성하기 070~071쪽

1 같고에 ○표, 1

2

3 점 ㄹ, 점 ㅇ

4 3군데

5 (1) 나 (2) 가

6

7 (1) 1, 1 (2)

8 (1) (2) 4, 중심, 4

4 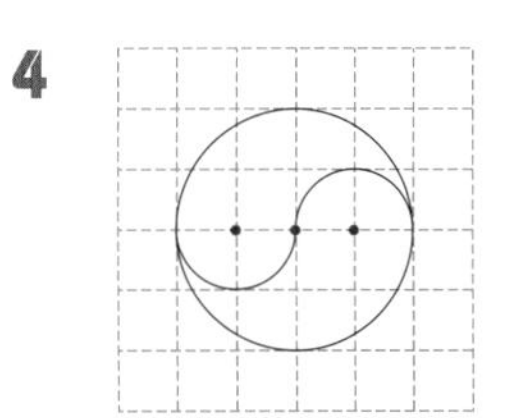

컴퍼스의 침이 꽂히는 곳이 원의 중심이므로 원의 중심을 찾으면 모두 3군데입니다.

5 • 가: 원의 중심을 오른쪽으로 모눈 3칸, 5칸 옮겨 가고 원의 반지름을 모눈 1칸씩 늘려 가며 그렸습니다.
• 나: 원의 반지름은 같고 원의 중심을 오른쪽으로 모눈 2칸씩 옮겨 가며 그렸습니다.

6 큰 원을 그리고 큰 원의 반지름을 지름으로 하는 작은 원 3개를 이용하여 그립니다.

7 (2) 원의 중심을 아래쪽으로 모눈 1칸씩 옮겨 가고 원의 반지름을 모눈 1칸씩 늘려 가며 원을 2개 더 그립니다.

8 참고 원의 반지름은 정사각형의 한 변의 반과 같습니다.

STEP 2 실력 다지기 072~077쪽

01 ㉠, ㉢

02 예 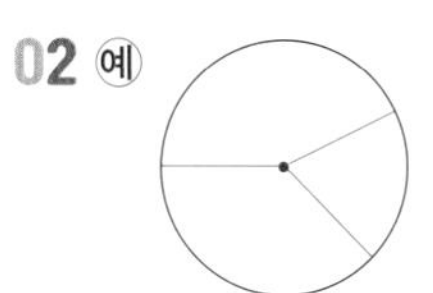

03 ❶ (위에서부터) 선분 ㅇㄴ, 선분 ㅇㄷ, 2, 2 ▸3점
❷ 예 한 원에서 원의 반지름의 길이는 모두 같습니다. ▸2점

04 선분 ㄷㅂ

05 예 원의 지름은 원의 중심을 지나는 선분입니다. 그림에 나타낸 선분은 원의 중심을 지나지 않으므로 잘못되었습니다. ▸5점

06 2 cm **07** 14 cm **08** 35 cm

09 ㉡ **10** 4 cm

11 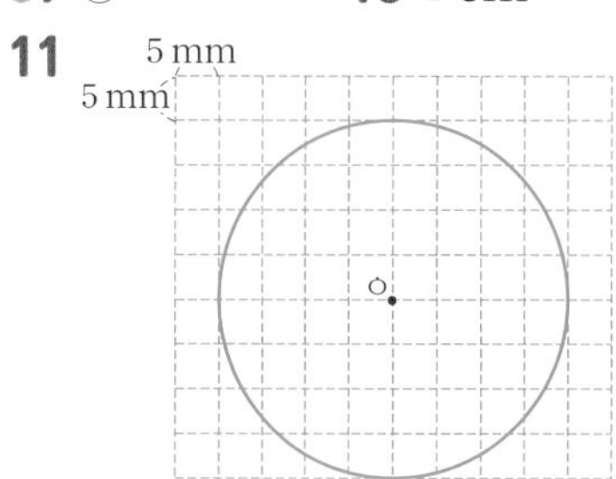

12 ❶ 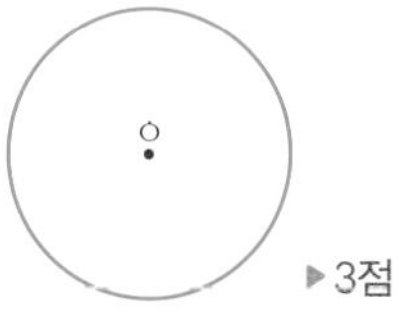

▸3점
❷ 예 컴퍼스의 침을 주어진 원의 중심에 맞추고 원 위의 한 점까지 벌린 후 그대로 컴퍼스를 옮겨 원을 그렸습니다. ▸2점

13 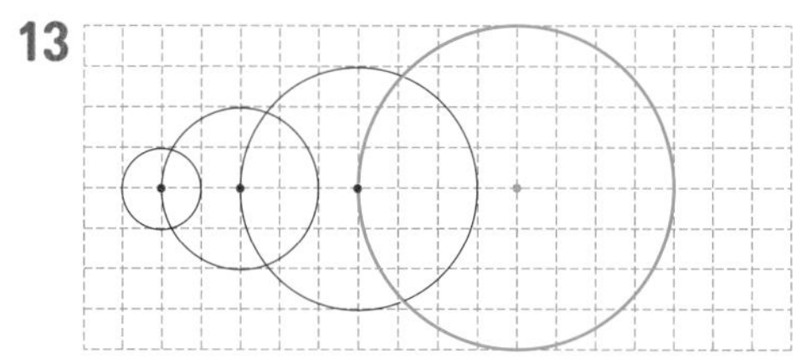

14 예 원의 중심은 오른쪽으로 모눈 3칸씩 옮겨 가고 원의 반지름은 같은 규칙입니다. ▸5점

15 ❶ 예 원의 중심은 오른쪽으로 모눈 2칸씩 옮겨 가고 반지름이 모눈 2칸인 원과 반지름이 모눈 1칸인 원이 반복되어 나타나는 규칙입니다. ▸3점
❷ 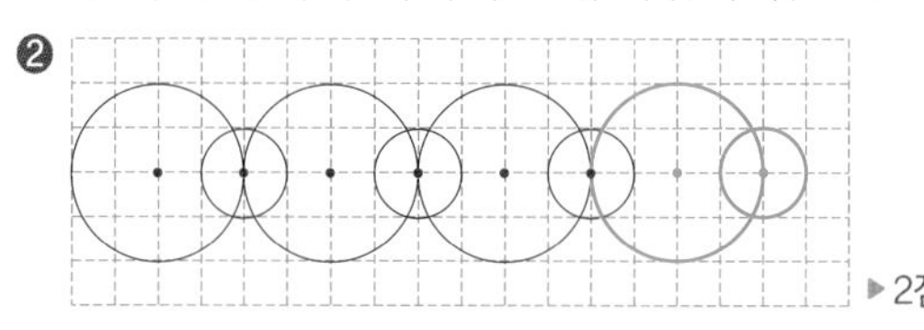 ▸2점

16 (1) 5군데, 3군데
(2) 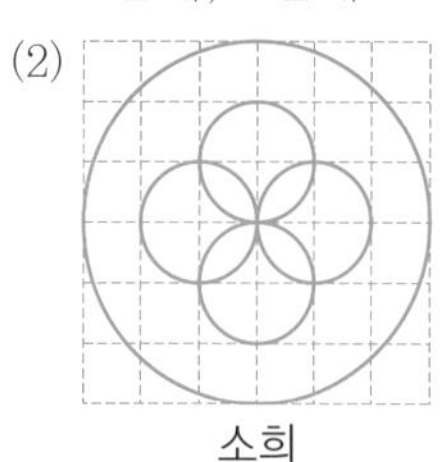 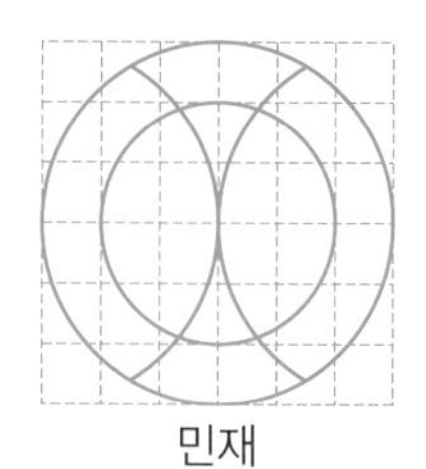
소희 민재

17 ❶ 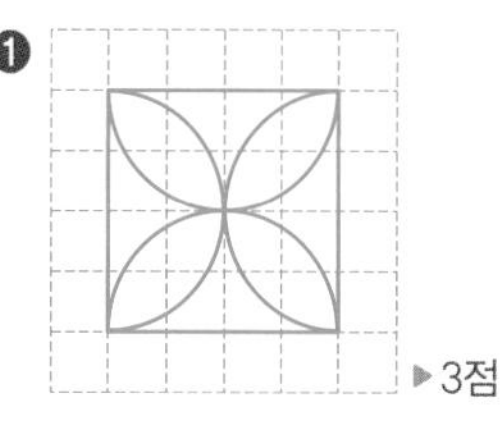 ▸3점
❷ 예 정사각형을 그리고 정사각형의 각 변을 지름으로 하는 원의 일부분을 4개 그립니다. ▸2점

18 56 cm **19** 11 cm **20** 24 cm
21 12 cm **22** 50 cm **23** 9 cm
24 42 cm **25** 4 m **26** 88 cm
27 64 cm **28** 도서관 **29** 12 cm
30 3 cm **31** 72 cm

03

채점 기준		
	❶ 반지름을 나타내는 선분을 찾아 길이 재기	3점
	❷ 알 수 있는 점 설명하기	2점

04 선분 ㄱㄹ은 원의 지름입니다.
원의 지름의 길이는 모두 같으므로 원의 지름을 찾습니다. ➡ 선분 ㄷㅂ

05

채점 기준		
	원의 지름을 잘못 그은 이유 설명하기	5점

06 (원 가의 지름)=6 cm, (원 나의 지름)=8 cm
➡ (두 원의 지름의 차)=8−6=2 (cm)

07 (원의 반지름)=7 cm
➡ (원의 지름)=7×2=14 (cm)

08 (원의 반지름)=(원의 지름)÷2=70÷2=35 (cm)

09 ㉡ (원의 지름)=5×2=10 (cm)
➡ 원의 지름을 비교하면 10 cm>8 cm>6 cm이므로 가장 큰 원은 ㉡입니다.

10 컴퍼스를 4 cm만큼 벌렸으므로 그린 원의 반지름은 4 cm입니다.

11 (원의 반지름)=2 cm=20 mm → 모눈 4칸

12

채점 기준		
	❶ 주어진 원과 크기가 같은 원 그리기	3점
	❷ 그린 방법 설명하기	2점

다른 풀이 ① 주어진 원에 반지름을 그어 길이를 재면 1 cm 5 mm입니다.
② 컴퍼스를 반지름인 1 cm 5 mm만큼 벌려 원을 그립니다.

13 원의 중심은 오른쪽으로 2칸, 3칸…… 옮겨 가고 원의 반지름은 1칸씩 늘어나는 규칙입니다.

14

채점 기준	어떤 규칙이 있는지 설명하기	5점

15

채점 기준	❶ 어떤 규칙이 있는지 설명하기	3점
	❷ 규칙에 따라 원을 2개 더 그리기	2점

16 (2) 원의 중심이 되는 점에 컴퍼스의 침을 꽂고 주어진 모양과 반지름을 같게 하여 원 또는 원의 일부분을 그립니다.

17

채점 기준	❶ 주어진 모양과 똑같이 그리기	3점
	❷ 그린 방법 설명하기	2점

18 (원의 반지름)=(원의 지름)$\div 2=16\div 2=8$ (cm)
선분 ㄱㄴ의 길이는 원의 반지름의 길이의 7배입니다.
➡ (선분 ㄱㄴ)$=8\times 7=56$ (cm)

19 선분 ㄱㄷ의 길이는 큰 원의 반지름의 길이와 작은 원의 지름의 길이의 합과 같습니다.
(큰 원의 반지름)=7 cm
(작은 원의 지름)$=2\times 2=4$ (cm)
➡ (선분 ㄱㄷ)$=7+4=11$ (cm)

20 (가장 작은 원의 지름)$=2\times 2=4$ (cm)
(두 번째로 작은 원의 지름)$=4\times 2=8$ (cm)
(가장 큰 원의 지름)$=8\times 2=16$ (cm)
➡ (선분 ㄱㅂ)$=16+8=24$ (cm)

21 96 cm는 접시의 지름의 길이의 4배입니다.
(접시의 지름)$=96\div 4=24$ (cm)
➡ (접시의 반지름)$=24\div 2=12$ (cm)
주의 접시의 지름이 아니라 반지름을 구하는 것임에 주의합니다.

22 선분 ㄱㄴ의 길이는 원의 반지름의 길이의 3배입니다.
선분 ㄱㄴ의 길이가 75 cm이므로
(원의 반지름)$=75\div 3=25$ (cm)
➡ (원의 지름)$=25\times 2=50$ (cm)

23 큰 원의 지름 36 cm는 작은 원의 지름의 길이의 2배입니다.
(작은 원의 지름)$=36\div 2=18$ (cm)
➡ (작은 원의 반지름)$=18\div 2=9$ (cm)

24 약점 포인트 ●정답률 75%

원의 반지름은 7 cm로 모두 같으므로 삼각형 ㄱㄴㄷ의 세 변의 길이의 합은 원의 반지름의 길이의 몇 배인지를 이용하여 구합니다.

삼각형 ㄱㄴㄷ의 세 변의 길이의 합은 원의 반지름의 길이의 6배입니다.
➡ (삼각형 ㄱㄴㄷ의 세 변의 길이의 합)
$=7\times 6=42$ (cm)
다른 풀이 (삼각형 ㄱㄴㄷ의 한 변)
=(원의 반지름)$\times 2=7\times 2=14$ (cm)
➡ (삼각형 ㄱㄴㄷ의 세 변의 길이의 합)
$=14\times 3=42$ (cm)

25 사각형의 네 변의 길이의 합은 원의 반지름의 길이의 8배입니다. ➡ (원의 반지름)$=32\div 8=4$ (m)

26 약점 포인트 ●정답률 75%

원 모양 접시의 지름의 길이는 정사각형 모양 상자의 한 변의 길이와 같고, 정사각형 모양 상자의 네 변의 길이는 모두 같습니다.

정사각형의 한 변의 길이는 원의 지름의 길이와 같습니다.
(정사각형의 한 변)=(원의 지름)
$=11\times 2=22$ (cm)
➡ (정사각형의 네 변의 길이의 합)
$=22\times 4=88$ (cm)

27 직사각형의 가로는 원의 지름의 길이의 3배와 같고, 세로는 원의 지름의 길이와 같습니다.
(세로)=(원의 지름)$=4\times 2=8$ (cm)
(가로)=(원의 지름)$\times 3=8\times 3=24$ (cm)
➡ (직사각형 ㄱㄴㄷㄹ의 네 변의 길이의 합)
$=24+8+24+8=64$ (cm)

28 약점 포인트 ●정답률 70%

세 곳에 있는 가로등을 각각 원의 중심으로 하여 반지름이 10 m인 원을 각각 그려 봅니다. 이때 원 밖에 있는 건물이 약속 장소입니다.

모눈 한 칸이 1 m이므로 가로등을 중심으로 반지름이 모눈 10칸인 원을 그립니다. 각 가로등마다 반지름이 10 m인 원을 그려 원 안에 포함되지 않는 건물을 찾습니다.
➡ 도서관은 3개의 원 안에 들어가지 않으므로 약속 장소입니다.

29

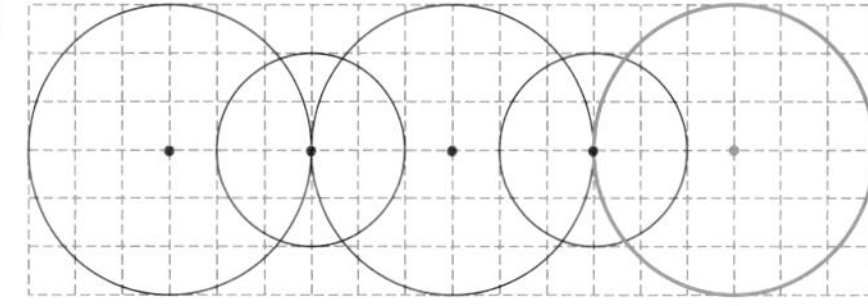

반지름이 모눈 2칸인 원의 반지름은 4 cm이므로 모눈 한 칸은 $4 \div 2 = 2$ (cm)입니다.
규칙에 따라 1개 더 그린 원의 반지름은 모눈 3칸이므로 $2 \times 3 = 6$ (cm)입니다.
➜ (그린 원의 지름)$= 6 \times 2 = 12$ (cm)

30 약점 포인트 ● 정답률 70%

원 나의 지름의 길이는 원 가의 반지름의 길이와 같고, 원 다의 지름의 길이는 원 나의 반지름의 길이와 같음을 이용하여 원 다의 반지름의 길이를 구합니다.

(원 가의 반지름)$= 12$ cm
(원 나의 반지름)=(원 가의 반지름)$\div 2$
$= 12 \div 2 = 6$ (cm)
➜ (원 다의 반지름)=(원 나의 반지름)$\div 2$
$= 6 \div 2 = 3$ (cm)

31 (선분 ㄷㄹ)=(가장 작은 원의 반지름)$= 9$ cm
(가장 큰 원의 반지름)=(가장 작은 원의 반지름)$\times 4$
$= 9 \times 4 = 36$ (cm)
➜ (가장 큰 원의 지름)=(가장 큰 원의 반지름)$\times 2$
$= 36 \times 2 = 72$ (cm)

STEP 3 서술형 해결하기 078~079쪽

01 예 ❶ 반지름, 반지름, 3 ▸2점
❷ 3, $15 \div 3 = 5$ (cm), 5 ▸3점 / 5 cm

02 예 ❶ (선분 ㅇㄱ과 선분 ㅇㄴ의 길이의 합)
=(삼각형의 세 변의 길이의 합)−(선분 ㄱㄴ)
$= 42 - 16 = 26$ (cm) ▸2점
❷ 선분 ㅇㄱ과 선분 ㅇㄴ은 원의 반지름입니다.
➜ (원의 반지름)$= 26 \div 2 = 13$ (cm) ▸3점
/ 13 cm

03 예 ❶ (선분 ㅇㄱ과 선분 ㅇㄴ의 길이의 합)
=(삼각형의 세 변의 길이의 합)−(선분 ㄱㄴ)
$= 49 - 21 = 28$ (cm) ▸2점
❷ 선분 ㅇㄱ과 선분 ㅇㄴ은 원의 반지름입니다.
➜ (원의 반지름)$= 28 \div 2 = 14$ (cm) ▸3점
/ 14 cm

04 예 ❶ 중심,

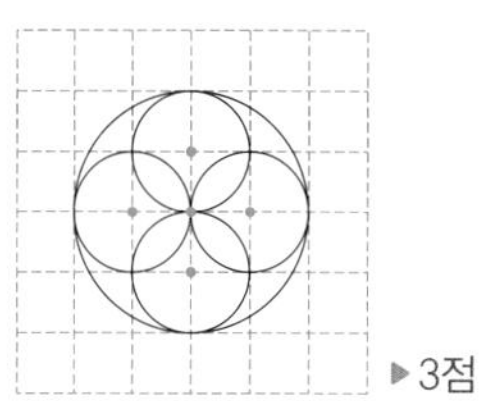

▸3점

❷ 5 ▸2점 / 5군데

05 예 ❶ 가 나

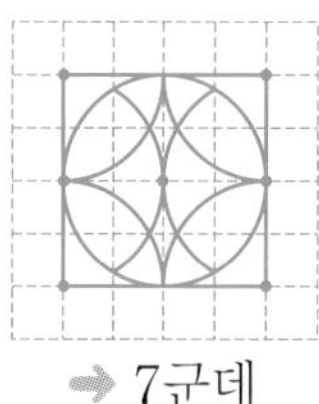

➜ 7군데 ➜ 5군데 ▸4점

❷ (컴퍼스의 침을 꽂아야 할 곳의 수의 합)
$= 7 + 5 = 12$(군데) ▸1점 / 12군데

06 예 ❶ 가 나

➜ 5군데 ➜ 7군데 ▸4점

❷ (컴퍼스의 침을 꽂아야 할 곳의 수의 차)
$= 7 - 5 = 2$(군데) ▸1점 / 2군데

01

채점 기준		
	❶ 삼각형의 세 변의 길이의 합은 원의 반지름의 길이의 몇 배인지 구하기	2점
	❷ 원의 반지름 구하기	3점

02

채점 기준		
	❶ 선분 ㅇㄱ과 선분 ㅇㄴ의 길이의 합 구하기	2점
	❷ 원의 반지름 구하기	3점

03

채점 기준		
	❶ 선분 ㅇㄱ과 선분 ㅇㄴ의 길이의 합 구하기	2점
	❷ 원의 반지름 구하기	3점

04

채점 기준		
	❶ 컴퍼스의 침을 꽂아야 할 곳을 모두 찾아 표시하기	3점
	❷ 컴퍼스의 침을 꽂아야 할 곳은 모두 몇 군데인지 구하기	2점

05

채점 기준		
	❶ 컴퍼스의 침을 꽂아야 할 곳은 몇 군데인지 각각 구하기	4점
	❷ 컴퍼스의 침을 꽂아야 할 곳의 수의 합 구하기	1점

06

채점 기준		
	❶ 컴퍼스의 침을 꽂아야 할 곳은 몇 군데인지 각각 구하기	4점
	❷ 컴퍼스의 침을 꽂아야 할 곳의 수의 차 구하기	1점

단원 마무리 080~082쪽

01 점 ㄷ

02 예 (원 그림), 1 cm

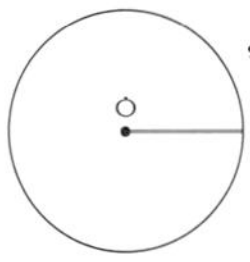

03 선분 ㄴㅁ

04 4, 4

05 14 cm

06 5 mm, 5 mm (모눈 위 원 그림)

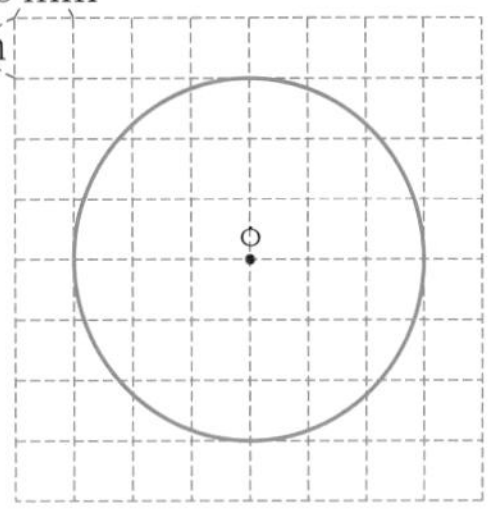

07 6 cm, 12 cm

08 나

09 (모눈 위 그림)

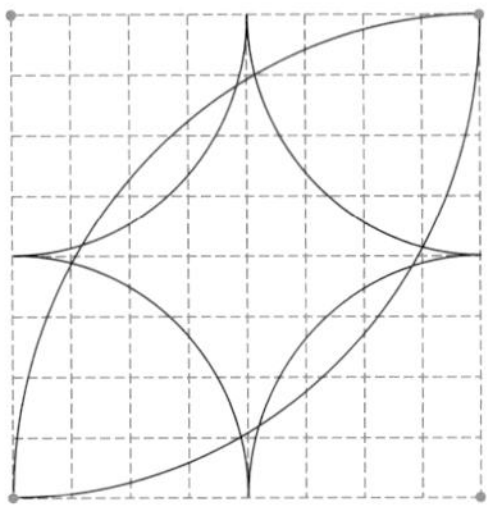

10 정우

11 5 cm

12 (모눈 위 그림)

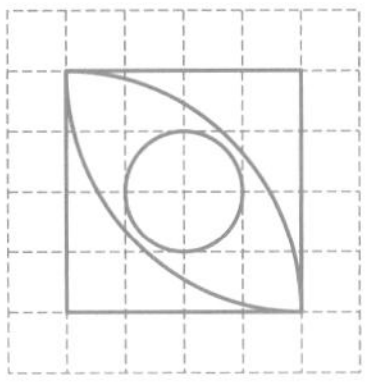

13 14 cm

14 (모눈 위 그림)

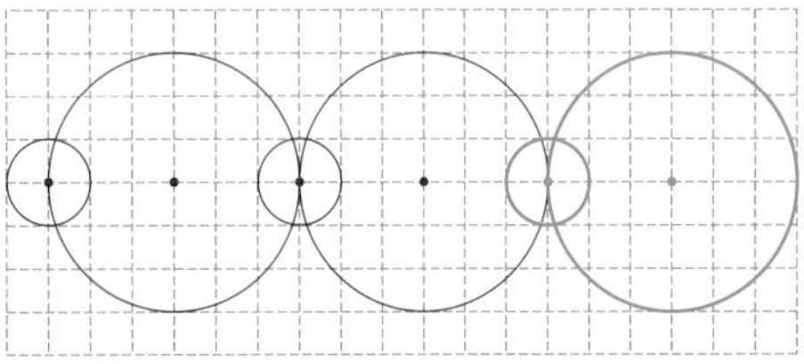

15 24 cm　16 7 cm　17 60 cm

18 예 ❶ 선분 ㄱㄴ의 길이는 원의 반지름의 길이의 6배입니다. ▸2점

❷ (원의 반지름)=54÷6=9 (cm) ▸3점 / 9 cm

19 예 ❶ (선분 ㄱㄴ)=24÷2=12 (cm) ▸3점

❷ (선분 ㄴㄷ)=12÷2=6 (cm) ▸2점 / 6 cm

20 예 ❶ 원의 반지름을 □cm라 하면

□+□+10=26, □+□=16, □=8입니다. ▸2점

❷ (원의 지름)=8×2=16 (cm) ▸3점 / 16 cm

05 원의 지름은 원 위의 두 점을 이은 선분 중 원의 중심을 지나는 선분이므로 14 cm입니다.

07 (원의 반지름)=6 cm

(원의 지름)=6×2=12 (cm)

08 • 가: 원의 반지름이 변하고 원의 중심은 옮기지 않고 그렸습니다.

• 다: 원의 반지름이 같고 원의 중심을 옮겨 가며 그렸습니다.

10 한 원에서 원의 반지름은 셀 수 없이 많이 그을 수 있습니다.

11 (원의 반지름)=10÷2=5 (cm)

➡ 컴퍼스를 원의 반지름인 5 cm만큼 벌려야 합니다.

12 ① 한 변이 모눈 4칸인 정사각형을 그립니다.

② 반지름이 모눈 4칸인 원의 일부분을 2개 그리고 가운데에 반지름이 모눈 1칸인 원을 그립니다.

13 선분 ㄱㄷ의 길이는 작은 원의 반지름의 길이와 큰 원의 지름의 길이의 합과 같습니다.

(작은 원의 반지름)=4 cm

(큰 원의 지름)=5×2=10 (cm)

➡ (선분 ㄱㄷ)=4+10=14 (cm)

14 원의 중심은 오른쪽으로 모눈 3칸씩 옮겨 가고 반지름이 모눈 1칸인 원과 반지름이 모눈 3칸인 원이 반복되어 나타나는 규칙입니다.

15 (원의 반지름)=16÷2=8 (cm)

➡ (삼각형 ㄱㄴㄷ의 세 변의 길이의 합)

=8×3=24 (cm)

16 사각형의 네 변의 길이의 합은 원의 반지름의 길이의 8배입니다. ➡ (원의 반지름)=56÷8=7 (cm)

17 (가로)=(원의 지름)×4=3×2×4=24 (cm)

(세로)=(원의 지름)=3×2=6 (cm)

➡ (직사각형 ㄱㄴㄷㄹ의 네 변의 길이의 합)

=24+6+24+6=60 (cm)

18

채점 기준		
채점 기준	❶ 선분 ㄱㄴ의 길이는 원의 반지름의 길이의 몇 배인지 구하기	2점
	❷ 원의 반지름 구하기	3점

19

채점 기준		
채점 기준	❶ 선분 ㄱㄴ의 길이 구하기	3점
	❷ 선분 ㄴㄷ의 길이 구하기	2점

20

채점 기준		
채점 기준	❶ 원의 반지름 구하기	2점
	❷ 원의 지름 구하기	3점

4. 분수

STEP 1 개념 완성하기 086~087쪽

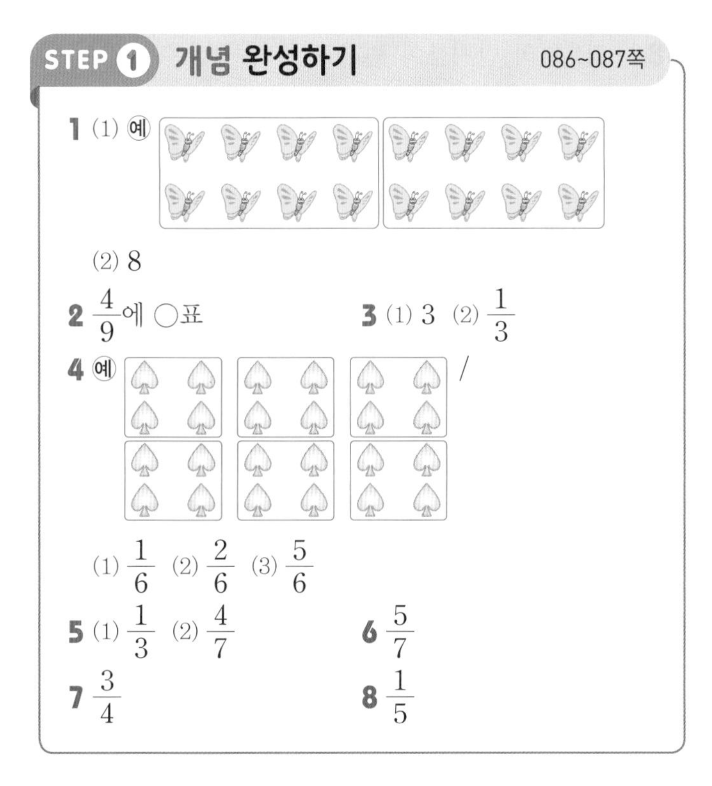

1 (1) 예 (2) 8

2 $\frac{4}{9}$에 ○표

3 (1) 3 (2) $\frac{1}{3}$

4 예 / (1) $\frac{1}{6}$ (2) $\frac{2}{6}$ (3) $\frac{5}{6}$

5 (1) $\frac{1}{3}$ (2) $\frac{4}{7}$

6 $\frac{5}{7}$

7 $\frac{3}{4}$

8 $\frac{1}{5}$

3 (2) 전체 묶음 수는 3이므로 분모에 3을 쓰고, 부분 묶음 수 1을 분자에 쓰면 $\frac{1}{3}$입니다.

4 24를 4씩 묶으면 모두 6묶음입니다.
(2) 8은 6묶음 중 2묶음이므로 $\frac{2}{6}$입니다.
(3) 20은 6묶음 중 5묶음이므로 $\frac{5}{6}$입니다.

5 (1) 색칠한 부분은 3묶음 중 1묶음이므로 전체의 $\frac{1}{3}$입니다.
(2) 색칠한 부분은 7묶음 중 4묶음이므로 전체의 $\frac{4}{7}$입니다.

6 전체를 똑같이 7로 나눈 것 중의 5는 $\frac{5}{7}$입니다.

7 색칠한 사탕은 4묶음 중 3묶음입니다.
➡ 전체의 $\frac{3}{4}$입니다.

8 45를 9씩 묶으면 모두 5묶음이고, 9는 45의 $\frac{1}{5}$입니다.

STEP 1 개념 완성하기 088~089쪽

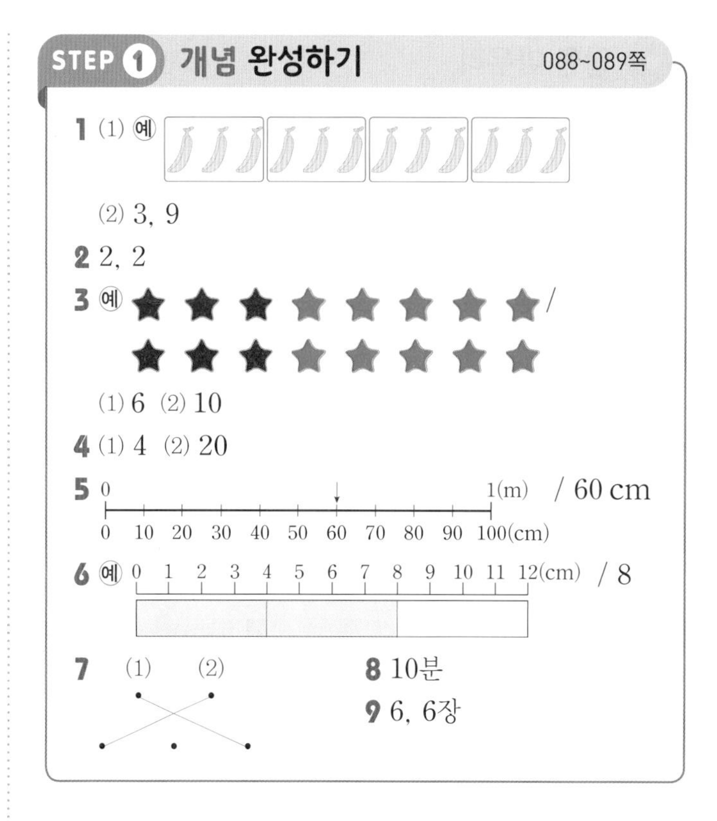

1 (1) 예 (2) 3, 9

2 2, 2

3 예 / (1) 6 (2) 10

4 (1) 4 (2) 20

5 / 60 cm

6 예 / 8

7 (1) (2)

8 10분

9 6, 6장

5 1 m=100 cm
100 cm의 $\frac{3}{5}$은 100 cm를 5부분으로 똑같이 나눈 것 중의 3부분이므로 60 cm입니다.

6 12 cm의 $\frac{2}{3}$이므로 12 cm의 종이띠를 3부분으로 똑같이 나누어 2부분을 색칠합니다.
12 cm의 $\frac{2}{3}$는 12 cm를 3부분으로 똑같이 나눈 것 중의 2부분이므로 8 cm입니다.

7 (1) 20의 $\frac{3}{5}$은 20을 5묶음으로 똑같이 나눈 것 중의 3묶음이므로 12입니다.
(2) 32의 $\frac{1}{4}$은 32를 4묶음으로 똑같이 나눈 것 중의 1묶음이므로 8입니다.

8 1시간=60분
60분의 $\frac{1}{6}$은 60분을 6부분으로 똑같이 나눈 것 중의 1부분이므로 10분입니다.

9 18의 $\frac{1}{3}$은 18을 3묶음으로 똑같이 나눈 것 중의 1묶음이므로 6입니다.
➡ 재우가 사용한 색종이는 6장입니다.

STEP 2 실력 다지기 090~093쪽

01 $\frac{3}{9}$, $\frac{1}{3}$

02 예 ❶ 36을 9씩 묶으면 모두 4묶음입니다. ▶2점
❷ 27은 4묶음 중 3묶음이므로 27은 36의 $\frac{3}{4}$입니다. ▶3점 / $\frac{3}{4}$

03 ㉡ **04** 4 **05** 산, 석

06 예 ❶ ㉠ 14의 $\frac{4}{7}$는 8, ㉡ 12의 $\frac{5}{6}$는 10, ㉢ 15의 $\frac{2}{3}$는 10입니다. ▶4점
❷ 나타내는 수가 다른 하나는 ㉠입니다. ▶1점 / ㉠

07 $\frac{2}{5}$ **08** $\frac{5}{14}$

09 예 ❶ 땅콩 48개를 봉지 6개에 똑같이 나누어 담았으므로 한 봉지에 8개씩입니다. ▶2점
❷ 땅콩 40개는 한 봉지에 8개씩 5봉지이므로 $\frac{5}{6}$입니다. ▶3점 / $\frac{5}{6}$

10 2조각 **11** 6병, 8병
12 2권 **13** 6
14 7 **15** 4 **16** 9개

17 예 (종서 | 소미 | 혜연) / 5, 4, 1

18 14장 **19** (1) 8 (2) 40 **20** 27

21 (1) 12자루 (2) $\frac{4}{10}$ **22** $\frac{3}{6}$

02

채점 기준		
	❶ 36을 9씩 묶으면 모두 몇 묶음인지 구하기	2점
	❷ 27은 36의 몇 분의 몇인지 구하기	3점

04 16의 $\frac{3}{4}$은 12이고, 20의 $\frac{2}{5}$는 8입니다.
➜ $12-8=4$

05 • 8의 $\frac{1}{2}$은 4입니다. • 8의 $\frac{3}{4}$은 6입니다.

06

채점 기준		
	❶ ㉠, ㉡, ㉢이 나타내는 수 각각 구하기	4점
	❷ 나타내는 수가 다른 하나 찾기	1점

07 30을 6씩 묶으면 모두 5묶음입니다.
➜ 12는 5묶음 중 2묶음이므로 감 12개는 30개의 $\frac{2}{5}$입니다.

08 (과수원의 수)$=28-7-11=10$(개)
28을 2씩 묶으면 모두 14묶음입니다.
➜ 10은 14묶음 중 5묶음이므로 과수원 10개는 28개의 $\frac{5}{14}$입니다.

09

채점 기준		
	❶ 땅콩이 한 봉지에 몇 개씩인지 구하기	2점
	❷ 땅콩 40개는 48개의 몇 분의 몇인지 구하기	3점

10 8의 $\frac{1}{4}$은 2입니다.

11 • 포도 주스: 36의 $\frac{1}{6}$은 6입니다. ➜ 6병
• 오렌지 주스: 36의 $\frac{2}{9}$는 8입니다. ➜ 8병

12 (서연이가 가진 공책의 수)$=28\div2=14$(권)
➜ 14의 $\frac{1}{7}$은 2이므로 서연이가 은정이에게 준 공책은 2권입니다.

13 54를 □씩 묶었더니 9묶음이 되었으므로 54를 6씩 묶은 것입니다.
➜ 54를 6씩 묶으면 모두 9묶음이고, 18은 9묶음 중 3묶음이므로 18은 54의 $\frac{3}{9}$입니다.

14 • 45를 9묶음으로 똑같이 나눈 것이므로 5씩 묶은 것입니다. 20은 5씩 4묶음이므로 20은 45의 $\frac{4}{9}$입니다. → ㉠$=4$
• 48을 6묶음으로 똑같이 나눈 것이므로 8씩 묶은 것입니다. 24는 8씩 3묶음이므로 24는 48의 $\frac{3}{6}$입니다. → ㉡$=3$
➜ ㉠$+$㉡$=4+3=7$

15 • 27을 3씩 묶으면 모두 9묶음이고, 18은 9묶음 중 6묶음이므로 18은 27의 $\frac{6}{9}$입니다. → ■$=9$
• 36을 3씩 묶으면 모두 12묶음이고, 15는 12묶음 중 5묶음이므로 15는 36의 $\frac{5}{12}$입니다. → ▲$=5$
➜ ■와 ▲의 차는 $9-5=4$입니다.

16 12의 $\frac{1}{4}$은 3이므로 샌드위치를 만드는 데 달걀을 3개 사용하였습니다.
➜ (남은 달걀의 수)$=12-3=9$(개)

17 • 종서: 10 m의 $\frac{1}{2}$은 5 m(파란색)

• 소미: 10 m의 $\frac{2}{5}$는 4 m(초록색)

• 혜연: (두 사람이 가지고 남은 부분)
$=10-5-4=1$ (m)(주황색)

18 • 선우: 30장의 $\frac{1}{3}$은 10장입니다.

• 남호: 30장의 $\frac{1}{5}$은 6장입니다.

➡ (남은 우표의 수)$=30-10-6=14$(장)

19 약점 포인트 ●정답률 75%

■의 $\frac{1}{▲}$이 ★일 때
➡ ■는 ★씩 ▲묶음 → ■=★×▲

(1) 16은 어떤 수를 5묶음으로 똑같이 나눈 것 중의 2묶음이므로 1묶음은 $16\div2=8$입니다.
➡ 어떤 수의 $\frac{1}{5}$은 8입니다.

(2) 어떤 수의 $\frac{1}{5}$은 8이므로 어떤 수는 $8\times5=40$입니다.

20 7은 어떤 수를 9묶음으로 똑같이 나눈 것 중의 1묶음이므로 어떤 수는 $7\times9=63$입니다.
➡ 63의 $\frac{3}{7}$은 27입니다.

21 약점 포인트 ●정답률 70%

분수로 나타낼 때 $\frac{(\text{부분 묶음 수})}{(\text{전체 묶음 수})}$로 나타내므로 전체를 몇 묶음으로 묶었는지 먼저 알아봅니다.

(1) (아름이가 받은 연필 수)
$=30-6-12=12$(자루)

(2) 30자루를 3자루씩 묶으면 모두 10묶음이고, 12자루는 10묶음 중 4묶음입니다.
➡ 아름이가 받은 연필 12자루는 전체의 $\frac{4}{10}$입니다.

22 노란색과 빨간색을 색칠하고 남은 칸은
$24-4-8=12$(칸)입니다.
24칸을 4칸씩 묶으면 모두 6묶음이고, 12칸은 6묶음 중 3묶음입니다.
➡ 색칠하고 남은 칸 수는 전체 칸 수의 $\frac{3}{6}$입니다.

STEP 1 개념 완성하기 094~095쪽

1 (1) $\frac{5}{6}$ (2) $\frac{4}{3}$
2 (1) 1, 3 (2) 4, 7
3 $1\frac{4}{5}$
4 (1) $\frac{21}{8}$ (2) $1\frac{2}{5}$
5 (1) 가 (2) 진
6 (1) $\frac{20}{9}$ (2) $\frac{31}{10}$ (3) $5\frac{2}{7}$ (4) $4\frac{5}{12}$
7 (1) (2) (3)
8 3개, 5개
9 $2\frac{1}{2}$, $\frac{13}{4}$

3 자연수 부분은 1이고 진분수 부분은 $\frac{4}{5}$이므로 대분수로 나타내면 $1\frac{4}{5}$입니다.

4 (1) $\frac{1}{8}$이 21칸 색칠되어 있으므로 $\frac{21}{8}$입니다.

(2) $\frac{1}{5}$만큼 색칠된 작은 사각형 5개가 모여 큰 사각형 1개가 되고 $\frac{1}{5}$만큼 색칠한 작은 사각형 2개이므로 $1\frac{2}{5}$입니다.

6 (1) $2\frac{2}{9}$에서 2는 $\frac{1}{9}$이 18개, $\frac{2}{9}$는 $\frac{1}{9}$이 2개로 $\frac{1}{9}$이 $18+2=20$(개)이므로 $\frac{20}{9}$입니다.

(3) $\frac{37}{7}$에서 $\frac{35}{7}$는 5로 나타내고 나머지 진분수는 $\frac{2}{7}$이므로 $5\frac{2}{7}$입니다.

7 (1) $\frac{9}{14}$: 분자 9<분모 14 ➡ 진분수
(2) 8 ➡ 자연수
(3) $\frac{20}{13}$: 분자 20>분모 13 ➡ 가분수

8 • 진분수: $\frac{2}{3}$, $\frac{1}{8}$, $\frac{4}{11}$ ➡ 3개
• 가분수: $\frac{5}{4}$, $\frac{8}{7}$, $\frac{10}{6}$, $\frac{9}{9}$, $\frac{6}{5}$ ➡ 5개

9 • 성진: $\frac{5}{2}$에서 $\frac{4}{2}$는 2로 나타내고 나머지 진분수는 $\frac{1}{2}$이므로 $2\frac{1}{2}$입니다.

• 영주: $3\frac{1}{4}$에서 3은 $\frac{1}{4}$이 12개, $\frac{1}{4}$은 $\frac{1}{4}$이 1개로 $\frac{1}{4}$이 $12+1=13$(개)이므로 $\frac{13}{4}$입니다.

STEP ① 개념 완성하기 096~097쪽

1 <

2 예 / >

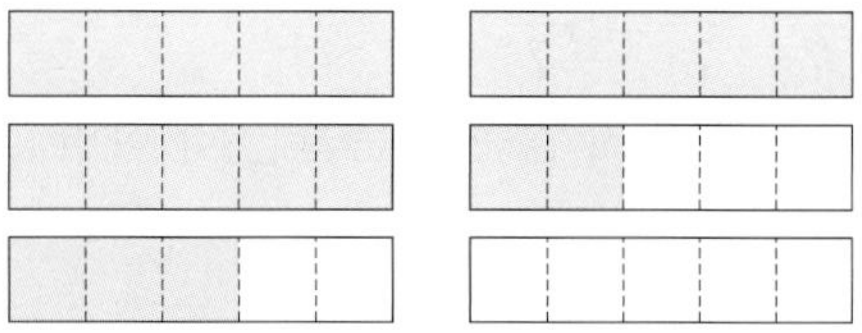

3 >, 큽니다에 ○표 **4** (1) $2\frac{1}{7}$ (2) <

5 (1) < (2) = (3) > (4) <

6 $8\frac{1}{9}$, $7\frac{8}{9}$에 색칠 **7** $\frac{27}{4}$

8 0, 1, 2, $1\frac{1}{5}$, $1\frac{4}{5}$ / >

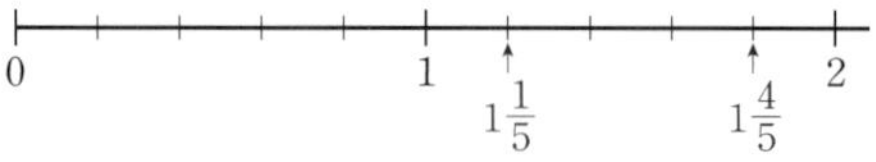

9 <, 오늘

4 (1) $\frac{15}{7}$에서 $\frac{14}{7}$는 2로 나타내고 나머지 진분수는 $\frac{1}{7}$이므로 $2\frac{1}{7}$입니다.

5 (1) $2\frac{2}{5}$를 가분수로 나타내면 $\frac{12}{5}$이고 $\frac{12}{5}<\frac{14}{5}$이므로 $2\frac{2}{5}<\frac{14}{5}$입니다.

(3) $\frac{34}{15}$를 대분수로 나타내면 $2\frac{4}{15}$이고 $2\frac{4}{15}>2\frac{2}{15}$이므로 $\frac{34}{15}>2\frac{2}{15}$입니다.

6 자연수를 비교하면 7<8이므로 $7\frac{5}{9}$보다 큰 분수는 $8\frac{1}{9}$입니다.
자연수가 같은 분수 중에서 분자를 비교하면 3<5<8이므로 $7\frac{5}{9}$보다 큰 분수는 $7\frac{8}{9}$입니다.

7 $\frac{27}{4}$은 $\frac{1}{4}$이 27개이고 $\frac{25}{4}$는 $\frac{1}{4}$이 25개입니다. 27>25이므로 $\frac{27}{4}>\frac{25}{4}$입니다.

8 두 대분수를 수직선에 나타내면 $1\frac{4}{5}$가 $1\frac{1}{5}$보다 오른쪽에 있으므로 $1\frac{4}{5}>1\frac{1}{5}$입니다.

9 $1\frac{5}{6}$를 가분수로 나타내면 $\frac{11}{6}$이고 $\frac{11}{6}<\frac{13}{6}$이므로 $1\frac{5}{6}<\frac{13}{6}$입니다.

STEP ② 실력 다지기 098~101쪽

01 6 **02** (○)(○)(×)(×)

03 7 **04** $1\frac{5}{9}$ **05** 3

06 예 ❶ ㉠ $1\frac{1}{14}$에서 1은 $\frac{1}{14}$이 14개, $\frac{1}{14}$은 $\frac{1}{14}$이 1개로 $\frac{1}{14}$이 14+1=15(개)이므로 $\frac{15}{14}$입니다.
㉡ $3\frac{2}{3}$에서 3은 $\frac{1}{3}$이 9개, $\frac{2}{3}$는 $\frac{1}{3}$이 2개로 $\frac{1}{3}$이 9+2=11(개)이므로 $\frac{11}{3}$입니다. ▸3점
❷ 15>11이므로 분자가 더 큰 분수는 ㉠입니다. ▸2점 / ㉠

07 ($\frac{19}{6}$에 ○표) $\frac{5}{6}$ ($3\frac{5}{6}$에 □표) ($\frac{6}{6}$에 ○표)

08 ㉠ $2\frac{1}{8}$, ㉡ $\frac{15}{8}$, ㉢ $\frac{13}{8}$

09 예 ❶ $4\frac{1}{3}$을 가분수로 나타내면 $\frac{13}{3}$입니다. ▸2점
❷ $4\frac{1}{3}(=\frac{13}{3})$보다 큰 분수는 $\frac{25}{3}$, $\frac{22}{3}$로 모두 2개입니다. ▸3점 / 2개

10 수학 숙제 **11** 석가탑 **12** 미정

13 1, 2, 3 **14** 3개 **15** 3, 4, 5

16 $\frac{5}{2}$, $\frac{7}{2}$, $\frac{7}{5}$

17 예 ❶ 대분수의 분수 부분은 진분수입니다. 대분수의 분모가 5이므로 분자가 될 수 있는 수는 3, 4입니다. ▸2점
❷ 분모가 5인 대분수는 $4\frac{3}{5}$, $9\frac{3}{5}$, $3\frac{4}{5}$, $9\frac{4}{5}$이므로 모두 4개입니다. ▸3점 / 4개

18 (왼쪽에서부터) 9, 5 / $\frac{59}{6}$ **19** 유미 **20** 세린

21 3가지 **22** $\frac{30}{16}$, $\frac{31}{16}$, $\frac{32}{16}$, $\frac{33}{16}$, $\frac{34}{16}$

01 분모가 7인 진분수의 분자가 될 수 있는 수는 7보다 작은 수입니다.
➡ ★이 될 수 있는 가장 큰 수는 6입니다.

02 • $\frac{3}{8}$: 진분수 • $\frac{9}{2}$: 가분수
• $\frac{5}{5}$: 가분수 • $\frac{4}{11}$: 진분수

03

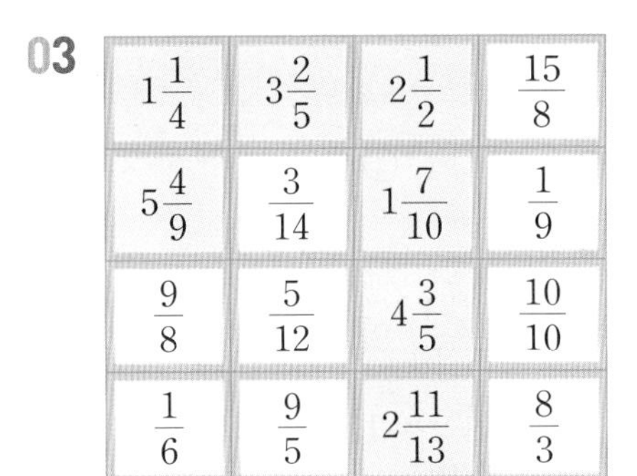

$1\frac{1}{4}$	$3\frac{2}{5}$	$2\frac{1}{2}$	$\frac{15}{8}$
$5\frac{4}{9}$	$\frac{3}{14}$	$1\frac{7}{10}$	$\frac{1}{9}$
$\frac{9}{8}$	$\frac{5}{12}$	$4\frac{3}{5}$	$\frac{10}{10}$
$\frac{1}{6}$	$\frac{9}{5}$	$2\frac{11}{13}$	$\frac{8}{3}$

05 $2\frac{\square}{8}$에서 2는 $\frac{1}{8}$이 16개, $\frac{\square}{8}$는 $\frac{1}{8}$이 □개로 $\frac{1}{8}$이 (16+□)개입니다.

➡ 16+□=19이므로 □=19−16=3입니다.

06

채점 기준		
	❶ ㉠과 ㉡을 가분수로 각각 나타내기	3점
	❷ 분자가 더 큰 분수의 기호 쓰기	2점

07 • 가분수: $\frac{19}{6}$, $\frac{6}{6}$ $(\frac{19}{6}>\frac{6}{6})$ • 대분수: $3\frac{5}{6}$

➡ $\frac{19}{6}=3\frac{1}{6}$이고 $3\frac{1}{6}<3\frac{5}{6}$이므로 가장 큰 분수는 $3\frac{5}{6}$입니다.

08 $2\frac{1}{8}=\frac{17}{8}$이므로 $\frac{17}{8}>\frac{15}{8}>\frac{13}{8}$입니다.

➡ $2\frac{1}{8}>\frac{15}{8}>\frac{13}{8}$

09

채점 기준		
	❶ $4\frac{1}{3}$을 가분수로 나타내기	2점
	❷ $4\frac{1}{3}$보다 큰 분수의 개수 구하기	3점

11 $10\frac{4}{5}$를 가분수로 나타내면 $\frac{54}{5}$이고 $\frac{54}{5}>\frac{46}{5}$이므로 $10\frac{4}{5}>\frac{46}{5}$입니다.

12 $\frac{13}{12}$을 대분수로 나타내면 $1\frac{1}{12}$입니다.

➡ $\frac{13}{12}(=1\frac{1}{12})<1\frac{5}{12}<1\frac{7}{12}$

13 $\frac{22}{9}$를 대분수로 나타내면 $2\frac{4}{9}$입니다.

$2\frac{\square}{9}<2\frac{4}{9}$에서 □<4입니다.

➡ □ 안에 들어갈 수 있는 자연수는 1, 2, 3입니다.

14 $1\frac{10}{13}=\frac{23}{13}$, $2\frac{1}{13}=\frac{27}{13}$

$\frac{23}{13}<\frac{\square}{13}<\frac{27}{13}$이므로 23<□<27입니다.

➡ □ 안에 들어갈 수 있는 자연수는 24, 25, 26이므로 모두 3개입니다.

15 $\frac{20}{7}=2\frac{6}{7}$, $\frac{40}{7}=5\frac{5}{7}$

물감이 묻어 보이지 않는 부분을 □라 하면 $2\frac{6}{7}<\square\frac{3}{7}<5\frac{5}{7}$입니다.

➡ □ 안에 들어갈 수 있는 자연수는 3, 4, 5입니다.

16 분모에 놓을 수 있는 수는 2와 5입니다.

• 분모가 2일 때: $\frac{5}{2}$, $\frac{7}{2}$ • 분모가 5일 때: $\frac{7}{5}$

17

채점 기준		
	❶ 분모가 5인 대분수의 분자 모두 구하기	2점
	❷ 분모가 5인 대분수의 개수 구하기	3점

18 가장 큰 대분수를 만들려면 자연수 부분에 가장 큰 수인 9를 놓고, 분모가 6이므로 분자에 5를 놓아야 합니다. → $9\frac{5}{6}$

➡ $9\frac{5}{6}$에서 9는 $\frac{1}{6}$이 54개, $\frac{5}{6}$는 $\frac{1}{6}$이 5개로 $\frac{1}{6}$이 54+5=59(개)이므로 $\frac{59}{6}$입니다.

19 약점 포인트 ●정답률 75%

(큰 모양)는 1, (작은 모양)는 $\frac{1}{4}$을 나타내므로 (큰 모양)와 (작은 모양)의 수를 세어 각각 대분수와 가분수로 나타내어 봅니다.

만든 쿠키의 양을 각각 분수로 나타내면 정민이는 $3\frac{3}{4}$이고 유미는 $\frac{17}{4}$입니다.

$3\frac{3}{4}$에서 3은 $\frac{1}{4}$이 12개, $\frac{3}{4}$은 $\frac{1}{4}$이 3개로 $\frac{1}{4}$이 12+3=15(개)이므로 $\frac{15}{4}$입니다.

➡ $\frac{15}{4}<\frac{17}{4}$이므로 $3\frac{3}{4}<\frac{17}{4}$입니다.

20 세린이가 이은 색 테이프의 전체 길이는 $\frac{1}{3}$ m가 14장이므로 $\frac{14}{3}$ m이고 보영이가 이은 색 테이프의 전체 길이는 1 m가 4장이고 $\frac{1}{3}$ m가 1장이므로 $4\frac{1}{3}$ m입니다. $\frac{14}{3}$에서 $\frac{12}{3}$는 4로 나타내고 나머지 진분수는 $\frac{2}{3}$이므로 $4\frac{2}{3}$입니다.

➡ $4\frac{2}{3}>4\frac{1}{3}$이므로 $\frac{14}{3}>4\frac{1}{3}$입니다.

21 약점 포인트 ●정답률 70%

$\frac{■}{●}$가 진분수가 될 때 ■<●임을 이용하여 분모가 될 수 있는 수를 먼저 구합니다.

3<■<9이므로 ■=4, 5, 6, 7, 8입니다.
2<●<7이므로 ●=3, 4, 5, 6입니다.

$\frac{■}{●}$가 진분수가 되려면 ■<●이므로 분모가 될 수 있는 수는 5, 6입니다.

- ●=5일 때 ■는 4입니다. → 1가지
- ●=6일 때 ■는 4, 5입니다. → 2가지

➡ 1+2=3(가지)

22 $2\frac{3}{16}$을 가분수로 나타내면 $\frac{35}{16}$입니다.

분모가 16인 가분수를 $\frac{□}{16}$라 하면

$\frac{29}{16}<\frac{□}{16}<\frac{35}{16}$이므로 29<□<35입니다.

➡ □ 안에 들어갈 수 있는 자연수는 30, 31, 32, 33, 34이므로 조건을 만족하는 분수는 $\frac{30}{16}$, $\frac{31}{16}$, $\frac{32}{16}$, $\frac{33}{16}$, $\frac{34}{16}$입니다.

STEP 3 서술형 해결하기 102~103쪽

01 예 ❶ 20, 20, 10, 10 ▸3점
❷ 45, 20, 10, 15, 15 ▸2점 / 15개

02 예 ❶ 45의 $\frac{4}{5}$는 45를 5묶음으로 똑같이 나눈 것 중의 4묶음이므로 36입니다.
→ 주혁이가 모은 붙임딱지는 36장입니다.
56의 $\frac{5}{8}$는 56을 8묶음으로 똑같이 나눈 것 중의 5묶음이므로 35입니다.
→ 성주가 모은 붙임딱지는 35장입니다. ▸3점
❷ 주혁이가 성주보다 붙임딱지를 36−35=1(장) 더 많이 모았습니다. ▸2점 / 주혁, 1장

03 예 ❶ 96의 $\frac{5}{12}$는 96을 12묶음으로 똑같이 나눈 것 중의 5묶음이므로 40입니다.
→ 소연이가 오빠에게 준 색종이는 40장입니다.
96의 $\frac{1}{6}$은 96을 6묶음으로 똑같이 나눈 것 중의 1묶음이므로 16입니다.
→ 소연이가 동생에게 준 색종이는 16장입니다. ▸3점
❷ 소연이는 오빠에게 색종이를 40−16=24(장) 더 많이 주었습니다. ▸2점 / 오빠, 24장

04 예 ❶ 7, 7 ▸2점
❷ 7, 16, 7, 7, 23, $\frac{23}{8}$ ▸3점 / $\frac{23}{8}$

05 예 ❶ 분모가 7인 가분수를 $\frac{□}{7}$라 하면
□÷7=6···3입니다.
7×6=42 → 42+3=45이므로 □=45이고 가분수는 $\frac{45}{7}$입니다. ▸2점
❷ $\frac{45}{7}$에서 $\frac{42}{7}$는 6으로 나타내고 나머지 진분수는 $\frac{3}{7}$이므로 $6\frac{3}{7}$입니다. ▸3점 / $6\frac{3}{7}$

06 예 ❶ 분모가 9인 가분수를 $\frac{□}{9}$라 하면
□÷9=3···5입니다.
9×3=27 → 27+5=32이므로 □=32이고 가분수는 $\frac{32}{9}$입니다. ▸2점
❷ $\frac{32}{9}$에서 $\frac{27}{9}$은 3으로 나타내고 나머지 진분수는 $\frac{5}{9}$이므로 $3\frac{5}{9}$입니다. ▸3점 / $3\frac{5}{9}$

01

채점 기준		
	❶ 아버지와 어머니가 드신 딸기 수 각각 구하기	3점
	❷ 지효가 먹은 딸기 수 구하기	2점

02

채점 기준		
	❶ 주혁이와 성주가 모은 붙임딱지 수 각각 구하기	3점
	❷ 누가 붙임딱지를 몇 장 더 많이 모았는지 구하기	2점

03

채점 기준		
	❶ 소연이가 오빠와 동생에게 준 색종이 수 각각 구하기	3점
	❷ 누구에게 색종이를 몇 장 더 많이 주었는지 구하기	2점

04

채점 기준		
	❶ 자연수가 2이고 분모가 8인 가장 큰 대분수 구하기	2점
	❷ 자연수가 2이고 분모가 8인 가장 큰 대분수를 가분수로 나타내기	3점

05

채점 기준	❶ 조건을 만족하는 가분수 구하기	2점
	❷ 가분수를 대분수로 나타내기	3점

06

채점 기준	❶ 조건을 만족하는 가분수 구하기	2점
	❷ 가분수를 대분수로 나타내기	3점

단원 마무리 104~106쪽

01 예 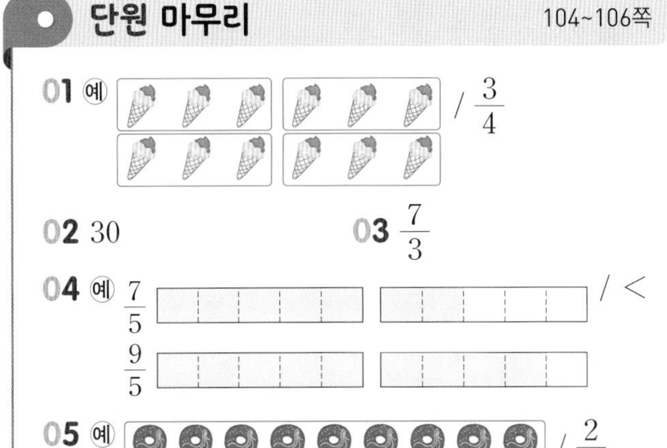 / $\frac{3}{4}$

02 30 **03** $\frac{7}{3}$

04 예 $\frac{7}{5}$, $\frac{9}{5}$ / <

05 예 / $\frac{2}{3}$

06 $\frac{3}{4}$, $\frac{1}{5}$, $\frac{4}{7}$에 ○표 / $\frac{9}{9}$, $\frac{12}{11}$에 △표

07 7개 **08** ㉢ **09** ㉠

10 $\frac{1}{4}$ **11** $\frac{15}{15}$ **12** 7

13 유나 **14** 21

15 (왼쪽에서부터) 9, 6 / $\frac{69}{7}$

16 $\frac{13}{13}$, $\frac{14}{13}$ **17** 12 cm

18 예 진분수는 분자가 분모보다 작은 분수인데 $\frac{5}{5}$는 분자와 분모가 같으므로 진분수가 아닙니다. ▸5점

19 예 ❶ 21의 $\frac{2}{7}$는 6이므로 은율이가 사용한 수수깡은 6개입니다. ▸3점
❷ (남은 수수깡의 수)$=21-6=15$(개) ▸2점
/ 15개

20 예 ❶ $2\frac{7}{9}$에서 2는 $\frac{1}{9}$이 18개, $\frac{7}{9}$은 $\frac{1}{9}$이 7개로 $\frac{1}{9}$이 $18+7=25$(개)이므로 $\frac{25}{9}$입니다.
$3\frac{1}{9}$에서 3은 $\frac{1}{9}$이 27개, $\frac{1}{9}$은 $\frac{1}{9}$이 1개로 $\frac{1}{9}$이 $27+1=28$(개)이므로 $\frac{28}{9}$입니다. ▸3점
❷ $\frac{25}{9}<\frac{□}{9}<\frac{28}{9}$이므로 $25<□<28$입니다.
□ 안에 들어갈 수 있는 자연수는 26, 27이므로 모두 2개입니다. ▸2점 / 2개

12 $2\frac{□}{10}$에서 2는 $\frac{1}{10}$이 20개, $\frac{□}{10}$는 $\frac{1}{10}$이 □개로 $\frac{1}{10}$이 $(20+□)$개입니다.
➡ $20+□=27$이므로 $□=27-20=7$입니다.

13 $1\frac{11}{12}$을 가분수로 나타내면 $\frac{23}{12}$이고 $\frac{23}{12}>\frac{17}{12}$이므로 $1\frac{11}{12}>\frac{17}{12}$입니다.

14 4는 어떤 수를 14묶음으로 똑같이 나눈 것 중의 1묶음이므로 어떤 수는 $4\times14=56$입니다.
➡ 56의 $\frac{3}{8}$은 56을 8묶음으로 똑같이 나눈 것 중의 3묶음이므로 21입니다.

15 만들 수 있는 가장 큰 대분수는 $9\frac{6}{7}$입니다.
➡ $9\frac{6}{7}$에서 9는 $\frac{1}{7}$이 63개, $\frac{6}{7}$은 $\frac{1}{7}$이 6개로 $\frac{1}{7}$이 $63+6=69$(개)이므로 $\frac{69}{7}$입니다.

16 $1\frac{2}{13}$를 가분수로 나타내면 $\frac{15}{13}$입니다.
분모가 13인 가분수를 $\frac{□}{13}$라 하면 $\frac{12}{13}<\frac{□}{13}<\frac{15}{13}$이므로 □ 안에 들어갈 수 있는 자연수는 13, 14입니다.
➡ 조건을 만족하는 가분수는 $\frac{13}{13}$, $\frac{14}{13}$입니다.

17 • 빨간색: 24의 $\frac{1}{3}$은 8이므로 8 cm입니다.
• 노란색: 24의 $\frac{1}{6}$은 4이므로 4 cm입니다.
➡ 보라색: $24-8-4=12$ (cm)

18

채점 기준	진분수가 아닌 이유 쓰기	5점

19

채점 기준	❶ 은율이가 사용한 수수깡의 수 구하기	3점
	❷ 남은 수수깡의 수 구하기	2점

20

채점 기준	❶ 대분수를 가분수로 각각 나타내기	3점
	❷ □ 안에 들어갈 수 있는 자연수의 개수 구하기	2점

5. 들이와 무게

STEP 1 개념 완성하기 112~113쪽

1 생수병 **2** 꽃병
3 (1) 4 리터 (2) 3 리터 200 밀리리터
4 3
5 (1) 7000 (2) 2500 (3) 4, 900
6 (1) 가 그릇 (2) 3배 **7** 2, 1, 3
8 (위에서부터) 3, 2, 1 **9** 1300 mL

6 (1) 가 그릇: 6컵, 나 그릇: 2컵
(2) $6 \div 2 = 3$(배)

9 1 L=1000 mL이므로 1 L 300 mL=1300 mL입니다.
➡ 현주가 산 망고 주스는 1300 mL입니다.
참고 1 L 300 mL는 1 L보다 300 mL 더 많은 들이입니다.

STEP 1 개념 완성하기 114~115쪽

1 예 약 65 mL, 예 약 1 L
2 (1) mL (2) L **3** 3, 500
4 (1) 4800, 4, 800 (2) 5300, 5, 300
5 (1) 8 L 700 mL (2) 4 L 300 mL
(3) 7 L 600 mL (4) 3 L 800 mL
6 예 약 600 mL **7** (   ) (○)
8 6, 300 **9** 4, 200, 5, 600

5 (3)
$$\begin{array}{rrr} & \overset{1}{2}\text{ L} & 700\text{ mL} \\ + & 4\text{ L} & 900\text{ mL} \\ \hline & 7\text{ L} & 600\text{ mL} \end{array}$$
(4)
$$\begin{array}{rrr} & \overset{8}{\cancel{9}}\text{ L} & \overset{1000}{100}\text{ mL} \\ - & 5\text{ L} & 300\text{ mL} \\ \hline & 3\text{ L} & 800\text{ mL} \end{array}$$
중요 (1), (3) L는 L끼리, mL는 mL끼리 더합니다.
(2), (4) L는 L끼리, mL는 mL끼리 뺍니다.

6 200 mL씩 3번은 $200 \times 3 = 600$ (mL)입니다.
➡ 바가지의 들이는 약 600 mL입니다.

8
$$\begin{array}{rrr} & \overset{9}{\cancel{10}}\text{ L} & \overset{1000}{} \\ - & 3\text{ L} & 700\text{ mL} \\ \hline & 6\text{ L} & 300\text{ mL} \end{array}$$

STEP 2 실력 다지기 116~121쪽

01 가 그릇 **02** 다 컵
03 4배 **04** (1) mL (2) L
05 ㉡ **06** 세린
07 2 L 15 mL
08 ❶ ㉡ ▸2점
❷ 예 5030 mL는 5 L 30 mL입니다. ▸3점
09 3950 mL **10** (1) < (2) =
11 ㉡
12 예 ❶ 5 L 20 mL=5020 mL ▸2점
❷ 5020 mL>4950 mL이므로 간장이 더 많습니다. ▸3점 / 간장
13 mL
14 (1) 수족관 (2) 종이컵 (3) 주전자
15 예 약 2 L
16 9 L 800 mL, 3 L 400 mL
17
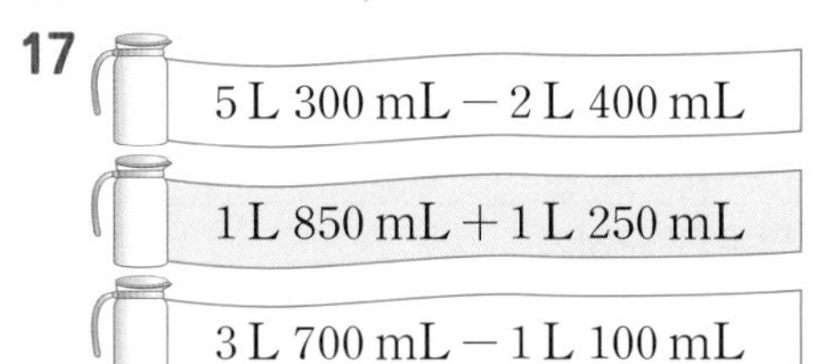

18 4 L 200 mL **19** 4 L 550 mL
20 예 ❶ (처음 수조에 들어 있던 물의 양)
=1 L 800 mL ▸2점
❷ (물을 더 부은 후 수조에 들어 있는 물의 양)
=1 L 800 mL+1 L 300 mL
=3 L 100 mL ▸3점
/ 3 L 100 mL
21 400 mL **22** 400, 4
23 8100 **24** 17
25 준석 **26** 연주네 가족
27 선우 **28** 범수
29 (1) 예 ㉯ 그릇에 물을 가득 담아 수조에 부은 후 수조에서 ㉮ 그릇에 물을 가득 담아 뺍니다.
(2) 예 2 L 400 mL−600 mL=1 L 800 mL이기 때문입니다.
30 예 1 L들이 그릇에 물을 가득 담아 1번, 500 mL들이 그릇에 물을 가득 담아 1번, 1 L 200 mL들이 그릇에 물을 가득 담아 2번 붓습니다.
31 3 L 500 mL
32 주전자, 150 mL

02 부은 횟수를 비교하면 $12>10>7$입니다.
➡ 부은 횟수가 가장 많은 다 컵의 들이가 가장 적습니다.

03 채운 컵의 수를 비교하면 $8>4>2$이므로 들이가 가장 많은 용기는 삼각플라스크이고, 들이가 가장 적은 용기는 비커입니다.
➡ $8\div2=4$(배)

05 ㉠ 항아리: L ㉡ 주사기: mL ㉢ 물뿌리개: L

08

채점 기준		
채점 기준	❶ 단위가 틀린 문장의 기호 쓰기	2점
	❷ 단위가 틀린 문장을 옳게 고치기	3점

09 물병의 물을 모두 부으면 수조의 물은 3 L보다 950 mL 더 많아지므로 3 L 950 mL가 됩니다.
➡ 3 L 950 mL=3950 mL

11 ㉡ 8007 mL=8 L 7 mL
➡ 8 L 7 mL<8 L 350 mL<8 L 400 mL이므로 들이가 가장 적은 것은 ㉡입니다.

12

채점 기준		
채점 기준	❶ 5 L 20 mL를 몇 mL로 나타내기	2점
	❷ 더 많은 것 구하기	3점

15 1 L들이 비커의 반은 500 mL입니다.
➡ 500 mL의 물이 들어 있는 비커가 4개이므로 대야의 들이는 약 2 L입니다.

16 3200 mL=3 L 200 mL
- 합: 6 L 600 mL+3 L 200 mL=9 L 800 mL
- 차: 6 L 600 mL−3 L 200 mL=3 L 400 mL

17
- 5 L 300 mL−2 L 400 mL
  =2 L 900 mL(<3 L)
- 1 L 850 mL+1 L 250 mL
  =3 L 100 mL(>3 L)
- 3 L 700 mL−1 L 100 mL
  =2 L 600 mL(<3 L)

18 (노란색 염색 물의 양)=2700 mL=2 L 700 mL
➡ (노란색 염색 물과 초록색 염색 물의 양의 합)
=2 L 700 mL+1 L 500 mL
=4 L 200 mL

19 2 L 150 mL+2 L 400 mL=4 L 550 mL

20

채점 기준		
채점 기준	❶ 처음 수조에 들어 있던 물의 양 구하기	2점
	❷ 물을 더 부은 후 수조에 들어 있는 물의 양 구하기	3점

21 (승준이와 정미가 마신 포도 주스의 양의 합)
=320 mL+280 mL=600 mL
➡ (남은 포도 주스의 양)
=1 L−600 mL=400 mL

다른 풀이 (남은 포도 주스의 양)
=1 L−320 mL−280 mL
=1000 mL−320 mL−280 mL
=680 mL−280 mL=400 mL

22
- mL 단위의 계산: ㉠+900=1300 → ㉠=400
- L 단위의 계산: 1+2+㉡=7 → ㉡=4

23 □mL−2 L 400 mL=5 L 700 mL에서
5 L 700 mL+2 L 400 mL
=8 L 100 mL=□mL입니다.
➡ 8 L 100 mL=8100 mL이므로 □ 안에 알맞은 수는 8100입니다.

24 8800 mL=8 L 800 mL이므로
8 L 800 mL<㉠ L ㉡00 mL<9 L에서 ㉠에는 8, ㉡에는 9가 들어갈 수 있습니다.
➡ ㉠+㉡=8+9=17

25 약점 포인트 ●정답률 75%

(지훈이가 3000원으로 살 수 있는 사과 주스의 양)
=600 mL+600 mL+600 mL=1800 mL
(준석이가 3000원으로 살 수 있는 포도 주스의 양)
=2 L 100 mL=2100 mL
➡ 1800 mL<2100 mL이므로 더 많은 양의 주스를 살 수 있는 사람은 준석입니다.

26 3500 mL=3 L 500 mL이므로
(연주네 가족이 마신 물의 양)
=4 L 300 mL+3 L 500 mL=7 L 800 mL
4090 mL=4 L 90 mL이므로
(세훈이네 가족이 마신 물의 양)
=3 L 600 mL+4 L 90 mL=7 L 690 mL
➡ 7 L 800 mL>7 L 690 mL이므로 물을 더 많이 마신 가족은 연주네 가족입니다.

27 약점 포인트 •정답률 75%

❶ 어림한 들이와 실제 들이의 차를 각각 구합니다.
❷ ❶에서 구한 차가 가장 작은 사람을 구합니다.

(보온병의 실제 들이)=1 L 100 mL
- 유미: 1 L 100 mL−900 mL=200 mL
- 선우: 1 L 150 mL−1 L 100 mL=50 mL

➡ 200 mL>50 mL이므로 보온병의 들이를 더 적절히 어림한 사람은 선우입니다.

28 • 정희: 3 L 200 mL−2 L 900 mL=300 mL
- 범수: 3 L 200 mL−3 L 100 mL=100 mL
- 영우: 3400 mL−3 L 200 mL=200 mL

➡ 100 mL<200 mL<300 mL이므로 물통의 들이를 가장 적절히 어림한 사람은 범수입니다.

29 약점 포인트 •정답률 70%

600 mL와 2 L 400 mL를 이용하여 들이의 합 또는 차가 1 L 800 mL가 되는 방법을 생각해 봅니다.

다른 풀이 ㉮ 그릇에 물을 가득 담아 수조에 3번 붓습니다.
600 mL+600 mL+600 mL
=1800 mL=1 L 800 mL

30 1 L+500 mL+1 L 200 mL+1 L 200 mL
=1 L 500 mL+1 L 200 mL+1 L 200 mL
=2 L 700 mL+1 L 200 mL
=3 L 900 mL

31 약점 포인트 •정답률 70%

(수조의 들이)
=(㉮ 냄비의 들이의 3배)+(㉯ 냄비의 들이)

(㉮ 냄비로 3번 부은 물의 양)=700×3
=2100 (mL)
2100 mL=2 L 100 mL
➡ (수조의 들이)=2 L 100 mL+1 L 400 mL
=3 L 500 mL

32 (어항의 들이)=300×5=1500 (mL)
→ 1 L 500 mL
➡ 1 L 500 mL<1 L 650 mL이므로 주전자의 들이가 1 L 650 mL−1 L 500 mL=150 mL 더 많습니다.

STEP 1 개념 완성하기 122~123쪽

1 필통 **2** ㉢
3 (1) 1, 500 (2) 3, 20 (3) 1 **4** 1
5 (1) 3000 (2) 5800 (3) 1, 70
6 (1) 16개, 12개 (2) 감자, 4개
7 2, 3, 1 **8** 선우 **9** 3520 g, 4600 g

3 (3) 700 kg보다 300 kg 더 무거운 무게는 1000 kg입니다. ➡ 1000 kg=1 t

6 (2) 16>12이므로 감자가 100원짜리 동전 16−12=4(개)만큼 더 무겁습니다.

STEP 1 개념 완성하기 124~125쪽

1 예 약 30 g, 예 약 10 kg 500 g
2 ㉢ **3** 2, 700
4 (1) 6700, 6, 700 (2) 7200, 7, 200
5 (1) 5 kg 600 g (2) 2 kg 300 g
(3) 7 kg 500 g (4) 1 kg 300 g
6 예 약 200 g **7** ( ) (○)
8 6 kg 300 g, 2 kg 700 g
9 34, 500, 4, 250

1 참고 측정하는 도구 없이 무게를 어림할 때에는 약 몇 kg 몇 g 또는 몇 g이라고 표현합니다.

2 1 t=1000 kg이므로 1000 kg보다 무거운 것을 찾습니다.

5 (3)

	1	
	1 kg	600 g
+	5 kg	900 g
	7 kg	500 g

(4)

	4	1000
	~~5~~ kg	200 g
−	3 kg	900 g
	1 kg	300 g

중요 (1), (3) kg은 kg끼리, g은 g끼리 더합니다.
(2), (4) kg은 kg끼리, g은 g끼리 뺍니다.

6 오렌지 2개의 무게가 400 g이므로 오렌지 1개의 무게는 약 200 g입니다.

8 • 합:

	1	
	1 kg	800 g
+	4 kg	500 g
	6 kg	300 g

• 차:

	3	1000
	~~4~~ kg	500 g
−	1 kg	800 g
	2 kg	700 g

진도북 5 단원

STEP 2 실력 다지기 126~131쪽

01 배에 ○표
02 연필, 6개
03 복숭아, 자두, 살구
04 (1) kg (2) g
05 소방차, 트럭 / 의자, 냉장고 / 연필, 탁구공
06 ❶ 윤아 ▸2점
❷ 예 벽돌 한 장의 무게는 약 1 kg이야. ▸3점
07 (1), (2) (선 잇기)
08 ❶ ㉠ ▸2점
❷ 예 4 kg 8 g은 4008 g입니다. ▸3점
09 7095
10 (1) > (2) <
11 ㉢
12 소현
13 (△) (○) (△)
14 ㉡
15 자전거
16 9 kg 200 g
17 예 ❶ 8 kg 200 g−2 kg 750 g=5 kg 450 g ▸3점
❷ 5 kg 450 g=5450 g이므로 ㉠=5450입니다. ▸2점 / 5450
18 (위에서부터) 1, 3, 2
19 3 kg 100 g
20 600 g
21 1 kg 800 g
22 1 kg 600 g
23 800 g
24 세린, 1 kg 200 g
25 보미
26 유선, 300 g
27 지태
28 동주
29 200 g
30 17 kg 100 g
31 700 g
32 예 ❶ (위인전 4권의 무게)
=3 kg 900 g−1 kg 500 g
=2 kg 400 g ▸2점
❷ 600 g+600 g+600 g+600 g=2 kg 400 g이므로 위인전 1권의 무게는 600 g입니다. ▸3점
/ 600 g

03 (복숭아 1개의 무게)=(자두 2개의 무게)
(자두 2개의 무게)=(살구 3개의 무게)
➡ (복숭아 1개의 무게)=(자두 2개의 무게)
=(살구 3개의 무게)
(복숭아 1개의 무게)>(자두 1개의 무게)
>(살구 1개의 무게)

06

채점 기준		
	❶ 단위가 틀린 사람 찾기	2점
	❷ 옳게 고치기	3점

08

채점 기준		
	❶ 단위가 틀린 문장의 기호 쓰기	2점
	❷ 옳게 고치기	3점

09 7 kg 5 g=7005 g → ㉠=7005
4090 g=4 kg 90 g → ㉡=90
➡ ㉠+㉡=7005+90=7095

17

채점 기준		
	❶ 8 kg 200 g−2 kg 750 g 계산하기	3점
	❷ ㉠에 알맞은 수 구하기	2점

18 • 1 kg 600 g+1 kg 300 g=2 kg 900 g
• 10 kg 600 g−8 kg 400 g=2 kg 200 g
• 9150 g=9 kg 150 g이므로
9 kg 150 g−6 kg 700 g=2 kg 450 g입니다.

19 작은 멜론: 1 kg 400 g, 큰 멜론: 1 kg 700 g
➡ 1 kg 400 g+1 kg 700 g=3 kg 100 g

20 (남은 밀가루의 무게)=2600 g=2 kg 600 g
➡ (사용한 밀가루의 무게)
=3 kg 200 g−2 kg 600 g=600 g

21 600 g+600 g+600 g
=1 kg 200 g+600 g=1 kg 800 g

22 저울의 바늘이 1600 g을 가리키고 있습니다.
➡ 1000 g=1 kg이므로 1600 g은 1 kg 600 g입니다.

23 (바구니에 들어 있는 오렌지의 무게)=4 kg 500 g
(오렌지의 무게)=3 kg 700 g
➡ (빈 바구니의 무게)
=4 kg 500 g−3 kg 700 g=800 g

24 정민: 4 kg 600 g, 세린: 5 kg 800 g
➡ 4 kg 600 g<5 kg 800 g이므로
세린이가 모은 헌 종이의 무게가
5 kg 800 g−4 kg 600 g=1 kg 200 g 더 무겁습니다.

25 약점 포인트 • 정답률 70%

	오전	오후	
민준	2 kg 100 g	1 kg 800 g	→ 민준이가 캔 굴의 무게
보미	1 kg 700 g	2 kg 300 g	→ 보미가 캔 굴의 무게

• 민준: 2 kg 100 g+1 kg 800 g=3 kg 900 g
• 보미: 1 kg 700 g+2 kg 300 g=4 kg

26 (유선이가 산 과일의 무게)
=3 kg 500 g+4 kg 300 g=7 kg 800 g
(동건이가 산 과일의 무게)
=5 kg 700 g+1 kg 800 g=7 kg 500 g
➡ 7 kg 800 g>7 kg 500 g이므로 유선이가 과일을 7 kg 800 g−7 kg 500 g=300 g 더 많이 샀습니다.

27 약점 포인트 ●정답률 75%

❶ 어림한 무게와 실제 무게의 차를 각각 구합니다.
❷ ❶에서 구한 차가 더 작은 사람을 구합니다.

• 지태: 2 kg 100 g−1 kg 900 g=200 g
• 효민: 2 kg 400 g−2 kg 100 g=300 g
➡ 200 g<300 g이므로 장난감의 무게를 더 적절히 어림한 사람은 지태입니다.

28 (수박의 실제 무게)=3 kg 400 g
• 우람: 3 kg 400 g−3 kg 300 g=100 g
• 혜진: 3 kg 400 g−3 kg=400 g
• 동주: 3 kg 450 g−3 kg 400 g=50 g
➡ 50 g<100 g<400 g이므로 수박의 무게를 가장 적절히 어림한 사람은 동주입니다.

29 약점 포인트 ●정답률 70%

(가위 1개의 무게)=(공책 2권의 무게)
=(250 g의 2배)

(가위 1개의 무게)=(공책 2권의 무게)
$=250\times2=500$ (g)
가위 2개와 지우개 5개의 무게가 같으므로
(지우개 5개의 무게)$=500\times2=1000$ (g)입니다.
➡ $200+200+200+200+200=1000$ (g)이므로 지우개 1개의 무게는 200 g입니다.

30 (노란색 상자 1개의 무게)
=(노란색 상자 2개와 보라색 상자 1개의 무게의 합)
−(노란색 상자 1개와 보라색 상자 1개의 무게의 합)
=32 kg 500 g−24 kg 800 g
=7 kg 700 g
➡ (보라색 상자 1개의 무게)
=24 kg 800 g−7 kg 700 g
=17 kg 100 g

31 약점 포인트 ●정답률 70%

(인형 3개의 무게)
=(인형 3개를 담은 상자의 무게)−(빈 상자의 무게)

(인형 3개를 담은 상자의 무게)=2 kg 500 g
(빈 상자의 무게)=400 g
(인형 3개의 무게)=2 kg 500 g−400 g
=2 kg 100 g
➡ 700 g+700 g+700 g=2 kg 100 g이므로 인형 1개의 무게는 700 g입니다.

32

채점 기준	❶ 위인전 4권의 무게 구하기	2점
	❷ 위인전 1권의 무게 구하기	3점

STEP 3 서술형 해결하기 132~135쪽

01 예 ❶ 6, 800, 3, 600 ▸3점
❷ 6, 800, 3, 600, 3, 200 ▸2점 / 3 L 200 mL

02 예 ❶ (㈏ 수도에서 1분 동안 나오는 물의 양)
$=6\div2=3$ (L)
(두 수도에서 1분 동안 받을 수 있는 물의 양)
=4 L+3 L=7 L ▸2점
❷ 1시간=60분
(두 수도에서 1시간 동안 받을 수 있는 물의 양)
$=7\times60=420$ (L) ▸3점 / 420 L

03 예 ❶ (㈏ 수도에서 1초 동안 나오는 물의 양)
$=80\div2=40$ (mL)
(두 수도에서 1초 동안 받을 수 있는 물의 양)
=20 mL+40 mL=60 mL ▸2점
❷ 1분=60초
(두 수도에서 1분 동안 받을 수 있는 물의 양)
$=60\times60=3600$ (mL) ➡ 3 L 600 mL ▸3점
/ 3 L 600 mL

04 예 ❶ 1, 100, 700 ▸3점
❷ 1, 100, 700, 1, 800, 1800 ▸2점 / 1800 mL

05 예 ❶ (은주네 가족이 마시고 남은 식혜의 양)
=2 L−1 L 600 mL=400 mL
(성우네 가족이 마시고 남은 식혜의 양)
=2 L 300 mL−1 L 800 mL=500 mL ▸3점
❷ (마시고 남은 식혜의 양의 합)
=400 mL+500 mL=900 mL ▸2점
/ 900 mL

06 예 ❶ (빨래를 하는 데 사용하고 남은 물의 양)
$=5\,L\ 200\,mL-4\,L\ 600\,mL$
$=600\,mL$
(음식을 하는 데 사용하고 남은 물의 양)
$=3\,L-2\,L\ 100\,mL=900\,mL$ ▸3점
❷ (사용하고 남은 물의 양의 합)
$=600\,mL+900\,mL=1500\,mL$
$=1\,L\ 500\,mL$ ▸2점 / $1\,L\ 500\,mL$

07 예 ❶ 3, 4, 4 ▸2점
❷ 4, 4 ▸3점 / 4배

08 예 ❶ $24>16>8$이므로 가장 무거운 물건은 필통이고, 가장 가벼운 물건은 연필입니다. ▸2점
❷ 필통은 바둑돌 24개의 무게와 같고, 연필은 바둑돌 8개의 무게와 같으므로 필통의 무게는 연필의 무게의 $24\div8=3$(배)입니다. ▸3점 / 3배

09 예 ❶ $30>18>6$이므로 가장 무거운 물건은 물감이고, 가장 가벼운 물건은 붓입니다. ▸2점
❷ 물감은 클립 30개의 무게와 같고, 붓은 클립 6개의 무게와 같으므로 물감의 무게는 붓의 무게의 $30\div6=5$(배)입니다. ▸3점 / 5배

10 예 ❶ 1800, 1, 800, 2, 600, 1, 800, 7, 600 ▸3점
❷ 7, 600, 2, 400 ▸2점 / $2\,kg\ 400\,g$

11 예 ❶ $1300\,g=1\,kg\ 300\,g$
(강아지의 무게)$=3\,kg\ 900\,g+1\,kg\ 300\,g$
$=5\,kg\ 200\,g$ ▸2점
❷ $3\,kg\ 900\,g+5\,kg\ 200\,g+$(지우의 몸무게)
$=47\,kg\ 400\,g$
(지우의 몸무게)
$=47\,kg\ 400\,g-3\,kg\ 900\,g-5\,kg\ 200\,g$
$=43\,kg\ 500\,g-5\,kg\ 200\,g=38\,kg\ 300\,g$
▸3점 / $38\,kg\ 300\,g$

12 예 ❶ (기태의 몸무게)
$=108\,kg\ 600\,g-72\,kg\ 800\,g$
$=35\,kg\ 800\,g$
(지원이의 몸무게)
$=35\,kg\ 800\,g+1\,kg\ 800\,g$
$=37\,kg\ 600\,g$ ▸3점
❷ (유찬이의 몸무게)
$=72\,kg\ 800\,g-37\,kg\ 600\,g$
$=35\,kg\ 200\,g$ ▸2점 / $35\,kg\ 200\,g$

01

채점 기준		
	❶ ㉡ 수도로 2분 동안 빈 수조에 넣은 물의 양 구하기	3점
	❷ 수조에 더 넣어야 하는 물의 양 구하기	2점

02

채점 기준		
	❶ 두 수도에서 1분 동안 받을 수 있는 물의 양 구하기	2점
	❷ 두 수도에서 1시간 동안 받을 수 있는 물의 양 구하기	3점

03

채점 기준		
	❶ 두 수도에서 1초 동안 받을 수 있는 물의 양 구하기	2점
	❷ 두 수도에서 1분 동안 받을 수 있는 물의 양을 몇 L 몇 mL로 나타내기	3점

04

채점 기준		
	❶ 은서와 준영이가 마신 물의 양 각각 구하기	3점
	❷ 은서와 준영이가 마신 물의 양의 합을 몇 mL로 나타내기	2점

05

채점 기준		
	❶ 은주네 가족과 성우네 가족이 마시고 남은 식혜의 양 각각 구하기	3점
	❷ 마시고 남은 식혜의 양의 합 구하기	2점

06

채점 기준		
	❶ 빨래와 음식을 하는 데 사용하고 남은 물의 양 각각 구하기	3점
	❷ 사용하고 남은 물의 양의 합을 몇 L 몇 mL로 나타내기	2점

07

채점 기준		
	❶ 사과 1개의 무게는 자두 몇 개의 무게와 같은지 구하기	2점
	❷ 사과 1개의 무게는 자두 1개의 무게의 몇 배인지 구하기	3점

08

채점 기준		
	❶ 가장 무거운 물건과 가장 가벼운 물건 각각 구하기	2점
	❷ 가장 무거운 물건의 무게는 가장 가벼운 물건의 무게의 몇 배인지 구하기	3점

09

채점 기준		
	❶ 가장 무거운 물건과 가장 가벼운 물건 각각 구하기	2점
	❷ 가장 무거운 물건의 무게는 가장 가벼운 물건의 무게의 몇 배인지 구하기	3점

10

채점 기준		
	❶ 여행 가방에 넣은 물건의 무게의 합 구하기	3점
	❷ 더 넣을 수 있는 무게 구하기	2점

11

채점 기준		
	❶ 강아지의 무게 구하기	2점
	❷ 지우의 몸무게 구하기	3점

12

채점 기준		
	❶ 기태와 지원이의 몸무게 각각 구하기	3점
	❷ 유찬이의 몸무게 구하기	2점

단원 마무리

136~138쪽

01 물병 **02** 1200
03 3700 **04** 2 kg 300 g
05 ㉢ **06** 7, 800
07 (1) (2) (3)

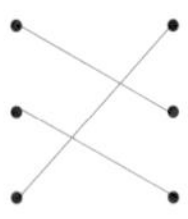

08 <
09 8 kg 700 g
10 수조
11 ㉣ **12** 오이, 7개
13 3 L 50 mL **14** 배, 참외, 귤
15 850 mL **16** 양동이, 620 mL
17 600 g

18 예 ❶ 부은 횟수가 적을수록 들이가 많습니다. ▸2점
❷ 11<14<16이므로 들이가 가장 많은 것은 가 컵입니다. ▸3점 / 가 컵

19 예 ❶ 2810 g=2 kg 810 g이므로
2 kg 810 g<4 kg 460 g입니다. ▸2점
❷ 서진이가 딸기를
4 kg 460 g−2 kg 810 g=1 kg 650 g 더 많이 땄습니다. ▸3점 / 서진, 1 kg 650 g

20 예 ❶ 실제 무게와 어림한 무게의 차를 각각 구하면
은성이는 8 kg−7 kg 850 g=150 g이고,
수영이는 8 kg 200 g−8 kg=200 g입니다. ▸3점
❷ 150 g<200 g이므로 물건의 무게를 더 적절히 어림한 사람은 은성입니다. ▸2점 / 은성

06
$$\begin{array}{rrr} & 3\text{ L} & 200\text{ mL} \\ + & 4\text{ L} & 600\text{ mL} \\ \hline & 7\text{ L} & 800\text{ mL} \end{array}$$

08 4090 mL=4 L 90 mL
➡ 4 L 90 mL<4 L 900 mL

09 7200 g=7 kg 200 g
$$\begin{array}{rrr} & 7\text{ kg} & 200\text{ g} \\ + & 1\text{ kg} & 500\text{ g} \\ \hline & 8\text{ kg} & 700\text{ g} \end{array}$$

10 1260 mL=1 L 260 mL
➡ 1 L 260 mL<1 L 300 mL이므로 수조에 물이 더 많이 들어 있습니다.

11 ㉠ 8 L 30 mL=8030 mL
㉣ 8 L 300 mL=8300 mL
➡ 8300 mL>8090 mL>8030 mL>8009 mL이므로 들이가 가장 많은 것은 ㉣입니다.

12 (양파의 무게)=(바둑돌 19개의 무게)
(오이의 무게)=(바둑돌 26개의 무게)
➡ 19<26이므로 오이가 바둑돌 26−19=7(개)만큼 더 무겁습니다.

13 (수조에 부은 물의 양의 합)
=1 L 850 mL+1 L 200 mL=3 L 50 mL

14 (귤 5개의 무게)=(참외 3개의 무게)
(참외 3개의 무게)=(배 1개의 무게)
➡ 1개의 무게를 비교하면 배>참외>귤입니다.

15 (어제와 오늘 사용한 식용유의 양의 합)
=750 mL+400 mL
=1150 mL=1 L 150 mL
➡ (남은 식용유의 양)=2 L−1 L 150 mL
=850 mL

16 (약수통의 들이)=900×3=2700 (mL)
2700 mL=2 L 700 mL
➡ 2 L 700 mL<3 L 320 mL이므로
양동이의 들이가
3 L 320 mL−2 L 700 mL=620 mL 더 많습니다.

17 (동화책 3권의 무게)=3 kg 200 g−1 kg 400 g
=1 kg 800 g=1800 g
➡ 600 g+600 g+600 g=1800 g이므로 동화책 1권의 무게는 600 g입니다.

18

채점 기준		
	❶ 부은 횟수와 컵의 들이의 관계 알기	2점
	❷ 들이가 가장 많은 것 구하기	3점

19

채점 기준		
	❶ 무게 비교하기	2점
	❷ 누가 딸기를 몇 kg 몇 g 더 많이 땄는지 구하기	3점

20

채점 기준		
	❶ 실제 무게와 어림한 무게의 차 각각 구하기	3점
	❷ 더 적절히 어림한 사람 구하기	2점

진도북 5단원

6. 자료의 정리

STEP 1 개념 완성하기 144~145쪽

1 (1) 106명 (2) 스위스
2 (1) 예 은별이네 반 학생들이 좋아하는 꽃
(2) 예 은별이네 반 학생
(3) 4, 9, 13, 7, 33
3 (위에서부터) 6, 10
4 ㉯ 마을
5 ㉯ 마을, ㉱ 마을, ㉮ 마을, ㉰ 마을
6 3, 4, 6, 2, 15
7 (1) 251권 (2) 3반, 2반, 1반, 4반
8 (1) 5, 3, 2, 4, 14 (2) 인형

1 (1) (합계)=30+32+28+16=106(명)
(2) 학생 수를 비교하면 32>30>28>16이므로 가장 많은 학생이 가고 싶은 나라는 스위스입니다.

2 (3) 붙임딱지의 수를 각각 세어 좋아하는 꽃별 학생 수를 표에 알맞게 써넣습니다.
(합계)=4+9+13+7=33(명)

3 (㉯ 마을에 사는 여학생 수)=39−8−10−15
=6(명)
(㉱ 마을에 사는 남학생 수)=37−9−14−4
=10(명)

4 여학생 수를 비교하면 15>10>8>6이므로 가장 적은 여학생이 살고 있는 마을은 ㉯ 마을입니다.

5 남학생 수를 비교하면 14>10>9>4이므로 가장 많은 남학생이 살고 있는 마을부터 순서대로 쓰면 ㉯ 마을, ㉱ 마을, ㉮ 마을, ㉰ 마을입니다.

6 장래희망별로 중복되거나 빠뜨리지 않도록 주의하여 학생 수를 세어 봅니다.

7 (1) 750−134−240−125=251(권)
(2) 반별 학급문고 수를 비교하면
251>240>134>125이므로 가장 많은 반부터 순서대로 쓰면 3반, 2반, 1반, 4반입니다.

8 (1) (합계)=5+3+2+4=14(개)
(2) 물건 수를 비교하면 5>4>3>2이므로 가장 많이 내놓은 물건은 인형입니다.

STEP 1 개념 완성하기 146~147쪽

1 (1) 10명, 1명 (2) 12명, 21명, 25명, 34명
2 (1) 예 2가지
(2) 동별 자동차 수

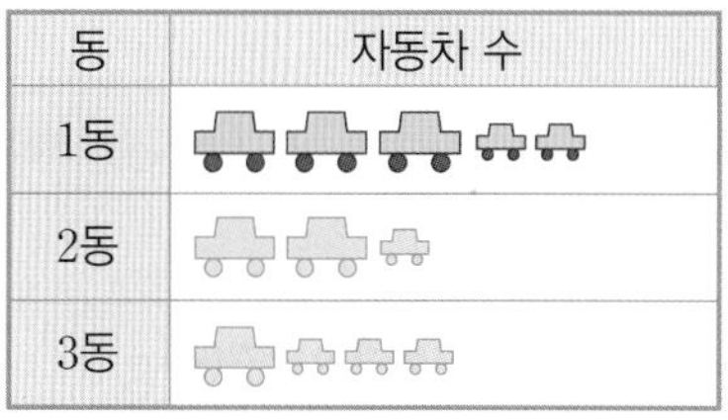

동	자동차 수
1동	
2동	
3동	

3 (1) 32상자 (2) 41상자
4 (1) 마을별 심은 나무 수

마을	나무 수
반달	
샛별	
은하	
달님	

(2) 은하 마을 
5 (1) 라 가게 (2) 나 가게
6 좋아하는 운동별 학생 수

운동	학생 수
축구	
야구	
피구	
농구	

3 (1) 10상자를 나타내는 그림: 3개
1상자를 나타내는 그림: 2개
➡ (가 과수원의 사과 생산량)=30+2=32(상자)
(2) (나 과수원의 사과 생산량)=15상자
(라 과수원의 사과 생산량)=26상자
➡ (나와 라 과수원의 사과 생산량의 합)
=15+26=41(상자)

4 (2) 10그루를 나타내는 그림이 가장 적은 마을을 찾으면 은하 마을입니다.

5 (2) (가 가게의 자전거 판매량)=17대
(나 가게의 자전거 판매량)=31대
➡ 17<31이므로 자전거 판매량이 더 많은 가게는 나 가게입니다.

참고 그림그래프에서 10대를 나타내는 그림의 수를 비교하고, 10대를 나타내는 그림의 수가 같으면 1대를 나타내는 그림의 수를 비교합니다.

6 학생 수에 맞게 10명을 나타내는 그림과 1명을 나타내는 그림을 각각 그립니다.

STEP 2 실력 다지기 148~153쪽

01 한라산, 24, 3

02 ❶ 3반 ▶2점

❷ 예 여학생 수와 남학생 수의 합이 26명으로 가장 많기 때문입니다. ▶3점

03 4, 3, 3, 10

04 (1) 4, 28, 24, 19, 75 (2) 15개

05 38명

06 예 ❶ 강수량이 가장 많은 달은 8월로 73 mm이고, 가장 적은 달은 9월로 17 mm입니다. ▶2점

❷ 강수량이 가장 많은 달과 가장 적은 달의 강수량의 차는 73－17＝56 (mm)입니다. ▶3점

/ 56 mm

07 표

08 ❶ 그림그래프 ▶2점

❷ 예 그림의 크기와 수로 쉽게 비교할 수 있기 때문입니다. ▶3점

09 목장별 우유 생산량

목장	생산량
튼튼	◎◎◎◎◎○○
풍년	◎◎◎◎○○○○○
최고	◎◎◎○○
누리	◎◎◎○○○○○○

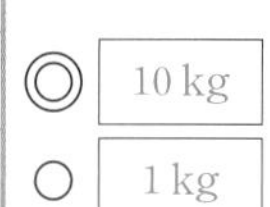

10 좋아하는 음악 종류별 학생 수

음악	학생 수
댄스	□□△△△△△
발라드	□□□△△
힙합	□△△△△
재즈	□□△

11 30, 32 / 1년 동안 영화를 본 횟수

이름	횟수
진우	⬤⬤•••
윤하	⬤•••••
소라	⬤⬤⬤
민경	⬤⬤⬤••

12 (1) 농장별 고구마 생산량

농장	생산량
가	⬤⬤⬤••
나	⬤•••••••
다	⬤⬤•••••

(2) 740 kg

13 41 / 학생별 모은 붙임딱지 수

이름	붙임딱지 수
민규	★★⋆⋆⋆⋆⋆⋆⋆
형준	★★★★⋆
수영	★★★★⋆⋆⋆⋆⋆⋆
정아	★★★

14 농장별 기르는 돼지 수

농장	돼지 수
가	⬤⬤⬤••
나	⬤⬤••••
다	⬤⬤•••••
라	⬤⬤⬤⬤••

15 학생별 저금한 금액

이름	금액
현수	■▲▲▲▲▲▲▲▲
선영	■■▲▲▲▲▲▲▲
미진	■▲▲▲▲
혜경	■■■▲▲▲▲▲▲

16 학생별 저금한 금액

이름	금액
현수	■●▲▲▲
선영	■■●▲▲
미진	■▲▲▲▲
혜경	■■■●▲

17 24명 **18** 1060그루

19 1년 동안 읽은 책의 수

이름	책의 수
나연	⬤◉◉◉◉◉•••
형재	⬤◉••••••••
다현	◉◉◉◉◉◉••••••
지섭	◉◉◉◉◉◉•••

20 314상자 **21** 16개 **22** 3500원

23 동쪽, 50가구 **24** 280대

02

채점 기준		
	❶ 가장 많은 학생이 성금을 낸 반 구하기	2점
	❷ 이유 쓰기	3점

04 (2) 사과는 19개, 수박은 4개이므로 $19-4=15$(개) 더 많습니다.

05 수학을 좋아하는 학생은 13명이고, 과학을 좋아하는 학생은 25명입니다. ➡ $13+25=38$(명)

06

채점 기준		
	❶ 강수량이 가장 많은 달과 가장 적은 달의 강수량 각각 구하기	2점
	❷ 강수량이 가장 많은 달과 가장 적은 달의 강수량의 차 구하기	3점

08

채점 기준		
	❶ 표와 그림그래프 중 더 편리한 것 쓰기	2점
	❷ 이유 쓰기	3점

09 튼튼 목장의 우유 생산량이 52 kg이고 그림은 ◎ 5개, ○ 2개이므로 ◎은 우유 10 kg, ○은 우유 1 kg을 나타냅니다.

12 (2) (나 농장의 고구마 생산량)$=170$ kg
➡ $320+170+250=740$ (kg)

13 (형준이가 모은 붙임딱지 수)
$=142-26-45-30=41$(장)

14 가 농장: 32마리, 나 농장: 24마리, 라 농장: 42마리
➡ (다 농장)$=123-32-24-42=25$(마리)

17 **약점 포인트** ●정답률 75%

1반: 17명 ➡ 🙂☺☺☺☺☺☺☺을 보고 🙂과 ☺이 나타내는 학생 수를 각각 알아봅니다.

1반에서 봉사 활동에 참여한 학생 17명을 🙂 1개, ☺ 7개로 나타내었으므로 각각의 그림은 10명, 1명을 나타냅니다.
➡ 4반에서 봉사 활동에 참여한 학생 수는 🙂 2개, ☺ 4개이므로 24명입니다.

18 ㉮ 마을에서 심은 나무 240그루를 🌳 2개, 🌲 4개로 나타내었으므로 각각의 그림은 100그루, 10그루를 나타냅니다.
㉯ 마을: 330그루, ㉰ 마을: 180그루, ㉱ 마을: 310그루
➡ (네 마을에서 심은 나무 수)
$=240+330+180+310=1060$(그루)

19 **약점 포인트** ●정답률 75%

책의 수를 백의 자리, 십의 자리, 일의 자리 수로 나누어 각각 그림을 그립니다.

(지섭이가 1년 동안 읽은 책의 수)
$=400-153-118-66=63$(권)

20 희망 과수원: 230상자, 최선 과수원: 252상자, 노력 과수원: 168상자
➡ (사랑 과수원)$=964-230-252-168$
$=314$(상자)

21 **약점 포인트** ●정답률 70%

전체 땅콩 수확량을 구할 때 농장별 땅콩 수확량을 구하여 더하거나 전체 그림의 수를 세어 구할 수 있습니다.

㉮ 농장: 27 kg, ㉯ 농장: 24 kg, ㉰ 농장: 31 kg, ㉱ 농장: 14 kg
(전체 땅콩 수확량)$=27+24+31+14=96$ (kg)
➡ (필요한 자루 수)$=96\div6=16$(개)

22 싱싱 가게: 35개, 보람 가게: 42개
➡ 보람 가게가 싱싱 가게보다 아이스크림 판매량이 $42-35=7$(개) 더 많으므로 보람 가게의 판매액이 $500\times7=3500$(원) 더 많습니다.

23 **약점 포인트** ●정답률 70%

도로의 서쪽: 가 마을, 다 마을
도로의 동쪽: 나 마을, 라 마을
➡ 서쪽과 동쪽으로 나누어 가구 수의 합을 구합니다.

가 마을: 320가구, 나 마을: 450가구, 다 마을: 340가구, 라 마을: 260가구
(서쪽에 있는 마을의 가구 수)$=320+340$
$=660$(가구)
(동쪽에 있는 마을의 가구 수)$=450+260$
$=710$(가구)
➡ 초등학생이 있는 가구는 도로의 동쪽이 서쪽보다 $710-660=50$(가구) 더 많습니다.

24 장미 마을: 240대, 무지개 마을: 400대, 청솔 마을: 320대
(북쪽에 있는 마을의 자동차 수)$=240+400$
$=640$(대)
남쪽에 있는 마을의 자동차는 북쪽에 있는 마을의 자동차보다 40대 더 적으므로 $640-40=600$(대)입니다.
➡ (백합 마을의 자동차 수)$=600-320=280$(대)

STEP 3 서술형 해결하기 154~155쪽

01 예 ❶ 420, 420, 80, 340 ▸3점
❷ 330, 340, 420, 330, 1090 ▸2점
/ 1090개

02 예 ❶ (행복 목장의 우유 판매량)=210상자
(기쁨 목장의 우유 판매량)
=(행복 목장의 우유 판매량)+130
=210+130=340(상자) ▸2점
❷ (순수 목장의 우유 판매량)=330상자
340>330>210이므로 우유 판매량이 가장 많은 목장과 가장 적은 목장의 판매량의 차는 340−210=130(상자)입니다. ▸3점
/ 130상자

03 예 ❶ (참맛 빵집의 빵 판매량)=310개
(맛나 빵집의 빵 판매량)
=(참맛 빵집의 빵 판매량)−90
=310−90=220(개) ▸2점
❷ (건강 빵집의 빵 판매량)=230개
310>230>220이므로 빵 판매량이 가장 많은 빵집과 가장 적은 빵집의 판매량의 합은 310+220=530(개)입니다. ▸3점
/ 530개

04 예 ❶ 8, 7, 6, 8, 7, 6, 4 ▸3점
❷ 7, 4, 3 ▸2점
/ 3명

05 예 ❶ (나 가게의 핫도그 판매량)=42개
(라 가게의 핫도그 판매량)=60개
(가 가게와 다 가게의 핫도그 판매량의 합)
=198−42−60=96(개) ▸3점
❷ (가 가게의 핫도그 판매량)
=(다 가게의 핫도그 판매량)
=96÷2=48(개) ▸2점
/ 48개, 48개

06 예 ❶ (외과 환자 수)=140명
(소아과 환자 수)=300명
(내과와 안과 환자 수의 합)
=800−140−300=360(명) ▸3점
❷ 내과 환자 수는 안과 환자 수의 2배이므로 내과 환자 수는 240명, 안과 환자 수는 120명입니다.
▸2점
/ 240명, 120명

01

채점 기준		
채점 기준	❶ 구름 가게의 우산 판매량 구하기	3점
	❷ 세 가게의 우산 판매량의 합 구하기	2점

02

채점 기준		
채점 기준	❶ 기쁨 목장의 우유 판매량 구하기	2점
	❷ 우유 판매량이 가장 많은 목장과 가장 적은 목장의 판매량의 차 구하기	3점

03

채점 기준		
채점 기준	❶ 맛나 빵집의 빵 판매량 구하기	2점
	❷ 빵 판매량이 가장 많은 빵집과 가장 적은 빵집의 판매량의 합 구하기	3점

04

채점 기준		
채점 기준	❶ 곰을 좋아하는 학생 수 구하기	3점
	❷ 토끼와 곰을 좋아하는 학생 수의 차 구하기	2점

05

채점 기준		
채점 기준	❶ 가 가게와 다 가게의 핫도그 판매량의 합 구하기	3점
	❷ 가 가게와 다 가게의 핫도그 판매량 각각 구하기	2점

06

채점 기준		
채점 기준	❶ 내과와 안과 환자 수의 합 구하기	3점
	❷ 내과와 안과 환자 수 각각 구하기	2점

단원 마무리 156~158쪽

01 3명
02 4명
03 떡볶이, 피자, 김밥, 햄버거
04 8, 2, 5, 6, 21
05 예 2가지
06

태어난 계절별 학생 수

계절	학생 수
봄	
여름	
가을	
겨울	

07 겨울
08 19명
09 (위에서부터) 5, 3, 4, 2, 14 / 2, 1, 3, 7, 13
10 축구
11 배구, 농구, 축구, 야구
12 5 kg
13

마을별 당근 생산량

마을	생산량
사랑	
기쁨	
행복	

진도북 6단원

14 750 kg **15** 30개

16 마을별 유치원생 수

마을	유치원생 수
푸른	◎ ◎
하늘	◎ ○○○○○○○
햇살	◎ ◎ ○○
달님	◎ ◎ ◎ ○○○○

17 68자루

18 예 ❶ 항목별 조사한 수나 조사한 수의 합계를 쉽게 알 수 있습니다. ▸2점
❷ 항목별 조사한 수를 한눈에 쉽게 비교할 수 있습니다. ▸3점

19 예 ❶ 태희네 학교 3학년 학생은 모두 159명입니다. ▸2점
❷ 딸기를 좋아하는 학생 수는 사과를 좋아하는 학생 수보다 25명 더 많습니다. ▸3점

20 예 ❶ 부산의 강수량 2450 mm를 (큰 물방울) 2개, (중간 물방울) 4개, (작은 물방울) 5개로 나타내었으므로 각각의 그림은 1000 mm, 100 mm, 10 mm를 나타냅니다. ▸2점
❷ 서울: 1230 mm, 인천: 2000 mm, 대전: 1110 mm이므로 네 도시의 강수량은 모두 $1230+2000+1110+2450=6790$ (mm)입니다. ▸3점 / 6790 mm

01 (햄버거를 좋아하는 학생 수)
$=25-8-10-4=3$(명)

02 피자를 좋아하는 학생은 김밥을 좋아하는 학생보다 $8-4=4$(명) 더 많습니다.

03 학생 수를 비교하면 $10>8>4>3$이므로 가장 많은 학생이 좋아하는 음식부터 순서대로 쓰면 떡볶이, 피자, 김밥, 햄버거입니다.

04 (합계)$=8+2+5+6=21$(개)

05 학생 수가 두 자리 수이므로 10명을 나타내는 그림과 1명을 나타내는 그림 2가지로 나타내는 것이 좋습니다.

06 학생 수에 맞게 10명을 나타내는 그림과 1명을 나타내는 그림을 각각 그립니다.

07 가장 많은 학생이 태어난 계절은 10명을 나타내는 그림이 가장 많은 계절이므로 겨울입니다.

08 봄에 태어난 학생은 가을에 태어난 학생보다 $34-15=19$(명) 더 많습니다.

09 남학생과 여학생을 구분하여 붙임딱지 수를 각각 세어 좋아하는 운동별 학생 수를 표에 알맞게 써넣습니다.

10 남학생 수를 비교하면 $5>4>3>2$이므로 가장 많은 남학생이 좋아하는 운동은 축구입니다.

11 여학생 수를 비교하면 $7>3>2>1$이므로 가장 많은 여학생이 좋아하는 운동부터 순서대로 쓰면 배구, 농구, 축구, 야구입니다.

12 쌀 소비량이 가장 많은 가구는 가 가구로 13 kg이고, 가장 적은 가구는 라 가구로 8 kg입니다.
➡ $13-8=5$ (kg)

13 표를 보고 사랑 마을과 행복 마을의 빈칸에 100 kg을 나타내는 그림과 10 kg을 나타내는 그림을 각각 알맞게 그립니다.

14 기쁨 마을의 당근 생산량은 (큰 당근) 2개, (작은 당근) 5개이므로 250 kg입니다.
➡ (세 마을의 당근 생산량의 합)
$=340+250+160=750$ (kg)

15 101동: 25개, 102동: 16개
➡ (103동에서 모은 빈 병의 수)$=71-25-16$
$=30$(개)

16 (하늘 마을과 달님 마을의 유치원생 수의 합)
$=93-20-22=51$(명)
달님 마을의 유치원생 수는 하늘 마을의 유치원생 수의 2배이므로 하늘 마을의 유치원생 수는 17명, 달님 마을의 유치원생 수는 34명입니다.

17 유치원생 수가 가장 많은 마을의 유치원생 수는 34명이므로 연필은 $34\times2=68$(자루) 필요합니다.

18

채점 기준		
채점 기준	❶ 표의 장점 쓰기	2점
	❷ 그림그래프의 장점 쓰기	3점

19

채점 기준		
채점 기준	❶ 알 수 있는 내용 한 가지 쓰기	2점
	❷ 알 수 있는 다른 내용 한 가지 쓰기	3점

20

채점 기준		
채점 기준	❶ 그림의 단위 구하기	2점
	❷ 네 도시의 강수량의 합 구하기	3점

매칭북 정답 및 풀이

1. 곱셈

STEP 1 한번더 개념 완성하기 01쪽

1 266　2 448
3 3, 369　4 464, 1304
5 759 / 253, 759　6 128, 256

4
```
    2          1
  1 1 6      6 5 2
×     4   ×     2
-------   --------
  4 6 4    1 3 0 4
```

5 253씩 3번 뛰어 세었습니다.
253+253+253=759 ➡ 253×3=759

STEP 2 한번더 실력 다지기 02~04쪽

01 예 ❶ 400 ▸3점
❷ 216을 200으로 어림하여 곱을 구하면 200×2=400입니다. ▸3점
02 182×4=728, 728개
03

786	288	㉣768
㉢684	㉠648	396
㉡278	468	674

04 848, 2324
05 443×3=1329, 1329
06 예 ❶ 100이 5개이면 500, 10이 6개이면 60, 1이 2개이면 2이므로 562입니다. ▸2점
❷ 562와 3의 곱은 562×3=1686입니다. ▸3점
/ 1686
07 ㉠, 388
08 ❶ 예 일의 자리에서 올림한 수를 생각하지 않고 계산했습니다. ▸3점
❷
```
  6 1 7
×     3
-------
1 8 5 1
```
▸2점
09 승현, 1494　10 ㉣, ㉢, ㉠, ㉡
11 2040 m
12 예 ❶ (밀크 초콜릿 수)=145×3=435(개) ▸3점
❷ (아몬드 초콜릿과 밀크 초콜릿 수의 합)
=145+435=580(개) ▸2점 / 580개
13 1044 cm　14 485 mm　15 260원
16 450원　17 4890　18 2, 3
19 (위에서부터) 6, 4, 3, 7 / 4501　20 3개

01

채점 기준		
	❶ 216×2 어림하기	3점
	❷ 어림한 방법 설명하기	2점

03 ㉠ 324×2=648　㉡ 139×2=278
㉢ 228×3=684　㉣ 192×4=768

04 212×4=848, 581×4=2324

06

채점 기준		
	❶ 주어진 세 자리 수 구하기	2점
	❷ 위 ❶의 수와 3의 곱 구하기	3점

08

채점 기준		
	❶ 계산이 잘못된 이유 쓰기	3점
	❷ 바르게 계산하기	2점

09 747×2=1494, 399×4=1596 ➡ 1494<1596

10 ㉠ 183×5=915　㉡ 431×2=862
㉢ 307×3=921　㉣ 260×4=1040
➡ 1040>921>915>862

11 340×6=2040 (m)

12

채점 기준		
	❶ 밀크 초콜릿 수 구하기	3점
	❷ 아몬드 초콜릿과 밀크 초콜릿 수의 합 구하기	2점

13 (카펫의 네 변의 길이의 합)=261×4=1044 (cm)

14 (사각형의 네 변의 길이의 합)=115×4=460 (mm)
➡ (처음에 가지고 있던 철사의 길이)
=460+25=485 (mm)

15 (우유 3개의 값)=480×3=1440(원)
(아이스크림 2개의 값)=650×2=1300(원)
(물건값의 합)=1440+1300=2740(원)
➡ (거스름돈)=3000−2740=260(원)

16 (막대 사탕 5개의 값)=590×5=2950(원)
➡ 2950−2500=450(원)이 모자랍니다.

17 상호가 만든 수: 978, 채원이가 만든 수: 5
➡ 978×5=4890

18 $9\times$㉡의 일의 자리 숫자가 7이므로 $9\times3=27$에서 ㉡$=3$입니다.
백의 자리 계산 $2\times3=6$이고, 십의 자리 계산은 일의 자리에서 올림한 수 2가 있으므로 ㉠$\times$㉡$=6$입니다. ㉡$=3$이므로 ㉠$\times3=6$, ㉠$=2$입니다.

19 $7>6>4>3$이므로 곱하는 수에 가장 큰 수인 7을 놓습니다. 나머지 수로 가장 큰 세 자리 수를 만들면 643입니다.
➡ $643\times7=4501$

20 지워진 한 자리 수를 □라 하면
$400<165\times□<900$입니다.
□ 안에 1부터 차례로 넣어 $165\times□$를 계산합니다.
$165\times1=165\rightarrow165<400$ (×)
$165\times2=330\rightarrow330<400$ (×)
$165\times3=495\rightarrow400<495<900$ (○)
$165\times4=660\rightarrow400<660<900$ (○)
$165\times5=825\rightarrow400<825<900$ (○)
$165\times6=990\rightarrow990>900$ (×)
➡ □ 안에 들어갈 수 있는 수는 3, 4, 5이므로 모두 3개입니다.

STEP 1 한번더 개념 완성하기 05쪽

1 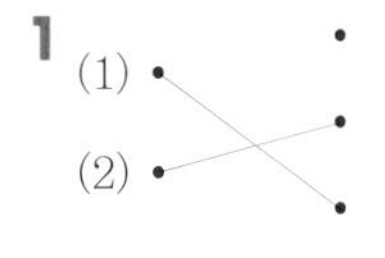

2 390, 720
3 18, 144
4 (1) ㉢ (2) ㉠

5
```
   4 7
 × 3 6
 -----
   2 8 2
 1 4 1 0
 -------
 1 6 9 2
```

6 23, 575 / 575개

3 (전체 자두의 수)
=(한 봉지에 들어 있는 자두의 수)×(봉지의 수)
$=8\times18=144$(개)

5 47×3은 실제로 47×30이므로 계산 결과를 자릿값의 위치에 맞게 써서 계산해야 합니다.

6 (전체 종이학의 수)
=(하루에 접는 종이학의 수)×(접는 날수)
$=25\times23=575$(개)

STEP 2 한번더 실력 다지기 06~08쪽

01 (위에서부터) 1014, 442, 650, 1118
02 1504
03 1140 / 468 / 1152
04 예 ❶ $73>68>35>29$이므로 가장 큰 수는 73이고, 가장 작은 수는 29입니다. ▸2점
❷ 가장 큰 수와 가장 작은 수의 곱은 $73\times29=2117$입니다. ▸3점 / 2117
05 동훈
06 ㉡, ㉢, ㉠
07 방법 1 예

```
     2
     5
 × 2 5
 -----
 1 2 5
```

방법 2 예

```
   2
   2 5
 ×   5
 -----
 1 2 5
```

08 80
09 예 ❶ $20\times60=1200$입니다. ▸2점
❷ $1200=30\times□$에서 $30\times40=1200$이므로 □$=40$입니다. ▸3점 / 40
10 186 g
11 2496장
12 3, 4에 ○표
13 43
14 312
15 1008
16 예 71, 62 / 4402
17 1512
18 예 ❶ (감의 수)$=15\times18=270$(개)
(참외의 수)$=9\times29=261$(개) ▸4점
❷ $270>261$이므로 감이 더 많습니다. ▸1점
/ 감
19 예 ❶ 2주일은 14일입니다.
$10\times25=250$, $15\times25=375$이므로 윤찬이가 게임을 한 시간은 250분보다 많고 375분보다 적을 것입니다. 14일은 15일보다 1일 적으므로 375분에서 하루에 하는 게임 시간을 빼면 $375-25=350$(분)입니다. ▸4점
❷ 350분 ▸1점

01 • $39\times26=1014$ • $17\times26=442$
• $25\times26=650$ • $43\times26=1118$

03 • 사각형: $38\times30=1140$
• 삼각형: $9\times52=468$
• 원: $72\times16=1152$

04

채점 기준		
	❶ 가장 큰 수와 가장 작은 수 각각 구하기	2점
	❷ 가장 큰 수와 가장 작은 수의 곱 구하기	3점

05 $80\times30=2400$, $50\times50=2500$, $40\times60=2400$
➡ 계산 결과가 다른 사람은 동훈입니다.

06 ㉠ $33\times61=2013$ ㉡ $58\times40=2320$
㉢ $46\times45=2070$
➡ $2320>2070>2013$

08 ★$\times70=5600$에서 $80\times70=5600$입니다.
➡ ★$=80$

09

채점 기준		
	❶ 20×60 계산하기	2점
	❷ □ 안에 알맞은 수 구하기	3점

10 3월은 31일까지 있습니다. ➡ $6\times31=186$ (g)

11 $32\times26=832$(장) ➡ $832\times3=2496$(장)

12 $35\times30=1050$ → $1050<1500$ (○)
$35\times40=1400$ → $1400<1500$ (○)
$35\times50=1750$ → $1750>1500$ (×)
$35\times60=2100$ → $2100>1500$ (×)
$35\times70=2450$ → $2450>1500$ (×)
➡ □ 안에 들어갈 수 있는 수는 3, 4입니다.

13 □$\times52>2200$에서 $30\times50=1500$, $40\times50=2000$이므로 □ 안에 알맞은 수의 십의 자리 숫자를 4로 예상하고 확인합니다.
$41\times52=2132$ → $2132<2200$ (×)
$42\times52=2184$ → $2184<2200$ (×)
$43\times52=2236$ → $2236>2200$ (○)
➡ □ 안에 들어갈 수 있는 가장 작은 두 자리 수는 43입니다.

14 11◉38=(11보다 3 작은 수)×(38보다 1 큰 수)
$=8\times39=312$

15 • 17◆6$=17+6+1=24$
• 29◆12$=29+12+1=42$
➡ $24\times42=1008$

16 $7>6>2>1$이므로 곱하는 두 수의 십의 자리에 각각 가장 큰 수와 둘째로 큰 수를 놓고, 일의 자리에는 나머지 두 수를 놓아 곱셈식을 만듭니다.
$71\times62=4402$, $72\times61=4392$
➡ $4402>4392$이므로 곱이 가장 큰 곱셈식은 $71\times62=4402$입니다.

17 어떤 수를 □라 하여 잘못 계산한 식을 세우면 □$-27=29$이므로 □$=29+27=56$입니다.
➡ 바르게 계산하면 $56\times27=1512$입니다.

18

채점 기준		
	❶ 감과 참외의 수 각각 구하기	4점
	❷ 어느 것이 더 많은지 구하기	1점

19

채점 기준		
	❶ 예상과 확인 방법으로 해결하기	4점
	❷ 컴퓨터 게임을 한 시간 구하기	1점

STEP3 한번더 서술형 해결하기 09~10쪽

01 예 ❶ (전체 오징어 수)
=(한 묶음의 오징어 수)×(묶음 수)
$=12\times60=720$(마리) ▸3점
❷ (팔고 남은 오징어 수)
=(전체 오징어 수)−(판 오징어 수)
$=720-345=375$(마리) ▸2점 / 375마리

02 예 ❶ (케이블카 한 대에 탄 학생 수)
$=15-2=13$(명) ▸2점
❷ (시후네 학교 3학년 전체 학생 수)
$=13\times22=286$(명) ▸3점 / 286명

03 예 ❶ (예진이가 15일 동안 한 윗몸일으키기 횟수)
$=7\times15=105$(번)
(예진이가 20일 동안 한 윗몸일으키기 횟수)
$=14\times20=280$(번) ▸3점
❷ (예진이가 한 윗몸일으키기 전체 횟수)
$=105+280=385$(번) ▸2점 / 385번

04 예 ❶ (고구마 2개의 열량)
$=124\times2=248$(킬로칼로리)
(딸기 10개의 열량)$=34\times10=340$(킬로칼로리)
▸4점
❷ (먹은 간식의 열량의 합)
$=248+340=588$(킬로칼로리) ▸1점
/ 588킬로칼로리

05 예 ❶ (색 테이프 3장의 길이의 합)
$=134\times3=402$ (cm) ▸2점
❷ 겹쳐진 부분은 2군데입니다.
(겹쳐진 부분의 길이의 합)
$=27\times2=54$ (cm) ▸2점
❸ (이어 붙인 색 테이프의 전체 길이)
$=402-54=348$ (cm) ▸1점 / 348 cm

06 예 ❶ (색 테이프 13장의 길이의 합)
$=68\times13=884$ (cm) ▸2점
❷ 겹쳐진 부분은 $13-1=12$(군데)입니다.
(겹쳐진 부분의 길이의 합)
$=9\times12=108$ (cm) ▸2점
❸ (이어 붙인 색 테이프의 전체 길이)
$=884-108=776$ (cm) ▸1점 / 776 cm

07 예 ❶ 일의 자리 계산에서 9×㉠의 일의 자리 숫자가 4이므로 9×6=54 → ㉠=6입니다. ▸2점
❷ 십의 자리 계산은 일의 자리에서 올림한 수 5가 있으므로 9×3=27, 27+5=32 → ㉡=2입니다. ▸3점
/ 6, 2

08 예 ❶ 4㉠×7=301에서 ㉠×7의 일의 자리 숫자가 1이므로 3×7=21 → ㉠=3입니다.
43×㉡=2㉢5에서 3×㉡의 일의 자리 숫자가 5이므로 3×5=15 → ㉡=5이고, 43×5=215이므로 ㉢=1입니다.
301+2150=2451이므로 ㉣=4입니다. ▸4점
❷ ㉠+㉡+㉢+㉣=3+5+1+4=13 ▸1점
/ 13

01

채점 기준		
	❶ 전체 오징어 수 구하기	3점
	❷ 팔고 남은 오징어 수 구하기	2점

02

채점 기준		
	❶ 케이블카 한 대에 탄 학생 수 구하기	2점
	❷ 시후네 학교 3학년 전체 학생 수 구하기	3점

03

채점 기준		
	❶ 예진이가 윗몸일으키기를 15일 동안 한 횟수와 20일 동안 한 횟수 각각 구하기	3점
	❷ 예진이가 한 윗몸일으키기의 전체 횟수 구하기	2점

04

채점 기준		
	❶ 고구마 2개와 딸기 10개의 열량 각각 구하기	4점
	❷ 먹은 간식의 열량의 합 구하기	1점

05

채점 기준		
	❶ 색 테이프 3장의 길이의 합 구하기	2점
	❷ 겹쳐진 부분의 길이의 합 구하기	2점
	❸ 이어 붙인 색 테이프의 전체 길이 구하기	1점

06

채점 기준		
	❶ 색 테이프 13장의 길이의 합 구하기	2점
	❷ 겹쳐진 부분의 길이의 합 구하기	2점
	❸ 이어 붙인 색 테이프의 전체 길이 구하기	1점

07

채점 기준		
	❶ ㉠에 알맞은 수 구하기	2점
	❷ ㉡에 알맞은 수 구하기	3점

08

채점 기준		
	❶ ㉠, ㉡, ㉢, ㉣의 값 각각 구하기	4점
	❷ ㉠+㉡+㉢+㉣의 값 구하기	1점

2. 나눗셈

STEP1 한번더 개념 완성하기 11쪽

1 40
2 14
3 3, 20
4 (1) • ─ • / (2) • ─ •
5 36, 12
6 33, 11 / 11

5

$$\begin{array}{r} 36 \\ 2\overline{)72} \\ 6 \\ \hline 12 \\ 12 \\ \hline 0 \end{array} \qquad \begin{array}{r} 12 \\ 6\overline{)72} \\ 6 \\ \hline 12 \\ 12 \\ \hline 0 \end{array}$$

STEP2 한번더 실력 다지기 12~13쪽

01 2개, 3개
02 예 십 모형 9개를 일 모형으로 바꿔서 일 모형 91개를 7개씩 묶으면 13묶음이 됩니다. ▸5점
03 25
04

05 예 ❶ ㉠ 84÷7=12, ㉡ 39÷3=13, ㉢ 62÷2=31 ▸3점
❷ 몫이 ㉠은 12, ㉡은 13, ㉢은 31이므로 25보다 큰 것은 ㉢입니다. ▸2점 / ㉢
06 ㉡
07 (위에서부터) 48, 3, 16
08 14
09 13팀
10 12묶음
11 78÷6=13, 13분

12 예 ❶ (전체 과일의 수)=(귤의 수)+(감의 수)
$=52+44=96$(개) ▸2점
❷ (한 상자에 담는 과일의 수)$=96\div4=24$(개)
▸3점 / 24개

13 3 **14** 450장

01 십 모형 6개를 똑같이 3묶음으로 나누고 일 모형 9개를 똑같이 3묶음으로 나누면 한 묶음에 십 모형 2개, 일 모형 3개씩 있습니다.

02

채점 기준	몇 묶음이 되는지 설명하기	5점

03 $50\div5=10$, $60\div4=15$ ➡ $10+15=25$

04 $80\div8=10$, $48\div2=24$, $77\div7=11$, $50\div2=25$

05

채점 기준	❶ 나눗셈의 몫 구하기	3점
	❷ 몫이 25보다 큰 것 찾기	2점

06 ㉠ $34\div2=17$ ㉡ $93\div3=31$
㉢ $72\div4=18$ ㉣ $60\div5=12$

07 • $96>2$ ➡ $96\div2=48$
• $5<15$ ➡ $15\div5=3$
• $48>3$ ➡ $48\div3=16$

08 $84\div2=42$이므로 □$=42$입니다.
□$\div3=$★에서 $42\div3=14$이므로 ★$=14$입니다.

09 $78\div6=13$ ➡ 모두 13팀이 됩니다.

10 (공책 묶음의 수)
=(전체 공책의 수)÷(한 묶음에 묶은 공책의 수)
$=96\div8=12$(묶음)

11 1시간 18분=60분+18분=78분

12

채점 기준	❶ 전체 과일의 수 구하기	2점
	❷ 한 상자에 담는 과일의 수 구하기	3점

13 • ㉠$\times1=5$, ㉠$=5$
• $6-5=$㉢, ㉢$=1$
• $10-$㉣㉤$=0$ → ㉣$=1$, ㉤$=0$
• $5\times$㉡$=10$, ㉡$=2$
➡ ㉠$-$㉡$=5-2=3$

```
     1 ㉡
㉠ ) 6 0
     5
     ㉢ 0
    ㉣㉤
       0
```

14 • 가로: $60\div4=15$(장) • 세로: $90\div3=30$(장)
➡ (만들 수 있는 메모지의 수)$=15\times30=450$(장)

STEP 1 한번 더 개념 완성하기 14쪽

1 9에 ○표 **2** 15, 2
3 8, 12, 2 / 12, 2 **4** 112, 45
5 ㉡ **6** 270, 8, 33, 6 / 33, 6

3 (전체 사과의 수)÷(한 상자에 담는 사과의 수)
$=98\div8=12\cdots2$
➡ 사과는 12상자가 되고 2개가 남습니다.

5 $510\div4=127\cdots2$
㉠ $409\div6=68\cdots1$ ㉡ $455\div3=151\cdots2$
㉢ $627\div2=313\cdots1$
➡ $510\div4$와 나머지가 같은 나눗셈식은 ㉡입니다.

6 (전체 젤리의 수)÷(사람 수)$=270\div8=33\cdots6$
➡ 한 명이 33개씩 가지게 되고 6개가 남습니다.

STEP 2 한번 더 실력 다지기 15~17쪽

01 예 ❶ 나눗셈식에서 ●는 나머지입니다.
나머지는 나누는 수인 7보다 작아야 합니다. ▸3점
❷ ●가 될 수 있는 가장 큰 수는 6입니다. ▸2점
/ 6

02 99, 108 **03** 13, 1
04 135, 3 **05**

```
    1 3
7 ) 9 3
    7
    2 3
    2 1
      2
```

06 ❶ 예 나머지가 나누는 수보다 작아야 하는데 7은 4보다 크므로 몫을 1 크게 해야 합니다. ▸3점
❷

```
     3 3
4 ) 1 3 5
    1 2
      1 5
      1 2
        3
```
▸2점

07 $6\overline{)725}$에 색칠

08 예 ❶ ㉠ $99\div7=14\cdots1$, ㉡ $111\div8=13\cdots7$,
㉢ $105\div4=26\cdots1$ ▸3점
❷ $13<14<26$이므로 몫이 작은 것부터 차례로 기호를 쓰면 ㉡, ㉠, ㉢입니다. ▸2점 / ㉡, ㉠, ㉢

09 13주, 2일 / $7\times13=91$ ➡ $91+2=93$

매칭북 한번더

10 (1) 34송이 (2) 14송이
11 2, 8
12 예 ❶ 어떤 수를 □라 하면 □÷4=5⋯3입니다. ▸3점
❷ 4×5=20 ➡ 20+3=23이므로 □=23입니다. ▸2점 / 23
13 재욱, 3개
14 (1) 56개 (2) 75개
15 23, 3
16 1, 2, 3, 6
17 4
18 28, 3

01

채점 기준		
채점 기준	❶ ●가 될 수 있는 수의 범위 구하기	3점
	❷ ●가 될 수 있는 가장 큰 수 구하기	2점

02 • 26÷9=2⋯8 • 56÷9=6⋯2
• 99÷9=11 • 108÷9=12

03 40>8>3이므로 가장 큰 수는 40이고 가장 작은 수는 3입니다.
➡ 40÷3=13⋯1이므로 몫은 13이고, 나머지는 1입니다.

04 100이 8개, 10이 1개, 1이 3개인 세 자리 수는 813입니다.
➡ 813÷6=135⋯3이므로 몫은 135이고, 나머지는 3입니다.

05 나머지는 나누는 수보다 작아야 하는데 나머지 9는 나누는 수 7보다 크므로 잘못되었습니다.
➡ 23에는 7이 3번 들어가므로 몫은 13입니다.

06

채점 기준		
채점 기준	❶ 계산이 잘못된 이유 쓰기	3점
	❷ 바르게 계산하기	2점

07

$$\begin{array}{r} 12 \\ 5\overline{)64} \\ \underline{5} \\ 14 \\ \underline{10} \\ 4 \end{array} \qquad \begin{array}{r} 93 \\ 3\overline{)280} \\ \underline{27} \\ 10 \\ \underline{9} \\ 1 \end{array} \qquad \begin{array}{r} 120 \\ 6\overline{)725} \\ \underline{6} \\ 12 \\ \underline{12} \\ 5 \end{array} \qquad \begin{array}{r} 11 \\ 9\overline{)102} \\ \underline{9} \\ 12 \\ \underline{9} \\ 3 \end{array}$$

08

채점 기준		
채점 기준	❶ ㉠, ㉡, ㉢을 각각 계산하기	3점
	❷ 몫이 작은 것부터 차례로 쓰기	2점

09 일주일은 7일이므로 93÷7=13⋯2입니다.
➡ 93일은 13주 2일입니다.

10 (1) (벚꽃의 수)=170÷5=34(송이)
(2) (코스모스의 수)=112÷8=14(송이)

11

$$\begin{array}{r} 2\,\bullet \\ 6\overline{)1\,3\,\square} \\ \underline{1\,2} \\ 1\,\square \\ \underline{1\,\square} \\ 0 \end{array}$$

➡ 13□가 6으로 나누어떨어지려면 6×●=1□가 되어야 합니다.
6×2=12, 6×3=18이므로 □는 2, 8입니다.

12

채점 기준		
채점 기준	❶ 어떤 수를 □라 하고 나눗셈식 세우기	3점
	❷ 어떤 수 구하기	2점

13 • 태희: 67÷5=13⋯2이므로 13봉지에 담고 구슬 2개가 남습니다.
• 재욱: 107÷6=17⋯5이므로 17봉지에 담고 구슬 5개가 남습니다.
➡ 2<5이므로 재욱이가 5−2=3(개) 더 많습니다.

14 (1) 배 6봉지가 84개이므로 배 한 봉지는 84÷6=14(개)입니다.
➡ 배 4봉지는 14×4=56(개)입니다.
(2) 방울토마토 5봉지가 125개이므로 방울토마토 한 봉지는 125÷5=25(개)입니다.
➡ 방울토마토 3봉지는 25×3=75(개)입니다.

15 9>5>4이므로 가장 큰 두 자리 수는 95입니다.
➡ 95÷4=23⋯3이므로 몫은 23이고, 나머지는 3입니다.

16 102÷1=102, 102÷2=51, 102÷3=34, 102÷4=25⋯2, 102÷5=20⋯2, 102÷6=17, 102÷7=14⋯4, 102÷8=12⋯6, 102÷9=11⋯3
➡ 102를 나누어떨어지게 하는 수는 1, 2, 3, 6입니다.

17

$$\begin{array}{r} 7\,㉠ \\ 8\overline{)5\,9\,\bigstar} \\ \underline{5\,6} \\ 3\,㉡ \\ \underline{3\,㉢} \\ 2 \end{array}$$

• 8×㉠=3㉢에서 8×㉠의 십의 자리 숫자가 3인 경우는 8×4=32이므로 ㉠=4, ㉢=2입니다.
• 3㉡−3㉢=2에서 3㉡−32=2이므로 ㉡=4입니다.
➡ ★에 알맞은 수는 4입니다.

18 어떤 수를 □라 하여 잘못 계산한 식을 세우면 □÷9=19이므로 19×9=□, □=171입니다.
➡ 바르게 계산하면 171÷6=28⋯3이므로 몫은 28이고, 나머지는 3입니다.

STEP3 한번더 서술형 해결하기 18~19쪽

01 예 ❶ (전체 공깃돌 수)÷(사람 수)
$=88\div7=12\cdots4$
공깃돌 88개를 한 명에게 12개씩 나누어 주고 4개가 남습니다. ▸3점
❷ 공깃돌을 7명에게 남김없이 나누어 주려면 공깃돌은 적어도 $7-4=3$(개) 더 필요합니다.
▸2점 / 3개

02 예 ❶ (승현이가 산 사탕 수)$=5\times17=85$(개)
(승현이가 산 사탕 수)÷(나누어 주는 사람 수)
$=85\div4=21\cdots1$
➡ 한 명에게 사탕을 21개씩 나누어 주고 1개가 남습니다. ▸3점
❷ 사탕을 4명에게 남김없이 나누어 주려면 사탕은 적어도 $4-1=3$(개) 더 필요합니다. ▸2점 / 3개

03 예 ❶ (가로등과 가로등 사이의 간격 수)
=(도로의 길이)÷(간격 한 군데의 길이)
$=156\div6=26$(군데) ▸3점
❷ (필요한 가로등의 수)=(간격 수)+1
$=26+1=27$(개) ▸2점 / 27개

04 예 ❶ (오솔길 한쪽의 민들레와 민들레 사이의 간격 수)
=(오솔길의 길이)÷(간격 한 군데의 길이)
$=112\div4=28$(군데) ▸3점
❷ (오솔길 한쪽에 심는 민들레 수)
=(오솔길 한쪽의 민들레와 민들레 사이의 간격 수)+1
$=28+1=29$(송이)
➡ (필요한 민들레 수)$=29\times2=58$(송이) ▸2점
/ 58송이

05 예 ❶ (삼각형의 세 변의 길이의 합)
$=48\times3=144$ (cm)
➡ 철사의 길이는 144 cm입니다. ▸2점
❷ (정사각형의 한 변의 길이)
=(철사의 길이)$\div4=144\div4=36$ (cm)
➡ 정사각형의 한 변은 36 cm입니다. ▸3점
/ 36 cm

06 예 ❶ (작은 정사각형의 한 변의 길이)
$=92\div4=23$ (cm) ▸3점
❷ 굵은 선의 길이는 작은 정사각형의 한 변의 길이의 12배입니다. ➡ $23\times12=276$ (cm) ▸2점
/ 276 cm

07 예 ❶ $4\times24=96$, $4\times23=92$, $4\times22=88$ ……이므로 두 자리 수 중에서 4로 나누어떨어지는 가장 큰 수는 96입니다. ▸2점
❷ 4로 나누었을 때 나머지가 2인 가장 큰 두 자리 수는 $96+2=98$입니다.
➡ 지훈이가 설명하는 수는 98입니다. ▸3점
/ 98

08 예 ❶ 150보다 크고 200보다 작은 수 중에서 6으로 나누어떨어지는 수는 156, 162, 168, 174, 180, 186, 192, 198입니다.
150보다 크고 200보다 작은 수 중에서 7로 나누어떨어지는 수는 154, 161, 168, 175, 182, 189, 196입니다. ▸3점
❷ 조건을 모두 만족하는 ♥는 168입니다. ▸2점
/ 168

01

채점 기준		
	❶ 나누어 주고 남은 공깃돌의 수 구하기	3점
	❷ 공깃돌은 적어도 몇 개 더 필요한지 구하기	2점

02

채점 기준		
	❶ 나누어 주고 남은 사탕의 수 구하기	3점
	❷ 사탕은 적어도 몇 개 더 필요한지 구하기	2점

03

채점 기준		
	❶ 가로등과 가로등 사이의 간격 수 구하기	3점
	❷ 필요한 가로등 수 구하기	2점

04

채점 기준		
	❶ 오솔길 한쪽의 민들레와 민들레 사이의 간격 수 구하기	3점
	❷ 필요한 민들레 수 구하기	2점

05

채점 기준		
	❶ 삼각형의 세 변의 길이의 합 구하기	2점
	❷ 정사각형의 한 변의 길이 구하기	3점

06

채점 기준		
	❶ 작은 정사각형의 한 변의 길이 구하기	3점
	❷ 굵은 선의 길이 구하기	2점

07

채점 기준		
	❶ 4로 나누어떨어지는 가장 큰 수 구하기	2점
	❷ 지훈이가 설명하는 수 구하기	3점

08

채점 기준		
	❶ 150보다 크고 200보다 작은 수 중에서 6과 7로 나누어떨어지는 수 각각 구하기	3점
	❷ 조건을 모두 만족하는 ♥ 구하기	2점

3. 원

STEP 1 한번더 개념 완성하기 20쪽

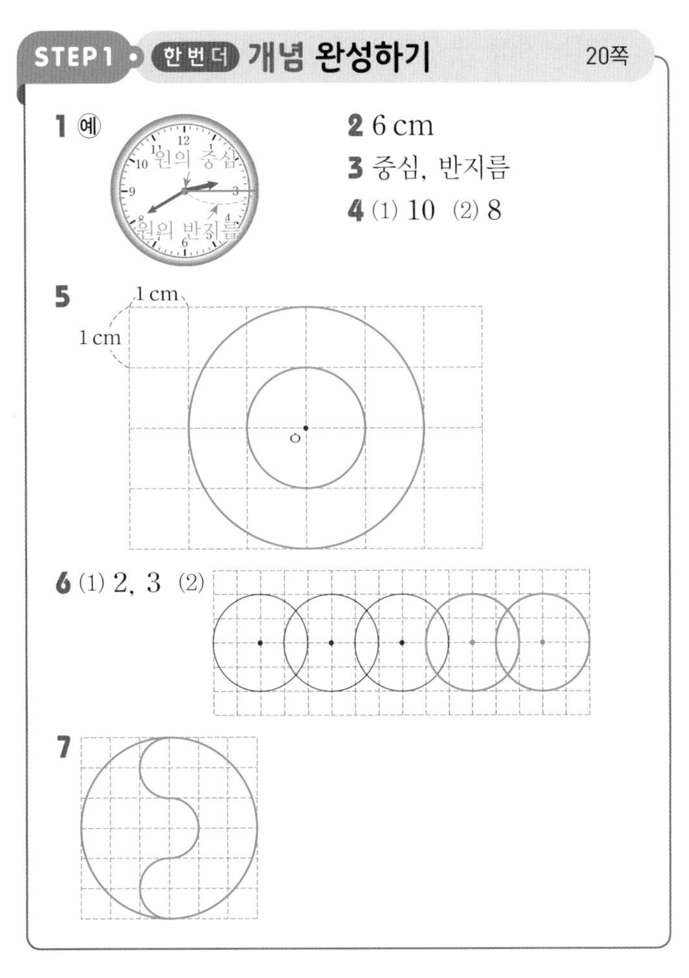

1 예

2 6 cm

3 중심, 반지름

4 (1) 10 (2) 8

5

6 (1) 2, 3 (2)

7

4 (1) 한 원에서 원의 지름의 길이는 반지름의 길이의 2배입니다.

➡ (원의 지름)$=5\times2=10$ (cm)

(2) 한 원에서 원의 반지름의 길이는 지름의 길이의 반입니다.

➡ (원의 반지름)$=16\div2=8$ (cm)

STEP 2 한번더 실력 다지기 21~23쪽

01 예

02 ❶ 선분 ㅇㄱ, 선분 ㅇㄴ, 선분 ㅇㄹ ▸3점

❷ 예 길이가 모두 같습니다. ▸2점

03 ❶ 지우 ▸2점

❷ 예 원의 지름은 원의 중심을 지나도록 그어야 합니다. ▸3점

04 22 cm **05** 34 cm **06** ㄷ

07 **08**

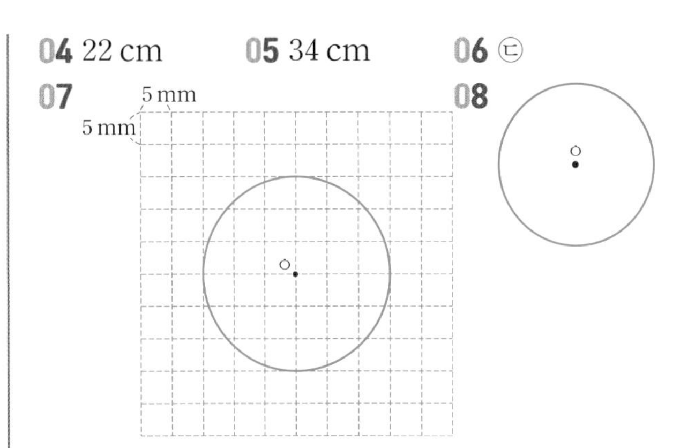

09 ❶ 예 원의 중심은 오른쪽으로 모눈 한 칸씩 옮겨 가고 원의 반지름이 모눈 한 칸씩 늘어나는 규칙입니다. ▸3점

❷

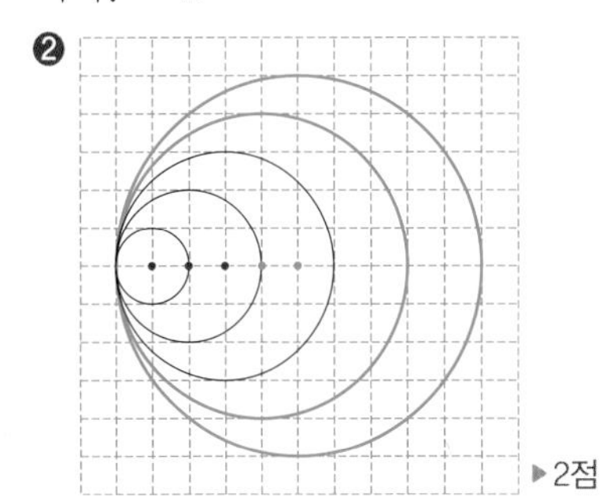

▸2점

10 ❶

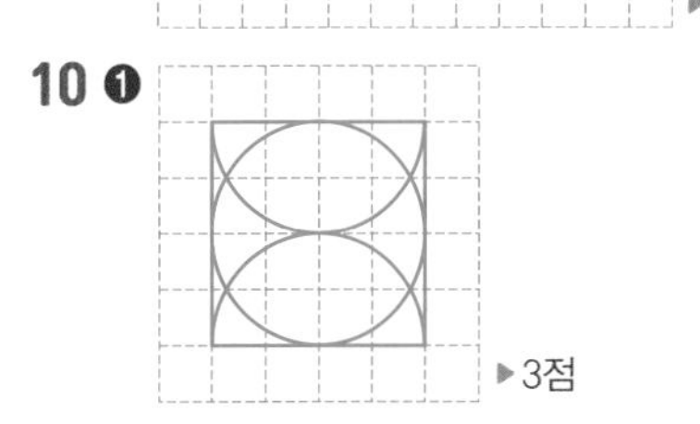

▸3점

❷ 예 정사각형을 그리고, 정사각형 안에 정사각형의 한 변을 지름으로 하는 원 1개와 원의 일부분을 2개 그립니다. ▸2점

11 22 cm **12** 21 cm **13** 36 cm

14 16 cm **15** 2 cm **16** 84 cm

17 20 cm **18** 64 cm

01 원의 중심과 원 위의 한 점을 잇는 선분을 위치나 방향에 관계없이 2개 긋습니다.

02

채점 기준		
	❶ 반지름을 나타내는 선분 모두 찾기	3점
	❷ 같은 점 쓰기	2점

03

채점 기준		
	❶ 바르게 그은 사람 찾기	3점
	❷ 이유 설명하기	2점

04 (원 가의 지름)$=14$ cm, (원 나의 지름)$=8$ cm

➡ (두 원의 지름의 합)$=14+8=22$ (cm)

06 원의 크기는 원의 반지름 또는 지름이 길수록 더 크므로 반지름의 길이를 비교해 봅니다.
㉠ (원의 반지름)$=12\div2=6$ (cm)
➡ 3 cm$<$6 cm$<$7 cm이므로 가장 작은 원은 ㉢입니다.

07 컴퍼스를 모눈 3칸만큼 벌려서 원을 그립니다.

08 주어진 원의 반지름을 재어 보면 1 cm입니다. 컴퍼스를 1 cm만큼 벌려서 원을 그립니다.

09

채점 기준		
	❶ 어떤 규칙이 있는지 설명하기	3점
	❷ 규칙에 따라 원을 2개 더 그리기	2점

10

채점 기준		
	❶ 주어진 모양과 똑같이 그리기	3점
	❷ 그린 방법 설명하기	2점

11 (선분 ㄱㄴ)$=$4 cm, (선분 ㄴㄹ)$=6\times2=12$ cm
➡ (선분 ㄱㅂ)
$=$(선분 ㄱㄴ)$+$(선분 ㄴㄹ)$+$(선분 ㄹㅂ)
$=4+12+6=22$ (cm)

12 (선분 ㄱㄷ)$=6\times2=12$ (cm)
(선분 ㄷㄹ)$=$6 cm, (선분 ㄹㅁ)$=$3 cm
➡ (선분 ㄱㅁ)
$=$(선분 ㄱㄷ)$+$(선분 ㄷㄹ)$+$(선분 ㄹㅁ)
$=12+6+3=21$ (cm)

13 (원의 반지름)$=72\div4=18$ (cm)
➡ (원의 지름)$=18\times2=36$ (cm)

14 (큰 원의 지름)$=40\times2=80$ (cm)
➡ (작은 원의 반지름)$=80\div5=16$ (cm)

15 삼각형의 세 변의 길이의 합은 원의 반지름의 길이의 6배입니다. ➡ (원의 반지름)$=12\div6=2$ (cm)

16 (세로)$=$(원의 지름)$=7\times2=14$ (cm)
(가로)$=$(원의 지름)$\times2=14\times2=28$ (cm)
➡ (직사각형의 네 변의 길이의 합)
$=28+14+28+14=84$ (cm)

17 지름이 모눈 2칸인 원의 지름이 10 cm이므로 모눈 한 칸은 $10\div2=5$ (cm)입니다. 그려야 할 원의 지름은 모눈 4칸이므로 $5\times4=20$ (cm)입니다.

18 (선분 ㄹㅁ)$=$(가장 작은 원의 반지름)$=$8 cm
(선분 ㄴㅁ)$=$(선분 ㄹㅁ)$\times4=8\times4=32$ (cm)
➡ (가장 큰 원의 지름)$=$(선분 ㄴㅁ)$\times2$
$=32\times2=64$ (cm)

STEP3 · 한번더 서술형 해결하기 24쪽

01 예 ❶ 삼각형의 세 변은 각각 원의 반지름과 같으므로 삼각형의 세 변의 길이의 합은 원의 반지름의 길이의 3배입니다. ▸2점
❷ (원의 반지름)$=$(세 변의 길이의 합)$\div3$
$=24\div3=8$ (cm) ▸3점
/ 8 cm

02 예 ❶ (선분 ㅇㄱ과 선분 ㅇㄴ의 길이의 합)
$=$(삼각형의 세 변의 길이의 합)
$-$(선분 ㄱㄴ)
$=39-17=22$ (cm) ▸2점
❷ 선분 ㅇㄱ과 선분 ㅇㄴ은 원의 반지름입니다.
➡ (원의 반지름)$=22\div2=11$ (cm) ▸3점
/ 11 cm

03 예 ❶ 컴퍼스의 침을 꽂아야 할 곳은 원의 중심이므로 오른쪽과 같습니다. ▸4점

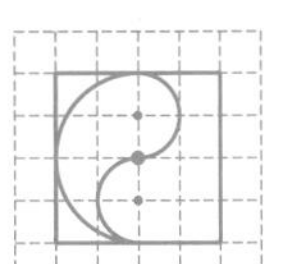

❷ 컴퍼스의 침을 꽂아야 할 곳은 3군데입니다. ▸1점 / 3군데

04 예 ❶ 가

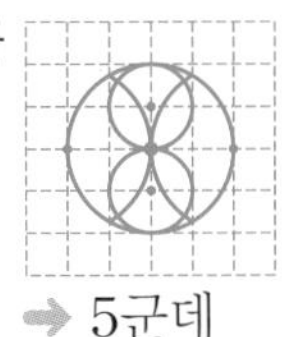

➡ 5군데

나

➡ 4군데 ▸4점

❷ (컴퍼스의 침을 꽂아야 할 곳의 수의 차)
$=5-4=1$(군데) ▸1점 / 1군데

01

채점 기준		
	❶ 삼각형의 세 변의 길이의 합은 원의 반지름의 길이의 몇 배인지 구하기	2점
	❷ 원의 반지름 구하기	3점

02

채점 기준		
	❶ 선분 ㅇㄱ과 선분 ㅇㄴ의 길이의 합 구하기	2점
	❷ 원의 반지름 구하기	3점

03

채점 기준		
	❶ 컴퍼스의 침을 꽂아야 할 곳을 모두 찾아 표시하기	3점
	❷ 컴퍼스의 침을 꽂아야 할 곳은 몇 군데인지 구하기	2점

04

채점 기준		
	❶ 컴퍼스의 침을 꽂아야 할 곳은 몇 군데인지 각각 구하기	4점
	❷ 컴퍼스의 침을 꽂아야 할 곳의 수의 차 구하기	1점

4. 분수

STEP 1 한번더 개념 완성하기 25쪽

1 $\frac{4}{9}$ **2** $\frac{5}{8}$ **3** $\frac{1}{4}$

4
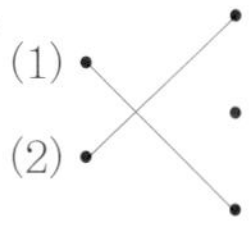

5 (1) 20 (2) 30

6 4개

5 1시간=60분입니다.

(1) 60분의 $\frac{1}{3}$은 60분을 3부분으로 똑같이 나눈 것 중의 1부분이므로 20분입니다.

(2) 60분의 $\frac{1}{2}$은 60분을 2부분으로 똑같이 나눈 것 중의 1부분이므로 30분입니다.

6 20의 $\frac{1}{5}$은 20을 5묶음으로 똑같이 나눈 것 중의 1묶음이므로 4입니다.

➡ 진웅이가 먹은 귤은 4개입니다.

STEP 2 한번더 실력 다지기 26~27쪽

01 $\frac{4}{9}$ **02** ㉡

03
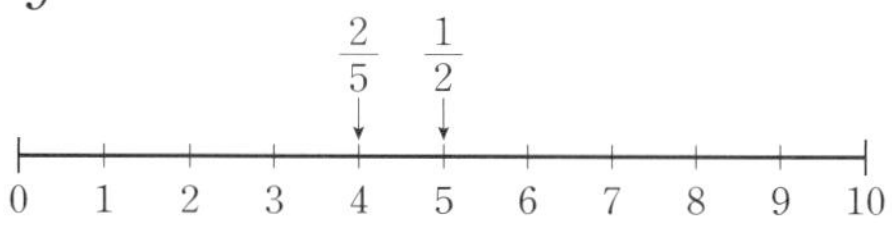

04 예 ❶ ㉠ 21의 $\frac{5}{7}$는 15, ㉡ 20의 $\frac{3}{4}$은 15, ㉢ 32의 $\frac{3}{8}$은 12입니다. ▸4점

❷ 나타내는 수가 다른 하나는 ㉢입니다. ▸1점

/ ㉢

05 $\frac{3}{8}$

06 예 ❶ 캐러멜 63개를 봉지 9개에 똑같이 나누어 담았으므로 한 봉지에 7개씩입니다. ▸2점

❷ 캐러멜 49개는 한 봉지에 7개씩 9봉지 중 7봉지이므로 $\frac{7}{9}$입니다. ▸3점 / $\frac{7}{9}$

07 32개, 9개 **08** 6개 **09** 3

10 11

11 예
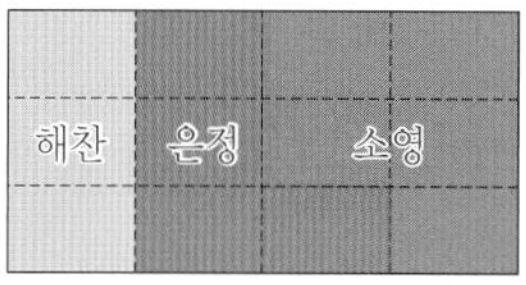

/ 3, 4, 5

12 22개 **13** 40 **14** $\frac{4}{9}$

01 54를 6씩 묶으면 모두 9묶음입니다.

➡ 24는 9묶음 중 4묶음이므로 24는 54의 $\frac{4}{9}$입니다.

02 ㉠ 18을 3씩 묶으면 6은 6묶음 중 2묶음 → □=2

㉡ 45를 5씩 묶으면 25는 9묶음 중 5묶음 → □=9

㉢ 28을 7씩 묶으면 21은 4묶음 중 3묶음 → □=3

➡ 9>3>2이므로 □ 안에 알맞은 수가 가장 큰 것은 ㉡입니다.

03 10의 $\frac{1}{2}$은 5이고, 10의 $\frac{2}{5}$는 4입니다.

04

채점 기준		
채점 기준	❶ ㉠, ㉡, ㉢이 나타내는 수 각각 구하기	4점
	❷ 나타내는 수가 다른 하나 찾기	1점

05 (한복의 수)=48−12−18=18(벌)

48을 6씩 묶으면 18은 8묶음 중 3묶음이므로 한복 18벌은 48벌의 $\frac{3}{8}$입니다.

06

채점 기준		
채점 기준	❶ 캐러멜이 한 봉지에 몇 개씩인지 구하기	2점
	❷ 캐러멜 49개는 63개의 몇 분의 몇인지 구하기	3점

07 72의 $\frac{4}{9}$는 32이고, 72의 $\frac{1}{8}$은 9입니다.

08 (상자 1개에 들어 있는 고구마의 수)=30÷2=15(개)

➡ 15의 $\frac{2}{5}$는 6이므로 구운 고구마는 6개입니다.

09 • 24를 6묶음으로 똑같이 나눈 것이므로 4씩 묶은 것입니다. 16은 4씩 4묶음이므로 16은 24의 $\frac{4}{6}$입니다. → ㉠=4

• 40을 8묶음으로 똑같이 나눈 것이므로 5씩 묶은 것입니다. 35는 5씩 7묶음이므로 35는 40의 $\frac{7}{8}$입니다. → ㉡=7

➡ ㉡−㉠=7−4=3

10 • 28을 4씩 묶으면 모두 7묶음이고, 12는 7묶음 중 3묶음이므로 12는 28의 $\frac{3}{7}$입니다. → ●=3

• 32를 4씩 묶으면 모두 8묶음이고, 20은 8묶음 중 5묶음이므로 20은 32의 $\frac{5}{8}$입니다. → ★=8

➡ ●+★=3+8=11

11 • 해찬: 12칸의 $\frac{1}{4}$은 3칸입니다. (노란색)

• 은정: 12칸의 $\frac{1}{3}$은 4칸입니다. (파란색)

• 소영: 12−3−4=5(칸) (주황색)

12 • 형: 36개의 $\frac{2}{9}$는 8개입니다.

• 동생: 36개의 $\frac{1}{6}$은 6개입니다.

➡ (남은 젤리의 수)=36−8−6=22(개)

13 21은 어떤 수를 8묶음으로 똑같이 나눈 것 중의 3묶음이므로 한 묶음은 21÷3=7입니다.
따라서 어떤 수는 7씩 8묶음이므로 7×8=56입니다.

➡ 56의 $\frac{5}{7}$는 40입니다.

14 27을 3씩 묶으면 9묶음이 되므로 호떡 27개를 3개씩 담으면 9봉지가 됩니다.
(남은 호떡의 봉지 수)=9−3−2=4(봉지)

➡ 남은 호떡의 봉지 수는 전체 호떡의 봉지 수의 $\frac{4}{9}$입니다.

STEP 1 • 한번더 개념 완성하기 28쪽

1 (1) (2) (3)

2 ㉡, ㉣, ㉤, ㉦ / ㉠, ㉢, ㉥, ㉧

3 $\frac{36}{5}$, $9\frac{1}{2}$ **4** $\frac{33}{7}$에 색칠

5 0, 1, $1\frac{3}{4}$, 2, $2\frac{1}{4}$, 3 / <

6 >, 민재

5 두 대분수를 수직선에 나타내면 $2\frac{1}{4}$이 $1\frac{3}{4}$보다 오른쪽에 있으므로 $1\frac{3}{4}<2\frac{1}{4}$입니다.

6 $5\frac{3}{5}$을 가분수로 나타내면 $\frac{28}{5}$이고 $\frac{28}{5}>\frac{26}{5}$이므로 $5\frac{3}{5}>\frac{26}{5}$입니다.

➡ 포도를 더 많이 딴 사람은 민재입니다.

STEP 2 • 한번더 실력 다지기 29~30쪽

01 (×) (×) (○) (○) **02** 가

03 2 **04** ㉡ **05** ㉡, ㉠, ㉢

06 예 ❶ $6\frac{1}{4}$을 가분수로 나타내면 $\frac{25}{4}$입니다. ▸2점

❷ $6\frac{1}{4}(=\frac{25}{4})$보다 작은 분수는 $\frac{23}{4}$, $\frac{11}{4}$, $\frac{19}{4}$로 모두 3개입니다. ▸3점

/ 3개

07 코브라 **08** 호동 **09** 4개

10 7 **11** 6개 **12** $9\frac{3}{4}$, $\frac{39}{4}$

13 희준 **14** $\frac{48}{15}$, $\frac{49}{15}$, $\frac{50}{15}$, $\frac{51}{15}$

01 • $\frac{5}{6}$: 분자 5<분모 6 ➡ 진분수

• $\frac{8}{8}$: 분자 8=분모 8 ➡ 가분수

• $\frac{2}{11}$: 분자 2<분모 11 ➡ 진분수

• $\frac{23}{9}$: 분자 23>분모 9 ➡ 가분수

02 가분수는 분자가 분모와 같거나 분모보다 큰 분수입니다.

$\frac{6}{7}$	$\frac{1}{9}$	$2\frac{3}{8}$	$\frac{9}{8}$	$\frac{8}{13}$
$\frac{3}{2}$	$\frac{25}{3}$	$\frac{3}{10}$	$\frac{17}{4}$	$3\frac{2}{3}$
$1\frac{1}{6}$	$\frac{10}{7}$	$\frac{1}{5}$	$\frac{19}{11}$	$\frac{10}{10}$
$\frac{4}{15}$	$\frac{5}{5}$	$4\frac{5}{12}$	$\frac{31}{6}$	$\frac{13}{14}$

03 $3\frac{\square}{9}$에서 3은 $\frac{1}{9}$이 27개, $\frac{\square}{9}$는 $\frac{1}{9}$이 □개로 $\frac{1}{9}$이 (27+□)개입니다.

➡ 27+□=29이므로 □=29−27=2입니다.

매칭북 한번더

04 ㉠ $5\frac{1}{3}$에서 5는 $\frac{1}{3}$이 15개, $\frac{1}{3}$은 $\frac{1}{3}$이 1개로 $\frac{1}{3}$이 $15+1=16$(개)이므로 $\frac{16}{3}$입니다.

㉡ $1\frac{8}{11}$에서 1은 $\frac{1}{11}$이 11개, $\frac{8}{11}$은 $\frac{1}{11}$이 8개로 $\frac{1}{11}$이 $11+8=19$(개)이므로 $\frac{19}{11}$입니다.

➡ $16<19$이므로 분자가 더 큰 분수는 ㉡입니다.

05 $\frac{18}{7}=2\frac{4}{7}$이므로 $2\frac{4}{7}>2\frac{1}{7}>1\frac{6}{7}$입니다.

➡ $\frac{18}{7}>2\frac{1}{7}>1\frac{6}{7}$

06

채점 기준		
	❶ $6\frac{1}{4}$을 가분수로 나타내기	2점
	❷ $6\frac{1}{4}$보다 작은 분수의 개수 구하기	3점

07 $\frac{8}{5}$을 대분수로 나타내면 $1\frac{3}{5}$입니다.

➡ $2\frac{1}{5}>1\frac{3}{5}$이므로 더 긴 것은 코브라입니다.

08 $1\frac{7}{20}$을 가분수로 나타내면 $\frac{27}{20}$입니다.

➡ $\frac{29}{20}>\frac{27}{20}>\frac{23}{20}$이므로 키가 가장 큰 사람은 호동입니다.

09 $4\frac{2}{3}$를 가분수로 나타내면 $\frac{14}{3}$이고 $6\frac{1}{3}$을 가분수로 나타내면 $\frac{19}{3}$입니다.

$\frac{14}{3}<\frac{\square}{3}<\frac{19}{3}$이므로 $14<\square<19$입니다.

➡ □ 안에 들어갈 수 있는 자연수는 15, 16, 17, 18이므로 모두 4개입니다.

10 $\frac{25}{6}$를 대분수로 나타내면 $4\frac{1}{6}$이고 $\frac{49}{6}$를 대분수로 나타내면 $8\frac{1}{6}$입니다. $4\frac{1}{6}<\square\frac{5}{6}<8\frac{1}{6}$이므로 □ 안에 들어갈 수 있는 자연수는 4, 5, 6, 7입니다.

➡ □ 안에 들어갈 수 있는 가장 큰 자연수는 7입니다.

11 대분수의 분수 부분은 진분수입니다. 대분수의 분모가 7이므로 분자에 놓을 수 있는 수는 1, 5입니다.

➡ 분모가 7인 대분수는 $5\frac{1}{7}$, $8\frac{1}{7}$, $9\frac{1}{7}$, $1\frac{5}{7}$, $8\frac{5}{7}$, $9\frac{5}{7}$이므로 모두 6개입니다.

12 가장 큰 대분수를 만들려면 자연수 부분에 가장 큰 수인 9를 놓고, 분모가 4이므로 분자에 3을 놓아야 합니다. → $9\frac{3}{4}$

➡ $9\frac{3}{4}$에서 9는 $\frac{1}{4}$이 36개, $\frac{3}{4}$은 $\frac{1}{4}$이 3개로 $\frac{1}{4}$이 $36+3=39$(개)이므로 $\frac{39}{4}$입니다.

13 재영이가 가지고 있는 찰흙은 $\frac{1}{8}$ kg이 19개이므로 $\frac{19}{8}$ kg이고, 희준이가 가지고 있는 찰흙은 1 kg이 2개이고 $\frac{1}{8}$ kg이 5개이므로 $2\frac{5}{8}$ kg입니다.

$\frac{19}{8}$를 대분수로 나타내면 $2\frac{3}{8}$이므로 $2\frac{3}{8}<2\frac{5}{8}$ → $\frac{19}{8}<2\frac{5}{8}$입니다.

➡ 찰흙을 더 많이 가지고 있는 사람은 희준입니다.

14 $3\frac{2}{15}$를 가분수로 나타내면 $\frac{47}{15}$입니다.

분모가 15인 가분수를 $\frac{\square}{15}$라 하면 $\frac{47}{15}<\frac{\square}{15}<\frac{52}{15}$이므로 $47<\square<52$입니다.

➡ □ 안에 들어갈 수 있는 자연수는 48, 49, 50, 51이므로 조건을 만족하는 분수는 $\frac{48}{15}$, $\frac{49}{15}$, $\frac{50}{15}$, $\frac{51}{15}$입니다.

STEP3 • 한번더 서술형 해결하기 31쪽

01 예 ❶ 42의 $\frac{2}{7}$는 42를 7묶음으로 똑같이 나눈 것 중의 2묶음이므로 12입니다.
→ 형이 먹은 방울토마토는 12개입니다.
42의 $\frac{3}{7}$은 42를 7묶음으로 똑같이 나눈 것 중의 3묶음이므로 18입니다.
→ 누나가 먹은 방울토마토는 18개입니다. ▸3점
❷ 경수가 먹은 방울토마토는 $42-12-18=12$(개)입니다. ▸2점
/ 12개

02 예 ❶ 81의 $\frac{2}{9}$는 81을 9묶음으로 똑같이 나눈 것 중의 2묶음이므로 18입니다.
→ 지영이에게 준 사탕은 18개입니다.
81의 $\frac{1}{3}$은 81을 3묶음으로 똑같이 나눈 것 중의 1묶음이므로 27입니다.
→ 연희에게 준 사탕은 27개입니다. ▸3점
❷ 성주가 연희에게 사탕을 $27-18=9$(개) 더 많이 주었습니다. ▸2점 / 연희, 9개

03 예 ❶ 대분수의 분수 부분은 진분수입니다. 분모가 7인 가장 큰 진분수는 $\frac{6}{7}$이므로 자연수가 4이고 분모가 7인 가장 큰 대분수는 $4\frac{6}{7}$입니다. ▸2점
❷ 대분수 $4\frac{6}{7}$을 가분수로 나타내면
4는 $\frac{1}{7}$이 28개, $\frac{6}{7}$은 $\frac{1}{7}$이 6개로 $\frac{1}{7}$이 모두 $28+6=34$(개)이므로 $\frac{34}{7}$입니다. ▸3점 / $\frac{34}{7}$

04 예 ❶ 분모가 8인 가분수를 $\frac{\square}{8}$라 하면
$\square \div 8=2 \cdots 7$입니다.
$8\times2=16$ → $16+7=23$이므로 $\square=23$이고 가분수는 $\frac{23}{8}$입니다. ▸2점
❷ $\frac{23}{8}$에서 $\frac{16}{8}$은 2로 나타내고 나머지 진분수는 $\frac{7}{8}$이므로 $2\frac{7}{8}$입니다. ▸3점 / $2\frac{7}{8}$

01

채점 기준		
	❶ 형과 누나가 먹은 방울토마토 수 각각 구하기	3점
	❷ 경수가 먹은 방울토마토의 수 구하기	2점

02

채점 기준		
	❶ 지영이와 연희에게 준 사탕 수 각각 구하기	3점
	❷ 누구에게 사탕을 몇 개 더 많이 주었는지 구하기	2점

03

채점 기준		
	❶ 자연수가 4이고 분모가 7인 가장 큰 대분수 구하기	2점
	❷ 대분수를 가분수로 나타내기	3점

04

채점 기준		
	❶ 조건을 만족하는 가분수 구하기	2점
	❷ 가분수를 대분수로 나타내기	3점

5. 들이와 무게

STEP 1 한번더 개념 완성하기 32쪽

1 ( )( )(○) 2 1, 3, 2
3 1 L 800 mL 4 (○)( )
5 7, 100 6 1, 700, 1, 500

6 (㉯ 물통에 들어 있는 물의 양)
−(㉮ 물통에 들어 있는 물의 양)
=3 L 200 mL−1 L 700 mL=1 L 500 mL

STEP 2 한번더 실력 다지기 33~35쪽

01 나 02 3배 03 ㉢
04 ㉠
05 ❶ 진주 ▸2점
❷ 예 2350 mL는 2 L 350 mL야. ▸3점
06 2140 mL 07 ㉡
08 예 ❶ 1 L 90 mL=1090 mL입니다. ▸2점
❷ 1300 mL>1090 mL이므로 포도 주스가 더 많습니다. ▸3점 / 포도 주스
09 (1) 밥그릇 (2) 어항 (3) 주사기
10 예 약 550 mL 11 ㉢ 12 2 L 250 mL
13 ❶ 예 (처음 수조에 들어 있던 물의 양)
=2 L 600 mL ▸2점
❷ (물을 더 부은 후 수조에 들어 있는 물의 양)
=2 L 600 mL+1500 mL
=2 L 600 mL+1 L 500 mL
=4 L 100 mL ▸3점 / 4 L 100 mL
14 550 mL 15 3900 16 24
17 행복 식당 18 재은
19 예 1 L들이 그릇에 물을 가득 담아 3번 붓고, 200 mL들이 그릇에 물을 가득 담아 2번 붓고, 1 L 300 mL들이 그릇에 물을 가득 담아 1번 붓습니다.
20 냄비, 350 mL

02 옮겨 담은 컵의 수를 비교하면 9>5>3이므로 들이가 가장 많은 도자기는 다이고, 들이가 가장 적은 도자기는 나입니다. ➡ $9\div3=3$(배)

04 ㉡ 물통의 들이는 약 1 L입니다.
㉢ 음료수 캔의 들이는 약 200 mL입니다.

05

채점 기준		
	❶ 단위가 틀린 사람의 이름 쓰기	2점
	❷ 단위가 틀린 사람의 문장 옳게 고치기	3점

06 비커의 물을 모두 부으면 수조의 물은 2 L보다 140 mL 더 많아지므로 2 L 140 mL가 됩니다.
➡ 2 L 140 mL=2140 mL

07 ㉡ 5 L 500 mL=5500 mL
➡ 5500 mL>5390 mL>5080 mL이므로 들이가 가장 많은 것은 ㉡입니다.

08

채점 기준		
	❶ 1 L 90 mL를 몇 mL로 나타내기	2점
	❷ 더 많은 것 구하기	3점

10 100 mL씩 비커 5개는 500 mL이고 100 mL의 반은 50 mL이므로 물통의 들이는 약 550 mL입니다.

11 ㉠ 650 mL+3 L 400 mL=4 L 50 mL
㉡ 7 L 200 mL−2 L 400 mL=4 L 800 mL
㉢ 1 L 900 mL+1 L 400 mL=3 L 300 mL
➡ 들이가 4 L보다 적은 것은 ㉢ 3 L 300 mL입니다.

12 (노란색 페인트와 파란색 페인트의 양의 합)
=1300 mL+950 mL=2250 mL
➡ 2250 mL=2 L 250 mL

13

채점 기준		
	❶ 처음 수조에 들어 있던 물의 양 구하기	2점
	❷ 물을 더 부은 후 수조에 들어 있는 물의 양 구하기	3점

14 (형과 동생이 마신 우유의 양)
=400 mL+250 mL=650 mL
➡ (남은 우유의 양)
=1 L 200 mL−650 mL=550 mL

15 8 L 300 mL−□mL=4 L 400 mL에서
□mL=8 L 300 mL−4 L 400 mL
=3 L 900 mL=3900 mL
➡ □ 안에 알맞은 수는 3900입니다.

16 9600 mL=9 L 600 mL이므로 9 L 600 mL보다 많고 10 L 100 mL보다 적은 들이 중 9 L ㉠00 mL인 경우는 9 L 700 mL, 9 L 800 mL, 9 L 900 mL이므로 ㉠에 들어갈 수 있는 수는 7, 8, 9입니다.
➡ 7+8+9=24

17 1750 mL=1 L 750 mL이므로
(맛나 식당에서 사용한 간장의 양)
=2 L 200 mL+1 L 750 mL=3 L 950 mL
1900 mL=1 L 900 mL이므로
(행복 식당에서 사용한 간장의 양)
=1 L 900 mL+2 L 100 mL=4 L
➡ 3 L 950 mL<4 L이므로 간장을 더 많이 사용한 식당은 행복 식당입니다.

18 실제 들이와 어림한 들이의 차를 각각 구합니다.
• 효리: 2 L 700 mL−2 L 300 mL=400 mL
• 재은: 3 L−2 L 700 mL=300 mL
• 희동: 2 L 700 mL−2 L 100 mL=600 mL
➡ 300 mL<400 mL<600 mL이므로 물뿌리개의 들이를 가장 적절히 어림한 사람은 재은입니다.

20 (냄비의 들이)=200×7=1400 (mL)
1400 mL=1 L 400 mL
→ 1 L 400 mL>1 L 50 mL
➡ 1 L 400 mL−1 L 50 mL=350 mL이므로 냄비의 들이가 350 mL 더 많습니다.

STEP 1 · 한번더 개념 완성하기 36쪽

1 3, 1, 2 **2** 혜진
3 1120 g **4** (○) (   )
5 6 kg 200 g, 400 g **6** 2, 450, 1, 150

5 합:

$$\begin{array}{r} \scriptstyle 1 \quad\quad\quad\; \\ 2\text{ kg}\;\; 900\text{ g} \\ +\;3\text{ kg}\;\; 300\text{ g} \\ \hline 6\text{ kg}\;\; 200\text{ g} \end{array}$$

차:

$$\begin{array}{r} \scriptstyle 2 \quad\quad 1000 \\ \cancel{3}\text{ kg}\;\; 300\text{ g} \\ -\;2\text{ kg}\;\; 900\text{ g} \\ \hline 400\text{ g} \end{array}$$

6 (강아지와 고양이의 무게의 차)
=3 kg 600 g−2 kg 450 g=1 kg 150 g

STEP 2 · 한번더 실력 다지기 37~39쪽

01 가위, 5개
02 초콜릿, 막대 사탕, 큐브
03 기차, 비행기 / 책상, 전자레인지, 수박 / 풀, 머리끈, 탁구공

04 ❶ ㉠ ▸2점
❷ 예 모자의 무게는 약 100 g입니다. ▸3점
05 ❶ (   )
(   )
(×) ▸2점
❷ 예 9050 g=9 kg 50 g ▸3점
06 8670   07 ㉢, ㉡, ㉠   08 승현
09 ㉢   10 화분
11 예 ❶ 7 kg 300 g−3 kg 600 g=3 kg 700 g ▸3점
❷ 3 kg 700 g=3700 g이므로 □ 안에 알맞은 수는 3700입니다. ▸2점 / 3700
12 9500 g−2 kg 900 g에 색칠
13 1 kg 600 g   14 11 kg 250 g
15 900 g   16 귤 상자, 500 g
17 해솔, 200 g   18 석주
19 15 kg 500 g
20 예 ❶ (복숭아 5개의 무게)
=2 kg 400 g−900 g=1 kg 500 g ▸2점
❷ 300 g+300 g+300 g+300 g+300 g
=1 kg 500 g이므로 복숭아 1개의 무게는 300 g입니다. ▸3점 / 300 g

06 8 kg 700 g=8700 g → ㉠=8700
5030 g=5 kg 30 g → ㉡=30
➡ ㉠−㉡=8700−30=8670

07 ㉡ 3160 g=3 kg 160 g
➡ 3 kg 200 g>3 kg 160 g>3 kg 60 g이므로 무게가 무거운 순서대로 기호를 쓰면 ㉢, ㉡, ㉠입니다.

08 지훈: 1500 g=1 kg 500 g
➡ 1 kg 850 g>1 kg 500 g이므로 만든 로봇의 무게가 더 무거운 사람은 승현입니다.

10 • 화분: 7800 g은 8000 g에 가까우므로 약 8 kg입니다.
• 세탁 세제: 1800 g은 2000 g에 가까우므로 약 2 kg입니다.
• 시계: 800 g은 1000 g에 가까우므로 약 1 kg입니다.

11

채점 기준		
	❶ 7 kg 300 g−3 kg 600 g을 계산하기	3점
	❷ □ 안에 알맞은 수 구하기	2점

12 • 10 kg−3 kg 100 g=6 kg 900 g
• 4 kg 600 g+3 kg 600 g=8 kg 200 g
• 9500 g−2 kg 900 g
=9 kg 500 g−2 kg 900 g=6 kg 600 g
➡ 6 kg 600 g<6 kg 900 g<8 kg 200 g

13 (남은 쌀의 무게)=3800 g=3 kg 800 g
➡ (사용한 쌀의 무게)
=5 kg 400 g−3 kg 800 g=1 kg 600 g

14 3750 g=3 kg 750 g
(시금치 3관의 무게)
=3 kg 750 g+3 kg 750 g+3 kg 750 g
=7 kg 500 g+3 kg 750 g=11 kg 250 g

15 (접시에 올려져 있는 고기의 무게)=2 kg 300 g
(고기의 무게)=1 kg 400 g
➡ (빈 접시의 무게)=2 kg 300 g−1 kg 400 g
=900 g

16 포도 상자: 4 kg 800 g, 귤 상자: 5 kg 300 g
➡ 4 kg 800 g<5 kg 300 g이므로 귤 상자가 5 kg 300 g−4 kg 800 g=500 g 더 무겁습니다.

17 영주: 900 g+2 kg 300 g=3 kg 200 g
해솔: 1 kg 100 g+1 kg 900 g=3 kg
➡ 3 kg 200 g>3 kg이므로 책을 넣은 가방의 무게는 해솔이가 3 kg 200 g−3 kg=200 g 더 가볍습니다.

18 • 세희: 2 kg 500 g−2 kg 200 g=300 g
• 동훈: 2 kg 200 g−1 kg 800 g=400 g
• 석주: 2070 g=2 kg 70 g
→ 2 kg 200 g−2 kg 70 g=130 g
➡ 130 g<300 g<400 g이므로 돌의 무게를 가장 적절히 어림한 사람은 석주입니다.

19 (감자 한 자루의 무게)
=(고구마 한 자루와 감자 2자루의 무게)
−(고구마 한 자루와 감자 한 자루의 무게)
=58 kg 100 g−36 kg 800 g=21 kg 300 g
➡ (고구마 한 자루의 무게)
=36 kg 800 g−21 kg 300 g=15 kg 500 g

20

채점 기준		
	❶ 복숭아 5개의 무게 구하기	2점
	❷ 복숭아 한 개의 무게 구하기	3점

STEP3 • 한번더 서술형 해결하기 40~41쪽

01 예 ❶ (수조의 들이)
$=1$ L 900 mL$+1$ L 900 mL$+1$ L 900 mL
$=5$ L 700 mL
(㉡ 수도로 2분 동안 빈 수조에 넣은 물의 양)
$=2$ L 100 mL$+2$ L 100 mL
$=4$ L 200 mL ▸3점
❷ (더 넣어야 하는 물의 양)
$=5$ L 700 mL-4 L 200 mL
$=1$ L 500 mL ▸2점 / 1 L 500 mL

02 예 ❶ (㉯ 수도에서 1분 동안 나오는 물의 양)
$=12\div4=3$ (L)
(두 수도에서 1분 동안 받을 수 있는 물의 양)
$=4$ L$+3$ L$=7$ L ▸2점
❷ (두 수도에서 1시간 동안 받을 수 있는 물의 양)
$=7\times60=420$ (L) ▸3점 / 420 L

03 예 ❶ (예준이네 가족이 마신 주스의 양)
$=3$ L 300 mL-1 L 800 mL$=1$ L 500 mL
(희수네 가족이 마신 주스의 양)
$=4$ L-2 L 600 mL$=1$ L 400 mL ▸3점
❷ (두 가족이 마신 주스의 양의 합)
$=1$ L 500 mL$+1$ L 400 mL
$=2$ L 900 mL ▸2점 / 2 L 900 mL

04 예 ❶ (과일을 씻는 데 사용하고 남은 물의 양)
$=3$ L 500 mL-800 mL$=2$ L 700 mL
(세수를 하는 데 사용하고 남은 물의 양)
$=5$ L 200 mL-3600 mL$=1$ L 600 mL ▸3점
❷ (사용하고 남은 물의 양의 합)
$=2$ L 700 mL$+1$ L 600 mL
$=4$ L 300 mL ▸2점 / 4 L 300 mL

05 예 ❶ 테이프 1개의 무게는 지우개 2개의 무게와 같고, 지우개 2개의 무게는 자 5개의 무게와 같으므로 테이프 1개의 무게는 자 5개의 무게와 같습니다. ▸2점
❷ 테이프 1개의 무게는 자 5개의 무게와 같으므로 테이프 1개의 무게는 자 1개의 무게의 5배입니다. ▸3점 / 5배

06 예 ❶ $35>10>5$이므로 가장 무거운 물건은 태블릿 PC이고, 가장 가벼운 물건은 계산기입니다. ▸2점
❷ 태블릿 PC는 공깃돌 35개, 계산기는 공깃돌 5개의 무게와 같으므로 태블릿 PC의 무게는 계산기의 무게의 $35\div5=7$(배)입니다. ▸3점 / 7배

07 예 ❶ (세 사람의 몸무게의 합)
$=77$ kg$+51$ kg 500 g$+36$ kg 800 g
$=165$ kg 300 g ▸3점
❷ (더 실을 수 있는 무게)
$=280$ kg-165 kg 300 g
$=114$ kg 700 g ▸2점 / 114 kg 700 g

08 예 ❶ (상자 ㉰의 무게)
$=67$ kg 400 g-48 kg 500 g$=18$ kg 900 g
(상자 ㉮의 무게)
$=18$ kg 900 g$+1300$ g$=20$ kg 200 g ▸3점
❷ (상자 ㉯의 무게)
$=48$ kg 500 g-20 kg 200 g
$=28$ kg 300 g ▸2점 / 28 kg 300 g

문항	채점 기준		점수
01	채점 기준	❶ ㉡ 수도로 2분 동안 빈 수조에 넣은 물의 양 구하기	3점
		❷ 수조에 더 넣어야 하는 물의 양 구하기	2점
02	채점 기준	❶ 두 수도에서 1분 동안 받을 수 있는 물의 양 구하기	2점
		❷ 두 수도에서 1시간 동안 받을 수 있는 물의 양 구하기	3점
03	채점 기준	❶ 예준이네 가족과 희수네 가족이 마신 주스의 양 각각 구하기	3점
		❷ 두 가족이 마신 주스의 양의 합 구하기	2점
04	채점 기준	❶ 과일을 씻고 세수를 하는 데 사용하고 남은 물의 양 각각 구하기	3점
		❷ 사용하고 남은 물의 양의 합 구하기	2점
05	채점 기준	❶ 테이프 1개의 무게는 자 몇 개의 무게와 같은지 구하기	2점
		❷ 테이프 1개의 무게는 자 1개의 무게의 몇 배인지 구하기	3점
06	채점 기준	❶ 가장 무거운 물건과 가장 가벼운 물건 각각 구하기	2점
		❷ 가장 무거운 물건의 무게는 가장 가벼운 물건의 무게의 몇 배인지 구하기	3점
07	채점 기준	❶ 세 사람의 몸무게의 합 구하기	3점
		❷ 더 실을 수 있는 무게 구하기	2점
08	채점 기준	❶ 상자 ㉮와 ㉰의 무게 각각 구하기	3점
		❷ 상자 ㉯의 무게 구하기	2점

6. 자료의 정리

STEP1 한번더 개념 완성하기 42쪽

1 (1) 9명 (2) 축구, 피구, 야구, 농구
2 (1) 5, 2, 1, 3, 11 (2) 연필
3 32, 41, 30, 27, 130 **4** 4반
5

종류별 자동차 수

종류	자동차 수
버스	큰 그림 1개, 작은 그림 3개
승용차	큰 그림 2개, 더 작은 그림 1개
트럭	작은 그림 5개

1 (1) $30-6-12-3=9$(명)
(2) 좋아하는 운동별 학생 수를 비교하면 $12>9>6>3$이므로 좋아하는 학생 수가 많은 운동부터 순서대로 쓰면 축구, 피구, 야구, 농구입니다.

2 (1) (합계)$=5+2+1+3=11$(개)
(2) 필통에 들어 있는 물건의 수를 비교하면 $5>3>2>1$이므로 가장 많은 물건은 연필입니다.

3 (합계)$=32+41+30+27=130$(병)

4 10병을 나타내는 그림의 수가 가장 적은 4반이 모은 빈 병 수가 가장 적습니다.

5 조사한 수에 맞도록 그림을 완성하고 알맞은 제목을 붙입니다.

STEP2 한번더 실력 다지기 43~45쪽

01 ❶ 2반 ▸2점
❷ 예 남학생 수와 여학생 수의 합이 17명으로 가장 많기 때문입니다. ▸3점
02 (1) 6, 7, 7, 4, 24 (2) 3명
03 70명
04 ❶ 그림그래프 ▸2점
❷ 예 그림의 크기와 수를 비교하여 사과 수확량이 가장 많은 과수원을 쉽게 알 수 있기 때문입니다. ▸3점

05 좋아하는 견과류별 학생 수

견과류	학생 수
땅콩	큰 그림 2개, 작은 그림 6개
호두	큰 그림 1개, 작은 그림 3개
아몬드	큰 그림 3개, 작은 그림 1개
잣	큰 그림 2개

06 (1) 팔린 케이크의 조각 수

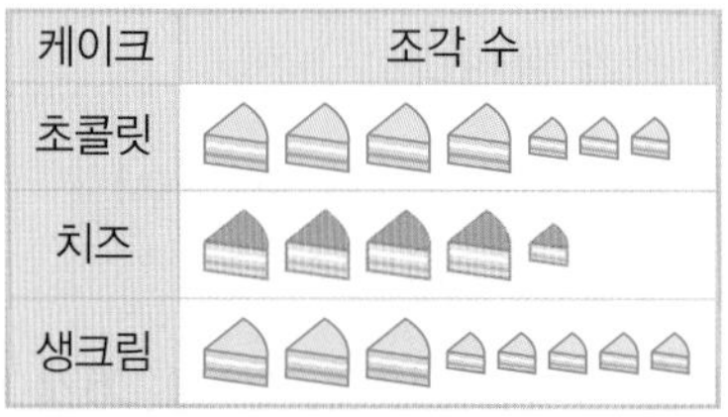

케이크	조각 수
초콜릿	큰 그림 4개, 작은 그림 3개
치즈	큰 그림 4개, 작은 그림 1개
생크림	큰 그림 3개, 작은 그림 6개

(2) 119조각

07 빚은 만두의 수

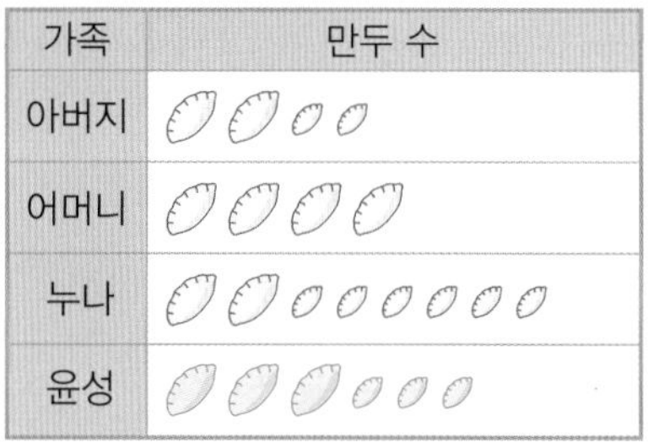

가족	만두 수
아버지	큰 그림 2개, 작은 그림 2개
어머니	큰 그림 4개
누나	큰 그림 2개, 작은 그림 6개
윤성	큰 그림 3개, 작은 그림 3개

08 학생별 사용한 금액

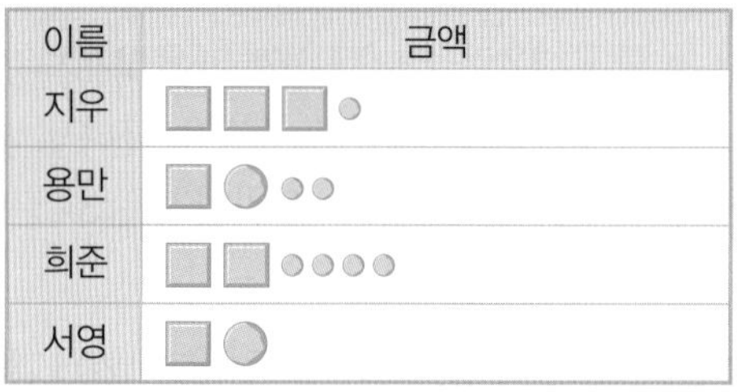

이름	금액
지우	■ 3개, ● 작은 것 1개
용만	■ 1개, ● 큰 것 1개, ● 작은 것 2개
희준	■ 2개, ● 작은 것 4개
서영	■ 1개, ● 큰 것 1개

09 9권 **10** 134명
11 1800원 **12** 47그루

01

채점 기준		
	❶ 수학경시대회에 참가한 학생 수가 가장 많은 반 구하기	2점
	❷ 이유 쓰기	3점

1반: $6+7=13$(명)
2반: $9+8=17$(명)
3반: $10+4=14$(명)
4반: $8+8=16$(명)
➡ $17>16>14>13$이므로 가장 많은 학생들이 수학경시대회에 참가한 반은 2반입니다.

02 (2) 여름을 좋아하는 학생은 7명, 겨울을 좋아하는 학생은 4명이므로 $7-4=3$(명) 더 많습니다.

03 2014년의 신생아 수는 340명이고 2017년의 신생아 수는 270명입니다.
➡ $340-270=70$(명)

04

채점 기준		
	❶ 사과 수확량이 가장 많은 과수원을 알아보기 더 편리한 것 찾기	2점
	❷ 이유 쓰기	3점

05 학생 수에 맞게 10명을 나타내는 그림과 1명을 나타내는 그림을 각각 그립니다.

06 (2) (세 종류의 케이크의 팔린 조각 수)
$=43+41+35=119$(조각)

07 아버지: 22개, 어머니: 40개, 누나: 26개
(윤성이가 빚은 만두의 수)
$=121-22-40-26=33$(개)
➡ 33개이므로 10개를 나타내는 그림 3개, 1개를 나타내는 그림 3개를 그립니다.

08
- 지우: ▢ 3개, ● 1개를 그립니다.
- 용만: ▢ 1개, ⬤ 1개, ● 2개를 그립니다.
- 희준: ▢ 2개, ● 4개를 그립니다.
- 서영: ▢ 1개, ⬤ 1개를 그립니다.

09 빌려 간 동화책 32권을 📖 3개, 📖 2개로 나타내었으므로 각각의 그림은 10권, 1권을 나타냅니다.
빌려 간 과학책은 25권, 빌려 간 위인전은 34권이므로 차는 $34-25=9$(권)입니다.

10 바다 초등학교: 151명, 행복 초등학교: 204명, 희망 초등학교: 212명
➡ (하늘 초등학교에서 참여한 학생 수)
$=701-151-204-212=134$(명)

11
- 오렌지 맛 사탕 판매량: 53개
- 포도 맛 사탕 판매량: 47개

➡ 오렌지 맛 사탕은 포도 맛 사탕보다 판매량이 $53-47=6$(개) 더 많으므로 판매액은 $300\times6=1800$(원) 더 많습니다.

12 푸름 마을: 36그루, 우주 마을: 34그루, 상상 마을: 51그루
(서쪽에 심은 나무 수)$=36+34=70$(그루)
(동쪽에 심은 나무 수)$=70+28=98$(그루)
➡ (기쁨 마을에 심은 나무 수)
$=98-51=47$(그루)

STEP3 한번더 서술형 해결하기 46쪽

01 예 ❶ (수요일의 고구마 수확량)$=380$ kg
(화요일의 고구마 수확량)
$=380+30=410$ (kg) ▸3점
❷ (월요일의 고구마 수확량)$=250$ kg
(3일 동안의 고구마 수확량)
$=250+410+380=1040$ (kg) ▸2점
/ 1040 kg

02 예 ❶ (탄탄 가게의 휴대 전화 판매량)$=40$대
(성공 가게의 휴대 전화 판매량)
$=40-13=27$(대) ▸2점
❷ (사랑 가게의 휴대 전화 판매량)$=22$대
$40>27>22$이므로 휴대 전화 판매량이 가장 많은 가게와 가장 적은 가게의 판매량의 차는 $40-22=18$(대)입니다. ▸3점 / 18대

03 예 ❶ (개나리를 좋아하는 학생 수)$=6$명
(벚꽃을 좋아하는 학생 수)$=10$명
(백합을 좋아하는 학생 수)$=3$명
(장미를 좋아하는 학생 수)
$=27-6-10-3=8$(명) ▸3점
❷ (장미와 백합을 좋아하는 학생 수의 합)
$=8+3=11$(명) ▸2점 / 11명

04 예 ❶ (샌들 판매량)$=31$켤레,
(부츠 판매량)$=9$켤레
(운동화와 구두 판매량의 합)
$=84-31-9=44$(켤레) ▸3점
❷ 운동화 판매량이 구두 판매량의 3배이므로 운동화 판매량은 33켤레, 구두 판매량은 11켤레입니다. ▸2점 / 33켤레

01

채점 기준		
	❶ 화요일의 고구마 수확량 구하기	3점
	❷ 3일 동안의 고구마 수확량 구하기	2점

02

채점 기준		
	❶ 성공 가게의 휴대 전화 판매량 구하기	2점
	❷ 휴대 전화 판매량이 가장 많은 가게와 가장 적은 가게의 판매량의 차 구하기	3점

03

채점 기준		
	❶ 장미를 좋아하는 학생 수 구하기	3점
	❷ 장미와 백합을 좋아하는 학생 수의 합 구하기	2점

04

채점 기준		
	❶ 운동화와 구두 판매량의 합 구하기	3점
	❷ 운동화 판매량 구하기	2점

단원 평가지

매칭북 47~64쪽

1. 곱셈

47~49쪽

01 468　**02** 42　**03** 10

04 (위에서부터) 106 / 530, 10 / 636

05 1408　**06** 432　**07** ㉢

08
$$\begin{array}{r} 25 \\ \times\ 13 \\ \hline 75 \\ 250 \\ \hline 325 \end{array}$$

09 >

10 $212\times4=848$ / 848

11 ㉡, ㉢, ㉠, ㉣

12 200개

13 1116권

14 1440원

15 5

16 (위에서부터) 6, 2, 3

17 130 cm

18 예 ❶ $53>48>29>26$이므로 가장 큰 수는 53이고 가장 작은 수는 26입니다. ▸2점
❷ 가장 큰 수와 가장 작은 수의 곱은 $53\times26=1378$입니다. ▸3점
/ 1378

19 예 ❶ (전체 멜론의 수)$=4\times38=152$(개) ▸3점
❷ (멜론과 복숭아의 수의 합)
$=152+278=430$(개) ▸2점
/ 430개

20 예 ❶ 어떤 수를 □라 하면 □$+40=78$이므로 □$=78-40=38$입니다. ▸2점
❷ 바르게 계산하면 $38\times40=1520$입니다. ▸3점
/ 1520

01 • 백 모형: $2\times2=4$(개) → 400
• 십 모형: $3\times2=6$(개) → 60
• 일 모형: $4\times2=8$(개) → 8
➡ $234\times2=400+60+8=468$

03 □ 안의 수는 일의 자리에서 십의 자리로 올림한 수이므로 실제로 10을 나타냅니다.

04 (몇십몇)×(몇십몇)은 (몇십몇)×(몇)과 (몇십몇)×(몇십)으로 나누어서 곱한 뒤 더합니다.

06
$$\begin{array}{r} 6 \\ \times\ 72 \\ \hline 12 \\ 420 \\ \hline 432 \end{array}$$

07 $60\times80=4800$
㉠ $70\times70=4900$　㉡ $24\times20=480$
㉢ $96\times50=4800$

08 25×10의 계산에서 자리를 잘못 맞추어 썼습니다.

09 $129\times3=387$, $5\times65=325$
➡ $387>325$

10 $212+212+212+212=212\times4=848$

11 ㉠ $30\times40=1200$　㉡ $47\times39=1833$
㉢ $372\times4=1488$　㉣ $8\times98=784$
➡ $1833>1488>1200>784$

12 (전체 골프공의 수)
=(한 상자에 들어 있는 골프공의 수)×(상자의 수)
$=8\times25=200$(개)

13 (전체 과학책의 수)
=(한 칸에 꽂힌 과학책의 수)×(칸의 수)
$=62\times18=1116$(권)

14 (정민이가 가지고 있는 돈)=480원
➡ (미영이가 가지고 있는 돈)
$=480\times3=1440$(원)

15 $5\times97=485$, $6\times97=582$이므로 □ 안에 들어갈 수 있는 수는 1, 2, 3, 4, 5입니다.
➡ □ 안에 들어갈 수 있는 가장 큰 수는 5입니다.

16
$$\begin{array}{r} 7\ 3 \\ \times\ 4\ ㉠ \\ \hline 4\ 3\ 8 \\ 2\ 9\ ㉡\ 0 \\ \hline 3\ ㉢\ 5\ 8 \end{array}$$
• $73\times$㉠$=438$ ➡ ㉠$=6$
• $73\times40=29$㉡0 ➡ ㉡$=2$
• $438+2920=3$㉢58 ➡ ㉢$=3$

17 정사각형은 네 변의 길이가 모두 같습니다.
(정사각형의 네 변의 길이의 합)
$=325\times4=1300$ (mm)
➡ 10 mm=1 cm이므로 1300 mm=130 cm입니다.

18

채점 기준		
	❶ 가장 큰 수와 가장 작은 수 구하기	2점
	❷ 가장 큰 수와 가장 작은 수의 곱 구하기	3점

19

채점 기준		
	❶ 전체 멜론의 수 구하기	3점
	❷ 멜론과 복숭아의 수의 합 구하기	2점

20

채점 기준		
	❶ 어떤 수 구하기	2점
	❷ 바르게 계산하기	3점

2. 나눗셈

50~52쪽

01 20
02 (위에서부터) 2, 6 / 2, 3, 6, 0
03 (위에서부터) 1, 2, 9, 1 / 12, 1
04

$$\begin{array}{r} 16 \\ 5\overline{)82} \\ 5 \\ \hline 32 \\ 30 \\ \hline 2 \end{array}$$

/ $5\times16=80$ ➡ $80+2=82$

05 12 **06** 23, 3 **07** 106
08 8, 9에 ○표 **09** > **10** ㉢
11 36, 3, 12 **12** 동훈 **13** 24마리
14 19명, 3장 **15** 15 **16** 14개
17 0, 4, 8
18 ❶ ㉡, ㉣ ▸3점
❷ 예 나머지는 나누는 수보다 작아야 하므로 나누는 수가 6보다 큰 식을 찾으면 ㉡, ㉣입니다. ▸2점
19 예 ❶ (연필 9타의 연필 수)
$=12\times9=108$(자루) ▸2점
❷ (나누어 줄 수 있는 학생 수)
$=108\div3=36$(명) ▸3점 / 36명
20 예 ❶ 56보다 크고 60보다 작은 수는 57, 58, 59입니다. ▸1점
❷ $57\div4=14\cdots1$, $58\div4=14\cdots2$, $59\div4=14\cdots3$
조건을 모두 만족하는 수는 59입니다. ▸4점 / 59

01 딸기 40개를 똑같이 2묶음으로 묶으면 한 묶음에 딸기가 20개 있습니다. ➡ $40\div2=20$

05 $72\div6=12$

06

$$\begin{array}{r} 23 \leftarrow \text{몫} \\ 4\overline{)95} \\ 8 \\ \hline 15 \\ 12 \\ \hline 3 \leftarrow \text{나머지} \end{array}$$

07

$$\begin{array}{r} 106 \\ 3\overline{)318} \\ 3 \\ \hline 18 \\ 18 \\ \hline 0 \end{array}$$

08 나머지는 나누는 수인 8보다 작아야 합니다.

09 $93\div3=31$, $145\div5=29$ ➡ $31>29$

10 ㉠

$$\begin{array}{r} 12 \\ 7\overline{)90} \\ 7 \\ \hline 20 \\ 14 \\ \hline 6 \end{array}$$

㉡

$$\begin{array}{r} 11 \\ 6\overline{)69} \\ 6 \\ \hline 9 \\ 6 \\ \hline 3 \end{array}$$

㉢

$$\begin{array}{r} 24 \\ 4\overline{)96} \\ 8 \\ \hline 16 \\ 16 \\ \hline 0 \end{array}$$

➡ 나누어떨어지는 나눗셈은 나머지가 0이므로 ㉢입니다.

11 (한 명에게 줄 수 있는 씨앗의 수)
=(씨앗의 수)÷(사람 수)$=36\div3=12$(개)

12 • 은주: $386\div3=128\cdots2$
• 설아: $727\div6=121\cdots1$
• 동훈: $494\div5=98\cdots4$
➡ 나눗셈의 나머지를 비교하면 $4>2>1$이므로 나머지가 가장 큰 나눗셈을 만든 사람은 동훈입니다.

13 (메뚜기의 수)
=(전체 다리 수)÷(메뚜기 한 마리의 다리 수)
$=144\div6=24$(마리)

14 (전체 색종이의 수)÷(한 명에게 주는 색종이의 수)
$=79\div4=19\cdots3$
➡ 19명에게 나누어 줄 수 있고 3장이 남습니다.

15 $90\div3=30$, $30\div2=15$ ➡ ♥$=15$

16 (한 상자에 담은 귤의 수)$=196\div2=98$(개)
➡ (한 명이 가지게 되는 귤의 수)
$=98\div7=14$(개)

17

$$\begin{array}{r} 1● \\ 4\overline{)6□} \\ 4 \\ \hline 2□ \\ 2□ \\ \hline 0 \end{array}$$

➡ 6□가 나누어떨어지려면 4×●=2□가 되어야 합니다.
$4\times5=20$, $4\times6=24$, $4\times7=28$이므로 □ 안에 들어갈 수 있는 수는 0, 4, 8입니다.

18

채점 기준		
	❶ 나머지가 6이 될 수 있는 식 모두 찾기	3점
	❷ 이유 설명하기	2점

19

채점 기준		
	❶ 연필 9타의 연필 수 구하기	2점
	❷ 나누어 줄 수 있는 학생 수 구하기	3점

20

채점 기준		
	❶ 56보다 크고 60보다 작은 수 모두 구하기	1점
	❷ 위 ❶에서 구한 수를 4로 나누었을 때 나머지가 3인 수 구하기	4점

3. 원

53~55쪽

01 ㉠
02 반지름
03 선분 ㄱㄷ
04 선분 ㄱㄷ
05 (○) (   ) (   )
06 6
07 5 mm / 5 mm

08 28 cm
09 ㉡
10 4군데
11 ㉡
12

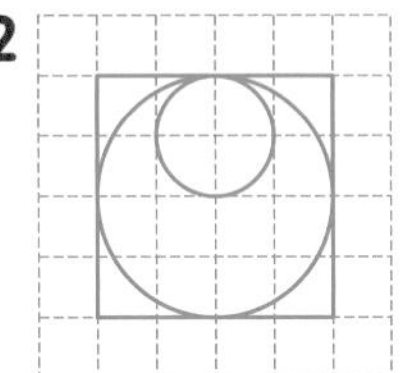

13 ㉡
14 25 cm
15 15 cm
16 12 cm
17 112 cm

18 예 ❶ (작은 원의 반지름)$=26\div2=13$ (cm) ▸3점
❷ (큰 원의 반지름)$=13+9=22$ (cm) ▸2점
/ 22 cm

19 예 ❶ 원의 중심은 오른쪽으로 모눈 2칸, 3칸, 4칸 ……씩 옮겨 가고, 반지름이 모눈 1칸씩 늘어나는 규칙입니다. ▸3점
❷

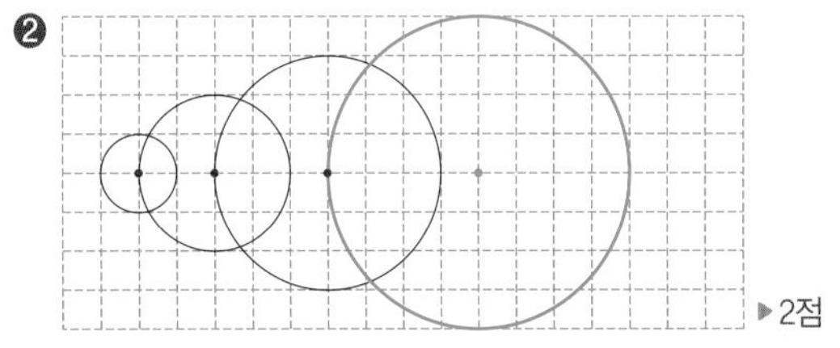

▸2점

20 예 ❶ (선분 ㄱㄴ)$=$(선분 ㄱㄹ)$=6$ cm ▸2점
❷ 선분 ㄷㄹ의 길이를 □cm라 하면
$6+6+□+□=20$, $□+□=8$, $□=4$입니다.
▸3점 / 4 cm

04 원의 지름은 원 위의 두 점을 이은 선분 중 원의 중심을 지나는 선분이므로 선분 ㄱㄷ입니다.

05 반지름이 4 cm이므로 컴퍼스를 4 cm만큼 벌려서 원을 그려야 합니다.

06 (원의 반지름)$=12\div2=6$(cm)

07 반지름이 모눈 4칸인 원을 그립니다.

08 (원의 지름)$=$(원의 반지름)$\times2=14\times2=28$ (cm)

09 ㉠ 원의 중심은 옮겨 갑니다.
㉢ 원의 지름의 길이는 같습니다.

10

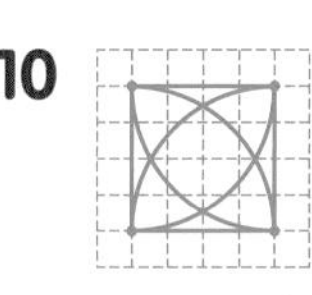

➡ 정사각형의 꼭짓점을 원의 중심으로 하는 원의 일부분을 4개 그려야 하므로 컴퍼스의 침을 꽂아야 할 곳은 모두 4군데입니다.

11 ㉠ 한 원에서 그릴 수 있는 반지름은 셀 수 없이 많습니다.
㉢ 한 원에서 지름은 가장 긴 선분입니다.

12 ① 한 변이 모눈 4칸인 정사각형을 그립니다.
② 반지름이 모눈 2칸인 원을 그리고, 반지름이 모눈 1칸인 원을 그립니다.

13 ㉡ (원의 지름)$=5\times2=10$ (cm)
➡ 원의 지름을 비교하면 10 cm$>$9 cm$>$8 cm이므로 가장 큰 원은 ㉡입니다.

14 선분 ㅇㄱ, 선분 ㅇㄴ은 원의 반지름이므로 7 cm입니다.
➡ $7+7+11=25$ (cm)

15 (큰 원의 반지름)$=18\div2=9$ (cm)
(작은 원의 반지름)$=12\div2=6$ (cm)
➡ (선분 ㄱㄴ)$=9+6=15$ (cm)

16 가장 큰 원의 지름의 길이는 원 안에 있는 두 원의 지름의 길이의 합과 같습니다.
(가장 큰 원의 지름)$=8+8+4+4=24$ (cm)
➡ (가장 큰 원의 반지름)$=24\div2=12$ (cm)

17 (직사각형의 가로)
$=$(원의 반지름의 5배)$=8\times5=40$ (cm)
(직사각형의 세로)$=$(원의 지름)$=8\times2=16$ (cm)
➡ (직사각형의 네 변의 길이의 합)
$=40+16+40+16=112$ (cm)

18

채점 기준		
채점 기준	❶ 작은 원의 반지름 구하기	3점
	❷ 큰 원의 반지름 구하기	2점

19

채점 기준		
채점 기준	❶ 규칙 설명하기	3점
	❷ 원 1개 더 그리기	2점

20

채점 기준		
채점 기준	❶ 선분 ㄱㄴ, 선분 ㄱㄹ의 길이 구하기	2점
	❷ 선분 ㄷㄹ의 길이 구하기	3점

4. 분수 56~58쪽

01 $\frac{3}{8}$ **02** 6 **03** $2\frac{5}{6}$

04 예 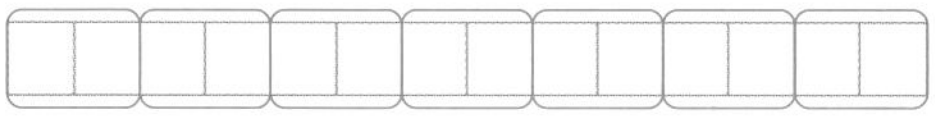 / $\frac{4}{7}$

05 $\frac{12}{5}$ **06** 3개 **07** $2\frac{5}{7}$

08 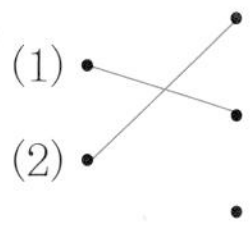 **09** ㉡ **10** >

11 $\frac{5}{6}$ **12** 24장

13 ㉣ **14** 6 **15** ㉠, ㉣

16 48분 **17** 36개

18 예 ❶ 분모가 10인 진분수 중에서 $\frac{3}{10}$보다 큰 수는 $\frac{4}{10}$, $\frac{5}{10}$, $\frac{6}{10}$, $\frac{7}{10}$, $\frac{8}{10}$, $\frac{9}{10}$입니다. ▸4점

❷ 분모가 10인 진분수 중에서 $\frac{3}{10}$보다 큰 수는 모두 6개입니다. ▸1점 / 6개

19 예 ❶ 만화책은 63권의 $\frac{2}{9}$이므로 14권 꽂혀 있고 동화책은 63권의 $\frac{5}{9}$이므로 35권 꽂혀 있습니다. ▸3점

❷ 과학책은 63－14－35＝14(권) 꽂혀 있습니다. ▸2점 / 14권

20 예 ❶ 20은 어떤 수를 6묶음으로 똑같이 나눈 것 중의 5묶음이므로 한 묶음은 20÷5＝4입니다.
따라서 어떤 수는 4씩 6묶음이므로 24입니다. ▸3점

❷ 어떤 수의 $\frac{3}{4}$은 24의 $\frac{3}{4}$이므로 18입니다. ▸2점 / 18

06 $\frac{7}{4}$, $\frac{6}{6}$, $\frac{6}{5}$ ➡ 3개

07 $\frac{19}{7}$에서 $\frac{14}{7}$는 2로 나타내고 나머지 진분수는 $\frac{5}{7}$이므로 $2\frac{5}{7}$입니다.

09 ㉠ 16을 2씩 묶으면 2는 16의 $\frac{1}{8}$입니다.

㉢ 30을 6씩 묶으면 12는 30의 $\frac{2}{5}$입니다.

10 $2\frac{1}{5}$을 가분수로 나타내면 $\frac{11}{5}$입니다.

➡ $\frac{11}{5}>\frac{9}{5}$이므로 $2\frac{1}{5}>\frac{9}{5}$입니다.

11 분모가 6인 진분수: $\frac{1}{6}$, $\frac{2}{6}$, $\frac{3}{6}$, $\frac{4}{6}$, $\frac{5}{6}$

➡ 이 중에서 가장 큰 수는 $\frac{5}{6}$입니다.

12 32의 $\frac{3}{4}$은 32를 4묶음으로 똑같이 나눈 것 중의 3묶음이므로 24입니다.

13 수직선의 작은 눈금 한 칸의 크기는 $\frac{1}{8}$입니다.

㉣ 화살표가 가리키는 곳은 13번째 눈금이므로 $\frac{13}{8}$입니다.

14 • 42를 6씩 묶으면 24는 7묶음 중 4묶음이므로 24는 42의 $\frac{4}{7}$입니다. → ★＝4

• 54를 6씩 묶으면 12는 9묶음 중 2묶음이므로 12는 54의 $\frac{2}{9}$입니다. → ♥＝2

➡ ★＋♥＝4＋2＝6

15 $1\frac{1}{7}=\frac{8}{7}$, ㉠ $2\frac{1}{7}=\frac{15}{7}$, ㉡ $2\frac{3}{7}=\frac{17}{7}$

➡ $\frac{5}{7}<\frac{8}{7}<\frac{12}{7}<\frac{15}{7}<\frac{16}{7}<\frac{17}{7}$이므로 $1\frac{1}{7}$보다 크고 $\frac{16}{7}$보다 작은 분수는 $\frac{12}{7}$, $2\frac{1}{7}$입니다.

16 1시간은 60분이므로 2시간은 120분입니다.
120분의 $\frac{2}{5}$는 120분을 5부분으로 똑같이 나눈 것 중의 2부분이므로 48분입니다.

17 • 인성: 48의 $\frac{1}{8}$은 6 → 먹은 초콜릿은 6개입니다.

• 보라: 48의 $\frac{3}{8}$은 18 → 먹은 초콜릿은 18개입니다.

• 현규: 48의 $\frac{1}{4}$은 12 → 먹은 초콜릿은 12개입니다.

➡ 6＋18＋12＝36(개)

18

채점 기준	❶ 분모가 10인 진분수 중에서 $\frac{3}{10}$보다 큰 수 구하기	4점
	❷ 분수의 개수 구하기	1점

19

채점 기준	❶ 만화책과 동화책의 수 각각 구하기	3점
	❷ 과학책의 수 구하기	2점

20

채점 기준	❶ 어떤 수 구하기	3점
	❷ 어떤 수의 $\frac{3}{4}$은 얼마인지 구하기	2점

5. 들이와 무게 59~61쪽

01 보온병　02 3, 1, 2　03 3, 500
04 4, 900　05 g　06 ㉢
07 12 L 200 mL　08 4, 700
09 윤정　10 ㉡　11 사과, 2개
12 1 L 600 mL　13 5 kg 500 g
14 머그잔　15 (위에서부터) 500, 3
16 4 kg 600 g　17 900 mL
18 ❶ ㉢ ▸2점
❷ 예 빵의 무게는 약 270 g입니다. ▸3점
19 예 ❶ 대야: 750 mL−700 mL=50 mL
양동이: 1 L 600 mL−1 L 500 mL=100 mL
▸3점
❷ 50 mL<100 mL이므로 더 적절히 어림한 물건은 대야입니다. ▸2점 / 대야
20 예 ❶ (이모의 몸무게)=53 kg 400 g−5 kg
=48 kg 400 g ▸2점
❷ (어머니와 이모의 몸무게의 합)
=53 kg 400 g+48 kg 400 g
=101 kg 800 g ▸3점 / 101 kg 800 g

01 보온병의 물을 옮겨 담은 물의 높이가 더 낮습니다.
➡ 들이가 더 적은 것은 보온병입니다.

02 무게를 비교하여 무거운 순서대로 쓰면 자동차, 의자, 공입니다.

03 그릇의 눈금을 읽으면 3 L 500 mL입니다.

04 1000 mL=1 L ➡ 4900 mL=4 L 900 mL

05 연필의 무게는 1 kg보다 가벼우므로 6 g이 알맞습니다.

06 ㉢ 1 kg=1000 g ➡ 8 kg 300 g=8300 g

07
```
    1
  6 L  500 mL
+ 5 L  700 mL
-------------
 12 L  200 mL
```

08
```
  8     1000
  9̸ kg  300 g
− 4 kg  600 g
-------------
  4 kg  700 g
```

09 1090 mL=1 L 90 mL
➡ 1 L 350 mL>1 L 90 mL이므로 윤정이가 물을 더 많이 마셨습니다.

10 ㉠ 7 kg 9 g=7009 g
➡ 7100 g>7070 g>7009 g이므로 무게가 가장 무거운 것은 ㉡입니다.

11 추의 수를 비교하면 5>3입니다.
➡ 사과가 배보다 추 5−3=2(개)만큼 더 가볍습니다.

12 (항아리에 남은 오미자차의 양)
=2 L 300 mL−700 mL=1 L 600 mL

13 1800 g=1 kg 800 g
➡ (밀가루와 버터의 양의 합)
=3 kg 700 g+1 kg 800 g=5 kg 500 g

14 부은 횟수가 적을수록 컵의 들이가 많습니다.
➡ 5<6<8이므로 들이가 가장 많은 컵은 머그잔입니다.

15
```
   9 L  ㉠ mL
− ㉡ L  700 mL
--------------
   5 L  800 mL
```
• 1000+㉠−700=800 → ㉠=500
• 9−1−㉡=5 → ㉡=3

16 5800 g=5 kg 800 g
(넣은 옷과 음식의 무게)
=4 kg 600 g+5 kg 800 g=10 kg 400 g
➡ (더 넣을 수 있는 물건의 무게)
=15 kg−10 kg 400 g=4 kg 600 g

17 1 L=1000 mL이므로 1 L의 반은 500 mL입니다.
(수조에 부은 물의 양)=500×5=2500 (mL)
2500 mL=2 L 500 mL
➡ (남은 물의 양)=2 L 500 mL−1 L 600 mL
=900 mL

18

채점 기준		
	❶ 단위가 틀린 문장 찾기	2점
	❷ 틀린 문장을 옳게 고치기	3점

19

채점 기준		
	❶ 어림한 들이와 직접 잰 들이의 차 구하기	3점
	❷ 더 적절히 어림한 물건 찾기	2점

20

채점 기준		
	❶ 이모의 몸무게 구하기	2점
	❷ 어머니와 이모의 몸무게의 합 구하기	3점

6. 자료의 정리 62~64쪽

01 24　02 초록　03 9, 6, 4, 6, 25
04 고양이, 햄스터　05 14권
06 은석　07 25권　08 7명
09 혈액형별 학생 수

혈액형	학생 수
A형	☺(큰 것 1개)
B형	☺(큰 것 1개), ☺(작은 것 2개)
AB형	☺(작은 것 7개)
O형	☺(작은 것 6개)

10 B형, A형, AB형, O형　11 표
12 4, 5, 1, 3, 13 / 2, 2, 5, 5, 14
13 190 kg　14 900 kg　15 42명
16 방과후수업별 학생 수

수업	학생 수
컴퓨터	큰 그림 4개, 작은 그림 2개
성장요가	큰 그림 1개, 작은 그림 8개
플룻	큰 그림 2개, 작은 그림 4개
창의미술	큰 그림 3개

17 410가구
18 예 ❶ 보드게임 ▸2점
❷ 좋아하는 학생 수가 가장 많은 놀이인 보드게임을 하면 좋을 것 같습니다. ▸3점
19 예 가장 많이 팔린 아이스크림은 바닐라 아이스크림입니다 ▸5점
20 예 ❶ 초콜릿 아이스크림의 판매량은 딸기 아이스크림의 판매량보다 $46-37=9$(개) 더 많습니다. ▸2점
❷ 판매액은 $800\times9=7200$(원) 더 많습니다. ▸3점
/ 7200원

01 (합계)$=5+7+8+4=24$(명)

02 학생 수를 비교하면 $8>7>5>4$이므로 가장 많은 학생들이 좋아하는 색깔은 초록입니다.

04 고양이를 좋아하는 학생 수와 햄스터를 좋아하는 학생 수가 6명으로 같습니다.

05 10권을 나타내는 그림이 1개, 1권을 나타내는 그림이 4개이므로 혜영이가 한 달 동안 읽은 책은 14권입니다.

07 강민: 12권, 아람: 13권 ➡ $12+13=25$(권)

08 $35-10-12-6=7$(명)

09 10명은 ☺(큰 그림)로, 1명은 ☺(작은 그림)로 나타내어 혈액형별 학생 수에 맞게 그립니다.

10 ☺(큰 그림)의 수를 비교한 다음 ☺(큰 그림)의 수가 같으면 ☺(작은 그림)의 수를 비교하여 혈액형별 학생 수를 비교해 봅니다.
➡ B형, A형, AB형, O형의 순서대로 학생 수가 많습니다.

11 표에서 합계를 보면 성준이네 반 전체 학생 수를 쉽게 알 수 있습니다.

13 행복 마을: 420 kg, 보람 마을: 250 kg, 가을 마을: 230 kg
➡ 배추 생산량이 가장 많은 마을은 행복 마을이고 가장 적은 마을은 가을 마을이므로 배추 생산량의 차는 $420-230=190$ (kg)입니다.

14 $420+250+230=900$ (kg)

15 (성장요가를 신청한 학생 수)$=30-12=18$(명)
➡ (컴퓨터를 신청한 학생 수)
$=114-18-24-30=42$(명)

16 • 컴퓨터: 42명이므로 큰 그림 4개, 작은 그림 2개를 그립니다.
• 성장요가: 18명이므로 큰 그림 1개, 작은 그림 8개를 그립니다.

17 가 마을: 370가구, 다 마을: 170가구, 라 마을: 220가구
(남쪽에 사는 가구 수)$=170+220=390$(가구)
(북쪽에 사는 가구 수)$=390\times2=780$(가구)
➡ (나 마을에 사는 가구 수)
$=780-370=410$(가구)

18

채점 기준		
	❶ 알맞은 놀이 고르기	2점
	❷ 이유 쓰기	3점

19

채점 기준		
	그림그래프를 보고 알 수 있는 내용 쓰기	5점

20

채점 기준		
	❶ 초콜릿 아이스크림의 판매량은 딸기 아이스크림의 판매량보다 얼마나 더 많은지 구하기	2점
	❷ 초콜릿 아이스크림의 판매액은 딸기 아이스크림의 판매액보다 얼마나 더 많은지 구하기	3점